Tutorien zur Physik

Lillian C. McDermott
Peter S. Shaffer

Tutorien zur Physik

In Zusammenarbeit mit der
Physics Education Group
University of Washington

Für die deutsche Ausgabe bearbeitet von:

Christian H. Kautz
Daniel Gloss
Oliver Liebenberg

PEARSON
Studium

ein Imprint von Pearson Education
München · Boston · San Francisco · Harlow, England
Don Mills, Ontario · Sydney · Mexico City
Madrid · Amsterdam

Bibliografische Information der Deutschen Nationalbibliothek

Die Deutsche Nationalbibliothek verzeichnet diese Publikation in der Deutschen Nationalbibliografie; detaillierte bibliografische Daten sind im Internet über *http://dnb.d-nb.de* abrufbar.

Umwelthinweis:
Dieses Buch wurde auf chlorfrei gebleichtem Papier gedruckt.
Die Einschrumpffolie – zum Schutz vor Verschmutzung – ist aus umweltverträglichem und recyclingfähigem PE-Material.

10 9 8 7 6 5 4 3 2 1
11 10 09

ISBN 978-3-8273-7322-9

www.pearson-studium.de
Lektorat: Birger Peil, bpeil@pearson.de
Fachlektorat: Jun. Professor Christian H. Kautz, Ph.D.
Übersetzung: Christian H. Kautz, Ph.D., Daniel Gloss, Oliver Liebenberg
Korrektorat: Brigitta Keul
Einbandgestaltung: Thomas Arlt, tarlt@adesso21.net
Herstellung: Philipp Burkart, pburkart@pearson.de
Satz: Kösel, Krugzell
Druck und Verarbeitung: Bercker Graphischer Betrieb, Kevelaer

Printed in Germany

Inhaltsverzeichnis

Vorwort

Die *Tutorien zur Physik* sind als ergänzende Lehrmaterialien zur Einführungsvorlesung Physik für Haupt- und Nebenfachstudierende gedacht. Die Materialien betonen in erster Linie das Verständnis der grundlegenden physikalischen Begriffe sowie die Fähigkeit zum wissenschaftlichen Denken, nicht so sehr das Lösen von quantitativen Übungsaufgaben, wie sie in herkömmlichen Lehrbüchern zu finden sind.

Die Ergebnisse vieler systematischer Untersuchungen zeigen, dass viele Studierende auch am Ende einer typischen Einführungsvorlesung Physik nicht in der Lage sind, den gelernten physikalischen Formalismus auf Situationen anzuwenden, die ihnen nicht bereits bekannt sind. Damit sinnvolles Lernen stattfinden kann, benötigen Studierende mehr Unterstützung, als ihnen durch die Teilnahme an Vorlesungen, das Lesen von Skripten oder Lehrbüchern und das Bearbeiten quantitativer Übungsaufgaben zuteil wird. Zuweilen ist es für Studierende, die noch wenig Kontakt mit der Physik hatten, zudem schwierig zu erkennen, was sie bereits verstanden bzw. noch nicht verstanden haben, und zu lernen, sich selbst die entscheidenden Fragen zu stellen, die notwendig sind, um ein solides und anwendbares Verständnis des Stoffes zu erreichen. Die *Tutorien zur Physik* bieten eine Struktur, welche die aktive geistige Beschäftigung der Studierenden im Lernprozess unterstützt. Die Fragen in den Tutorien führen die Studierenden durch die gedanklichen Schritte, die notwendig sind, um die Begriffe zu verstehen und in Situationen der wirklichen Welt anzuwenden. Die Tutorien bieten zudem Übung in der Interpretation von verschiedenen Darstellungen quantitativer Informationen (z. B. durch verbale Beschreibung, Abbildungen, Graphen und Formeln) und im Übersetzen zwischen diesen. In den meisten Fällen sind die Tutorien darauf angelegt, *nach* der Einführung der Begriffe in Vorlesung oder Praktikum eingesetzt zu werden, auch wenn viele von ihnen auch als Einführung in ein Thema dienen können.

Die Tutorien bilden ein integriertes System von Vortests, Arbeitsblättern, Übungsaufgaben und Nachtests (Klausuraufgaben). Jede Tutorial-Sequenz beginnt mit einem Vortest zu Themen, die in der Regel bereits durch Vorlesung oder Lektüre im Lehrbuch vorbereitet, aber in den Tutorials noch nicht behandelt worden sind. Die Vortests helfen den Studierenden, herauszufinden, welche Aspekte des Lehrstoffs sie verstanden haben (und welche nicht) und was sie im kommenden Tutorial lernen sollen. Sie sollen zudem die an der Lehre Beteiligten (Dozenten/Dozentinnen, Mitarbeiter/Mitarbeiterinnen und Tutoren/Tutorinnen) über den Stand des Verständnisses bei den Studierenden informieren. Die Arbeitsblätter, die aus sehr bewusst strukturierten Aufgaben und Fragen aufgebaut sind, bestimmen den Ablauf der Tutorial-Workshops. Die Studierenden bilden nach Möglichkeit Gruppen von drei oder vier Personen und erarbeiten in diesen die Antworten in Diskussionen miteinander und mit den Dozenten oder Tutoren. Die Tutoren sollen nicht im Stil einer Vorlesung Stoff vermitteln sondern Fragen stellen, die den Studierenden dabei helfen, selbst die Antworten zu finden. Die Tutorial-Übungsaufgaben sollen den in den Arbeitsblättern behandelten Stoff festigen und erweitern. Damit die Tutorials ihre beste Wirkung zeigen können, ist es wichtig, dass die Tutoren gut vorbereitet sind und die zugehörigen Klausuren Fragen beinhalten, welche sowohl die physikalischen Begriffe als auch die wissenschaftliche Argumentation betonen, wie diese in den Tutorien entwickelt und angewendet wurden.

Die Tutorien sind in erster Linie für den Einsatz in Gruppenübungen entwickelt worden, haben sich aber auch in andersartigen Veranstaltungen als einsetzbar erwiesen. Die Materialien haben ihre Wirkung in den Übungen zu Vorlesungen mit verschiedenen Schwierigkeitsgraden und unterschiedlichen mathematischen Voraussetzungen (d. h. sowohl mit als auch ohne Verwendung von Differential- bzw. Integralrechnung) unter Beweis gestellt.

Die Tutorien wurden in einem iterativen Prozess entwickelt, der Lehr/Lernforschung auf dem Gebiet der Physik, den Entwurf von Materialien auf der Grundlage von Forschungsergebnissen und die Evaluation durch anspruchsvolle Vor- und Nachtests im Lehreinsatz umfasst. Die *Tutorien zur Physik* wurden an der *University of Washington* entwickelt und dort sowie an einer Reihe weiterer Hochschulen getestet.

Erläuterungen zur ersten Auflage

Weitere Forschungsergebnisse haben Modifikationen an den Tutorien und Übungsaufgaben der 1998 veröffentlichten *Preliminary Edition* der *Tutorials in Introductory Physics* nahe gelegt. Die vorliegende erste Auflage der Tutorien enthält diese Änderungen sowie einige neu konzipierte Arbeitsblätter und Übungen zu bereits in der *Preliminary Edition* enthaltenen Themen. Zusätzlich enthält die erste Auflage einen neuen Abschnitt mit Tutorien zu den Themen Hydrostatik, Thermodynamik und Quantenphysik.

Danksagungen

Tutorien zur Physik sind das Produkt einer engen Zusammenarbeit vieler Mitglieder der *Physics Education Group* an der *University of Washington*. Insbesondere haben Paula Heron und Stamatis Vokos als Mitglieder der Professorenschaft bei der Entwicklung vieler Tutorien eine entscheidende Rolle gespielt. Wesentliche Beiträge zur ersten Auflage stammen von derzeitigen und früheren Doktorand(inn)en und Postdoktorand(inn)en: Bradley Ambrose, Andrew Boudreaux, Matt Cochran, Gregory Francis, Stephen Kanim, Christian Kautz, Michael Loverude, Luanna G. Ortiz, Mel Sabella, Rachel Scherr, Mark Somers, John Thompson und Karen Wosilait. Andere, deren Mitarbeit an der vorläufigen Ausgabe auch für die erste Auflage sehr wertvoll war, schließen ein: Chris Border, Patricia Chastain, Randal Harrington, Pamela Kraus, Graham Oberem, Daryl Pedigo, Tara O'Brien Pride, Christopher Richardson und Richard Steinberg. Lezlie S. DeWater und Donna Messina, beide erfahrenene Lehrerinnen, haben viele hilfreiche Einsichten und Vorschläge beigetragen. Für die Unterstützung durch Joan Valles bei der Koordination der Arbeit der Physics Education Group sind wir ebenfalls sehr dankbar.

Die Zusammenarbeit mit anderen Kollegen im Physics Department an der *University of Washington* war ebenfalls sehr wertvoll. Sowohl Dozenten in den Einführungsvorlesungen der Physik als auch Studierende und Doktoranden, die als Tutoren gearbeitet haben, haben mit vielen wertvollen Anmerkungen zur Entwicklung des Tutorials beigetragen. Weitere Beiträge stammen von Langzeit- und Kurzzeitbesuchern in unserer Arbeitsgruppe. Zu den Physikdozent(inn)en, welche die Tutorien über längere Zeit getestet und wertvolles Feedback gegeben haben, gehören: John Christopher (University of Kentucky), Romana Crnkovic (Minot State University), William Duxler (Los Angeles Pierce College), Robert Endorf (University of Cincinnati), Gregory Francis (Montana State University), James Freericks and Amy Liu (Georgetown University),

Gary Gladding (University of Illinois, Urbana-Champaign), Gregory Kilcup (The Ohio State University), Heidi Mauk (The United States Air Force Academy), Eric Mazur (Harvard University), James Poth (Miami University) und E. F. Redish (University of Maryland).

Wir danken außerdem unserer Lektorin, Alison Reeves, für Rat und Unterstützung. Wir möchten zudem die Unterstützung der National Science Foundation erwähnen, welche die Physics Education Group in die Lage versetzt hat, unser umfassendes und fortwährendes Programm aus Forschung, Entwicklung und Lehre durchzuführen, aus dem die *Tutorien zur Physik* hervorgegangen sind. Die Tutorien haben außerdem von der gleichzeitigen Entwicklung von *Physics by Inquiry* (©1996 John Wiley & Sons, Inc.), eines primär für die Lehrerbildung konzipierten Unterrichtswerks, profitiert. Die *Tutorien zur Physik* und *Physics by Inquiry* basieren auf den gleichen wissenschaftlichen Untersuchungen. Einzelne Teile beider Werke wurden in veränderter Form in das jeweils andere Werk übernommen.

Vorwort zur deutschen Ausgabe

Die *Tutorials in Introductory Physics* waren bei ihrer ersten Veröffentlichung als *Preliminary Edition* im Jahr 1998 einzigartig unter den Lehrbüchern und Lehrmaterialien zur Physik. Durch ihre kontinuierliche Evaluation und Weiterentwicklung setzen sie auch heute, zehn Jahre später, Maßstäbe für die Lehre der Physik an amerikanischen Colleges und Universitäten. Im deutschen Sprachraum waren derartige Materialien für die Lehre an Hochschulen bisher völlig unbekannt. Dies gab für uns den Anstoß, die *Tutorials* zu übersetzen, um sie damit den Studierenden der Physik im Haupt- und Nebenfach an deutschsprachigen Hochschulen leichter zugänglich zu machen und für den Einsatz in Lehrveranstaltungen bereitzustellen.

Zu den wesentlichen Merkmalen dieser Materialien gehört, dass sie nicht nur auf der langjährigen Lehrerfahrung der Autoren basieren, sondern vor allem auf den Ergebnissen eines sich über fast drei Jahrzehnte erstreckenden Forschungsprogrammes zum Verständnis physikalischer Begriffe bei Studierenden. In diesen Untersuchungen haben die Mitarbeiter der *Physics Education Group* an der *University of Washington* zahlreiche weit verbreitete und tief sitzende Verständnisschwierigkeiten bei verschiedenen Themen der Physik nachgewiesen, bei deren Überwindung die vorliegenden Arbeitsblätter den Studierenden helfen sollen. Dies geschieht häufig dadurch, dass (1.) solche „Fehlvorstellungen" durch gezielt gestellte Fragen explizit gemacht werden, ihnen dann (2.) Beobachtungen oder Schlussfolgerungen gegenübergestellt werden, die sie logisch widerlegen, und (3.) der dadurch erzeugte Widerspruch durch systematisches Erarbeiten der physikalisch richtigen Konzepte aufgelöst wird. Diese Strategie wird von den Autoren mit den Begriffen *„Elicit, Confront, Resolve"* charakterisiert. Den Erfolg dieser Methode haben sie anhand vieler Einzelthemen der Physik durch die regelmäßige Untersuchung von Klausurergebnissen nachgewiesen. Wir verweisen in diesem Zusammenhang auch auf die Darstellung der Forschungsergebnisse und der Entwicklung der Tutorials in zahlreichen Veröffentlichungen der Autoren, vor allem im *American Journal of Physics*.

Zur Handhabung des Buches

Für Dozenten:
Die *Tutorien zur Physik* sind als ergänzende Lehrmaterialien zur Einführungsvorlesung Physik für Haupt- und Nebenfachstudierende entwickelt worden. Die Materialien betonen in erster Linie das Verständnis der grundlegenden physikalischen Begriffe sowie die Fähigkeit zum wissenschaftlichen Denken, nicht so sehr das Lösen von quantitativen Übungsaufgaben, wie sie in herkömmlichen Lehrbüchern zu finden sind. Sie sind deshalb am besten geeignet für den Einsatz in Übungsgruppen von etwa 20 bis 25 Teilnehmern, was eine Aufteilung in etwa fünf bis sechs Vierergruppen ermöglicht. Bei größeren Übungsgruppen bietet sich der Einsatz mehrerer Tutoren an, um den Betreuungsaufwand zu reduzieren.

Ausschließlich für Dozentinnen und Dozenten, die das Werk in der Lehre einsetzen, stehen auf der Companion Website neben Druckvorlagen für Vortests und diverse Zusatzblätter (mit Diagrammen, Photos etc.) auch Kommentare zu den Tutorials, eine Liste der (in einigen Tutorials benötigten) Experimentiermaterialien sowie Vorschläge für Klausuraufgaben zur Verfügung. Der Einsatz der Vortests als wöchentliche *Online-*

Komponente zur Vorlesung hat sich an einer Reihe von Universitäten als erfolgreiche Maßnahme erwiesen. Darüber hinaus kann der Einsatz von Klausuraufgaben, die sich in Form und Inhalt näher an den Tutorials orientieren, den Erfolg dieser Lernmethode wesentlich unterstützen

Für Studierende:
Die Form der hier vorliegenden Materialien mag, zumal an der Hochschule, zunächst ungewohnt erscheinen. Sie soll es den Studierenden jedoch ermöglichen, sich auf eine Weise mit dem Lernstoff auseinanderzusetzen, der wesentlich dauerhafteres Lernen ermöglicht als die teilweise eher passive Teilnahme an Vorlesungen und herkömmlichen Übungen. Voraussetzung dafür ist allerdings, dass die Studierenden die Materialien nicht nur lesen, sondern sie Schritt für Schritt durcharbeiten und ihre Antworten in einer Arbeitsgruppe gemeinsam diskutieren. Das gemeinsame Erarbeiten ist wesentlicher Teil des Konzeptes und sollte, wenn nicht in einer „realen" Lerngruppe gegeben, ggf. in einer virtuellen Umgebung (z. B. in Online-Lernforen) ermöglicht werden. Die in diesem Zusammenhang auftretenden Wendungen wie „Begründen Sie" oder „Diskutieren Sie Ihre Antworten mit einem Tutor" sollen in der Tat beachtet werden. Zudem wird aus dem hier Gesagten deutlich, dass das Fehlen von Musterlösungen didaktisch motiviert ist und als Chance verstanden werden soll. Die Betonung einer *einzigen* richtigen Antwort würde den meisten in den *Tutorials* gestellten Fragen ohnehin nicht gerecht werden und dem hier vertretenen Lernansatz deutlich widersprechen.

Die in diesen Materialien verkörperte Lernmethode soll in erster Linie natürlich ein verbessertes Verständnis der Physik zur Folge haben. Ein weiteres Ziel ist jedoch die Stärkung des wissenschaftlichen Denkens sowie die Befähigung zum Lernen naturwissenschaftlich-technischer Sachverhalte überhaupt. Durch das Bearbeiten der sehr bewusst strukturierten Aufgaben soll die Fähigkeit gefördert werden, sich neue Inhalte durch geeignete Fragen in ähnlicher Weise selbstständig zu erschließen.

Zur Übersetzung

Die vorliegende Ausgabe entspricht dem neuesten Stand des kontinuierlich überarbeiteten Originals. Bei der Übersetzung kam es uns darauf an, die Materialien, soweit nötig, dem deutschen Sprachgebrauch anzupassen. An einigen wenigen Stellen haben wir jedoch bewusst auch hierzulande weniger gebräuchliche Formulierungen und Symbole aus dem Original übernommen, wo diese für die Intention und die Kohärenz der Materialien von besonderer Bedeutung sind. Auch haben wir darauf Wert gelegt, dass die verwendeten Begriffe nach Möglichkeit mit denen in weiterführenden Lehrveranstaltungen (in der Physik oder in den Ingenieurwissenschaften) übereinstimmen.

Danksagungen

Eine anfängliche Übersetzung eines Teils der *Tutorials* wurde in den Jahren 2003 bis 2006 im Rahmen des Programms *Leistungsanreizsysteme in der Lehre* (LARS) vom Ministerium für Wissenschaft, Forschung und Kunst Baden-Württemberg unterstützt. Auch wenn die damals entstandenen Übersetzungen inzwischen zum Teil mehrfach überarbeitet wurden, gab diese Förderung den entscheidenden Anstoß für die Übersetzung und den ersten Einsatz an Hochschulen in Deutschland. Wir sind daher für diese Unterstützung sehr dankbar.

Zudem möchten wir verschiedenen Dozenten der Technischen Universität Hamburg-Harburg, der Universität Hamburg sowie der Hochschule Esslingen und der Pädagogischen Hochschule Ludwigsburg für ihre Beiträge zur Erprobung der deutschen Übersetzung danken, insbesondere Herrn Prof. Dr. W. Bauhofer, Herrn Prof. Dr. R. Johnson, Herrn Prof. Dr. G. Kurz und Herrn Prof. Dr. R. Girwidz.

Unser ganz besonderer Dank gilt den Autoren für das Vertrauen, das sie in uns gesetzt haben, für ihre Unterstützung in Form intensiver Gespräche über die Funktion einzelner Aufgaben in den Tutorials und für technische Hilfestellungen bei der Übersetzung der Grafiken.

Schließlich danken wir dem Verlag *Pearson Studium*, insbesondere Herrn Birger Peil, für die kontinuierliche Betreuung und Geduld,

Die Übersetzer:

Christian H. Kautz, *Ph.D.*

Dipl.-Ing. Daniel Gloss

Oliver Liebenberg (StR)

TEIL I

Mechanik

ÜBERBLICK

1 Bewegung mit konstanter Geschwindigkeit

Jede(r) Teilnehmer(in) Ihrer Arbeitsgruppe benötigt ein Lineal und mindestens einen Bewegungsmessstreifen. Alle Streifen wurden mit dem gleichen Zeitsignalgeber hergestellt. (Die Papierstreifen bitte nicht beschriften oder falten.) Falls ein Zeitsignalgeber verfügbar ist, machen Sie sich mit seiner Funktionsweise vertraut.

1.1 Beschreiben Sie die auf Ihrem Streifen aufgezeichnete Bewegung. Begründen Sie Ihre Antwort.

1.2 Vergleichen Sie Ihren Streifen mit den Streifen der anderen Mitglieder Ihrer Arbeitsgruppe. Wählen Sie zwei Streifen unterschiedlicher Länge aus. Sind auf den beiden Streifen Bewegungsabschnitte gleicher oder unterschiedlicher zeitlicher Dauer aufgezeichnet? Begründen Sie Ihre Antwort.

Beschreiben Sie, wie Sie Ihr Ergebnis ausnutzen können, um die Streifen nach der aufgezeichneten Geschwindigkeit zu sortieren.

1.3 Nehmen Sie an, der verwendete Signalgeber setzt fünfzigmal in der Sekunde einen Markierungspunkt auf den Papierstreifen. Wie weit hat sich der Gegenstand, dessen Bewegung auf Ihrem Streifen dargestellt ist, in 1/50 Sekunde bewegt? Wie weit in 2/50 Sekunden? In 3/50 Sekunden? Begründen Sie Ihre Antwort.

Wie weit würde sich der Gegenstand nach Ihrer Erwartung in einer Sekunde bewegen? Wie weit in 1/100 Sekunde? Welche Annahmen mussten Sie machen, um diese Aussage treffen zu können?

1.4 Beschreiben Sie allgemein, wie die Geschwindigkeit eines Gegenstandes mithilfe von Orts- und Zeitmessungen bestimmt werden kann.

1.5 Bestimmen Sie die Geschwindigkeit des Gegenstandes, dessen Bewegung auf Ihrem Streifen aufgezeichnet ist. Notieren Sie Ihr Ergebnis hier und auf einem Klebezettel, den Sie an den Streifen anheften. (Verwenden Sie die Einheiten Zentimeter und Sekunde.)

Interpretieren Sie Ihr Ergebnis, d. h. erklären Sie die Bedeutung des Wertes, den Sie gerade errechnet haben. Verwenden Sie dabei in Ihrer Antwort *nicht* den Begriff „Geschwindigkeit“. (*Hinweis*: Welche der Entfernungen, die Sie in Abschnitt 1.3 berechnet haben, hat den gleichen Zahlenwert wie die Geschwindigkeit?)

1.6 Eine Bewegung, die auf einem Bewegungsmessstreifen eine Reihe von Markierungen im gleichen Abstand erzeugt, wird als *gleichförmige Bewegung* oder *Bewegung mit konstanter Geschwindigkeit* bezeichnet. Welche impliziten Annahmen (über die Bewegung und ihre Messung) werden dabei gemacht, wenn diese Bezeichnung verwendet wird?

Diskutieren Sie in Ihrer Arbeitsgruppe, ob sich der Gegenstand, dessen Bewegung auf Ihrem Streifen aufgezeichnet ist, mit konstanter Geschwindigkeit bewegt hat.

1.7 Ein Modellbahnzug lege bei konstanter Geschwindigkeit in jeweils 1,5 s eine Strecke von 60 cm zurück. Beantworten Sie die nachfolgenden Fragen und diskutieren Sie Ihre Überlegungen in der Gruppe.

a. Gibt es für die Größe, die hier den Zahlenwert 40 (also 60/1,5) hat, eine gebräuchliche Bezeichnung? Wenn ja, wie lautet diese?

Was muss zusätzlich zum Zahlenwert 40 noch angegeben werden, um diese Größe vollständig zu beschreiben?

Formulieren Sie die Bedeutung des Zahlenwertes 40 in diesem Zusammenhang in einem Satz. (Beachten Sie, dass nicht nach einem Namen für diese Größe gefragt ist. Sie sollten in Ihrer Antwort die Begriffe „Zentimeter“ und „Sekunde“ verwenden.)

Verwenden Sie Ihre Antwort (ohne Verwendung von Formeln), um die Entfernung zu bestimmen, welche der Zug in 2,5 s zurücklegt.

b. Gibt es für die Größe, die hier den Zahlenwert 0,025 (also 1,5/60) hat, eine gebräuchliche Bezeichnung? Wenn ja, wie lautet diese?

Formulieren Sie die Bedeutung des Zahlenwertes 0,025 in diesem Zusammenhang in einem Satz.

Verwenden Sie Ihre Antwort, um die Zeit zu bestimmen, die der Zug benötigt, um eine Strecke von 90 cm zurückzulegen.

2 Bewegung mit veränderlicher Geschwindigkeit

2.1 Skizzieren Sie, wie die Markierungen auf einem Streifen aussehen könnten, der eine Bewegung mit *veränderlicher* Geschwindigkeit darstellt, und beschreiben Sie die Bewegung.

Welcher Aspekt Ihrer Skizze deutet auf eine Bewegung mit veränderlicher Geschwindigkeit hin?

2.2 Nehmen Sie Ihre Papierstreifen und stellen Sie sich gemeinsam mit den Mitgliedern der anderen Arbeitsgruppen in einer Reihe so auf, dass die Ihren Streifen entsprechenden Geschwindigkeiten vom einen Ende zum anderen zunehmen. Die folgenden Fragen und Aufgaben sollen von allen Arbeitsgruppen gemeinsam bearbeitet werden.

Vergleichen Sie Ihren Streifen mit den Streifen Ihrer Nachbarn. Was stellen Sie fest?

Vergleichen Sie die größte und die kleinste auftretende Geschwindigkeit. Lassen sich die Unterschiede auf Messungenauigkeiten zurückführen?

2.3 Beantworten Sie die folgenden Fragen aufgrund der Betrachtung Ihres eigenen Streifens und der Streifen anderer Teilnehmer. Handelt es sich bei den einzelnen Streifen um Abschnitte einer Bewegung mit konstanter Geschwindigkeit oder mit veränderlicher Geschwindigkeit?

Konnten Sie durch Betrachten eines einzelnen Streifens endgültig entscheiden, ob es sich bei der gesamten Bewegung um eine solche mit konstanter oder veränderlicher Geschwindigkeit handelt?

2.4 Betrachten Sie noch einmal Ihre Interpretation der Geschwindigkeit, die Sie für Ihren Streifen formuliert haben. (Siehe Teil 1.5.) Gilt diese Interpretation streng genommen für die gesamte Bewegung, die auf den aneinander gereihten Streifen aufgezeichnet ist?

Können Sie aufgrund der für Ihren Streifen berechneten Geschwindigkeit richtig vorhersagen, welche Entfernung der Gegenstand in 1/50 Sekunde, in 2/50 Sekunden bzw. in einer Sekunde zurücklegt?

Wie müssen Sie Ihre Interpretation der Geschwindigkeit ändern, so dass sie auch auf eine Bewegung mit veränderlicher Geschwindigkeit anwendbar ist?

Wie nennt man eine in dieser Weise interpretierte Geschwindigkeit?

2.5 Nehmen Sie an, Sie hätten zwei weit voneinander entfernte Punkte auf den (wie in Teil 2.2) aneinander gereihten Streifen gewählt. Wie würden Sie die Größe bezeichnen, die Sie erhalten, wenn Sie die gesamte Wegstrecke zwischen diesen beiden Punkten durch die Zeit teilen, die für diese Strecke benötigt wurde?

Formulieren Sie die Bedeutung dieses Wertes.

In diesem Tutorial haben Sie die Gelegenheit, mithilfe eines Ultraschallsensors Ihre eigene Bewegung grafisch darzustellen und zu untersuchen, wie Bewegungen mithilfe der Größen *Ort, Geschwindigkeit* und *Beschleunigung* beschrieben werden können. Lassen Sie sich von Ihrem Tutor die Bedienung der Geräte erklären.

Allgemeine Hinweise zur Benutzung des Ultraschallsensors:

- Bewegen Sie sich entlang der Detektorrichtung und vermeiden Sie es, Ihre Arme zu bewegen. Die besten Ergebnisse erzielen Sie, wenn Sie dicke Pullover oder andere sehr weite Kleidung ablegen. Mit einem großen Brett, das Sie vor sich halten, bieten Sie dem Detektor eine größere Reflexionsfläche.
- Beachten Sie die Detektorreichweite und den Mindestabstand (abhängig vom Modell).
- Es erweist sich häufig als schwierig, mit dem Detektor genaue Beschleunigungsmessungen zu erreichen. Besprechen Sie Fragen zum Beschleunigungs-Zeit-Diagramm mit Ihrem Tutor.

Hinweise zum vorliegenden Tutorial:

In den nachfolgenden Aufgaben ist jeweils eine der folgenden Beschreibungsarten einer Bewegung gegeben:

- eine verbale Beschreibung oder
- ein Ort-Zeit-Diagramm (x gegen t), ein Geschwindigkeit-Zeit-Diagramm (v gegen t) oder ein Beschleunigungs-Zeit-Diagramm (a gegen t).

Ergänzen Sie jeweils *zunächst* die drei fehlenden Beschreibungen. Verwenden Sie anschließend den Ultraschallsensor, um Ihre Antworten *für die jeweilige* Aufgabe zu überprüfen. Beantworten Sie außerdem die Fragen am Ende jeder Seite.

Hinweis: Um die wesentlichen Merkmale jeder Kurve herauszustellen, sollten Sie sie in idealisierter Form (also geglättet) zeichnen, anstatt viele kleine Zickzackformen einzuzeichnen.

Beispiel: Die folgende Aufgabe wurde als Beispiel gelöst. Verwenden Sie den Ultraschallsensor, um die Antworten zu überprüfen.

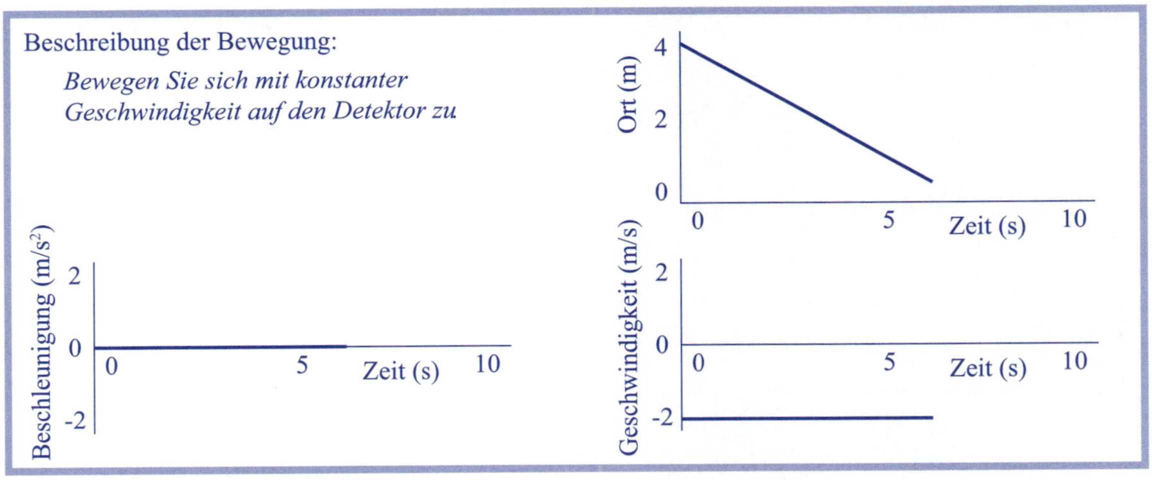

1.1 Die Software des Sensors verwendet ein bestimmtes Koordinatensystem. Geben Sie dieses Koordinatensystem an.

1.2

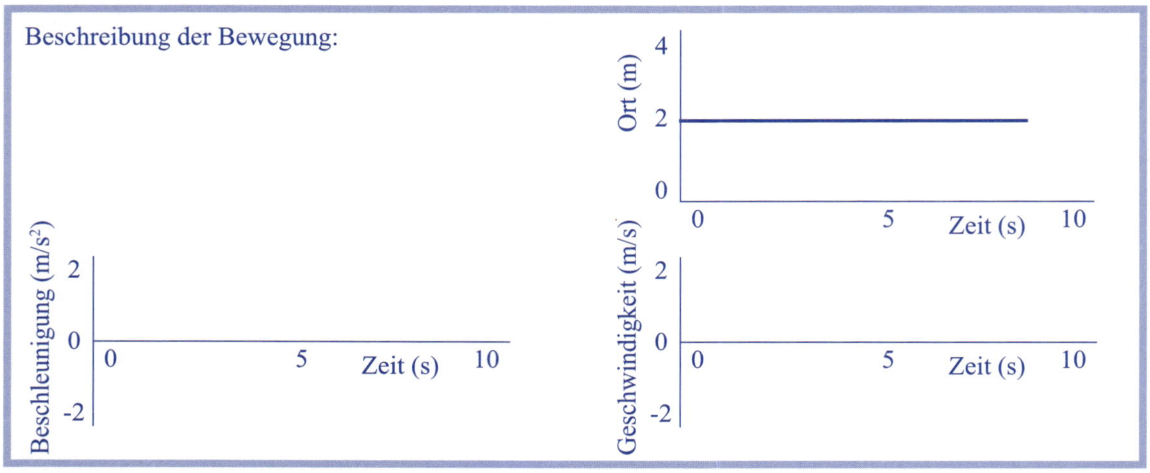

1.3

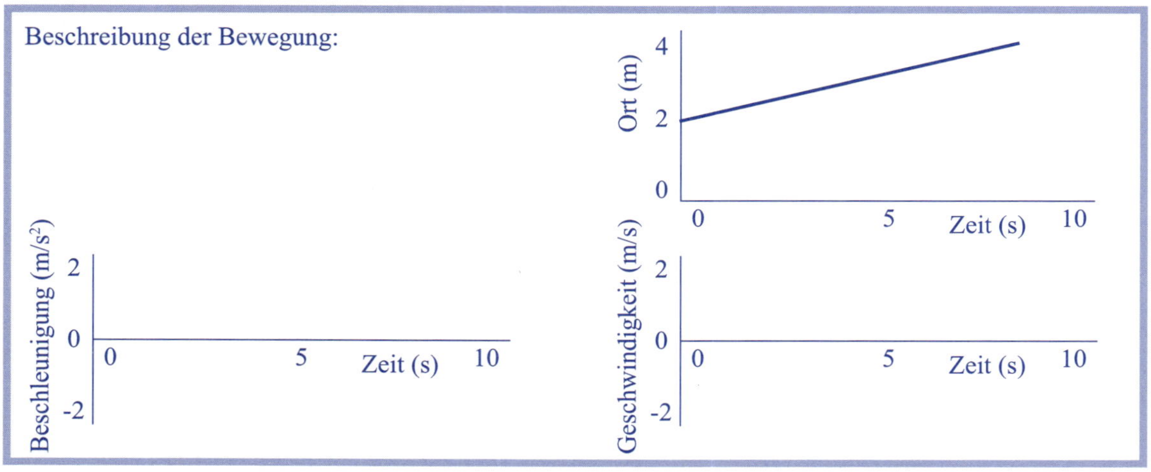

1.4

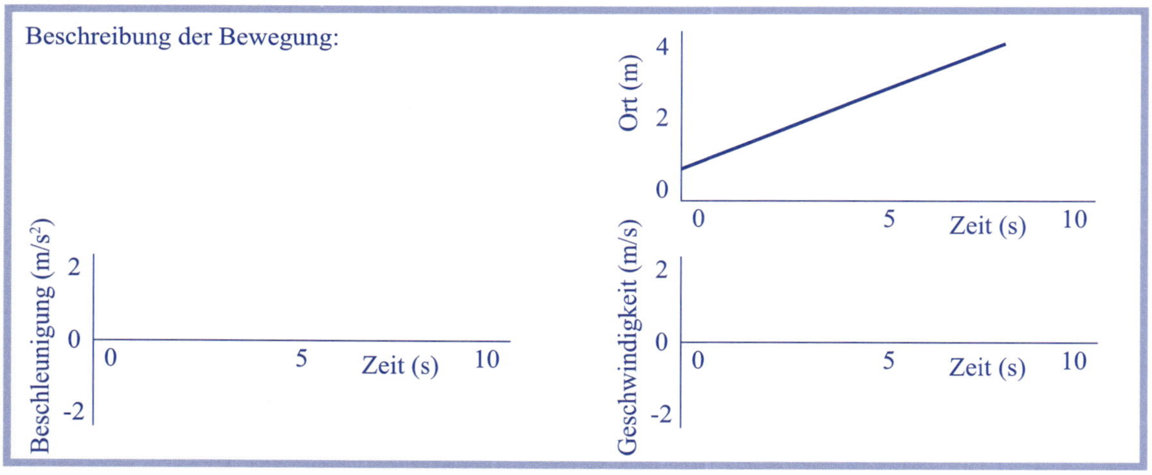

1.5 Welche Gemeinsamkeiten bestehen zwischen den Bewegungen in den Aufgaben 1.3 und 1.4? Wie unterscheiden sie sich? Welche Gemeinsamkeiten bestehen zwischen den Graphen? Wie unterscheiden sie sich?

2.1

Beschreibung der Bewegung:

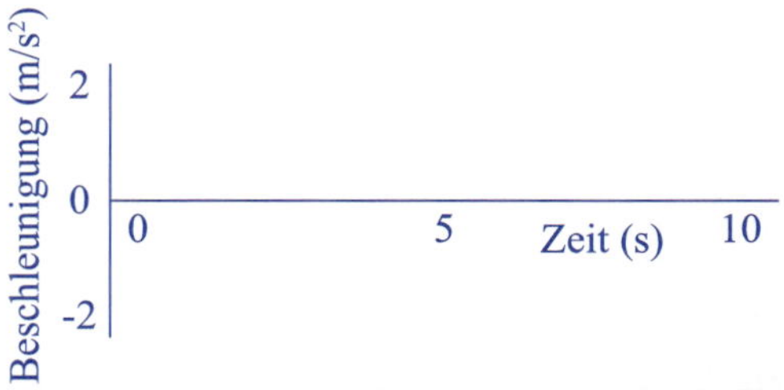

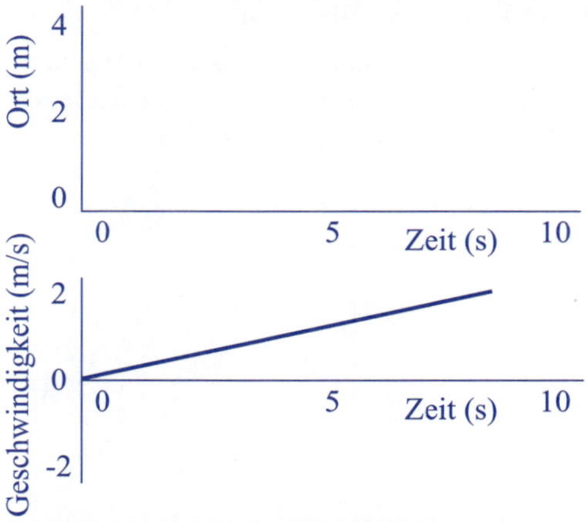

2.2

Beschreibung der Bewegung:

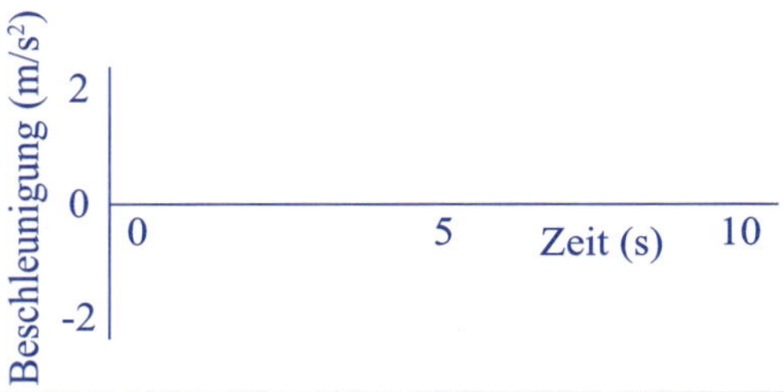

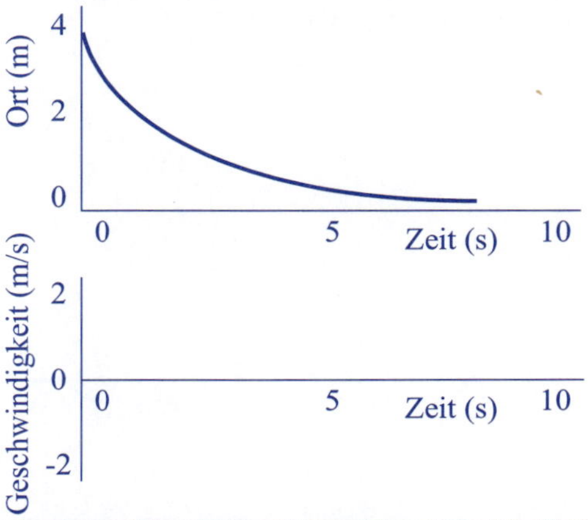

2.3

Beschreibung der Bewegung:

Bewegen Sie sich zunächst langsamer werdend auf den Detektor zu (bis zum Stillstand), dann sogleich schneller werdend vom Detektor weg.

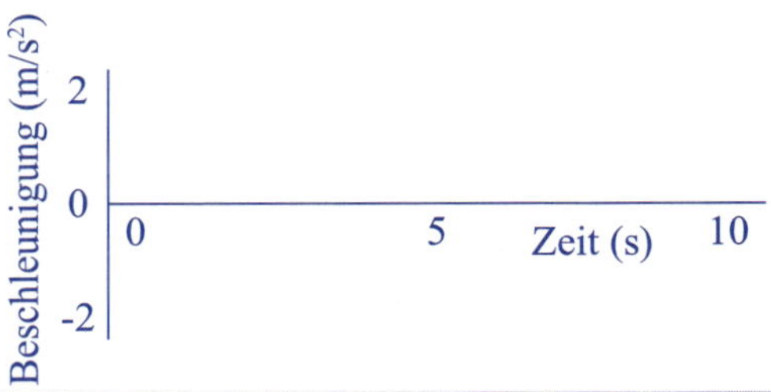

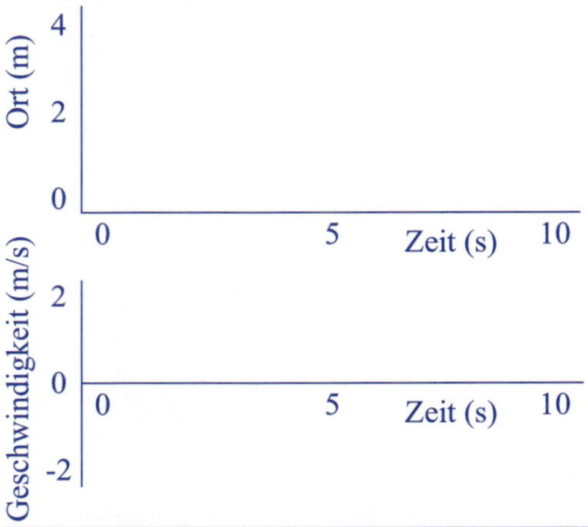

2.4 Vergleichen Sie die Beschleunigungskurven in 2.1, 2.2 und 2.3. Kann ein Körper eine positive Beschleunigung haben und dabei langsamer werden (bzw. eine negative Beschleunigung haben und schneller werden)?

2.5

Beschreibung der Bewegung:

Bewegen Sie sich mit konstanter negativer Beschleunigung, wobei Sie sich zunächst vom Detektor entfernen sollen.

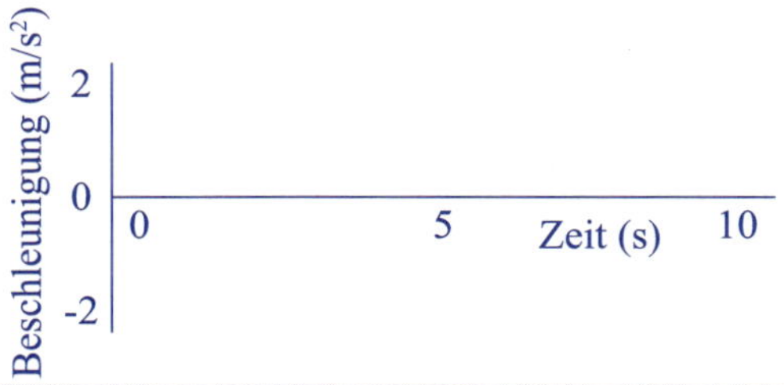

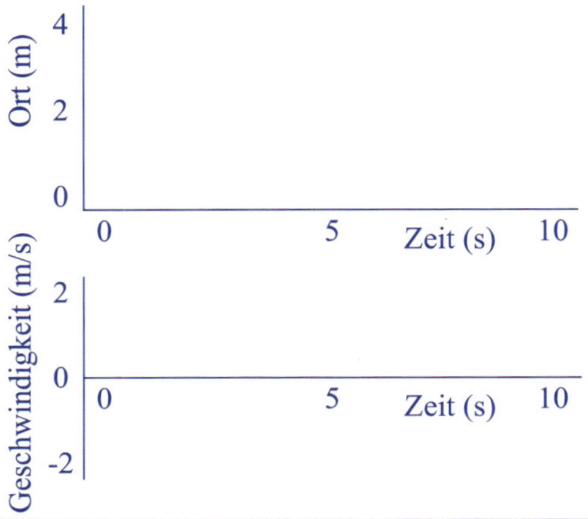

2.6

Beschreibung der Bewegung:

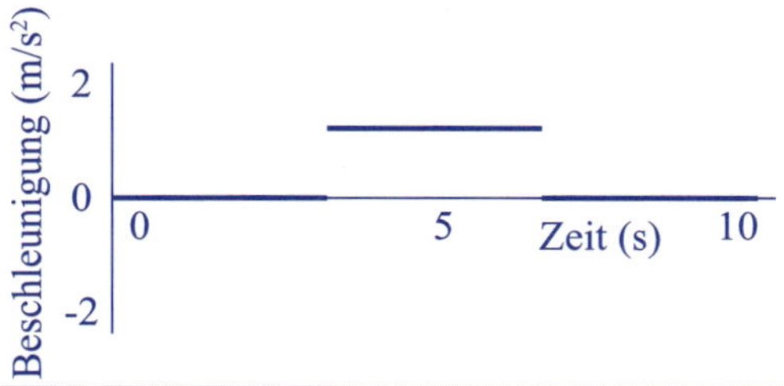

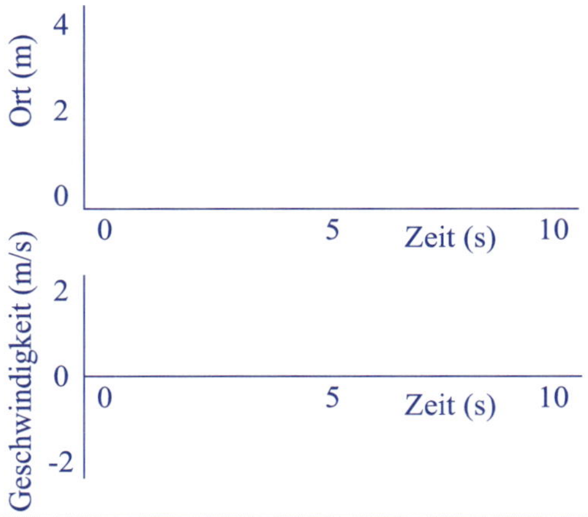

2.7

Beschreibung der Bewegung:

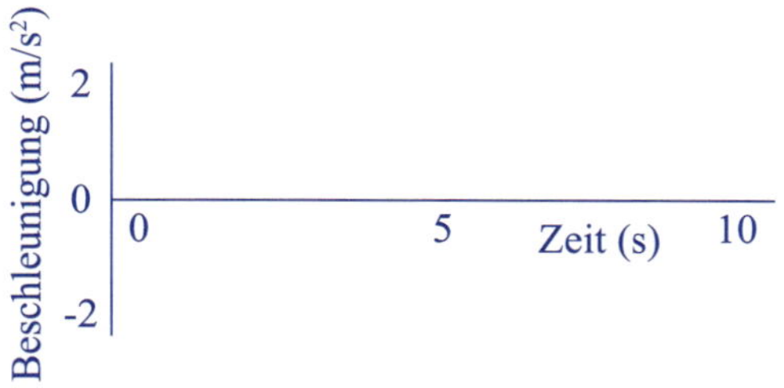

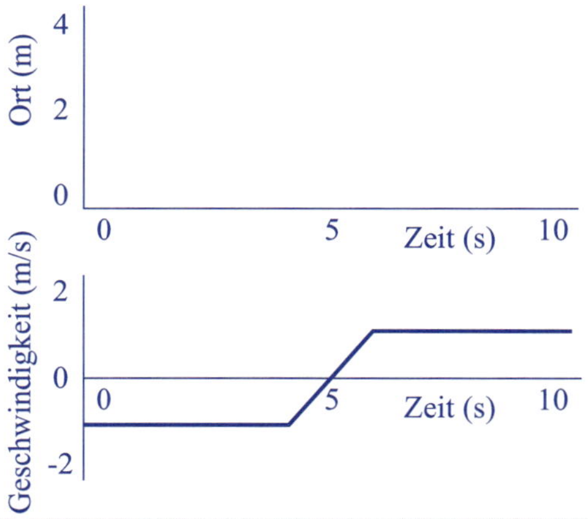

2.8 Der Begriff *Verzögerung* wird manchmal verwendet, um den Betrag der Beschleunigung anzugeben, wenn ein Gegenstand langsamer wird. Legt dieser Ausdruck das Vorzeichen der Beschleunigung eindeutig fest? Begründen Sie Ihre Antwort.

1 Bewegung mit abnehmendem Geschwindigkeitsbetrag

Die nachfolgende Abbildung zeigt die Stroboskopaufnahme einer Kugel, die auf einer geneigten Schiene aufwärts rollt. (In einer Stroboskopaufnahme ist der Aufenthaltsort eines Gegenstandes nach jeweils gleichen Zeitintervallen zu sehen.)

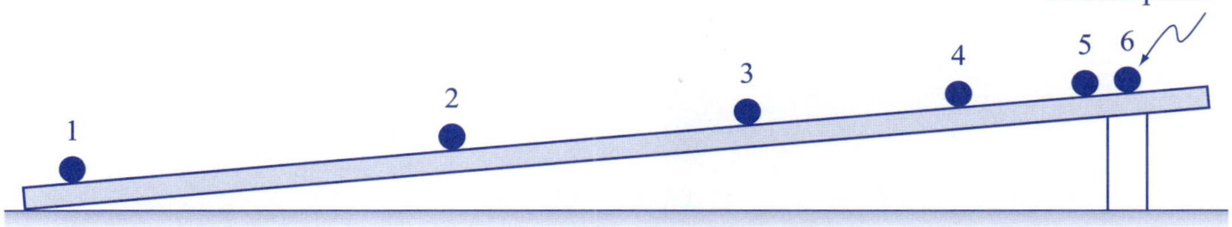

1.1 Zeichnen Sie an den markierten Orten in der Abbildung Vektoren für die Momentangeschwindigkeit der Kugel ein. Falls die Geschwindigkeit an einem der Punkte gleich Null ist, geben Sie dies ausdrücklich an. Begründen Sie, warum Sie die Vektoren in dieser Weise gezeichnet haben.

1.2 Vergleichen Sie die Geschwindigkeiten an den Punkten 1 und 2. Zeichnen Sie dazu die Vektoren im Zeichenfeld rechts parallel zueinander ein und kennzeichnen Sie sie mit „$\vec{v}_1$“ und „$\vec{v}_2$“.

$\vec{v}_1$, $\vec{v}_2$ und $\Delta\vec{v}$

Zeichnen Sie den Vektor, den man zur Geschwindigkeit zum früheren Zeitpunkt addieren muss, um die Geschwindigkeit zum späteren Zeitpunkt zu erhalten. Bezeichnen Sie diesen Vektor mit $\Delta\vec{v}$.

Inwiefern ist für diesen Vektor der Begriff *Vektor der Geschwindigkeitsänderung* (oder einfach *Geschwindigkeitsänderung*) zutreffend?

Vergleichen Sie die Richtung der so konstruierten Geschwindigkeitsänderung mit der Richtung der Geschwindigkeiten an den beiden Punkten.

Ändert sich Ihr Ergebnis, wenn Sie zwei andere aufeinanderfolgende Punkte der Aufwärtsbewegung (z. B. Punkte 3 und 4) auswählen? Begründen Sie.

Vergleichen Sie den Betrag der Geschwindigkeitsänderung zwischen den Punkten 1 und 2 mit dem entsprechenden Betrag für zwei *andere aufeinanderfolgende* Punkte (z. B. Punkte 3 und 4). Begründen Sie Ihre Antwort mithilfe des gegebenen Geschwindigkeit-Zeit-Diagramms.

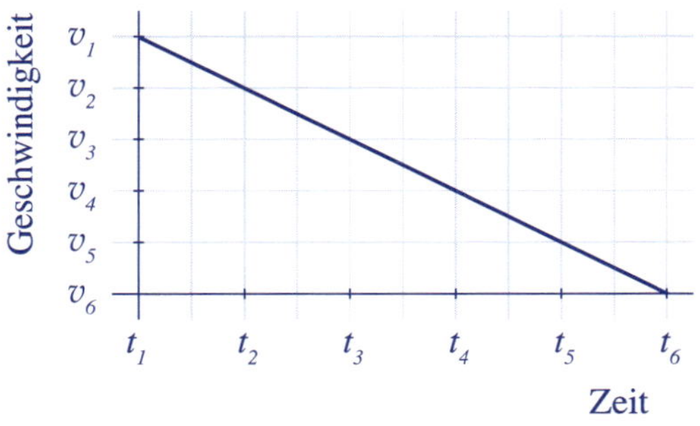

Hinweis: Die positive Richtung wurde entlang der Schiene *aufwärts* gewählt.

1.3 Betrachten Sie den Vektor der Geschwindigkeitsänderung zwischen zwei markierten Punkten, die nicht unmittelbar aufeinanderfolgen, z. B. den Punkten 1 und 4.

Unterscheidet sich die Richtung der Geschwindigkeitsänderung für dieses Intervall von der Richtung der Geschwindigkeitsänderung für zwei aufeinanderfolgende Punkte? Begründen Sie.

Unterscheidet sich der Betrag der Geschwindigkeitsänderung für dieses Intervall von dem Betrag für zwei aufeinanderfolgende Punkte? Wenn ja, um wie viel größer oder kleiner ist er im Vergleich zum entsprechenden Vektor für aufeinanderfolgende Punkte? Begründen Sie.

1.4 Wenden Sie die Definition der Beschleunigung an, um im Zeichenfeld rechts einen Vektor einzuzeichnen, der die Beschleunigung der Kugel zwischen den Punkten 1 und 2 darstellt.

Beschleunigungsvektor

Wie hängt die Richtung des Beschleunigungsvektors mit der Richtung der Geschwindigkeitsänderung zusammen? Begründen Sie.

1.5 Ändert sich die Beschleunigung, während die Kugel die Bahn hinaufrollt? Würden sich andere Werte für die Beschleunigung ergeben, wenn Sie (a) zwei andere aufeinanderfolgende Punkte oder (b) zwei nicht aufeinanderfolgende Punkte wählten? Begründen Sie Ihre Antworten.

1.6 Beantworten Sie die folgenden Fragen anhand Ihrer bisherigen Ergebnisse:

Welcher Zusammenhang besteht zwischen der Richtung des Beschleunigungsvektors und der Richtung des Geschwindigkeitsvektors für einen Körper, der sich geradlinig bewegt und dabei langsamer wird? Begründen Sie.

Beschreiben Sie die Richtung des Beschleunigungsvektors für eine Kugel, die auf einer geneigten Schiene geradlinig aufwärts rollt.

2 Bewegung mit zunehmendem Geschwindigkeitsbetrag

Die untenstehende Abbildung zeigt die Stroboskopaufnahme der Kugel, während sie auf der geneigten Schiene abwärts rollt.

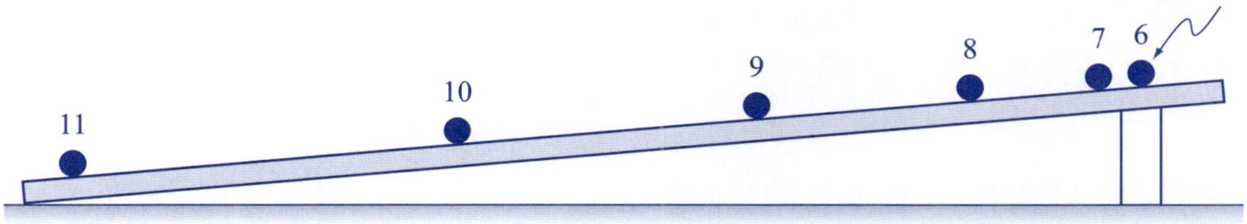

2.1 Wählen Sie zwei aufeinanderfolgende Punkte aus. Zeichnen Sie rechts die entsprechenden Geschwindigkeitsvektoren parallel zueinander ein und kennzeichnen Sie diese mit „$\vec{v}_i$“ und „$\vec{v}_{i+1}$“.

Bestimmen Sie den Vektor, den man zur Geschwindigkeit zum früheren Zeitpunkt addieren muss, um die Geschwindigkeit zum späteren Zeitpunkt zu erhalten. Ist für diesen Vektor der Begriff der *Geschwindigkeitsänderung* zutreffend?

$\vec{v}_i$, $\vec{v}_{i+1}$ und $\Delta\vec{v}$

Vergleichen Sie die Richtung der Geschwindigkeitsänderung mit der Richtung der Geschwindigkeit an einem der beiden Punkte.

Ändert sich Ihr Ergebnis, wenn Sie zwei andere Punkte während der Abwärtsbewegung wählen? Begründen Sie.

2.2 Skizzieren Sie rechts einen Vektor, der die Beschleunigung der Kugel zwischen den oben gewählten Punkten darstellt.

Wie hängt die Richtung des Geschwindigkeitsänderungsvektors mit der des Beschleunigungsvektors zusammen? Begründen Sie.

Beschleunigungsvektor

Beantworten Sie die folgenden Fragen anhand Ihrer bisherigen Ergebnisse:

Welcher Zusammenhang besteht zwischen der Richtung des Beschleunigungsvektors und der Richtung des Geschwindigkeitsvektors für einen Gegenstand, der sich geradlinig bewegt und dabei schneller wird? Begründen Sie.

Beschreiben Sie die Richtung des Beschleunigungsvektors für eine Kugel, die auf einer geneigten Schiene geradlinig abwärts rollt.

3 Bewegung mit Umkehr der Bewegungsrichtung

Betrachten Sie die Stroboskopaufnahme für den Bewegungsabschnitt, der den Umkehrpunkt einschließt.

3.1 Wählen Sie einen Punkt vor und einen weiteren nach dem Umkehrpunkt aus. Zeichnen Sie im Feld unten rechts die entsprechenden Geschwindigkeitsvektoren und bezeichnen Sie diese mit „$\vec{v}_{\text{vor}}$“ und „$\vec{v}_{\text{nach}}$“.

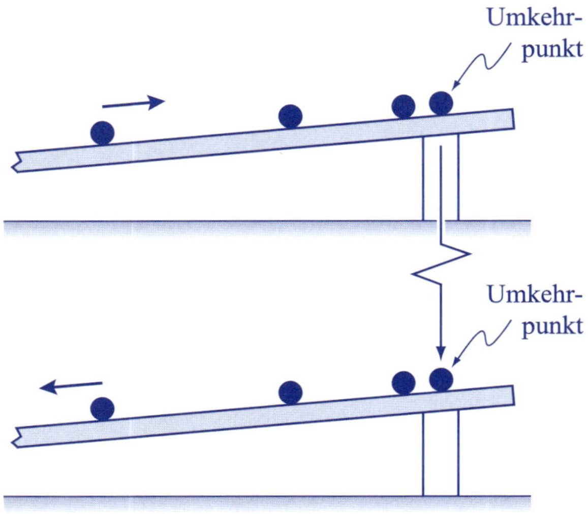

Zeichnen Sie den Vektor, den man zur Geschwindigkeit zum früheren Zeitpunkt addieren muss, um die Geschwindigkeit zum späteren Zeitpunkt zu erhalten.

Ist der oben verwendete Begriff *Vektor der Geschwindigkeitsänderung* auch für diesen Vektor zutreffend?

3.2 Wählen Sie nun den Umkehrpunkt als einen der betrachteten Punkte. Welchen Wert hat die Geschwindigkeit dort?

$\vec{v}_{\text{vor}}$, $\vec{v}_{\text{nach}}$ und $\Delta\vec{v}$

Ergibt sich bei dieser Wahl eine andere Richtung für die Geschwindigkeitsänderung als zuvor? Begründen Sie, warum oder warum nicht.

Beschleunigungsvektor

3.3 Zeichnen Sie rechts einen Vektor, der die Beschleunigung der Kugel zwischen den Punkten beschreibt, die Sie in Teil 3.2 gewählt haben.

Vergleichen Sie die Richtung des Beschleunigungsvektors der Kugel am Umkehrpunkt mit der für (a) die Aufwärtsbewegung und (b) die Abwärtsbewegung.

1 Geschwindigkeitsvektoren

Ein Körper bewegt sich auf einer ovalen Bahn (siehe Abbildung). Skizzieren Sie die Bahnkurve auf einem großen Blatt Papier. (Nutzen Sie dabei die gesamte Größe des Blattes.) Punkt O ist der Ursprung des Koordinatensystems.

Ansicht von oben

1.1 Zeichnen Sie die Ortsvektoren $\vec{r}_A$ und $\vec{r}_B$ des Körpers, wenn er sich an Punkt A bzw. B befindet.

1.2 Zeichnen Sie den Vektor $\Delta\vec{r}$, der die Verschiebung des Körpers (d. h. seine Ortsänderung) von A nach B darstellt.

Beschreiben Sie, wie sich mithilfe des Verschiebungsvektors die Richtung der mittleren Geschwindigkeit des Körpers zwischen den Punkten A und B bestimmen lässt. Zeichnen Sie einen Vektor, der die mittlere Geschwindigkeit darstellt.

1.3 Wählen Sie einen Punkt auf dem Oval zwischen A und B, und kennzeichnen Sie diesen mit B'.

Ändert sich die Richtung der mittleren Geschwindigkeit im Intervall AB', wenn Sie Punkt B' näher an Punkt A rücken lassen? Falls ja, wie ändert sie sich?

Wie ändert sich der Betrag des Verschiebungsvektors, wenn Punkt B' näher an Punkt A rückt? Nähert sich dieser Betrag einem Grenzwert? Wenn ja, was ist dieser Grenzwert?

Muss sich der Betrag der mittleren Geschwindigkeit in gleicher Weise ändern? Begründen Sie.

1.4 Beschreiben Sie die Richtung der Geschwindigkeit (d. h. der Momentangeschwindigkeit) des Körpers am Punkt A.

Wie lässt sich die Richtung der Geschwindigkeit an einem beliebigen Punkt auf der Bahnkurve allgemein beschreiben?

2 Beschleunigung bei Bewegungen mit konstantem Geschwindigkeitsbetrag

Der Körper aus Abschnitt 1 bewegt sich mit konstantem Geschwindigkeitsbetrag auf der ovalen Bahn.

2.1 Zeichnen Sie auf Ihrem großen Blatt Vektoren ein, welche die Momentangeschwindigkeiten an den Punkten A und B darstellen.

a. Hat sich der Geschwindigkeits*betrag* des Körpers (zwischen A und B) geändert? Erklären Sie, wie sich Ihre Antwort anhand der eingezeichneten Vektoren zeigen lässt.

b. Hat sich die *Geschwindigkeit* des Körpers (zwischen A und B) geändert? Erklären Sie, wie sich Ihre Antwort anhand der eingezeichneten Vektoren zeigen lässt.

2.2 Übertragen Sie die Geschwindigkeitsvektoren $\vec{v}_A$ und $\vec{v}_B$ an eine andere Stelle auf Ihrem Blatt. Zeichnen Sie beide Vektoren vom gleichen Punkt ausgehend.

a. Konstruieren Sie mithilfe Ihres Diagrammes den *Vektor der Geschwindigkeitsänderung*, $\Delta\vec{v}$.

b. Geben Sie an, wie sich mithilfe des Vektors $\Delta\vec{v}$ die Richtung der mittleren Beschleunigung des Körpers zwischen A und B bestimmen lässt. Zeichnen Sie einen Vektor, der die mittlere Beschleunigung zwischen den Punkten A und B darstellt.

$\vec{v}_A$, $\vec{v}_B$ und $\Delta\vec{v}$

c. Markieren Sie den Winkel θ, der im gezeichneten Dreieck von den Pfeilen $\vec{v}_A$ und $\Delta\vec{v}$ eingeschlossen wird. Ist dieser Winkel *größer*, *kleiner* oder *gleich* 90°? Begründen Sie Ihre Antwort.

Wird dieser Winkel *größer* oder *kleiner* oder bleibt er *gleich groß*, wenn Sie Punkt B immer näher an Punkt A rücken lassen? Begründen Sie Ihre Antwort.

Nähert sich der Winkel einem Grenzwert? Falls ja, wie groß ist dieser Grenzwert?

d. Wenn Punkt B immer näher an Punkt A gewählt wird, geht der Betrag von $\Delta\vec{v}$ gegen Null. Gilt dies auch für den Betrag der mittleren Beschleunigung? Begründen Sie.

e. Bestimmen Sie die Richtung der Beschleunigung (d. h. der Momentanbeschleunigung) am Punkt A.

Zeichnen Sie in Ihrem Diagramm die Vektoren der Geschwindigkeit und der Beschleunigung des Körpers am Punkt A vom gleichen Punkt ausgehend ein. Ist der Winkel zwischen der Beschleunigung und der Geschwindigkeit *größer, kleiner* oder *gleich* 90°?

→ Überprüfen Sie Ihre Ergebnisse in Teil 2.2 zusammen mit einem Tutor.

2.3 Wählen Sie nun einen anderen Punkt, an dem die Bahn stärker gekrümmt ist als an Punkt A (z. B. Punkt B):

a. Ist der Betrag der Beschleunigung an diesem Punkt *größer, kleiner* oder *gleich* dem Betrag der Beschleunigung am Punkt A? Begründen Sie Ihre Antwort.

b. Geben Sie die Richtung des Beschleunigungsvektors an diesem Punkt an.

c. Zeichnen Sie an jedem der markierten Punkte im nebenstehenden Diagramm einen Vektor ein, der die Beschleunigung des Körpers am jeweiligen Punkt darstellt.

Ist die Beschleunigung an jedem Punkt der Bahn zum „Mittelpunkt" des Ovals gerichtet?

Ansicht von oben

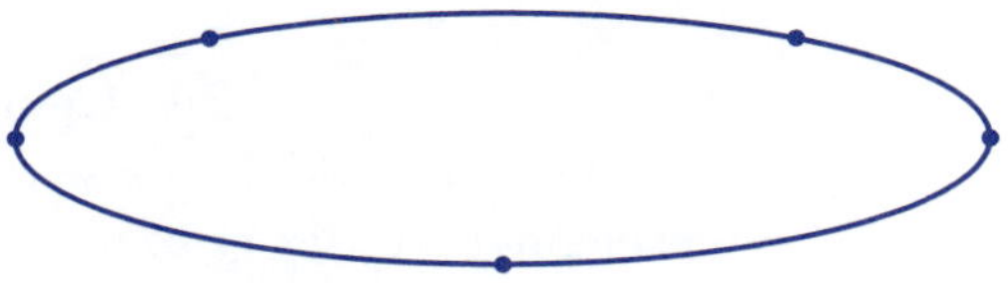

Beschleunigungsvektoren bei konstantem Geschwindigkeitsbetrag

2.4 Nehmen Sie an, der Körper würde sich schneller bewegen (z. B. doppelt so schnell), aber immer noch mit konstantem Geschwindigkeitsbetrag.

Wäre der Betrag der Beschleunigung an einem bestimmten Punkt (z. B. Punkt A) in diesem Fall *größer, kleiner* oder *gleich* dem Betrag der Beschleunigung bei geringerem Geschwindigkeitsbetrag? Begründen Sie Ihre Antwort anhand einer Skizze.

2.5 Fassen Sie Ihre Ergebnisse aus den Teilen 2.3 und 2.4 in einer Regel zusammen, mit der sich die Beträge der Beschleunigungen vergleichen lassen, wenn:

- die Geschwindigkeitsbeträge an den beiden Punkten gleich sind, aber die Krümmungen sich unterscheiden,

- die Krümmung an den beiden Punkten gleich ist, aber die Geschwindigkeitsbeträge sich unterscheiden.

→ Überprüfen Sie Ihre Ergebnisse in den Teilen 2.3 bis 2.5 zusammen mit einem Tutor.

3 Beschleunigung bei Bewegungen mit zunehmendem Geschwindigkeitsbetrag

Der Körper wird nun schneller, während er sich auf der ovalen Bahn bewegt. Zeichnen Sie an zwei nahe beieinander liegenden Bahnpunkten die Geschwindigkeitsvektoren ein. Kennzeichnen Sie die beiden Punkte mit den Buchstaben C und D.

3.1 Übertragen Sie die Geschwindigkeitsvektoren $\vec{v}_C$ und $\vec{v}_D$ an eine andere Stelle auf Ihrem Blatt. Zeichnen Sie beide Vektoren wie zuvor vom gleichen Punkt ausgehend und konstruieren Sie den Vektor der Geschwindigkeitsänderung $\Delta\vec{v}$.

a. Markieren Sie den Winkel θ, der im gezeichneten Dreieck von den Pfeilen $\vec{v}_C$ und $\Delta\vec{v}$ eingeschlossen wird. Ist dieser Winkel *größer, kleiner* oder *gleich* 90°?

b. Bestimmen Sie die Richtung der mittleren Beschleunigung des Körpers zwischen den Punkten C und D.

c. Beschreiben Sie, wie sich mithilfe einer Grenzwertbetrachtung die Richtung der Beschleunigung des Körpers am Punkt C bestimmen lässt.

Betrachten Sie die Beschleunigung am Punkt C. Ist der Winkel zwischen der Beschleunigung und der Geschwindigkeit (wenn beide vom gleichen Punkt ausgehend gezeichnet werden) *größer, kleiner* oder *gleich* 90°?

d. Zwei Studierende diskutieren, wie sich θ verändert, wenn Punkt D immer näher an Punkt C gewählt wird.

Johannes: ***„Der Körper wird schneller und bewegt sich auf einer gekrümmten Bahn. Also müssen sich $\vec{v}_C$ und $\vec{v}_D$ sowohl im Betrag als auch in der Richtung unterscheiden. Wenn Punkt D aber immer näher an Punkt C heranrückt, haben die beiden Vektoren irgendwann den gleichen Betrag, so wie ich das hier gezeichnet habe. Im Grenzfall ist der Winkel zwischen der Spitze von $\vec{v}_C$ und dem Ende von $\Delta\vec{v}$ also wieder 90° - genau wie bei konstantem Geschwindigkeitsbetrag."***

Edmund: ***„Ich denke auch, dass sich $\vec{v}_C$ und $\vec{v}_D$ sowohl im Betrag als auch in der Richtung unterscheiden. Aber ich glaube, dass das Zeitintervall irgendwann klein genug ist, dass sich die Richtung der mittleren Beschleunigung nicht mehr ändert, so wie ich das gezeichnet habe. Der Winkel zwischen der Spitze von $\vec{v}_C$ und dem Ende von $\Delta\vec{v}$ nähert sich also einem Grenzwert, der größer als 90° ist."***

Stimmen Sie einer der beiden Aussagen zu? Wenn ja, welcher? Begründen Sie Ihre Antwort.

e. Betrachten Sie Ihre Antworten in Teil 3.1.c im Hinblick auf die Diskussion der beiden Studierenden. Korrigieren Sie gegebenenfalls Ihre Antworten in Teil 3.1.c.

Geschwindigkeitsvektoren

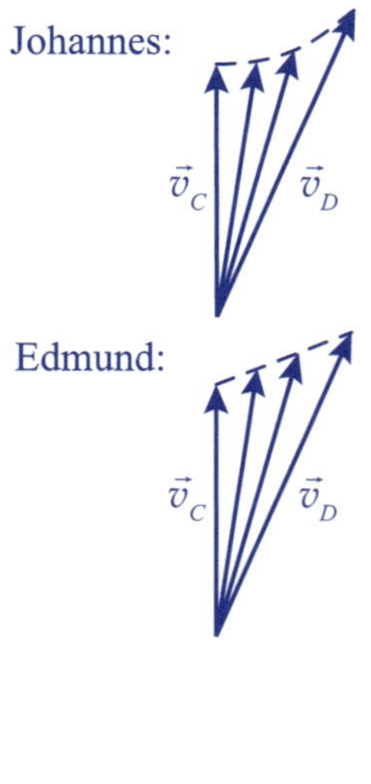

1 Ort und Verschiebung relativ zu verschiedenen Beobachtern

Zwei Wagen, A und C, bewegen sich geradlinig aufeinander zu. Zum Zeitpunkt t_1 beträgt die Entfernung zwischen den Wagen $d_1 = 8\,\text{m}$ wie in der Abbildung rechts gezeigt. Zum Zeitpunkt t_2 beträgt die Entfernung $d_2 = 4\,\text{m}$. Währenddessen rollt ein Ball B mit konstanter Geschwindigkeit von Wagen A zu Wagen C. Er befindet sich zum Zeitpunkt t_1 neben dem vorderen Ende von Wagen A, zum Zeitpunkt t_2 neben dem vorderen Ende von Wagen C.

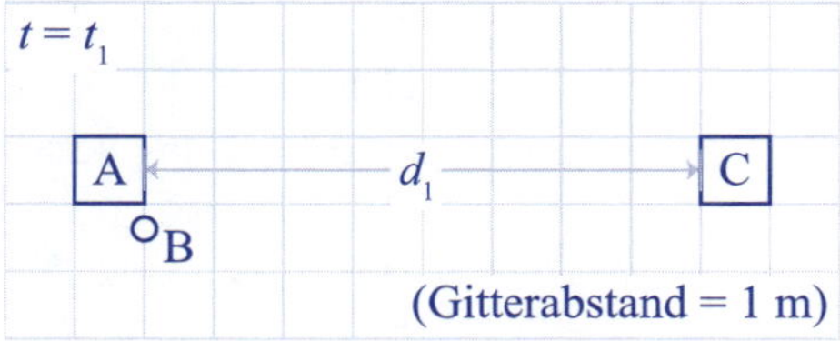

1.1 Betrachten Sie die Bewegung der Wagen und des Balls im Bezugssystem von Wagen C. In diesem Bezugssystem bleibt Wagen C in Ruhe. Der Vektor $\Delta\vec{x}_{\mathrm{B}}^{(\mathrm{C})}$ bezeichnet die Verschiebung des Balls im Bezugssystem von Wagen C.

a. Ordnen Sie $|\Delta\vec{x}_{\mathrm{B}}^{(\mathrm{C})}|$, d_1 und d_2 nach ihrem Betrag. Falls zwei der Größen gleich sind, geben Sie dies ausdrücklich an. Begründen Sie.

b. Die Abbildung rechts zeigt die Orte der beiden Wagen und des Balls zum Zeitpunkt t_1 im Bezugssystem von Wagen C.

Zeichnen Sie die Orte der Wagen und des Balls zum Zeitpunkt t_2 im Bezugssystem von Wagen C in der Abbildung ein. Geben Sie an, wie Sie die Orte bestimmt haben. (*Hinweis:* Beginnen Sie mit Wagen C.)

im Bezugssystem von Wagen C

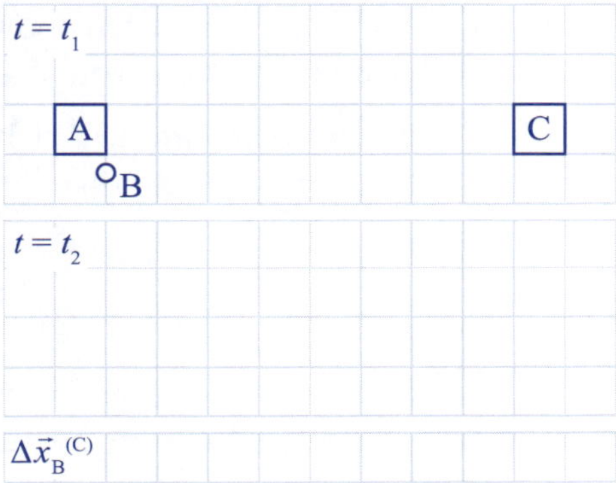

c. Zeichnen Sie an der vorgesehenen Stelle den Vektor $\Delta\vec{x}_{\mathrm{B}}^{(\mathrm{C})}$ ein.

Ist Ihre Antwort in Teil a mit diesem Vektor vereinbar? Wenn nicht, lösen Sie den Widerspruch auf.

1.2 Bezieht sich die Größe $\Delta\vec{x}_{\mathrm{B}}^{(\mathrm{C})}$ auf:

- einen *Zeitpunkt* oder ein *Zeitintervall?* Begründen Sie;

- eine *Entfernung zwischen zwei Körpern* oder eine *Strecke, die ein Körper zurückgelegt hat?* Begründen Sie.

Beschreiben Sie, wie Sie mithilfe der Verschiebung $\Delta\vec{x}_{\mathrm{B}}^{(\mathrm{C})}$ die Geschwindigkeit $\vec{v}_{\mathrm{B}}^{(\mathrm{C})}$ des Balls im Bezugssystem von Wagen C bestimmen können.

1.3 Betrachten Sie die Bewegung der Wagen und des Balls im Bezugssystem von Wagen A. Der Vektor $\Delta\vec{x}_B^{(A)}$ bezeichnet die Verschiebung des Balls im Bezugssystem von Wagen A.

a. Ordnen Sie $|\Delta\vec{x}_B^{(A)}|$, d_1 und d_2 nach ihrem Betrag. Falls zwei der Größen gleich sind, geben Sie dies ausdrücklich an. Begründen Sie.

b. Zeichnen Sie die Orte der Wagen und des Balls zu den Zeitpunkten t_1 und t_2 im Bezugssystem von Wagen A in der Abbildung rechts ein.

Vergleichen Sie Ihre Zeichnung mit den Zeichnungen der anderen Mitglieder Ihrer Arbeitsgruppe. Lösen Sie eventuelle Widersprüche auf.

im Bezugssystem von Wagen A

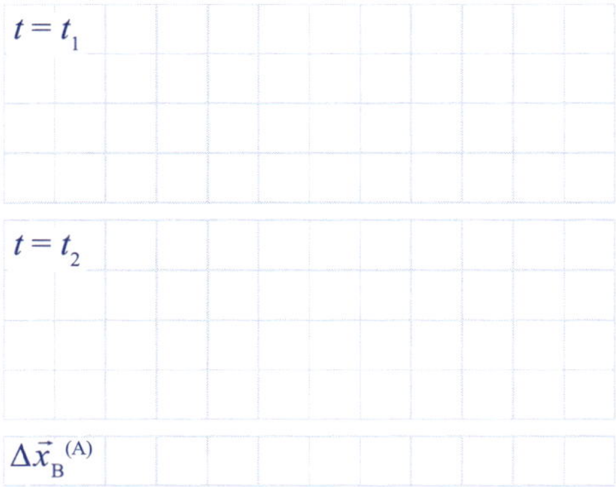

c. Zeichnen Sie an der vorgesehenen Stelle den Verschiebungsvektor $|\Delta\vec{x}_B^{(A)}|$ des Balls im Bezugssystem von Wagen A ein.

Ist Ihre Antwort in Teil 1.3.a mit diesem Vektor vereinbar? Wenn nicht, lösen Sie den Widerspruch auf.

1.4 Hängt die Entfernung zwischen zwei Körpern vom Bezugssystem ab, in dem sie gemessen wird? Erläutern Sie Ihre Antwort anhand eines konkreten Beispiels aus den vorherigen Aufgaben.

Hängt die Strecke, die ein einzelner Körper zurücklegt, vom Bezugssystem ab, in dem sie gemessen wird? Erläutern Sie Ihre Antwort anhand eines konkreten Beispiels aus den vorherigen Aufgaben.

1.5 Ist der Betrag der Geschwindigkeit des Balls im Bezugssystem von Wagen A *größer, kleiner* oder *gleich* dem Betrag der Geschwindigkeit im Bezugssystem von Wagen C? Begründen Sie.

1.6 Wagen D bewegt sich in gleich bleibendem Abstand hinter Wagen A.

Die Abbildung rechts stellt die Orte der drei Wagen und des Balls zum Zeitpunkt t_1 im Bezugssystem von Wagen D dar.

a. Zeichnen Sie in der Abbildung rechts die Orte der Wagen und des Balls zum Zeitpunkt t_2 im Bezugssystem von Wagen D ein.

b. Zeichnen Sie an der vorgesehenen Stelle den Verschiebungsvektor $\Delta\vec{x}_B^{(D)}$ des Balls im Bezugssystem von Wagen D ein.

c. Ist $|\Delta\vec{x}_B^{(D)}|$ *größer, kleiner* oder *gleich* $|\Delta\vec{x}_B^{(A)}|$? Begründen Sie.

im Bezugssystem von Wagen D

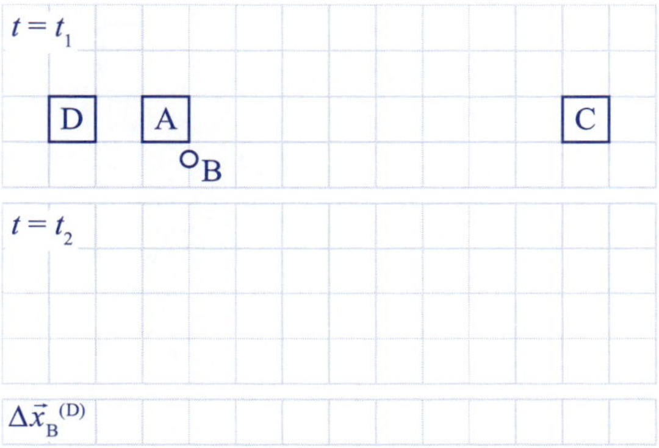

Wenn zwei Beobachter für alle Verschiebungen eines Körpers (wie hier des Balls) gleiche Werte messen, so sagt man, dass sich diese Beobachter *im gleichen Bezugssystem* befinden.

1.7 Welche der Wagen befinden sich im gleichen Bezugssystem? Begründen Sie.

Beschreiben Sie durch Verallgemeinerung Ihrer Antwort die Bedingung dafür, dass sich zwei Beobachter im gleichen Bezugssystem befinden.

1.8 Betrachten Sie nun die Bewegung der Wagen und des Balls im Bezugssystem der Straße. Nehmen Sie an, dass sich die Wagen A und C in diesem Bezugssystem gleich schnell bewegen.

a. Zeichnen Sie in der Abbildung rechts die Orte der Wagen und des Balls zu den Zeitpunkten t_1 und t_2 im Bezugssystem der Straße ein. Geben Sie an, wie Sie die Orte bestimmt haben.

b. Zeichnen Sie an der vorgesehenen Stelle den Verschiebungsvektor $\Delta\vec{x}_B^{(F)}$ des Balls im Bezugssystem der Straße ein.

im Bezugssystem der Straße

1.9 Ordnen Sie die vier betrachteten Bezugssysteme nach dem Betrag der in ihnen gemessenen Verschiebung des Balls. Falls zwei der Beträge gleich sind, geben Sie dies ausdrücklich an.

2 Relativgeschwindigkeit

Ein PKW und ein LKW fahren auf einer geraden Straße. Ihre Aufenthaltsorte sind für drei Zeitpunkte (1 bis 3) angegeben, zwischen denen gleiche Zeitintervalle liegen.

2.1 Beschreiben Sie die Bewegungen des PKWs und des LKWs (d. h. geben Sie an, in welche Richtung sich das jeweilige Fahrzeug bewegt und ob es schneller oder langsamer wird, oder sich mit konstantem Geschwindigkeitsbetrag bewegt).

2.2 Vervollständigen Sie die Abbildung rechts, indem Sie den PKW und den LKW am jeweiligen Aufenthaltsort *im Bezugssystem des LKWs* zum Zeitpunkt 2 und 3 eintragen.
Erklären Sie, wie die vervollständigte Abbildung die Tatsache wiedergibt, dass sich der LKW in seinem eigenen Bezugssystem in Ruhe befindet.

Darstellung im Bezugssystem des LKWs

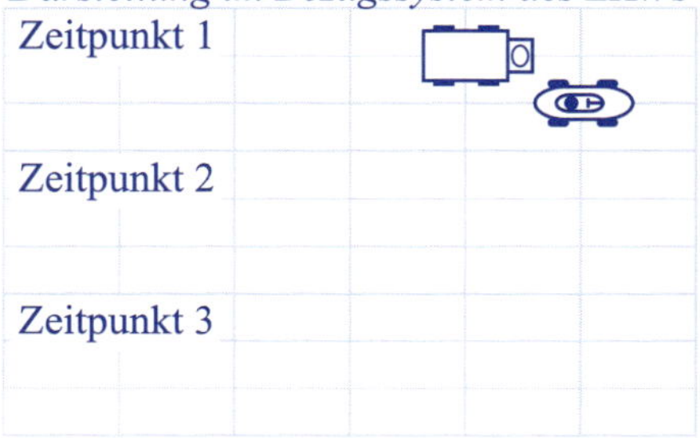

2.3 Skizzieren Sie mithilfe der vervollständigten Abbildung Vektoren für die Durchschnittsgeschwindigkeit des PKWs *im Bezugssystem des LKWs* für die angegebenen Zeitintervalle.

Beschreiben Sie die Bewegung des PKWs im Bezugssystem des LKWs:

mittlere Geschwindigkeit des PKWs im Bezugssystem des LKWs

zwischen 1 und 2

zwischen 2 und 3

- Bewegt sich der PKW *nach Osten, nach Westen* oder befindet er sich *in Ruhe*? Begründen Sie.

- Wird der PKW *schneller*, wird er *langsamer* oder bewegt er sich mit *konstanter Geschwindigkeit*? Begründen Sie.

2.4 Betrachten Sie ein kleines Zeitintervall Δt, das den Zeitpunkt 2 einschließt. Bewegt sich der PKW im Bezugssystem des LKWs in diesem Zeitintervall *nach Osten*, bewegt er sich *nach Westen* oder bleibt er *in Ruhe*? Begründen Sie.

Geben Sie mithilfe eines Pfeils die Richtung der Momentangeschwindigkeit des PKWs zum Zeitpunkt 2 im Bezugssystem des LKWs an. Falls diese Geschwindigkeit Null beträgt, geben Sie dies bitte ausdrücklich an.

Richtung der Momentangeschwindigkeit des PKWs im Bezugssystem des LKWs zum Zeitpunkt 2

Betrachten Sie die folgende Diskussion zwischen zwei Studierenden:

Zenon: *„Zum Zeitpunkt 2 befinden sich der PKW und der LKW genau nebeneinander. Deshalb ist die Geschwindigkeit des PKWs im Bezugssystem des LKWs zu diesem Zeitpunkt Null."*

Georges: *„Bis zum Zeitpunkt 2 holt der LKW den PKW ein. Deshalb sieht es für den LKW-Fahrer so aus, als ob der PKW langsamer wird."*

Stimmen Sie einer der beiden Aussagen zu? Begründen Sie.

→ Besprechen Sie Ihre Ergebnisse mit einem Tutor.

1 Klassifizierung und Kennzeichnung von Kräften

Zwei Personen versuchen, eine schwere Kiste zu bewegen. Die Kiste bewegt sich jedoch nicht. Peter drückt gegen die Kiste. Karen zieht an einem Seil, das an der Kiste befestigt ist.

1.1 Stellen Sie den Block auf einem großen Blatt Papier (in der Tischmitte) als Punkt dar. Zeichnen Sie dann von diesem Punkt ausgehend Vektoren ein, um die auf den Körper wirkenden Kräfte darzustellen. Kennzeichnen Sie jeden der Vektoren und fügen Sie eine kurze Beschreibung der jeweiligen Kraft hinzu.

In der Newton'schen Mechanik werden alle Kräfte als Ausdruck einer Wechselwirkung zwischen zwei Körpern angesehen. Zu jeder Kraft lässt sich deshalb eindeutig der Körper angeben, *auf den die Kraft ausgeübt wird*, sowie der Körper, *der die Kraft ausübt.* In der oben beschriebenen Situation wird zum Beispiel die Gewichtskraft *von* der Erde *auf* die Kiste ausgeübt.

1.2 Beschreiben Sie alle weiteren Kräfte, die Sie oben eingezeichnet haben, in gleicher Weise.

Das Diagramm, das Sie in Teil 1.1 gezeichnet haben, wird als *Freikörperbild* bezeichnet. Die Wechselwirkung mit den anderen Körpern wird hierbei symbolisch durch einen Kraftvektor dargestellt (ersetzt). Man bezeichnet diese Vorgehensweise in der technischen Mechanik als *Freischneiden*, da der betrachtete Körper gedanklich aus seiner Umgebung herausgelöst wird.

Ein Freikörperbild enthält nur die Kräfte, die *auf* den betrachteten Körper oder das betrachtete System ausgeübt werden; in diesem Fall also sämtliche Kräfte, die auf die Kiste wirken. Ein korrektes Freikörperbild sollte also nichts anderes zeigen als eine Darstellung des Körpers und die vollständig gekennzeichneten Kräfte, die auf den Körper wirken. (Bis auf Weiteres wird ein Körper als Massenpunkt betrachtet und im Freikörperbild als Punkt dargestellt.) Ein Freikörperbild enthält *weder* Kräfte, die *von* dem betrachteten Körper auf andere ausgeübt werden, *noch* Darstellungen anderer Körper, die auf den betrachteten Körper Kräfte ausüben. Betrachten Sie diesbezüglich noch einmal Ihr Freikörperbild und ändern Sie es gegebenenfalls.

1.3 Welche Kräfte auf die Kiste *setzen zwingend voraus*, dass sich die beiden wechselwirkenden Körper (d. h. die Kiste und der Körper, der die Kraft auf sie ausübt) berühren?

Welche Kräfte auf die Kiste setzen *nicht* voraus, dass sich die beiden wechselwirkenden Körper berühren?

Wir bezeichnen Kräfte, die den direkten Kontakt (d. h. gegenseitiges Berühren) der beiden Körper voraussetzen, als *Kontaktkräfte*. Wir bezeichnen Kräfte, die dies nicht voraussetzen, als *Feldkräfte*.

1.4 In der klassischen Physik gibt es viele verschiedene Arten von Kräften, etwa Reibungskräfte ($\vec{F}_{\text{Reib}}$), Seilkräfte ($\vec{F}_{\text{Seil}}$), magnetische Kräfte ($\vec{F}_{\text{mag}}$), die Normalkraft ($\vec{F}_{\text{N}}$), und die Gewichtskraft oder Gravitationskraft ($\vec{F}_{\text{G}}$). Ordnen Sie diese Kräfte den beiden Kategorien zu.

Kontaktkräfte	Feldkräfte

1.5 Betrachten Sie die folgende Diskussion zwischen zwei Studierenden:

Robert: *„Ich bin der Meinung, dass das Freikörperbild für die Kiste eine Kraft von Peter, eine vom Seil und eine von Karen enthalten sollte."*

Isaac: *„Ich glaube nicht, dass wir eine Kraft von Karen einzeichnen sollten. Personen können keine Kräfte auf andere Körper ausüben, ohne sie zu berühren."*

Stimmen Sie einer dieser Aussagen zu? Begründen Sie.

In den Tutorials kennzeichnen wir Kräfte durch drei Angaben: (1) die Art der Kraft, (2) den Körper, auf den sie ausgeübt wird, und (3) den Körper, durch den sie ausgeübt wird. Die Gewichtskraft, die von der Erde auf die Kiste ausgeübt wird, kann zum Beispiel mit $\vec{F}_{\text{G}}^{\text{KE}}$ bezeichnet werden. (Ihr Dozent oder Ihre Dozentin verwendet möglicherweise eine andere Notation.)

1.6 Kennzeichnen Sie alle Kräfte aus Ihrem Freikörperbild in Teil 1.1 wie vereinbart und übertragen Sie das korrigierte und vollständige Diagramm in das Zeichenfeld rechts.

Freikörperbild für Kiste

→ Lassen Sie Ihr Freikörperbild von einem Tutor überprüfen, bevor Sie die Arbeit fortsetzen.

2 Anwendung von Freikörperbildern

2.1 Skizzieren Sie ein Freikörperbild für ein Buch, das auf einem Tisch ruht. (*Zur Erinnerung*: Ein korrektes Freikörperbild enthält nichts außer einer Darstellung des Buches und sämtlicher Kräfte, die auf das Buch ausgeübt werden.)

Buch

Falls Sie zur Kennzeichnung der Kräfte eine andere als die vorgeschlagene Notation verwenden, muss diese unbedingt die folgenden Informationen enthalten:

- die Art der Kraft (Gravitation, Reibung usw.),
- den Körper, auf den die Kraft wirkt, und
- den Körper, der die Kraft ausübt.

Freikörperbild für Buch

a. Welche Beobachtungen belegen das Auftreten jeder dieser Kräfte?

b. Welche Beobachtung erlaubt es Ihnen, die Beträge der verschiedenen auf das Buch wirkenden Kräfte miteinander zu vergleichen?

Wie haben Sie die relative Größe der einzelnen Kräfte in Ihrem Freikörperbild dargestellt?

2.2 Ein zweites Buch mit größerer Masse wird auf das erste Buch gelegt.
Skizzieren Sie für die beiden Bücher jeweils ein Freikörperbild. Kennzeichnen Sie die Kräfte wie in Abschnitt 1 vereinbart.

oberes Buch
unteres Buch

Freikörperbild für oberes Buch

Freikörperbild für unteres Buch

Geben Sie an, welche der Kräfte Kontaktkräfte und welche Feldkräfte sind.

a. Betrachten Sie noch einmal alle Kräfte in den beiden Freikörperbildern, die Sie zuletzt gezeichnet haben. Begründen Sie, warum jede Kraft, die in *einem* der Bilder auftritt, *nicht* auch im *anderen* vorkommt.

b. Welche *Art* von Kraft übt das obere Buch auf das untere aus (z. B. Gewichtskraft oder Reibungskraft)?

Warum ist es *nicht* richtig, diese Kraft als „Gewichtskraft des oberen Buches auf das untere Buch" zu bezeichnen?

c. Welche Beobachtung erlaubt es Ihnen, die Beträge der auf das *obere* Buch wirkenden Kräfte miteinander zu vergleichen?

d. Gibt es auf das *untere* Buch wirkende Kräfte, deren Beträge mit denen von Kräften auf das *obere* Buch übereinstimmen? Begründen Sie.

2.3 Vergleichen Sie das Freikörperbild für das untere Buch mit dem Diagramm für das gleiche Buch in Teil 2.1 (d. h. bevor das obere Buch daraufgelegt wurde).

Welche der Kräfte haben sich geändert, als das obere Buch hinzugefügt wurde, und welche sind gleich geblieben?

Wie oben beschrieben, betrachten wir jede Kraft, die auf einen Körper wirkt, als von einem anderen Körper ausgeübt. Der erste Körper übt dabei auf den zweiten eine ebenso große Kraft in die umgekehrte Richtung aus. Die beiden Kräfte – man spricht auch von *actio* und *reactio* – werden entsprechend dem dritten Newton'schen Gesetz zusammen als Newton'sches Kräftepaar bezeichnet.

2.4 Betrachten Sie die Freikörperbilder für die beiden Bücher unter dem Aspekt der Newton'schen Kräftepaare.

a. Geben Sie die Newton'schen Kräftepaare an, für die *beide* Kräfte in den zwei Freikörperbildern auftreten. Auf welchen Körper wirken die Kräfte jeweils?

Kennzeichnen Sie sämtliche vollständig auftretenden Kräftepaare in Ihren Freikörperbildern mithilfe eines oder mehrerer Kreuze („×“) an beiden Kräftepfeilen eines Paares. (Markieren Sie also beide Vektoren eines Paares durch „—×—►“, beide Vektoren eines zweiten Paares durch „—××—►“ usw.)

b. Geben Sie für jedes vollständige Newton'sche Kräftepaar an, ob die beiden Kräfte des Kräftepaares im *gleichen* Freikörperbild oder in *verschiedenen* Freikörperbildern auftreten.

Handelt es sich bei den beiden Kräften eines Newton'schen Kräftepaares um Kräfte der gleichen Art oder um verschiedene Arten von Kräften?

c. Treten in den Freikörperbildern Kräfte auf, die mit anderen (nicht in den betrachteten Freikörperbildern enthaltenen) Kräften Newton'sche Kräftepaare bilden?

Bezeichnen Sie für jedes dieser „unvollständigen“ Kräftepaare:

- die Kraft, die in einem der beiden Freikörperbilder auftritt,
- die Kraft, die *nicht* in einem der beiden Freikörperbilder auftritt,
- den Körper, dessen Freikörperbild Sie zeichnen müssten, um die fehlende Kraft darstellen zu können.

d. Treten in den Freikörperbildern zwei Kräfte auf, die gleiche Beträge und entgegengesetzte Richtungen besitzen aber kein Newton'sches Kräftepaar miteinander bilden? Begründen Sie Ihre Antwort.

3 Vertiefung: Kontaktkräfte und Feldkräfte

3.1 An einem Faden hängt ein Magnet, der einen zweiten Magneten hält.

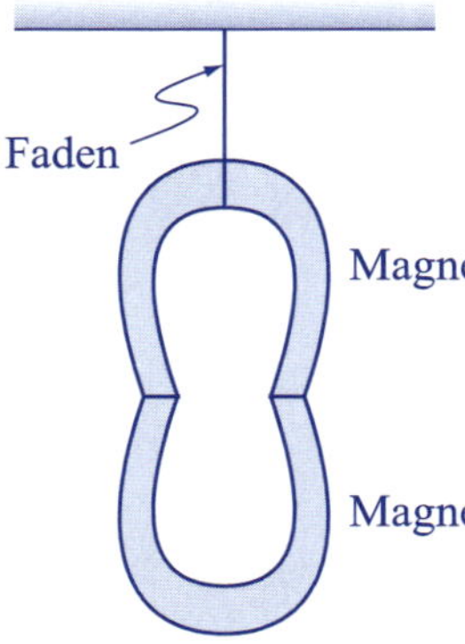

a. Zeichnen Sie ein Freikörperbild für Magnet 2. Die Kennzeichnung der Kräfte sollte folgende Informationen enthalten:

- die Art der Kraft (Gewichtskraft, Normalkraft usw.),
- den Körper, auf den die Kraft ausgeübt wird, und
- den Körper, der die Kraft ausübt.

b. Die beiden Magneten werden nun durch stärkere Magneten gleicher Masse ersetzt. Ändert sich dadurch das Freikörperbild?

Wenn ja, skizzieren Sie ein neues Freikörperbild und beschreiben Sie, worin es sich vom ursprünglichen Diagramm unterscheidet. (Beschriften Sie dabei die Kräfte wie in Abschnitt 1.) Wenn nein, begründen Sie, warum das Diagramm gleich bleibt.

c. Kann ein Magnet auf einen anderen Körper eine Feldkraft ausüben?

Kann ein Magnet auf einen anderen Körper eine Kontaktkraft ausüben?

Beschreiben Sie, wie ein Magnet auf einen anderen Magneten sowohl eine Kontaktkraft als auch eine Feldkraft ausüben kann.

d. Um noch einmal zu überprüfen, ob Sie alle Kräfte auf Magnet 2 erfasst haben, sollten Sie sämtliche auf ihn wirkende Kräfte aufzählen.

- Feldkräfte

- Kontaktkräfte

3.2 Ein Eisenstab wird von einem Magneten gehalten. Der Magnet ist seinerseits mit einem Faden an der Decke befestigt.

a. Zeichnen Sie für den Magneten und den Eisenstab jeweils ein Freikörperbild.

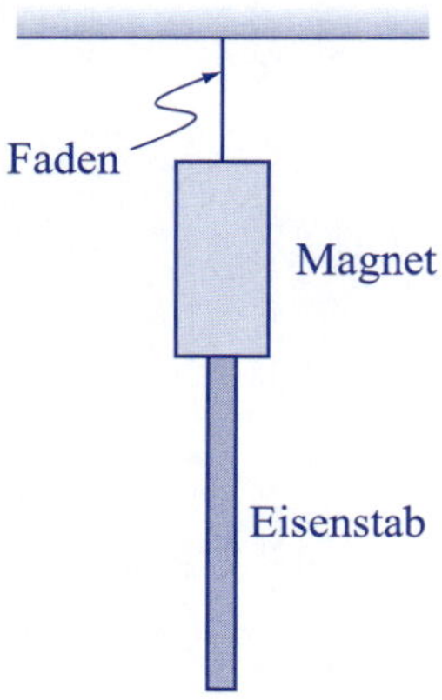

Die Kennzeichnung der Kräfte sollte folgende Informationen enthalten:

- die Art der Kraft (Gewichtskraft, Normalkraft usw.),
- den Körper, auf den die Kraft ausgeübt wird, und
- den Körper, der die Kraft ausübt.

Freikörperbild für Eisenstab	Freikörperbild für Magnet
(*Tipp:* Diagramm enthält drei Kräfte.)	(*Tipp:* Diagramm enthält vier Kräfte.)

b. Geben Sie für jede Kraft, die im Freikörperbild für den Eisenstab auftritt, die entsprechende Kraft an, die mit ihr zusammen ein Newton'sches Kräftepaar bildet.

c. Wie ändert sich das Freikörperbild für den Eisenstab, wenn der Magnet durch einen stärkeren ersetzt wird? Welche Kräfte ändern sich in ihrem Betrag? Welche Kräfte bleiben gleich?

1 Anwendung der Newton'schen Gesetze auf wechselwirkende Körper bei konstanter Geschwindigkeit

Drei gleiche Ziegelsteine werden mit *konstanter Geschwindigkeit* über die Oberfläche eines Tisches geschoben (siehe Abbildung). Die Hand schiebt dabei waagerecht. (*Hinweis:* Zwischen den Steinen und dem Tisch tritt Reibung auf.)

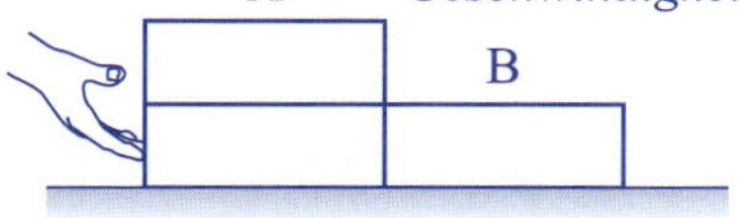

Bezeichnen Sie die beiden linken Steine als System A und den rechten Stein als System B.

1.1 Vergleichen Sie die auf System A wirkende *resultierende Kraft* (nach Betrag und Richtung) mit der resultierenden Kraft auf System B. Begründen Sie Ihre Antwort.

1.2 Zeichnen Sie zwei getrennte Freikörperbilder für System A und System B. Kennzeichnen Sie alle Kräfte in Ihren Diagrammen durch Angabe der folgenden Informationen: die Art der Kraft, den Körper, auf den sie wirkt, und den Körper, der sie ausübt.

Freikörperbild für System A	Freikörperbild für System B

1.3 Ist der Betrag der Kraft, die System B auf System A ausübt, *größer, kleiner* oder *gleich* dem Betrag der Kraft, die System A auf System B ausübt? Begründen Sie.

Wie würde sich Ihre Antwort ändern, wenn die Hand System B nach links schieben würde, anstatt System A nach rechts zu schieben? Falls Ihre Antwort in diesem Fall gleich bliebe, erklären Sie warum.

1.4 Kennzeichnen Sie sämtliche auftretenden Newton'schen Kräftepaare in Ihren Freikörperbildern mithilfe eines oder mehrerer Kreuze („×“) an jedem der beiden Kräftepfeile eines Paares. (Markieren Sie also beide Vektoren des ersten Paares durch „—×→“, beide Vektoren des zweiten Paares durch „—××→“ usw.)

Nach welchen Kriterien haben Sie die Kräftepaare identifiziert? Wie lässt sich die im Tutorial *Kräfte* eingeführte Notation (z. B. $\vec{F}_{G}^{KE}$ für die Gewichtskraft, die von der Erde auf die Kiste ausgeübt wird) hierfür nutzen?

Sind Ihre Antworten in Teil 1.3 mit den von Ihnen gefundenen Kräftepaaren vereinbar? Wenn ja, geben Sie an, wie. Wenn nicht, lösen Sie den Widerspruch auf.

1.5 Ordnen Sie alle horizontalen Kräfte in den beiden Diagrammen in Teil 1.2 nach ihrem Betrag. (*Hinweis:* Beachten Sie, dass sich die Ziegelsteine mit konstanter Geschwindigkeit bewegen.)

Haben Sie beim Vergleich der Beträge der horizontalen Kräfte das *zweite* Newton'sche Gesetz verwendet? Wenn ja, beschreiben Sie kurz, an welcher Stelle.

Haben Sie beim Vergleich der Beträge der horizontalen Kräfte das *dritte* Newton'sche Gesetz verwendet? Wenn ja, beschreiben Sie kurz, an welcher Stelle.

Welche weiteren Informationen (zusätzlich zu den Newton'schen Gesetzen) haben Sie beim Vergleich der Beträge noch verwendet?

1.6 Die Masse eines Ziegelsteines beträgt 2,5 kg, der Gleitreibungskoeffizient zwischen Ziegelstein und Tisch beträgt 0,2 und die Steine bewegen sich mit einer konstanten Geschwindigkeit vom Betrag 0,5 m/s.

Bestimmen Sie die Beträge aller Kräfte in Ihren Freikörperbildern in Teil 1.2. (Verwenden Sie die Näherung $g \approx 10\,\mathrm{m/s^2}$.)

Ändern sich Ihre Antworten, wenn sich die Steine nur halb so schnell bewegen? Begründen Sie.

→ Diskutieren Sie Ihre Antworten mit einem Tutor, bevor Sie die Arbeit fortsetzen.

2 Anwendung der Newton'schen Gesetze auf wechselwirkende Körper bei veränderlicher Geschwindigkeit

Die Hand drückt nun mit der gleichen Kraft gegen die Ziegelsteine wie in Abschnitt 1. Der Gleitreibungskoeffizient zwischen den Ziegelsteinen und dem Tisch ist nun jedoch *geringer* als zuvor.

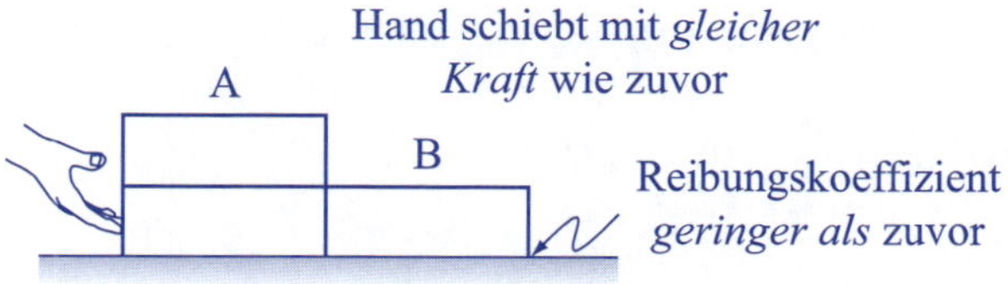

2.1 Beschreiben Sie die Bewegung der Systeme A und B. Wie unterscheidet sich die Bewegung von der in Abschnitt 1?

2.2 Vergleichen Sie die resultierende Kraft auf System A (nach Betrag und Richtung) mit der resultierenden Kraft auf System B. Begründen Sie Ihre Antwort.

2.3 Zeichnen und beschriften Sie zwei getrennte Freikörperbilder für die Systeme A und B.

Freikörperbild für System A	Freikörperbild für System B

2.4 Betrachten Sie die folgende Diskussion zwischen zwei Studierenden.

Ali: *„System A und System B werden mit der gleichen Kraft wie vorher geschoben. Deshalb bewegen sie sich auch genau so wie vorher."*

Jean: *„Da bin ich anderer Meinung. Ich glaube, dass sie schneller werden, weil die Reibung geringer ist. System A drückt deshalb mit einer größeren Kraft gegen System B als die Kraft, mit der System B gegen System A drückt."*

Stimmen Sie einer der beiden Aussagen zu? Wenn ja, welcher? Begründen Sie Ihre Antwort.

2.5 Ordnen Sie alle *horizontalen* Kräfte, die in Ihren Freikörperbildern in Abschnitt 2.3 auftreten, nach deren Betrag. Begründen Sie Ihre Antwort. (Geben Sie explizit an, wie Sie das zweite und dritte Newton'sche Gesetz beim Vergleich der Kräfte verwendet haben.)

Ist es möglich, die horizontalen Kräfte in eine *eindeutige* Reihenfolge zu sortieren?

3 Anwendung der Newton'schen Gesetze auf ein System wechselwirkender Körper

Das aus allen drei Ziegelsteinen bestehende System soll als System C bezeichnet werden. Die Bewegung der Steine ist dieselbe wie in Abschnitt 2.

System C

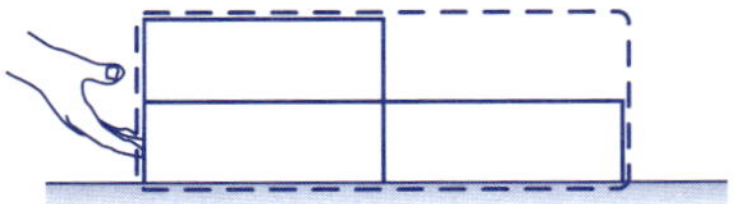

3.1 Vergleichen Sie den Betrag der auf System C wirkenden *resultierenden Kraft* mit den Beträgen der auf die Systeme A und B wirkenden *resultierenden Kräfte*. Begründen Sie.

3.2 Zeichnen und beschriften Sie ein Freikörperbild für System C.

Freikörperbild für System C

Vergleichen Sie Ihr Freikörperbild für System C mit den Freikörperbildern für die Systeme A und B in Abschnitt 2:

Geben Sie für jede der im Freikörperbild für System C auftretenden Kräfte die entsprechende Kraft (oder die entsprechenden Kräfte) in den Freikörperbildern für die Systeme A und B an.

Gibt es Kräfte in Ihren Diagrammen für die Systeme A und B, die in dieser Zuordnung nicht auftreten? Wenn ja, was haben diese Kräfte miteinander gemein, das sie von den anderen Kräften unterscheidet?

Warum ist es für die Bestimmung der Bewegung von System C nicht notwendig, diese Kräfte zu berücksichtigen?

Beachten Sie, dass solche Kräfte oft als *innere Kräfte* bezeichnet werden, um sie von *äußeren Kräften* zu unterscheiden.

4 Interpretation von Freikörperbildern

Die Abbildung rechts zeigt ein Freikörperbild für einen Wagen. Sämtliche Kräfte sind maßstabsgetreu eingezeichnet.

Skizzieren Sie den Wagen und das Seil, so wie diese in einem Laborversuch zu sehen wären.

Freikörperbild für Wagen (W)

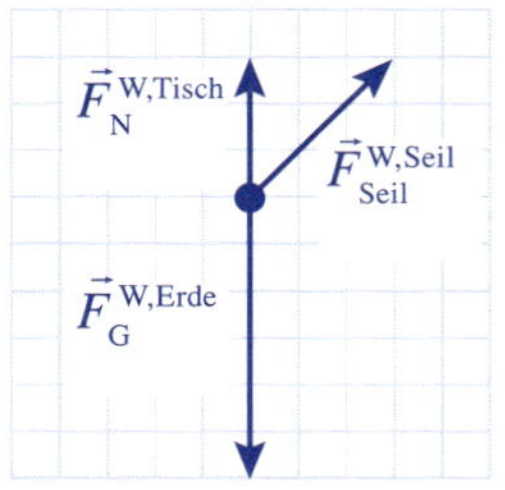

Was lässt sich aufgrund des Freikörperbildes über die Bewegung des Wagens aussagen? Könnte sich der Wagen zum Beispiel nach links (nach rechts) bewegen? Könnte es sein, dass er sich gar nicht bewegt? Erklären Sie, welche Fälle möglich sind, und beschreiben Sie für jeden möglichen Fall die Bewegung des Wagens.

1 Durch ein dickes Seil verbundene Klötze

Zwei Holzklötze (A und B) sind durch ein dickes Seil der Masse M mit einander verbunden. Klotz B erfährt eine konstante horizontale Kraft nach rechts. Nehmen Sie an, dass zwischen den Klötzen und dem Tisch keine Reibung auftritt und dass die Klötze zum betrachteten Zeitpunkt bereits eine Weile in Bewegung sind.

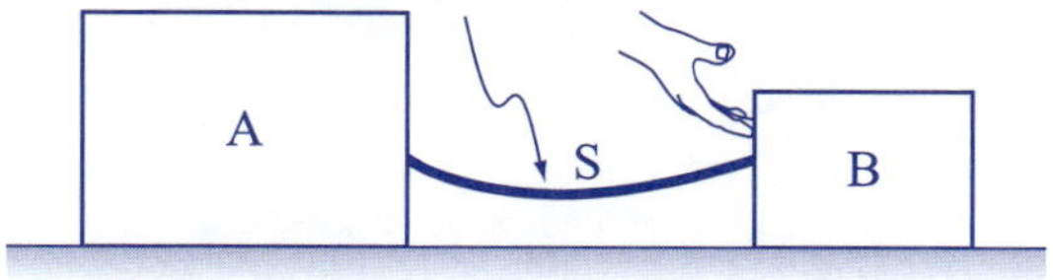

1.1 Beschreiben Sie jeweils die von Klotz A, Klotz B und vom Seil ausgeführte Bewegung.

1.2 Zeichnen Sie auf einem großen Blatt Papier jeweils ein Freikörperbild für Klotz A, für Klotz B und für das Seil, und kennzeichnen Sie die auftretenden Kräfte.

Übertragen Sie die Freikörperbilder hier nach der Diskussion in Ihrer Arbeitsgruppe.

Freikörperbild für Klotz A	Freikörperbild für Seil	Freikörperbild für Klotz B

1.3 Kennzeichnen Sie sämtliche auftretenden Newton'schen Kräftepaare in Ihren Freikörperbildern mithilfe eines oder mehrerer Kreuze („×“) an jedem der beiden Kräftepfeile eines Paares. (Markieren Sie also beide Vektoren des ersten Paares durch „–×→“, beide Vektoren des zweiten Paares durch „–××→“, usw.)

1.4 Ordnen Sie die Horizontalkomponenten aller Kräfte in den Diagrammen nach ihren Beträgen. Begründen Sie Ihre Antwort.

1.5 Vergleichen Sie die Horizontalkomponenten der Kräfte, die durch Klötze A und B auf das Seil ausgeübt werden. Ist Ihre Aussage über die relative Größe dieser beiden Kraftkomponenten mit der Bewegung des Seils und der auf das Seil wirkenden resultierenden Kraft vereinbar?

→ Diskutieren Sie Ihre Antworten mit einem Tutor, bevor Sie die Arbeit fortsetzen.

2 Durch ein dünnes Seil verbundene Klötze

Die beiden Holzklötze aus Abschnitt 1 sind nun durch ein sehr dünnes, nicht dehnbares Seil der Masse m (mit $m < M$) verbunden.

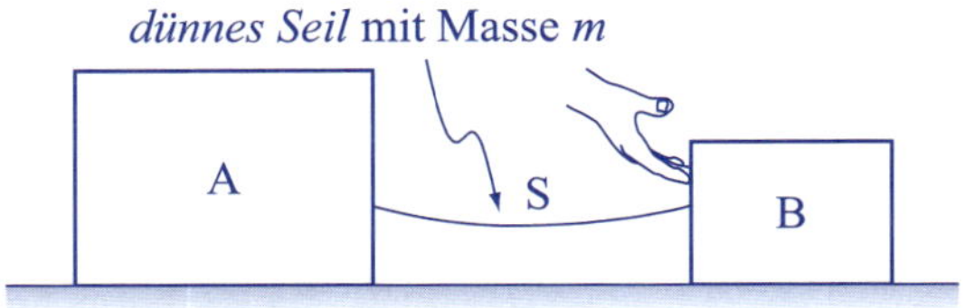

2.1 Vorausgesetzt, die Klötze bewegen sich in der gleichen Weise wie in Abschnitt 1, wie unterscheidet sich dann die auf das *dünne Seil* wirkende resultierende Kraft von der resultierenden Kraft auf das *dicke Seil*?

2.2 Sind die resultierenden Kräfte auf die folgenden Körper *größer, kleiner* oder *gleich* der resultierenden Kraft auf den entsprechenden Körper in Abschnitt 1. Begründen Sie.

- Klotz A
- Klotz B
- das Gesamtsystem bestehend aus den Klötzen und dem verbindenden Seil

2.3 Vergleichen Sie jeweils die Horizontalkomponenten der entsprechenden Kräfte in den Abschnitten 1 und 2 (und begründen Sie Ihre Antwort) für:

- die durch Klotz A auf das dicke bzw. dünne Seil ausgeübte Kraft,

- die durch Klotz B auf das dicke bzw. dünne Seil ausgeübte Kraft.

2.4 Nehmen Sie an, die Masse des Seils zwischen Klotz A und B würde immer weiter verringert, aber die Bewegung bliebe gleich wie in Abschnitt 1. Wie verändern sich:

- der Betrag der resultierenden Kraft auf das Seil,

- die Beträge der durch die Klötze A and B auf das Seil ausgeübten Kräfte?

2.5 Ein Seil übt auf jeden der beiden Körper, die mit ihm verbunden sind, eine Kraft aus. In der idealisierten Vorstellung eines masselosen Seils bezeichnet man den Betrag beider Kräfte oft als „Zugkraft im Seil".

Ist die Verwendung eines *einzigen Wertes* für die Beträge beider Kräfte gerechtfertigt? Begründen Sie Ihre Antwort.

2.6 Die resultierende Kraft auf ein masseloses Seil sei gleich Null. Was lässt sich damit über die Bewegung des Seils aussagen?

Kann man auf ein masseloses Seil eine (nicht verschwindende) Kraft ausüben? Kann ein masseloses Seil eine (nicht verschwindende) resultierende Kraft erfahren? Begründen Sie.

→ Diskutieren Sie Ihre Antworten mit einem Tutor, bevor Sie die Arbeit fortsetzen.

3 Die Atwood'sche Fallmaschine

Die nebenstehende Atwood'sche Fallmaschine besteht aus zwei gleichen Körpern, die durch ein masseloses Seil verbunden sind. Das Seil läuft über eine reibungsfreie und masselose Rolle. Körper B befindet sich anfänglich oberhalb von Körper A und wird festgehalten, so dass sich keiner der beiden Körper bewegt.

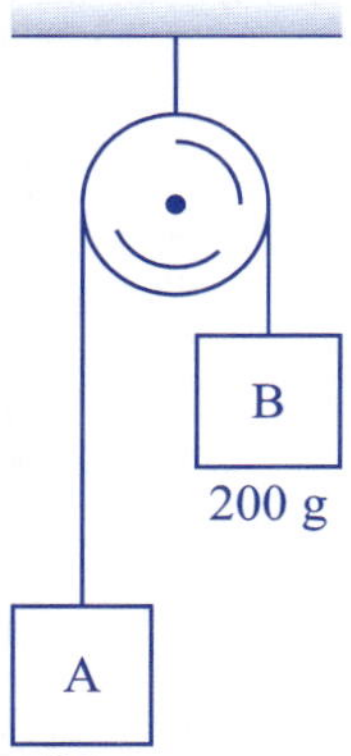

3.1 Werden sich die Körper A und B bewegen, nachdem Körper B losgelassen wird? Wenn ja, wie? Begründen Sie Ihre Vermutung, ohne Formeln oder Gleichungen zu verwenden.

3.2 Zeichnen Sie Freikörperbilder für Körper A und B. Sind Ihre Freikörperbilder mit der von Ihnen vermuteten Bewegung der beiden Körper vereinbar?

Körper B wird nun durch einen Körper C ersetzt, der eine größere Masse hat. Körper C befindet sich anfänglich oberhalb von Körper A und wird festgehalten, so dass sich keiner der beiden Körper bewegt.

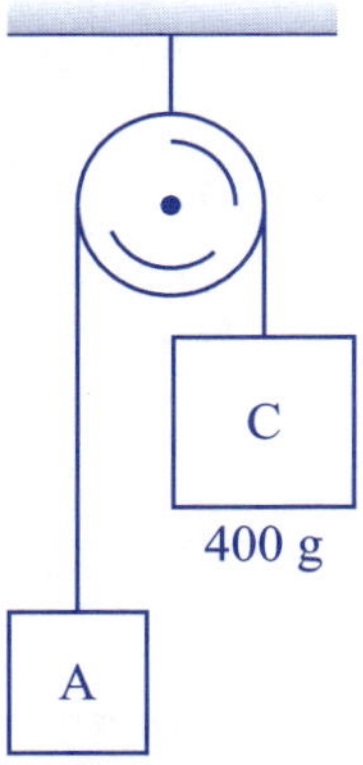

3.3 Überlegen Sie, was passiert, nachdem Körper C losgelassen wird.

- Wird sich Körper C bewegen? Wenn ja, wie?

- Wird sich Körper A bewegen? Wenn ja, wie?

- Vergleichen Sie die Geschwindigkeiten und Beschleunigungen von Körper A und C, kurz nachdem Körper C losgelassen wurde.

Begründen Sie Ihre Vermutungen, ohne Formeln oder Gleichungen zu verwenden.

3.4 Zeichnen und beschriften Sie getrennte Freikörperbilder für Körper A und C, nachdem diese losgelassen wurden. Stellen Sie dabei die relative Größe der Kräfte durch die Länge der Vektoren dar.

3.5 Sind Ihre Vorhersagen in Teil 3.3 mit den Freikörperbildern für die Körper A und C vereinbar? Wenn ja, erklären Sie kurz, inwiefern sie vereinbar sind. Wenn nicht, lösen Sie den Widerspruch auf.

3.6 Das Gewicht eines Massestücks von 200 g beträgt $(0{,}2\,\text{kg})(9{,}8\,\text{m/s}^2) \approx 2\,\text{N}$; das eines Massestücks von 400 g entsprechend etwa 4 N.

a. Vergleichen Sie die vom Seil auf Körper A ausgeübte Kraft mit diesen beiden Gewichtskräften.

b. Vergleichen Sie die vom Seil auf Körper C ausgeübte Kraft mit diesen beiden Gewichtskräften.

Begründen Sie Ihre Antworten.

c. Vergleichen Sie die resultierende Kraft auf Körper A mit der resultierenden Kraft auf Körper C. Begründen Sie.

3.7 Betrachten Sie die folgende Aussage eines Studenten über die Atwood'sche Fallmaschine.

„Seile können ja nur Kräfte von einem Körper auf einen anderen übertragen. Das bedeutet, dass das Seil in der Atwood'schen Fallmaschine nur das Gewicht eines Blockes auf den anderen überträgt."

Stimmen Sie dieser Aussage zu? Begründen Sie Ihre Antwort.

1 Zusammenhang zwischen Arbeit, Kraft und Verschiebung

1.1 Ein Klotz bewegt sich auf einer reibungsfreien, waagerechten Oberfläche zu Anfang nach rechts. Eine Hand übt auf den Klotz eine konstante horizontale Kraft aus, die den Klotz abbremst (Phase 1), seine Bewegung umkehrt und ihn dann (in der entgegengesetzten Richtung) schneller werden lässt (Phase 2).

a. Stellen Sie in der nachfolgenden Tabelle für die Vektorgrößen *Kraft* und *Verschiebung* die jeweiligen Richtungen mithilfe eines Pfeils dar und geben Sie das Vorzeichen an, das sich für die jeweilige Horizontalkomponente ergibt, wenn die positive x-Richtung nach rechts gewählt wird.

	Kraft der Hand auf den Klotz		Verschiebung		Arbeit
	Richtung	Vorzeichen	Richtung	Vorzeichen	Vorzeichen
Phase 1					
Phase 2					

b. Bestimmen Sie das Vorzeichen der Arbeit, die von der Hand am Klotz verrichtet wird, und tragen Sie dieses in die Tabelle ein.

c. Welche Eintragungen in der Tabelle müssen Sie ändern, wenn Sie jetzt die positive x-Richtung nach links wählen? Begründen Sie Ihre Antwort.

d. Betrachten Sie die folgende Aussage:

„Die Kraft ist immer nach links gerichtet. Wenn links die negative Richtung ist, dann ist die Arbeit in beiden Phasen negativ. Wenn wir das Koordinatensystem ändern und links ‚positiv' nennen, dann ist die Arbeit in beiden Fällen positiv."

Stimmen Sie dieser Aussage zu? Begründen Sie.

1.2 Fassen Sie Ihre bisherigen Ergebnisse zusammen: Wie lassen sich das Vorzeichen und der Betrag der Arbeit, die von einer einzelnen Kraft an einem Körper verrichtet wird, bestimmen.

Wir betrachten im Folgenden die Arbeit, die an einem System verrichtet wird, wenn verschiedene Teile des Systems unterschiedliche Verschiebungen erfahren.

2 Arbeit an Systemen mehrerer Körper

Zwei identische Klötze (A und B) auf einer waagerechten, reibungsfreien Oberfläche sind zu Anfang in Ruhe. Zum Zeitpunkt $t = t_1$ beginnen zwei Hände damit, die beiden Klötze aufeinander zuzuschieben (siehe Abbildung unten). Jede der beiden Hände übt eine konstante horizontale Kraft vom Betrag F_o aus. Zum Zeitpunkt $t = t_2$ haben sich beide Klötze jeweils um eine Strecke vom Betrag d_o von ihrer Ausgangslage entfernt.

2.1 Ist die während des Zeitintervalls von t_1 bis t_2 von der Hand am jeweiligen Klotz verrichtete Arbeit *positiv, negativ* oder *gleich Null...*

- für Klotz A,

- für Klotz B?

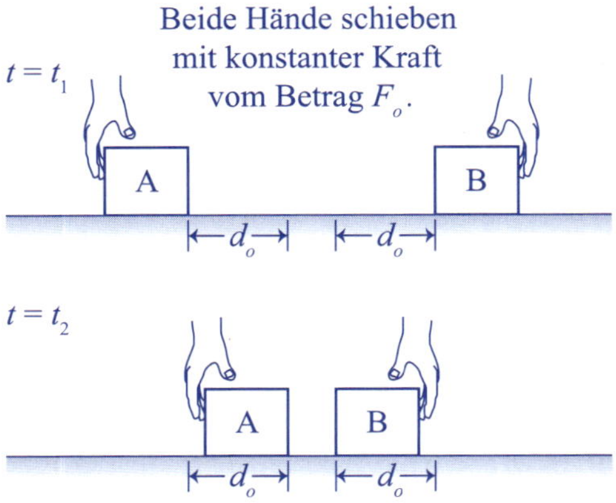

Die Summe aller Arbeiten, die von äußeren Kräften an einem Körper oder einem System verrichtet werden, wird als *Gesamtarbeit aller äußeren Kräfte* $W_{\text{ges,äußere}}$ bezeichnet.

2.2 Betrachten Sie System T, das aus den Klötzen A und B besteht. Geben Sie mithilfe der oben gegebenen Größen einen Ausdruck für die am System T verrichtete Gesamtarbeit der äußeren Kräfte im Zeitintervall von t_1 bis t_2 an. Begründen Sie.

2.3 Geben Sie einen Ausdruck für die *resultierende Kraft* auf System T zu einem beliebigen Zeitpunkt zwischen t_1 und t_2 an. Kann man aus dieser resultierenden Kraft die Gesamtarbeit der äußeren Kräfte auf System T berechnen? Begründen Sie.

2.4 Betrachten Sie die folgende Aussage:

„Da sich beide Klötze um die gleiche Strecke, aber in entgegen gesetzte Richtungen bewegen, hat sich das System eigentlich gar nicht bewegt. Deshalb ist die Gesamtarbeit am System gleich Null."

Stimmen Sie dieser Aussage zu? Begründen Sie.

Beschreiben Sie mit eigenen Worten, welche Verschiebung(en) man berücksichtigen muss, um die Gesamtarbeit an einem System zu berechnen, dessen verschiedene Teile unterschiedliche Verschiebungen erfahren.

→ Überprüfen Sie Ihre Antworten gemeinsam mit einem Tutor.

3 Zusammenhang zwischen Arbeit und Änderungen der kinetischen Energie bei einfachen Systemen

3.1 Verwenden Sie die Definition der kinetischen Energie, um das Vorzeichen der *Änderung der kinetischen Energie* ΔE_{kin} eines Körpers zu bestimmen, wenn dieser (1) schneller wird, (2) langsamer wird, oder (3) sich mit konstantem Geschwindigkeitsbetrag bewegt.

3.2 Halten Sie Ihre bisherigen Ergebnisse in der Tabelle fest.

	Teil 1.2 Phase 1	Teil 1.2 Phase 2	Abschnitt 2 Klotz A	Abschnitt 2 Klotz B
Vorzeichen von ΔE_{kin}				
Vorzeichen von $W_{\text{ges,äußere}}$				

Die Gesamtarbeit aller äußeren Kräfte an einem System bewirkt eine Änderung der Gesamtenergie des Systems. In den Abschnitten 1 und 2 dieses Tutorials ist die einzige Energieform, die eine Änderung erfährt, die kinetische Energie, so dass $W_{\text{ges,äußere}} = \Delta E_{\text{kin}}$ gilt.

3.3 Überprüfen Sie, ob Ihre Ergebnisse in der Tabelle mit der Gleichung $W_{\text{ges,äußere}} = \Delta E_{\text{kin}}$ vereinbar sind.

4 Anwendung von $W_{\text{ges,äußere}} = \Delta E_{\text{kin}}$

Zwei Wagen (C und D) sind anfänglich in Ruhe auf einem waagerechten, reibungsfreien Tisch, wie in der nachstehenden Abbildung dargestellt. Eine konstante Kraft vom Betrag F_o wird auf jeden der beiden Wagen ausgeübt, während er sich von der Start- zur Zielmarkierung bewegt. Wagen D hat eine größere Masse als Wagen C.

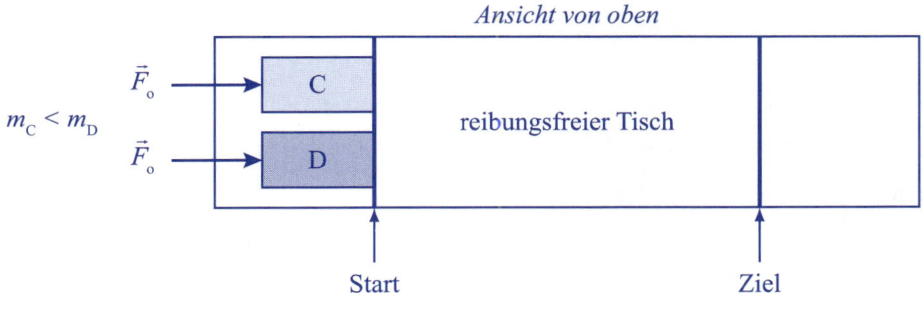

4.1 Stimmen Sie der folgenden Aussage über die kinetischen Energien der beiden Wagen beim Überqueren der Zielmarkierung zu? Begründen Sie.

„Da auf beide Wagen die gleiche Kraft wirkt, bewegt sich der Wagen mit der geringeren Masse schneller, der mit der größeren Masse langsamer. Da die Geschwindigkeit in der kinetischen Energie im Quadrat vorkommt, aber die Masse nicht, muss der Wagen mit der größeren Geschwindigkeit eine größere kinetische Energie haben."

4.2 Ist die Gesamtarbeit der äußeren Kräfte an Wagen C ($W_{\text{ges,äußere,C}}$) *größer, kleiner* oder *gleich* der Gesamtarbeit der äußeren Kräfte an Wagen D ($W_{\text{ges,äußere,D}}$)? Begründen Sie.

Ist die kinetische Energie von Wagen C beim Überqueren der Zielmarkierung *größer, kleiner* oder *gleich* der kinetischen Energie von Wagen D?

4.3 Sind Ihre Antworten in Teil 4.1 und Teil 4.2 mit einander vereinbar? Begründen Sie. Falls Sie der Aussage in Teil 4.1 nicht mehr zustimmen, erklären Sie, warum diese nicht zutrifft.

5 Grenzen der Gültigkeit von $W_{\text{ges,äußere}} = \Delta E_{\text{kin}}$

Der in Abschnitt 2 beschriebene Versuch wird nun mit einer Feder zwischen den Klötzen A und B wiederholt (siehe Abbildung unten). Diesmal bewegen sich die Klötze aus der Ruhelage zum Zeitpunkt t_3 um eine Strecke d_o, bevor sie sich zum Zeitpunkt t_4 wieder momentan in Ruhe befinden.

5.1 System Y besteht aus den Klötzen A und B und der Feder.

Bestimmen Sie die im Zeitintervall von t_3 bis t_4 an System Y verrichtete *Gesamtarbeit der äußeren Kräfte*. (*Hinweis:* Vergleichen Sie die äußeren Kräfte auf das System in den Abschnitten 2 und 5.) Begründen Sie.

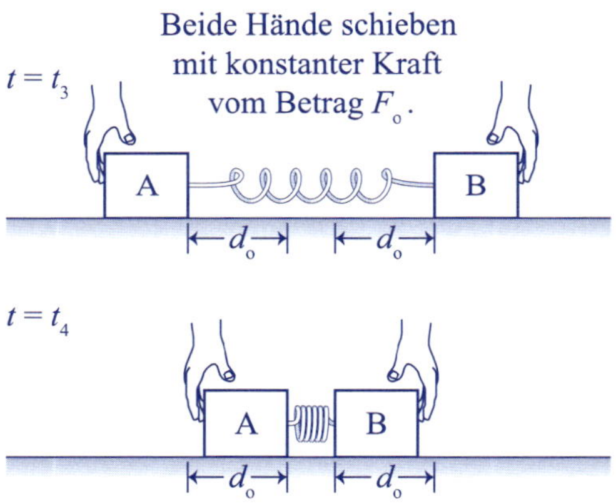

5.2 Erklären Sie, inwiefern Ihre Antwort mit der Gleichung $W_{\text{ges,äußere}} = \Delta E_{\text{kin}}$ im Widerspruch steht.

Der Zusammenhang $W_{\text{ges,äußere}} = \Delta E_{\text{kin}}$ gilt für Systeme, deren innere Energie sich nicht ändert. Wenn sich im obigen Beispiel die Länge der Feder ändert, ändert sich auch die in ihr gespeicherte Energie. Wie wir im Tutorial *Energieerhaltung* sehen werden, kann die Energiebilanz in einer allgemeineren Form ausgedrückt werden.

1 Arbeit und Energieänderungen

Mit zwei gleichartigen Klötzen werden auf einer waagerechten, reibungsfreien Ebene zwei verschiedene Experimente durchgeführt. Anfänglich sind die beiden Klötze jeweils in Ruhe und werden dann um eine Strecke d_o verschoben. Die Hände üben dabei jeweils konstante horizontale Kräfte vom Betrag F_o aus.

In Experiment 1 sind die Klötze durch eine ideale masselose Feder mit Federkonstante k_1 verbunden, die zu Beginn entspannt ist. Am Ende des betrachteten Zeitabschnitts haben beide Klötze die Geschwindigkeit Null.

In Experiment 2 haben beide Klötze am Ende des betrachteten Zeitabschnitts Geschwindigkeiten vom Betrag v_2.

1.1 Betrachten Sie nun System 1 (bestehend aus den beiden Klötzen und der Feder in Experiment 1) und System 2 (bestehend aus den beiden Klötzen in Experiment 2).

Tragen Sie in der nachstehenden Tabelle ein, ob die betrachteten Größen für die beiden Systeme jeweils *positive* Werte, *negative* Werte oder den Wert *Null* haben. Begründen Sie.

	$W_{\text{ges,äußere}}$	ΔE_{kin}	ΔE_{pot}	ΔE_{ges}
System 1				
System 2				

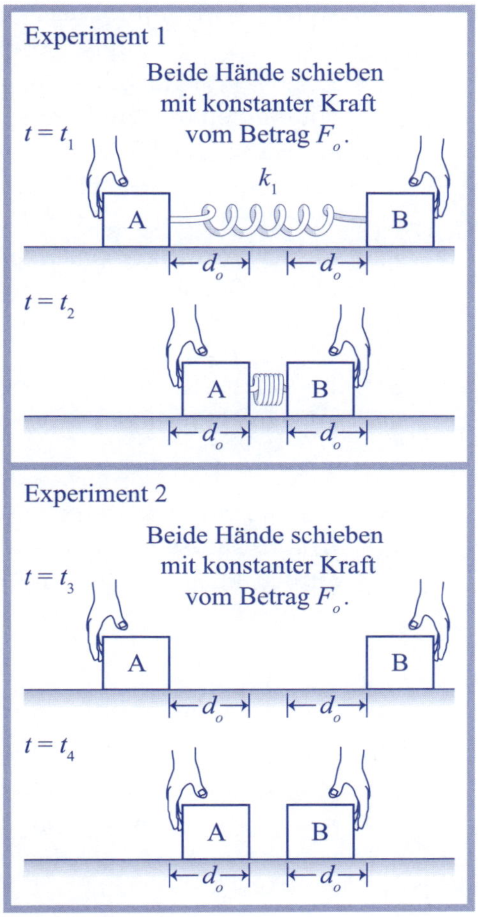

1.2 Geben Sie für jede der nachfolgenden Aussagen an, ob diese mit Ihren Ergebnissen vereinbar ist. Falls nicht, geben Sie einen bestimmten Fall an, welcher der Aussage widerspricht.

Gustave: *„Die Gesamtarbeit an einem System ist immer gleich der Änderung der kinetischen Energie des Systems."*

George: *„Wenn keine Reibung auftritt, ist die Gesamtenergie eines Systems konstant. Mit anderen Worten, $E_{kin,Anfang} + E_{pot,Anfang} = E_{kin,Ende} + E_{pot,Ende}$."*

Emmy: *„Die Gesamtenergie eines Systems kann sich ändern, wenn an diesem System Arbeit verrichtet wird. Die Gesamtarbeit der äußeren Kräfte an einem System ist gleich der Änderung der Gesamtenergie des Systems."*

→ Diskutieren Sie Ihre Antworten mit einem Tutor, bevor Sie Ihre Arbeit fortsetzen.

Ein grundlegendes Gesetz der Physik ist die Aussage, dass sich die Gesamtenergie eines Systems nur durch Wechselwirkung mit Körpern außerhalb des Systems ändern kann. Eine Möglichkeit, wie sich die Gesamtenergie eines Systems ändern kann, ist durch Arbeit von äußeren Kräften. Die Gesamtarbeit der äußeren Kräfte an einem System und die Änderung der Energie dieses Systems hängen über das Gesetz der Energieerhaltung voneinander ab. In der Mechanik kann dieses Gesetz folgendermaßen ausgedrückt werden:

$$W_{\text{ges,äußere}} = \Delta E_{\text{ges}}.$$

1.3 Experiment 1 wird mit einer idealen masselosen Feder mit Federkonstante k_3 wiederholt (wobei $k_3 < k_1$ gilt). Wie in Experiment 1 ist die Feder zu Beginn entspannt und beide Klötze befinden sich in Ruhe. Die Klötze werden dann jeweils um eine Strecke d_o verschoben, wobei die Hände dabei konstante horizontale Kräfte vom Betrag F_o ausüben. Am Ende von Experiment 3 haben die beiden Klötze nun Geschwindigkeiten vom Betrag v_3.

System 3 bestehe aus den beiden Klötzen und der Feder in Experiment 3.

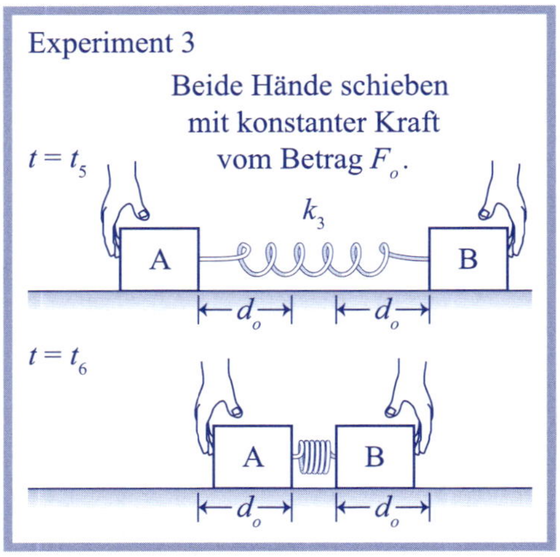

a. Ordnen Sie die Systeme 1 bis 3 nach dem *Betrag der Gesamtarbeit der äußeren Kräfte*. Falls die Gesamtarbeit an einem der Systeme gleich Null ist, geben Sie dies ausdrücklich an. Begründen Sie.

b. Ordnen Sie die Systeme 1 bis 3 nach dem *Betrag der Änderung der Gesamtenergie.* Falls die Änderung der Gesamtenergie eines der Systeme gleich Null ist, geben Sie dies ausdrücklich an. Begründen Sie.

c. Ordnen Sie die Systeme 1 bis 3 nach dem *Betrag der Änderung der potentiellen Energie.* Falls die Änderung der potenziellen Energie eines der Systeme gleich Null ist, geben Sie dies ausdrücklich an. Begründen Sie.

d. Ordnen Sie die Systeme 1 bis 3 nach dem *Betrag der Änderung der kinetischen Energie.* Falls die Änderung der kinetischen Energie eines der Systeme gleich Null ist, geben Sie dies ausdrücklich an. Begründen Sie.

e. Ist es möglich, die drei Systeme nach den Änderungen ihrer Gesamtenergie zu ordnen, indem man einfach die Änderungen der potentiellen und kinetischen Energien betrachtet (d. h. ohne die Gesamtarbeiten zu vergleichen)? Begründen Sie.

1.4 Was muss für die Gesamtarbeit an einem System gelten, damit die Gleichung $E_{\mathrm{kin,Anfang}} + E_{\mathrm{pot,Anfang}} = E_{\mathrm{kin,Ende}} + E_{\mathrm{pot,Ende}}$ auf das System angewendet werden kann? Begründen Sie. (*Hinweis:* Formen Sie die Gleichung so um, dass sie nur die Größen ΔE_{kin} und ΔE_{pot} enthält. Welcher Zusammenhang besteht zwischen diesen Größen und der Änderung der Gesamtenergie?)

2 Energiebilanzen bei unterschiedlichen Systemgrenzen

Ein Klotz der Masse m befindet sich auf einer reibungsfreien Unterlage und ist an einer idealen, masselosen Feder mit Federkonstante k befestigt (siehe Abbildung unten). Wenn sich der Klotz bei $x = 0$ befindet, ist die Feder entspannt. Zum Zeitpunkt t_7 wird der Klotz am Punkt $x = x_7$ aus der Ruhe losgelassen. Zum Zeitpunkt t_8 passiert der Klotz die Stelle $x = 0$ mit einer Geschwindigkeit vom Betrag v_8.

2.1 Betrachten Sie zunächst System A, das *aus dem Klotz und der Feder* besteht.

a. Geben Sie alle Kräfte an, die während des Zeitintervalls von t_7 bis t_8 auf System A ausgeübt werden. Geben Sie zudem an, welcher Körper die jeweilige Kraft ausübt und um welche Art von Kraft es sich handelt.

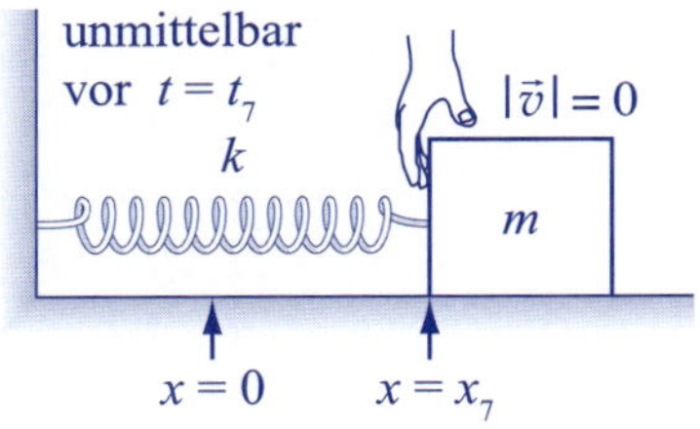

b. Geben Sie für jede Kraft in Teil a an, ob sie an System A während des Intervalls von t_7 bis t_8 *positive, negative* oder *keine* Arbeit verrichtet. Begründen Sie.

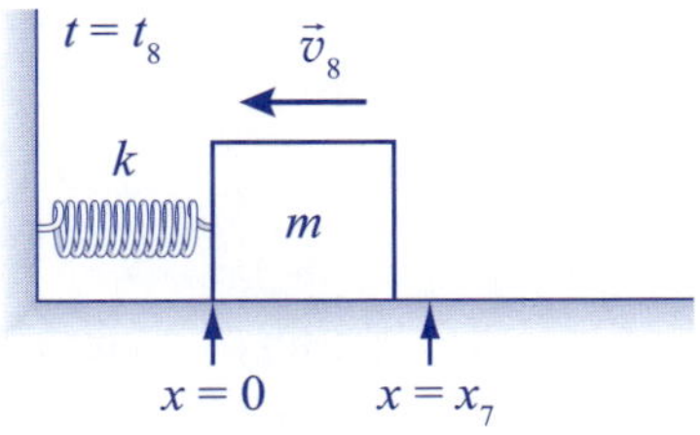

c. Geben Sie für jede der folgenden Größen einen mathematischen Ausdruck an, der für das Intervall von t_7 bis t_8) gilt. Verwenden Sie dabei die gegebenen Größen. Falls eine oder mehrere der gesuchten Größen gleich Null sind, geben Sie dies ausdrücklich an. Begründen Sie.

$\Delta E_{\mathrm{kin,A}}$	$\Delta E_{\mathrm{pot,A}}$	$W_{\mathrm{ges,äußere,A}}$

d. Stellen Sie eine Gleichung auf, welche die obigen Terme miteinander verknüpft. Begründen Sie.

e. Lösen Sie die Gleichung nach dem Betrag der Geschwindigkeit v_8 des Klotzes zum Zeitpunkt t_8 auf.

2.2 Betrachten Sie nun System B, das nur aus dem Klotz besteht.

a. Geben Sie alle Kräfte an, die während des Zeitintervalls von t_7 bis t_8 auf System B ausgeübt werden. Geben Sie zudem an, welcher Körper die jeweilige Kraft ausübt und um welche Art von Kraft es sich handelt.

b. Geben Sie für jede Kraft in Teil a an, ob sie an System B während des Intervalls von t_7 bis t_8 *positive, negative* oder *keine* Arbeit verrichtet. Begründen Sie.

c. Geben Sie für jede der folgenden Größen einen mathematischen Ausdruck an, der für das Intervall von t_7 bis t_8) gilt. Falls eine oder mehrere der gesuchten Größen gleich Null sind, geben Sie dies ausdrücklich an. Begründen Sie.

$\Delta E_{\text{kin,A}}$	$\Delta E_{\text{pot,A}}$	$W_{\text{ges,äußere,A}}$

d. Stellen Sie eine Gleichung auf, welche die obigen Terme miteinander verknüpft. Begründen Sie.

e. Betrachten Sie die folgende Diskussion über die Energie des Systems B:

Pierre: „Die Feder verrichtet Arbeit am Klotz. Dadurch ändert sich die potentielle Energie des Klotzes. Also müssen wir das so schreiben: $W_{ges,äußere,B} = \Delta E_{kin,B} + \Delta E_{pot,B}$."

William: „Aber $W_{ges,äußere,B}$ und $\Delta E_{pot,B}$ sind beide gleich $\frac{1}{2}kx_7^2$ und heben sich in dieser Gleichung gerade gegenseitig auf. Damit können wir gar nicht die Geschwindigkeit des Klotzes bestimmen."

Mary: „Ich glaube, eine Änderung der potentiellen Energie des Systems tritt nur dann auf, wenn die Feder zum System gehört. Da die Feder hier außerhalb des Systems ist, ist die Änderung der potentiellen Energie des Systems gleich Null."

Stimmen Sie einer oder mehreren Aussagen zu? Wenn ja, welcher oder welchen? Begründen Sie.

f. Überprüfen Sie, ob Ihre Antworten in den Teilen d und e mit einander vereinbar sind. Falls dies nicht der Fall ist, geben Sie an, wie Sie Ihre Antworten ändern müssen, um sie miteinander vereinbar zu machen.

g. Lösen Sie die Gleichung aus Teil d nach der Geschwindigkeit v_8 des Klotzes zum Zeitpunkt t_8 auf. Überprüfen Sie, ob Ihre Antwort mit der in Teil e vereinbar ist.

2.3 Beantworten Sie die folgenden Fragen auf der Grundlage Ihrer Ergebnisse in den Teilen 2.1 und 2.2:

a. Liefert die Feder einen Beitrag oder beeinflusst sie die Energie von System A (also wenn sie Teil des Systems ist)? Wenn ja, geben Sie an, wie. Wenn nicht, begründen Sie, warum nicht.

b. Liefert die Feder einen Beitrag oder beeinflusst sie die Energie von System B (also wenn sie nicht Teil des Systems ist)? Wenn ja, geben Sie an, wie. Wenn nicht, begründen Sie, warum nicht.

→ Diskutieren Sie Ihre Antworten mit einem Tutor.

1 Zusammenhang zwischen Kräften und Energie- und Impulsänderungen

Die folgende physikalische Situation wurde bereits im Tutorial *Arbeit* betrachtet und unter dem Gesichtspunkt der kinetischen Energie analysiert. Im Folgenden soll das gleiche Experiment auch unter dem Gesichtspunkt des Impulses betrachtet werden.

Zwei Wagen, A und B, befinden sich auf einer horizontalen, reibungsfreien Oberfläche und sind anfänglich in Ruhe (siehe Abbildung). Konstante Kräfte gleicher Richtung und mit gleichem Betrag F_o wirken auf beide Wagen, während sie sich zwischen den beiden Markierungen bewegen. Wagen B hat eine größere Masse als Wagen A.

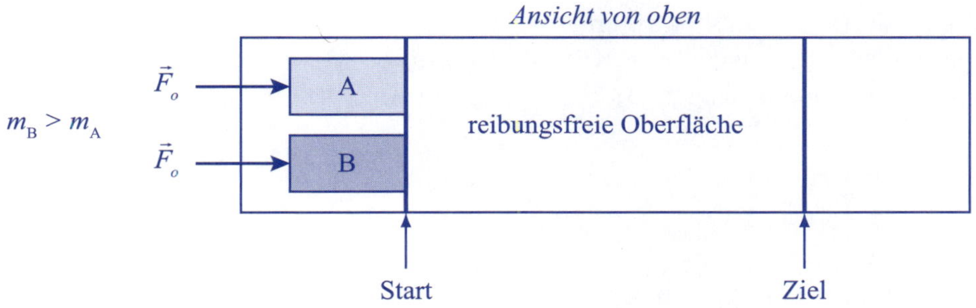

1.1 Drei Studierende diskutieren über die Impulse und kinetischen Energien, welche die beiden Wagen besitzen, wenn sie die Zielmarkierung überschreiten.

Joseph: *„Weil auf beide Wagen die gleiche Kraft wirkt, bewegt sich der leichtere Wagen schneller als der schwerere. Der Impuls jedes Wagens ist aber gerade seine Masse mal seiner Geschwindigkeit."*

Husayn: *„Das bedeutet, dass die größere Geschwindigkeit von A seine kleinere Masse kompensiert und die beiden Wagen den gleichen Impuls haben."*

Gottfried: *„Ich denke gerade über die kinetische Energie nach. Da die Geschwindigkeit quadriert wird, die Masse aber nicht, muss der Wagen mit der größeren Geschwindigkeit eine größere kinetische Energie haben."*

Geben Sie für jede der drei Aussagen an, ob Sie ihr zustimmen oder nicht.

1.2 Welcher Wagen braucht länger, um die Strecke zwischen den beiden Markierungen zurückzulegen? Begründen Sie Ihre Antwort.

1.3 Stellen Sie mithilfe des zweiten Newton'schen Gesetzes und der Definition der Beschleunigung für jeden der beiden Wagen eine Gleichung auf, welche die auf den jeweiligen Wagen wirkende resultierende Kraft mit seiner Geschwindigkeitsänderung ($\Delta\vec{v}_A$ oder $\Delta\vec{v}_B$) und der für die Strecke vom Start zum Ziel benötigten Zeit (Δt_A oder Δt_B) verknüpft.

a. Ist der Betrag von $m_A \Delta \vec{v}_A$ *größer, kleiner* oder *gleich* dem Betrag von $m_B \Delta \vec{v}_B$? Begründen Sie Ihre Antwort.

Wenn auf einen Körper eine konstante Kraft wirkt, bezeichnet man die Größe $\vec{F}\Delta t$ als den auf den Körper ausgeübten *Kraftstoß*.

b. Ist der Betrag des (während der Bewegung von der Start- zur Zielmarkierung) auf Wagen A ausgeübten Kraftstoßes *größer, kleiner* oder *gleich* dem Betrag des Kraftstoßes auf Wagen B? Begründen Sie Ihre Antwort.

c. Stellen Sie eine Gleichung auf, die den auf Wagen A ausgeübten Kraftstoß mit dem *Vektor der Impulsänderung* von Wagen A ($\Delta \vec{p}_A$) verknüpft.

Dieser Zusammenhang wird häufig als *Impulsbilanz* bezeichnet.

d. Ist der Betrag des Impulses von Wagen A beim Passieren der Zielmarkierung ($|\vec{p}_{A,2}|$) *größer, kleiner* oder *gleich* dem Betrag des Impulses von Wagen B beim Passieren der Zielmarkierung ($|\vec{p}_{B,2}|$)? Begründen Sie.

1.4 Vergleichen Sie die gesamte an Wagen A verrichtete Arbeit ($W_{\text{gesamt,A}}$) mit der gesamten an Wagen B verrichteten Arbeit ($W_{\text{gesamt,B}}$). Begründen Sie.

Ist die kinetische Energie von Wagen A beim Passieren der zweiten Markierung *größer, kleiner* oder *gleich* der kinetischen Energie von Wagen B beim Passieren der zweiten Markierung?

1.5 Betrachten Sie noch einmal die Diskussion zwischen den drei Studierenden in Teil 1.1. Stimmen Sie Ihrer ursprünglichen Beurteilung der drei Aussagen noch zu?

Falls Sie eine oder mehrere der drei Aussagen für fehlerhaft halten, geben Sie bitte jeweils an, was nach Ihrer Meinung nicht richtig ist.

→ Diskutieren Sie Ihre Antworten mit einem Tutor, bevor Sie die Arbeit fortsetzen.

2 Anwendung der Energie- und Impulsbilanzen

Lassen Sie sich eine Startrampe, eine Metallkugel, eine breite Rampe und Vergrößerungen der unten abgebildeten Pläne geben.

Vernachlässigen Sie die Reibung und die Rotation der Kugel.

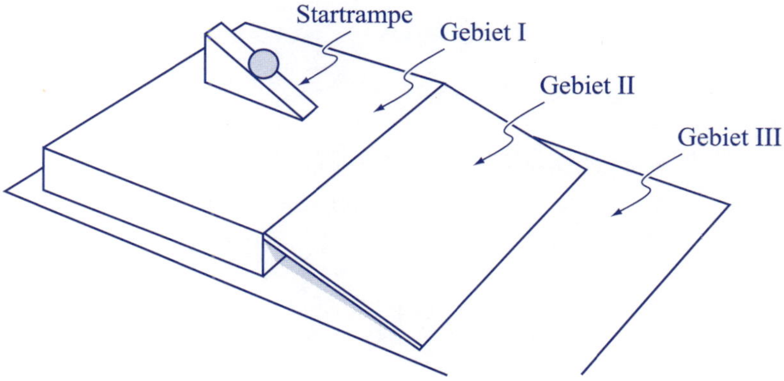

(*Hinweis:* Es ist wichtig, dass die Kugel auf der oberen waagerechten Ebene (Gebiet I) jedes Mal gleich schnell rollt. Markieren Sie dafür die Startposition der Kugel auf der Startrampe und starten Sie die Kugel jedes Mal von dieser Markierung.)

2.1 Starten Sie die Kugel so, dass sie sich gerade auf die Schräge (II) zubewegt (Versuch 1).

Betrachten Sie die Bewegung der Kugel und skizzieren Sie die Bahn der Kugel auf dem Plan für Versuch 1.

Geben Sie in jedem der Gebiete I, II und III mithilfe von Pfeilen die Richtung der Beschleunigung der Kugel und der auf die Kugel wirkenden resultierenden Kraft an.

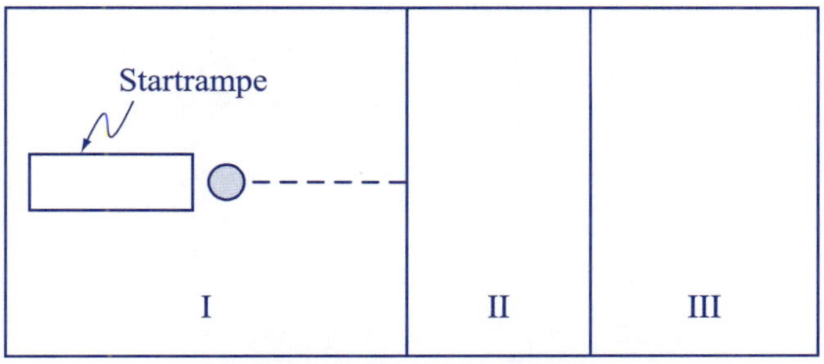

Versuch 1 (Ansicht von oben)

2.2 Starten Sie die Kugel nun schräg zur Rampe, wie in der Abbildung gezeigt (Versuch 2).

Beobachten Sie die Bewegung der Kugel und skizzieren Sie die Bahn der Kugel auf dem Plan für Versuch 2.

Geben Sie erneut in jedem der Gebiete I, II und III die Richtung der Beschleunigung der Kugel und der auf die Kugel wirkenden resultierenden Kraft an.

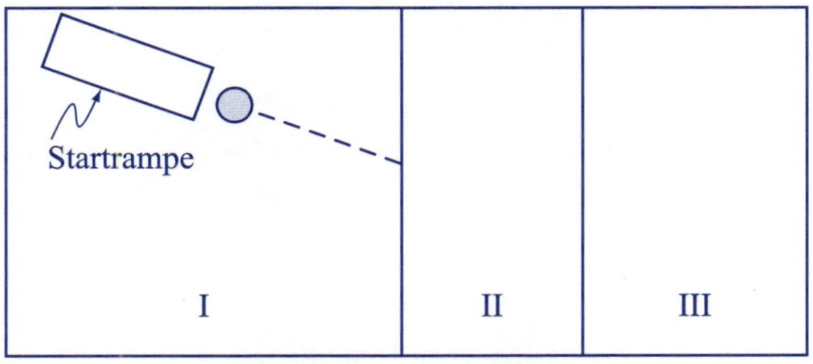

Versuch 2 (Ansicht von oben)

2.3 Vergleichen Sie die Richtung der in Gebiet II auf die Kugel wirkenden resultierenden Kraft in Versuch 2 mit der in Versuch 1. Begründen Sie Ihre Antwort.

Ist die Richtung der Beschleunigung der Kugel in Versuch 2 damit vereinbar, dass die Kugel schneller wird und sich dabei auf einer gekrümmten Bahn bewegt? Begründen Sie Ihre Antwort.

2.4 Vergleichen Sie die Änderung der kinetischen Energie der Kugel in Versuch 1 mit der in Versuch 2.

a. Ist diese Energieänderung mit der jeweils an der Kugel verrichteten gesamten Arbeit vereinbar? Begründen Sie.

b. Vergleichen Sie die Geschwindigkeit der Kugel in Gebiet III in Versuch 1 mit der in Versuch 2. Begründen Sie.

2.5 Zeichnen Sie für Versuch 1 jeweils einen Impulsvektor für die Kugel am oberen und am unteren Rand der Schräge (Gebiet II). Konstruieren Sie mithilfe dieser Vektoren den Vektor der *Impulsänderung* $\Delta\vec{p}$.

Welcher Zusammenhang besteht zwischen der Richtung von $\Delta\vec{p}$ und der Richtung der resultierenden Kraft, die auf die Kugel wirkt, während sie die Schräge hinabrollt? Ist Ihre Antwort mit der Impulsbilanz vereinbar?

2.6 Zeichnen Sie nun für Versuch 2 jeweils einen Impulsvektor für die Kugel am oberen und am unteren Rand der Schräge (Gebiet II). Verwenden Sie für diese Vektoren den gleichen Maßstab wie für die Vektoren in Versuch 1. Konstruieren Sie mithilfe dieser Vektoren den Vektor der *Impulsänderung* $\Delta\vec{p}$ für Versuch 2.

Welcher Zusammenhang zwischen der Richtung von $\Delta\vec{p}$ und der Richtung der resultierenden Kraft auf die Kugel muss auch in diesem Fall bestehen? Ändern Sie falls nötig Ihre Konstruktion so, dass sie mit der Impulsbilanz vereinbar ist.

2.7 Betrachten Sie nun die *Impulsänderungen*, die Sie für die beiden Versuche konstruiert haben.

a. Haben die beiden Vektoren die gleiche Richtung?

b. Haben die beiden Vektoren den gleichen Betrag?

c. Vergleichen Sie aufgrund Ihrer Antworten in Aufgabenteil 1 die Zeitintervalle, welche die Kugel in Versuch 1 bzw. in Versuch 2 auf der Schräge verbracht hat. Begründen Sie Ihre Antwort.
(*Hinweis:* Können Sie die Zeiten mithilfe der Impulsbilanz vergleichen?)

Ist Ihre Antwort mit der Bahnkurve in den beiden Versuchen vereinbar?

1 Die Vektorgröße Impuls

Der Impulsvektor $\vec{p}$ eines Körpers ist als das Produkt aus seiner Masse und seiner (vektoriellen) Geschwindigkeit definiert: $\vec{p} = m\vec{v}$. Der Impulsvektor eines Systems aus mehreren Körpern ist als Summe der Impulsvektoren der einzelnen Körper definiert, die Teil des Systems sind: $\vec{p}_{\text{System}} = \vec{p}_1 + \vec{p}_2 + \vec{p}_3 + \ldots$

1.1 Zwei Motorboote befinden sich auf einem See. Ein Beobachter an Land sieht, dass sich beide Boote mit derselben Geschwindigkeit von 4 m/s nach Osten bewegen. Die Masse von Boot A beträgt 100 kg, die von Boot B 50 kg.

a. Bestimmen Sie für jedes der beiden Boote den Betrag und die Richtung des Impulsvektors.

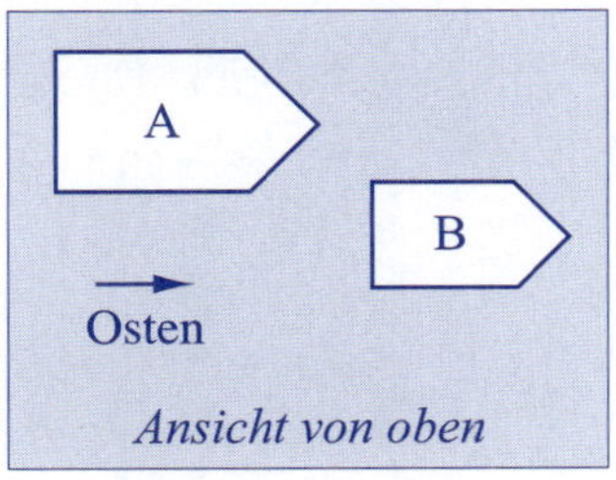

b. Betrachten Sie nun das System C, das aus den beiden Booten A und B besteht. Bestimmen Sie den Betrag und die Richtung des Impulsvektors von System C.

1.2 Einige Zeit später sieht der Beobachter an Land, dass sich die Boote mit verschiedenen Geschwindigkeiten bewegen. Boot A bewegt sich mit einer Geschwindigkeit von 3 m/s nach Westen, Boot B mit einer Geschwindigkeit von 5 m/s nach Osten.

a. Bestimmen Sie Betrag und Richtung für die Impulsvektoren der beiden Boote.

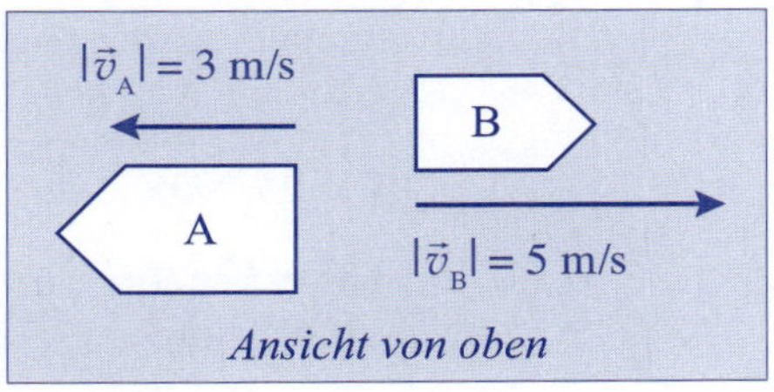

b. Bestimmen Sie Betrag und Richtung des Impulsvektors von System C. Begründen Sie Ihre Antwort.

2 Impulsänderungen in Stößen

2.1 Zwei Gleiter, A_1 und B_1, die sich reibungsfrei auf einer Fahrbahn bewegen können, werden für einen Stoßversuch verwendet („Experiment 1"). Die Masse von Gleiter B_1 ist größer als die Masse von Gleiter A_1 ($m_{B1} > m_{A1}$). An den Enden der Gleiter befinden sich Magnete, so dass diese sich abstoßen können, ohne sich zu berühren.

In Experiment 1 bewegt sich Gleiter A_1 auf Gleiter B_1 zu, der sich anfänglich in Ruhe befindet. Nach dem Stoß bewegt sich Gleiter A_1 in die entgegengesetzte Richtung.

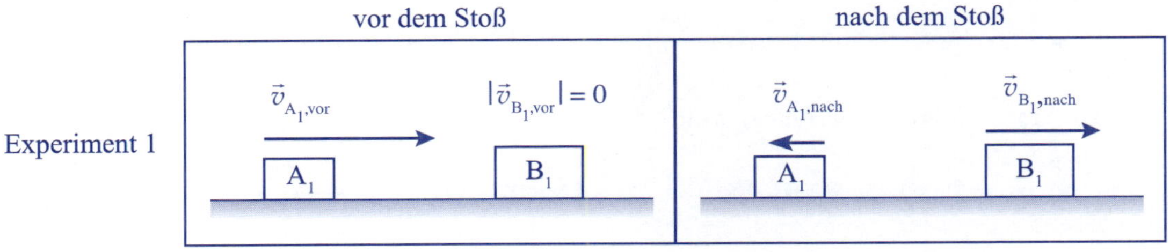

a. Skizzieren Sie in den Zeichenfeldern unten Vektoren, die den Impuls von Gleiter A_1, Gleiter B_1 und System S_1 (bestehend aus beiden Gleitern) jeweils vor und nach dem Stoß darstellen. Ihre Skizzen sollten qualitativ richtig sein, (d. h. Vektoren gleichen Betrags sollten gleich lang dargestellt werden).

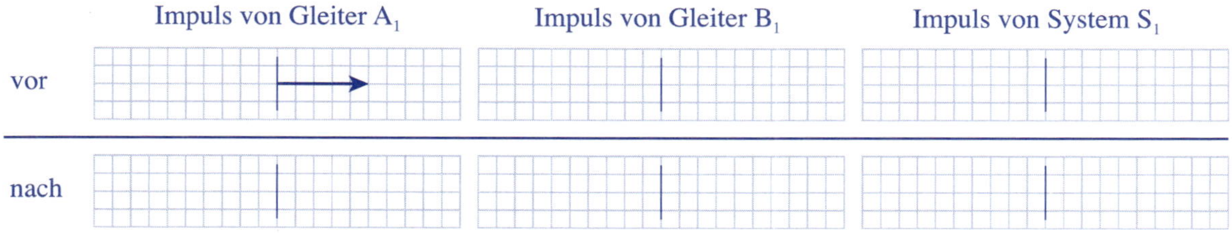

b. Ist der Betrag des Impulses von Gleiter B_1 nach dem Stoß ($|\vec{p}_{B1,\text{nach}}|$) *größer*, *kleiner* oder *gleich* dem Betrag des Impulses des Gesamtsystems nach dem Stoß ($|\vec{p}_{S1,\text{nach}}|$)?

Ändert sich Ihre Antwort für den Fall, dass sich Gleiter A_1 nach dem Stoß nach rechts bewegt? Begründen Sie.

c. Betrachten Sie die folgende Aussage über Experiment 1:

„Gleiter A_1 ist nach dem Stoß in Bewegung, hat also einen Teil seines anfänglichen Impulses behalten und den anderen Teil an Gleiter B abgegeben. Der gesamte Impuls im System ist begrenzt. Jeder einzelne Körper kann also höchstens den gesamten Impuls des Systems besitzen. Demnach muss $\vec{p}_{B1,\text{nach}}$ kleiner sein als $\vec{p}_{S1,\text{nach}}$."

Stimmen Sie dieser Aussage zu? Begründen Sie Ihre Entscheidung.

d. Überprüfen Sie, ob Ihre Antworten in den Teilen a bis c miteinander und mit dem Impulserhaltungssatz vereinbar sind. Wenn nicht, lösen Sie den Widerspruch auf.

→ Diskutieren Sie Ihre Antworten mit einem Tutor, bevor Sie Ihre Arbeit fortsetzen.

2.2 Es werden nun zwei weitere Versuche („Experiment 2" und „Experiment 3") durchgeführt. Sie sind mit Experiment 1 identisch, abgesehen davon dass die Masse des ruhenden Gleiters jeweils erhöht wird, also $m_{B3} > m_{B2} > m_{B1}$ gilt. Gleiter A_1, A_2 und A_3 sind identisch und haben die gleiche Anfangsgeschwindigkeit.

Die Geschwindigkeitsvektoren aller Gleiter jeweils nach dem Stoß sind in der nebenstehenden Abbildung dargestellt.

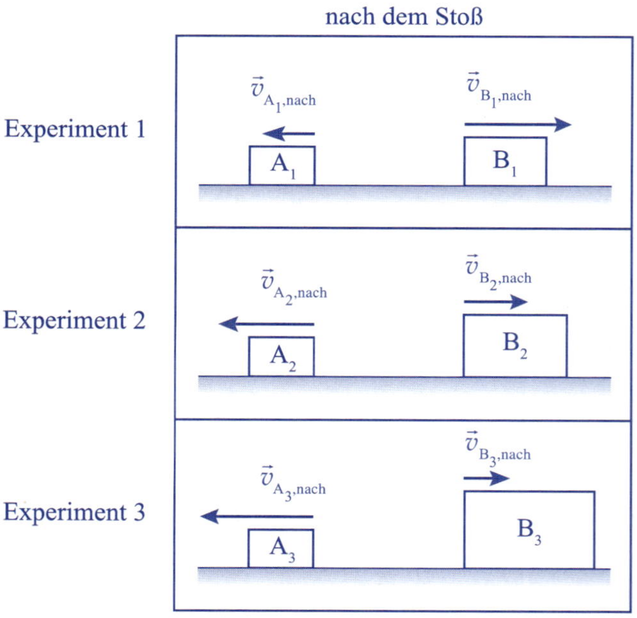

a. Ordnen Sie die Gleiter (B_1, B_2 und B_3) nach dem Betrag ihres Impulses nach dem Stoß. Begründen Sie Ihre Antwort.

b. Vervollständigen Sie die Impulsvektordiagramme für die Experimente 1 bis 3, d. h. zeichnen Sie Vektoren für die Impulse der am Stoß beteiligten Gleiter und des jeweiligen Systems vor und nach dem Stoß.

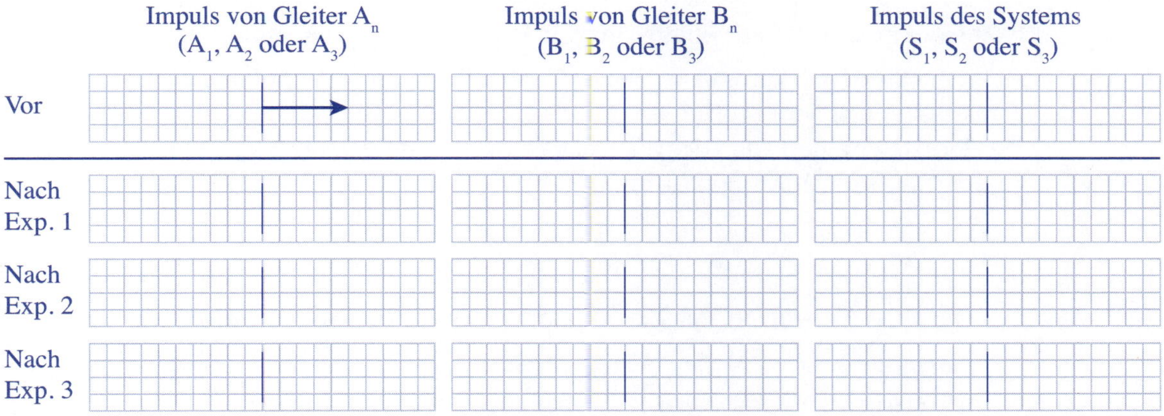

c. Vergleichen Sie Ihre Diagramme innerhalb Ihrer Arbeitsgruppe und überprüfen Sie, ob Ihre Impulsvektordiagramme mit Ihren Antworten in Teil a vereinbar sind. Wenn nicht, lösen Sie den Widerspruch auf.

2.3 Weitere Versuche („Experiment 4“ bis „Experiment 100“) werden in gleicher Weise durchgeführt. Die Masse von Gleiter B_{100} ist sehr viel größer als die Masse von Gleiter A_{100}.

In Experiment 100 wird beobachtet, dass nach dem Stoß:

- die Geschwindigkeit von Gleiter B_{100} nahezu null ist, und
- die Geschwindigkeit von Gleiter A_{100} vom Betrag nahezu gleich seiner Anfangsgeschwindigkeit ist (und in der Richtung umgekehrt).

a. Ist der Betrag des Impulses von Gleiter B_{100} nach dem Stoß *größer, kleiner* oder *gleich* dem Betrag des Anfangsimpulses von Gleiter A_{100}? Begründen Sie.

b. Drei Studierende diskutieren über den Impuls von Gleiter B_{100} nach dem Stoß:

René: *„Die Endgeschwindigkeit von A_{100} ist fast gleich seiner Anfangsgeschwindigkeit. Das heißt, A muss fast seinen ganzen Anfangsimpuls behalten und nur einen sehr geringen Impuls an B abgegeben haben.“*

Christiaan: *„Richtig. Dass der Impuls von B_{100} fast Null ist, kann man außerdem daran sehen, dass seine Geschwindigkeit sehr gering ist. Denn Impuls ist ja gerade Masse mal Geschwindigkeit.“*

Lise: *„Das stimmt nicht. Von einem Versuch zum nächsten wird die Masse von B immer größer und die Geschwindigkeit nach dem Stoß immer kleiner. Deshalb ist der Impuls von B nach dem Stoß vermutlich immer der gleiche.“*

Keine der Aussagen ist völlig richtig, geben Sie an, wo der gedankliche Fehler liegt.

c. Nehmen Sie an, Gleiter A_{100} hat vor dem Stoß einen Impuls von 3 kg·m/s nach rechts und nach dem Stoß einen Impuls von nahezu 3 kg·m/s nach links. Bestimmen Sie den Betrag und die Richtung des Impulses (nach dem Stoß) von Gleiter B_{100}. Geben Sie Ihren Lösungsweg an.

→ Diskutieren Sie Ihre Antworten mit einem Tutor, bevor Sie Ihre Arbeit fortsetzen.

3 Impulsänderungen eines Systems aus mehreren Körpern

3.1 In einem neuen Versuch auf einer ebenen, reibungsfreien Bahn stößt Gleiter C auf Gleiter D, der fest mit der Fahrbahn verbunden ist. Gleiter C prallt mit gleichem Geschwindigkeitsbetrag zurück. (Die beiden Gleiter haben gleiche Massen.)

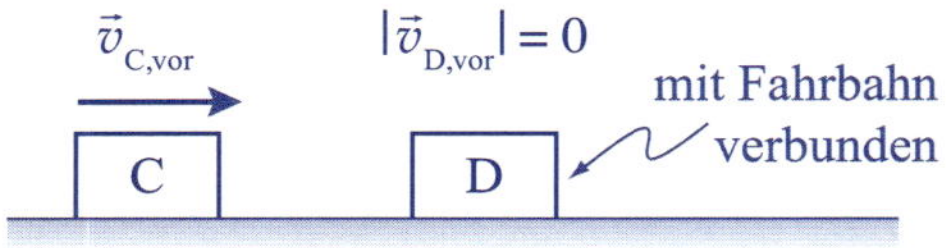

a. Zeichnen Sie in den dafür vorgesehenen Feldern Kräftediagramme für die einzelnen Gleiter und für das System S aus beiden Gleitern für einen Zeitpunkt während des Stoßes.

Freikörperbild für Gleiter C	Freikörperbild für Gleiter D	Freikörperbild für System S

Beschreiben Sie, wie sich die Tatsache, dass Gleiter D festgehalten wird, in Ihren Freikörperbildern ausdrückt.

b. Ändert sich der Impuls der folgenden Körper oder Systeme während des Stoßes?

- Gleiter C

- Gleiter D

- System S

Sind Ihre Antworten mit Ihren Freikörperbildern und den sich daraus ergebenden resultierenden Kräften vereinbar? Wenn nicht, lösen Sie den Widerspruch auf.

3.2 Betrachten Sie diejenigen Versuche in Abschnitt 2, in denen sich der Impuls des Systems nicht geändert hat.

a. Beantworten Sie für diese Fälle die folgenden Fragen:

- Wurden auf das System äußere Kräfte ausgeübt?

- Trat eine (von Null verschiedene) resultierende Kraft auf das System auf?

b. Erklären Sie, warum in diesen Fällen der Impuls des Systems vor und nach dem Stoß gleich ist.

3.3 Geben Sie allgemeine Bedingungen an, unter denen das Gesetz der Impulserhaltung auf einen Körper oder ein System angewendet werden kann.

3.4 Betrachten Sie den folgenden Dialog zwischen zwei Studierenden.

Caroline: *„Dieser Versuch ist genau wie Experiment 100. Der Impuls von Gleiter C ist der gleiche vor und nach dem Stoß – nur die Richtung ist umgekehrt."*

Rudolf: *„Richtig. Gleiter D hat nach dem Stoß keinen Impuls, genau wie Gleiter B_{100}. Der Impuls des Systems ist deshalb unverändert."*

Beschreiben Sie in beiden Aussagen den jeweiligen Fehler.

1 Bewegung mit konstanter Winkelgeschwindigkeit

Ein Rad drehe sich *entgegen dem Uhrzeigersinn* mit konstanter Geschwindigkeit um eine feste Achse. Die Abbildung zeigt das Rad zu einem bestimmten Zeitpunkt.

1.1 Zeichnen Sie im Bild rechts Pfeile für die Richtung der Geschwindigkeiten der Punkte A, B und C zum gegebenen Zeitpunkt ein. Begründen Sie.

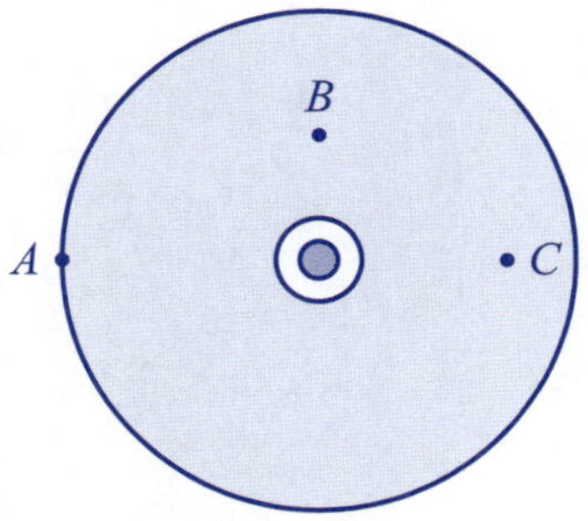

Ansicht von oben

Rad dreht sich
entgegen dem Uhrzeigersinn

Ist die Zeit, welche die Punkte B und C benötigen, um einen vollständigen Kreis zu beschreiben, *größer, kleiner* oder *gleich* der Zeit, die Punkt A benötigt?

Vergleichen Sie die Geschwindigkeiten der Punkte A, B und C ausgehend von Ihrer obigen Antwort. Begründen Sie.

1.2 Zeichnen Sie die Positionen der markierten Punkte ein, nachdem das Rad eine halbe Umdrehung absolviert hat. Zeichnen Sie für jeden Punkt einen Geschwindigkeitsvektor ein.

Vergleichen Sie die Geschwindigkeiten der eingezeichneten Punkte mit den Geschwindigkeiten in Teil 1.1. Betrachten Sie jeweils Betrag und Richtung.

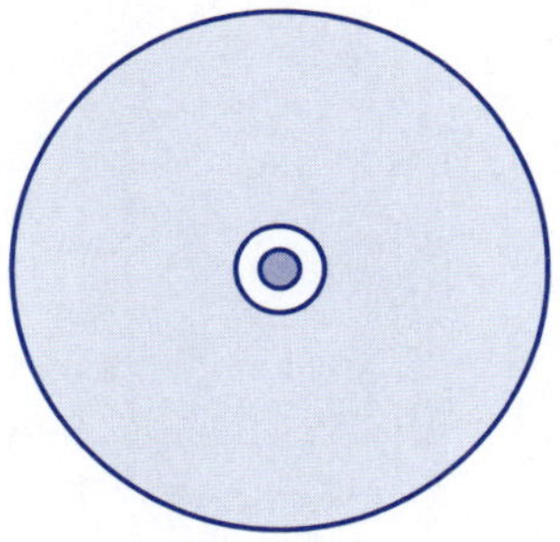

Ansicht von oben

Rad dreht sich
entgegen dem Uhrzeigersinn

Gibt es *einen* (linearen) *Geschwindigkeitsvektor*, der zu jedem Zeitpunkt für jeden Punkt auf dem Rad gilt? Begründen Sie.

1.3 Nehmen Sie an, das Rad vollführt eine komplette Umdrehung in zwei Sekunden.

a. Bestimmen Sie für jeden der folgenden Punkte die Winkeländerung ($\Delta\theta$) des Ortsvektors innerhalb einer Sekunde.

- Punkt A
- Punkt B
- Punkt C

b. Bestimmen Sie die zeitliche Änderungsrate des Winkels für einen beliebigen Punkt auf dem Rad. Gilt dieser Wert für jeden beliebigen Punkt?

Die Geschwindigkeit, die Sie oben bestimmt haben, wird *Winkelgeschwindigkeit* des Rades oder *Betrag der Winkelgeschwindigkeit* des Rades genannt. Die Winkelgeschwindigkeit ist als Vektor definiert, der in Richtung der Rotationsachse zeigt, und wird üblicherweise mit $\vec{\omega}$ (dem griechischen Buchstaben *Omega*) bezeichnet. Um die Richtung des Winkelgeschwindigkeitsvektors zu bestimmen, kann man die folgende Regel verwenden: krümmt man die Finger der rechten Hand entlang der Drehbewegung, so zeigt der abgespreizte Daumen in Richtung des Winkelgeschwindigkeitsvektors.

1.4 Wären sich zwei Beobachter auf entgegengesetzten Seiten eines rotierenden Körpers über die Richtung des Winkelgeschwindigkeitsvektors einig? Begründen Sie.

Wären sich zwei Beobachter, die verschiedene Punkte auf dem Körper benutzen, um die Winkelgeschwindigkeit zu bestimmen, über den Betrag des Winkelgeschwindigkeitsvektors einig? Begründen Sie.

1.5 Die Abbildungen zeigen Aufsicht und Seitenansicht des rotierenden Rades in Teil 1.1.

Zeichnen Sie den Vektor der Winkelgeschwindigkeit des Rades in beiden Abbildungen ein. (Verwenden Sie ⊙ für einen Vektor, der aus der Zeichenebene *heraus* zeigt; ⊗ für einen Vektor, der in sie *hinein* zeigt.)

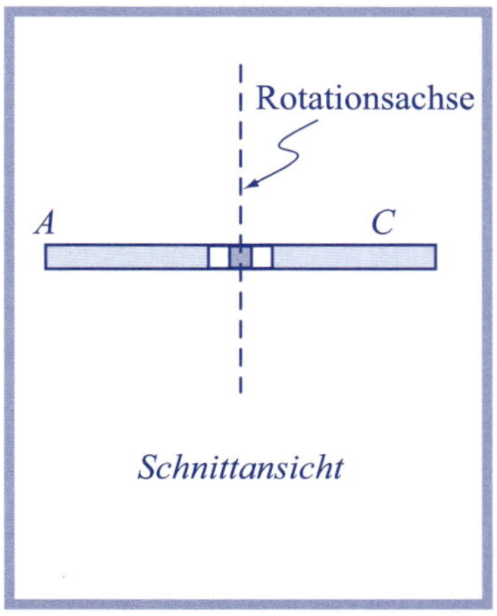

1.6 Zeichnen Sie die Ortsvektoren für Punkt C zu Beginn und zum Ende eines sehr kleinen Zeitintervalls Δt in den Kasten rechts ein.

Ortsvektoren für Punkt C zu den Zeiten t_o und $t_o + \Delta t$

a. Markieren Sie die Änderung des Winkels ($\Delta\theta$) und den Abstand des Punktes C vom Radmittelpunkt (r_C). Skizzieren Sie den Weg, den Punkt C in diesem Zeitintervall zurückgelegt hat.

Welche Strecke legt Punkt C im Zeitintervall Δt zurück? Benutzen Sie für ihre Antwort lediglich r_C und $\Delta\theta$.

b. Benutzen Sie Ihre obige Antwort und die Definition der (linearen) Geschwindigkeit, um eine mathematische Beziehung für die Geschwindigkeit von Punkt C in Abhängigkeit von der Winkelgeschwindigkeit ω_o des Rades aufzustellen.

Was folgt aus Ihrer Gleichung hinsichtlich des Betrages der Geschwindigkeit von Punkten weiter außen auf dem Rad im Vergleich zu Punkten weiter innen? Ist dies mit Ihrer Antwort in Teil 1.1 vereinbar?

2 Bewegung mit veränderlicher Winkelgeschwindigkeit

2.1 Die anfängliche Winkelgeschwindigkeit des Rades ist in den beiden Fällen unten jeweils $\vec{\omega}_o$. Bestimmen Sie den Betrag der *Änderung der Winkelgeschwindigkeit* $|\Delta\vec{\omega}|$ in Abhängigkeit von $|\vec{\omega}_o|$.

a. Das Rad rotiert schneller, so dass nach einiger Zeit ein fester Punkt auf dem Rad doppelt so viele Umdrehungen pro Sekunde vollführt. (Die Rotationsachse bleibt unverändert.)

b. Das Rad rotiert gleich schnell, jedoch in entgegengesetzter Richtung.

2.2 Nehmen Sie an, das Rad würde gleichmäßig langsamer, so dass sich $|\vec{\omega}|$ in 4 s um 8π rad/s verringert. (Das Rad dreht sich weiterhin in gleicher Richtung und mit gleicher Orientierung.)

Bestimmen Sie die *Winkelbeschleunigung* $\vec{\alpha}$ nach Betrag und Richtung (relativ zu $\vec{\omega}$).

In der linearen Kinematik wird der Beschleunigungsvektor bestimmt, indem ein *Vektor der Geschwindigkeitsänderung* $\Delta\vec{v}$ konstruiert und durch Δt geteilt wird. Beschreiben Sie analog dazu Ihr Vorgehen, um die Winkelbeschleunigung $\vec{\alpha}$ zu bestimmen.

→ Diskutieren Sie Ihre Anworten mit einem Tutor bevor Sie die Arbeit fortsetzen.

3 Drehmoment und Winkelbeschleunigung

Der Balken rechts ist in seinem Mittelpunkt frei drehbar gelagert. Die Rotationsachse des Balkens verläuft senkrecht zur Ebene des Papiers.

3.1 Eine Kraft vom Betrag F_o greift wie abgebildet am Punkt M an. Die Kraft greift *immer* im rechten Winkel zum Balken an.

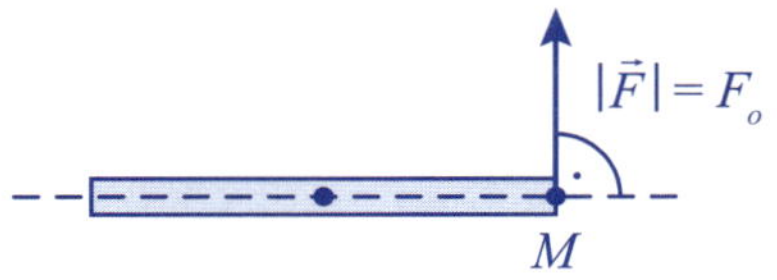

Entscheiden Sie für jeden der folgenden Fälle, ob die Winkelbeschleunigung *entgegen* oder *mit dem Uhrzeigersinn* wirkt. Begründen Sie.

- Der Balken ist anfänglich in Ruhe. (*Hinweis*: Beachten Sie $\Delta\vec{\omega}$.)

- Der Balken dreht sich mit konstanter Geschwindigkeit *im Uhrzeigersinn*, bevor die Kraft angreift.

- Der Balken dreht sich mit konstanter Geschwindigkeit *entgegen dem Uhrzeigersinn*, bevor die Kraft angreift.

Der Angriffspunkt und die Richtung einer Kraft sind entscheidend für ihre Auswirkung auf die Rotationsbewegung des Körpers, auf den sie wirkt. Die Tendenz einer bestimmten Kraft, eine Winkelbeschleunigung eines Körpers zu verursachen, wird als *Drehmoment* bezeichnet. Das Drehmoment $\vec{\tau}$ ist als Kreuzprodukt $\vec{r} \times \vec{F}$ definiert, wobei $\vec{r}$ der Vektor von der Rotationsachse zum Angriffspunkt der Kraft $\vec{F}$ ist. Der Betrag des Drehmoments berechnet sich damit zu $|\vec{\tau}| = |\vec{r}|\,|\vec{F}|\,\sin\theta$, wobei θ der Winkel zwischen $\vec{r}$ und $\vec{F}$ ist.

3.2 Vergleichen Sie den Betrag des *resultierenden Drehmoments* um den Drehpunkt in den folgenden Situationen mit dem in Teil 3.1.

1.

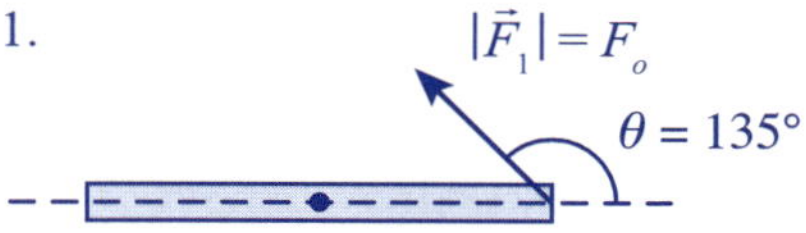

2.

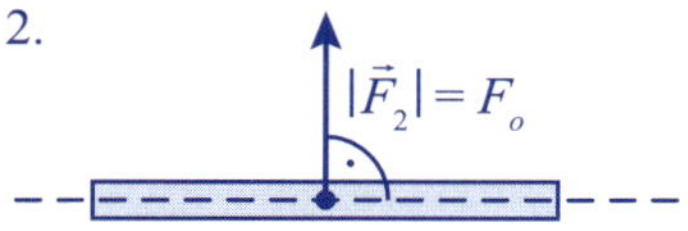

3.

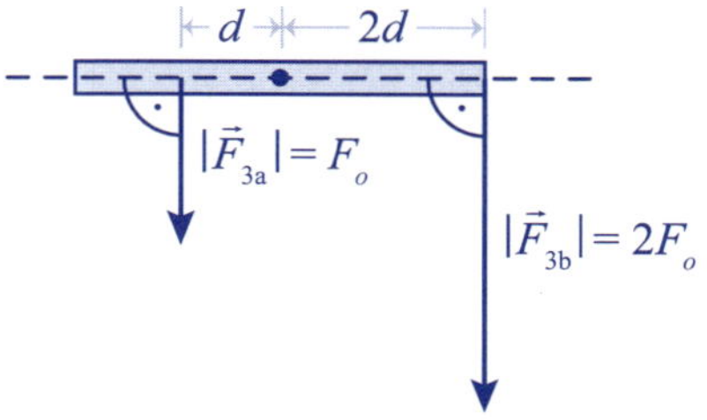

4.

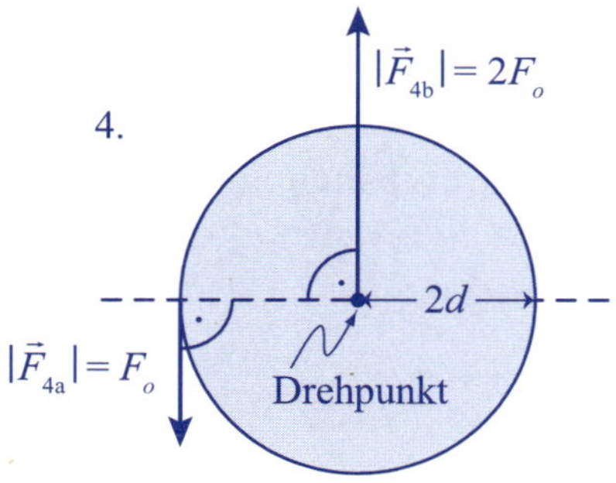

1 Rotations- und Translationsbewegung auf verschiedenen Oberflächen

1.1 Eine Garnrolle befindet sich auf einem Stück Sandpapier, das auf einem Tisch befestigt ist (siehe Abbildungen rechts). Eine Hand zieht waagerecht an dem Faden, der mehrmals unten um die Rolle gewickelt ist.

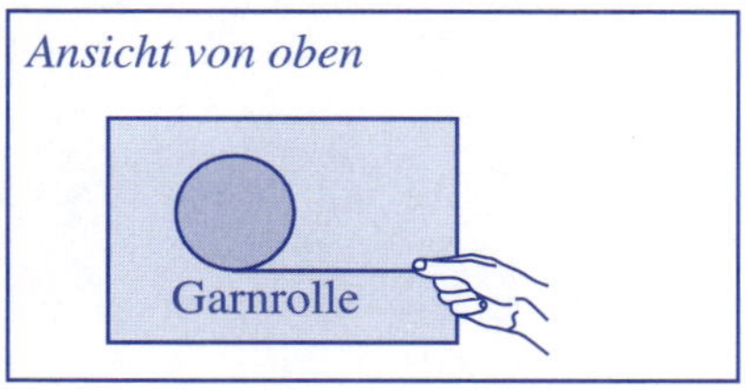

a. Erwarten Sie, dass sich die Garnrolle dreht? Begründen Sie Ihre Vermutung.

b. Erwarten Sie, dass sich der Mittelpunkt der Garnrolle über das Sandpapier bewegt? Wenn ja, beschreiben Sie die Richtung, in die er sich bewegt. Begründen Sie.

1.2 Nehmen Sie an, das obige Experiment wird auf einer glatten Oberfläche wiederholt.

a. Erwarten Sie, dass sich die Garnrolle dreht? Begründen Sie Ihre Vermutung.

b. Erwarten Sie, dass sich der Mittelpunkt der Garnrolle über das Sandpapier bewegt? Wenn ja, beschreiben Sie die Richtung, in die er sich bewegt. Begründen Sie.

1.3 Lassen Sie sich die benötigten Experimentiermaterialien geben und überprüfen Sie Ihre Vermutungen. Stellen Sie sicher, dass der Faden *nahe dem unteren Rand* um die Rolle gewickelt ist, so dass diese beim Ziehen nicht kippt.

a. Was passiert, wenn sich die Garnrolle *auf dem Sandpapier* befindet und am Faden gezogen wird?

- Dreht sich die Rolle?

- Bewegt sich der Mittelpunkt der Rolle? Wenn ja, in welche Richtung bewegt er sich?

b. Was passiert, wenn sich die Garnrolle *auf der glatten Oberfläche* befindet und am Faden gezogen wird?

- Dreht sich die Rolle?

- Bewegt sich der Mittelpunkt der Rolle? Wenn ja, in welche Richtung bewegt er sich?

1.4 Nehmen Sie an, Sie könnten das obige Experiment auf einer noch glatteren Oberfläche wiederholen.

- Würde sich die Rolle drehen?

- Würde sich der Mittelpunkt der Rolle bewegen? Wenn ja, in welche Richtung?

→ Diskutieren Sie Ihre Antworten mit einem Tutor, bevor Sie die Arbeit fortsetzen.

2 Experiment mit Klotz und Garnrolle

Ein Klotz und eine Garnrolle werden jeweils an einem Faden über eine ebene, reibungsfreie Oberfläche gezogen wie in der Abbildung rechts gezeigt.

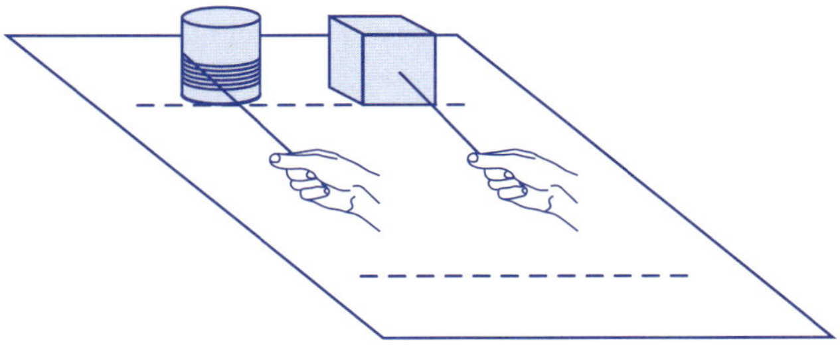

Der Faden, mit dem am Klotz gezogen wird, ist in der Mitte der Vorderseite des Klotzes befestigt. Der Faden, mit dem an der Garnrolle gezogen wird, ist mehrmals um die Rolle gewickelt und kann sich beim Ziehen abwickeln. Der Klotz und die Garnrolle haben gleiche Massen. Die Massen der Fäden sind zu vernachlässigen.

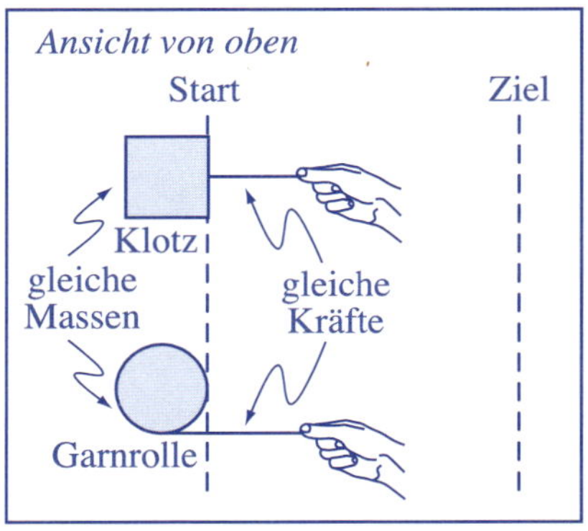

Die beiden Hände beginnen zur gleichen Zeit und mit gleicher Kraft an den Fäden zu ziehen.

2.1 Wird die Garnrolle *vor, nach* oder *gleichzeitig mit* dem Klotz die Ziellinie überqueren? Begründen Sie.

2.2 Drei Studierende diskutieren ihre Vermutungen über den Ausgang des Experiments:

Leonhard: *„Die Garnrolle wird sich drehen und zur gleichen Zeit wie der Klotz die Ziellinie überqueren. Die beiden Körper haben die gleichen Massen und erfahren die gleiche resultierende Kraft. Also werden ihre Schwerpunkte gleich beschleunigt. Es spielt keine Rolle, ob sich die Garnrolle zu drehen beginnt. Die Kraft des Fadens hat die gleiche Wirkung auf die Translationsbewegung der beiden Körper."*

Siméon: *„Die Garnrolle wird sich drehen und die Ziellinie nach dem Klotz überqueren. Das liegt daran, dass ein Teil der Kraft des Fadens auf die Garnrolle für ihre Rotation verwendet wird. Wenn eine Kraft einen Körper in Drehung versetzt, hat sie eine geringere Wirkung auf seine Translationsbewegung."*

Sofja: *„Die Garnrolle wird sich drehen und die Ziellinie nach dem Klotz überqueren. Ich habe mir das mit der Energie überlegt. Die beiden Körper haben die gleiche gesamte kinetische Energie, wenn sie die Ziellinie überqueren. Da die Garnrolle aber Rotationsenergie besitzt, muss sie eine geringere Translationsenergie haben als der Klotz. Deshalb bewegt sie sich langsamer und kommt nach dem Klotz an der Ziellinie an."*

Stimmen Sie einer der Aussagen zu? Wenn ja, welcher? Begründen Sie Ihre Antwort.

Im folgenden Abschnitt werden Sie ein Verfahren entwickeln, mit dem sich untersuchen lässt, welche Aussage richtig ist.

3 Experimente zur gleichzeitigen Translations- und Rotationsbewegung

Die Atwood'sche Fallmaschine in der Abbildung rechts besteht aus zwei identischen Garnrollen (A und B), die durch einen masselosen, nicht dehnbaren Faden verbunden sind. Der Faden ist am einen Ende mehrmals um Garnrolle A gewickelt und verläuft über eine ideale Rolle. Am anderen Ende ist der Faden fest mit Garnrolle B verbunden, sodass sich diese beim Loslassen nicht zu drehen beginnt.

Beide Garnrollen werden gleichzeitig aus der gleichen Höhe über dem Boden losgelassen.

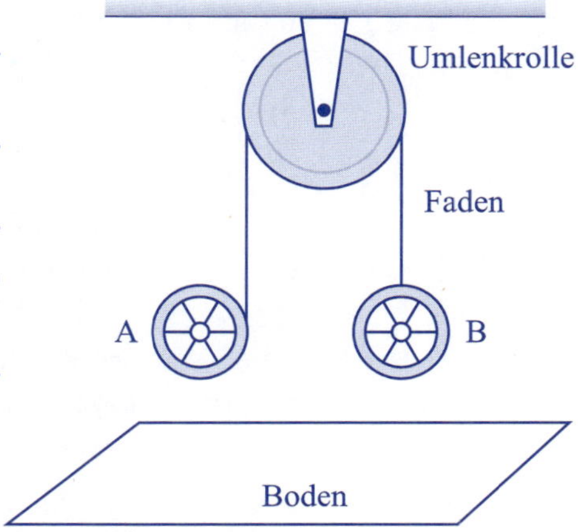

3.1 Erwarten Sie, dass Garnrolle A *vor*, *nach* oder *gleichzeitig mit* Garnrolle B auf dem Boden auftrifft? Falls Sie erwarten, dass sich eine der Garnrollen erst bewegt, wenn die andere auf dem Boden aufgetroffen ist, geben Sie dies ausdrücklich an. Begründen Sie.

3.2 Zeichnen Sie rechts für die beiden Garnrollen jeweils ein erweitertes Freikörperbild für einen Zeitpunkt, kurz nachdem sie losgelassen werden. In einem erweiterten Freikörperbild wird jeder Vektor mit dem Pfeilende an dem Punkt gezeichnet, an dem die Kraft angreift.

3.3 Zeichnen Sie rechts für die beiden Garnrollen jeweils ein reduziertes Freikörperbild für den gleichen Zeitpunkt wie oben. In einem reduzierten Freikörperbild wird jeder Vektor mit dem Pfeilende am markierten Punkt gezeichnet, der den Körper symbolisiert.

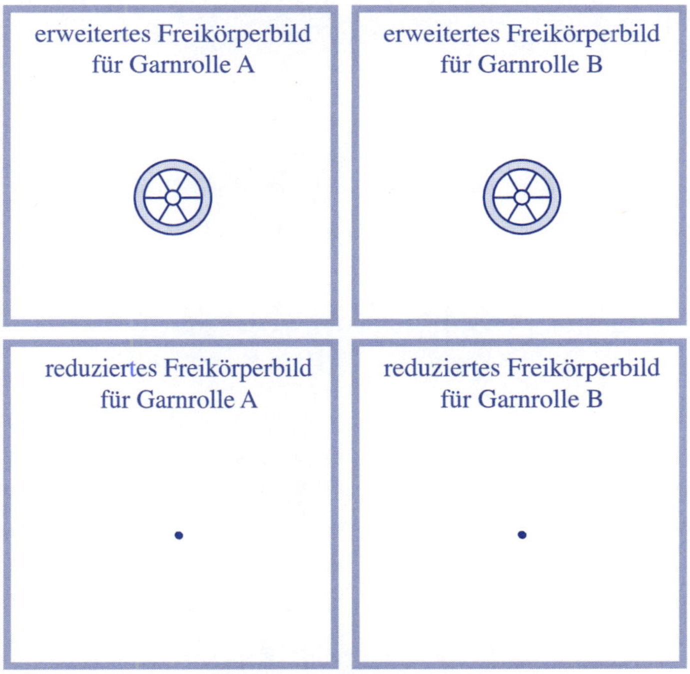

3.4 Betrachten Sie noch einmal die Aussagen der drei Studierenden in Abschnitt 2.

Versuchen Sie zu entscheiden, welche Vorhersagen jeder der drei Studierenden bezüglich des Ausgangs des obigen Experiments machen würde. Gehen Sie davon aus, dass jeder der Studierenden in der gleichen Weise argumentiert wie bei dem Experiment mit Klotz und Garnrolle.

Leonhard:

Siméon:

Sofja:

Welche der drei Argumentationen führt zu dem in 3.1 von Ihnen vermuteten Ergebnis?

Lässt sich aufgrund des Ergebnisses dieses Experiments entscheiden, welche Argumentation bezüglich des Experiments mit Klotz und Garnrolle zutrifft? Wenn ja, erklären Sie, wie. Wenn nicht, erklären Sie, warum nicht.

→ Diskutieren Sie Ihre Antworten mit einem Tutor, bevor Sie die Arbeit fortsetzen.

3.5 Lassen Sie sich die notwendigen Experimentiermaterialien geben und überprüfen Sie damit Ihre Vermutungen. Vernachlässigen Sie dabei *kleine* Unterschiede in der Bewegung der beiden Garnrollen.

Vergleichen Sie die Beschleunigung des Schwerpunktes von Garnrolle A mit der von Garnrolle B. Betrachten Sie Betrag und Richtung.

Beschreiben Sie gegebenenfalls, wie Sie Ihre Freikörperbilder ändern müssen, damit diese mit Ihren Beobachtungen vereinbar sind.

3.6 Spricht das Ergebnis dieses Experiments für die Argumentation von Leonhard, Siméon oder Sofja? Begründen Sie.

3.7 Verallgemeinern Sie Ihre Beobachtungen, indem Sie die folgenden Fragen beantworten.

Was beeinflusst die Auswirkung einer Kraft auf die Schwerpunktsbewegung eines Körpers?

- wo am Körper die Kraft angreift,
- ob und wie die Kraft die Rotationsbewegung des Körpers beeinflusst.

Betrachten Sie noch einmal Ihre Vermutung bezüglich des Experiments mit Klotz und Garnrolle in Abschnitt 2. War Ihre Vermutung angesichts der inzwischen angestellten Überlegungen richtig? Wenn nicht, lösen Sie die Widersprüche auf.

Sie haben das Experiment mit Klotz und Garnrolle und das Experiment mit den fallenden Garnrollen jeweils unter dem Gesichtspunkt der auftretenden Kräfte analysiert. In den Übungen haben Sie die Gelegenheit, beide Situationen unter dem Gesichtspunkt der Energie zu betrachten.

1 Schwerpunkt

1.1 Die Abbildung zeigt ein T-förmiges Brett *gleichmäßiger* Dichte mit zwei Löchern. Das Brett wird im rechten Loch, das sich im *Schwerpunkt* befindet, drehbar gelagert. Zunächst wird das Brett noch festgehalten.

a. Wie wird sich das Brett Ihrer Erwartung nach bewegen, wenn es losgelassen wird? Begründen Sie.

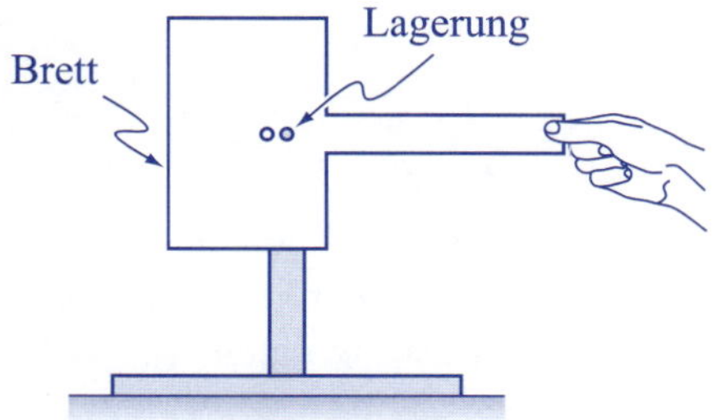

b. Überprüfen Sie Ihre Vermutung, indem Sie den gezeigten Versuch beobachten.

- Was lässt sich über die Winkelbeschleunigung des Brettes sagen? Begründen Sie.

  Was folgt daraus für das *resultierende Moment* bezüglich des Aufhängepunkts? Begründen Sie.

- Was lässt sich über die Beschleunigung des Schwerpunkts sagen? Begründen Sie.

  Was folgt daraus für die *resultierende Kraft* auf das Brett? Begründen Sie.

c. Kommen Sie zu einem anderen Ergebnis bezüglich des resultierenden Moments und der resultierenden Kraft, wenn *erhebliche Reibungseffekte* zwischen Brett und Aufhängung auftreten? (Gehen Sie davon aus, dass das Brett auch in diesem Fall in Ruhe bleibt.)

1.2 Stellen Sie sich vor, das Brett wird nun im Loch links vom Schwerpunkt gelagert und dann losgelassen.

a. Erwarten Sie, dass sich das Brett nach dem Loslassen bewegt? Wenn ja, in welche Richtung? Begründen Sie.

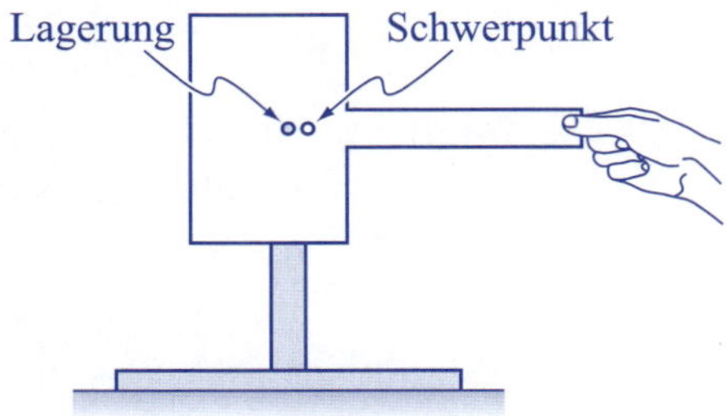

b. Skizzieren und kennzeichnen Sie im Zeichenfeld rechts ein *erweitertes Freikörperbild* für das Brett unmittelbar nach dem Loslassen. (Geben Sie also für jede Kraft auf das Brett einen Punkt an, an dem man sich diese Kraft angreifend vorstellen kann.)

Wie können Sie mithilfe des Freikörperbildes Ihre Vermutung für die Bewegung des Brettes begründen?

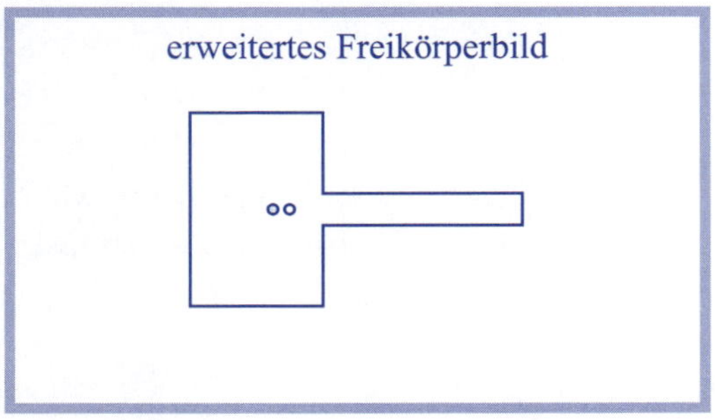

c. Lassen Sie sich ein T-förmiges Brett und ein Stativ mit Halterung geben. Setzen Sie das Brett auf die Aufhängung und überprüfen Sie Ihre Vermutungen. Klären Sie eventuell auftretende Widersprüche zwischen Ihrer Vermutung und der Beobachtung.

d. Halten Sie das Brett so, dass der Schwerpunkt jeweils *genau über*, *genau unter* bzw. *genau links* vom Aufhängepunkt ist und lassen Sie es dann los. Halten Sie Ihre Beobachtungen fest.

Ein ausgedehnter starrer Körper kann sich frei um einen festen Aufhängepunkt drehen, wenn die Reibung zwischen der Aufhängung und dem Körper vernachlässigbar gering ist. Solch eine Aufhängung wird gelegentlich als *reibungsfrei drehbare Lagerung* bezeichnet. Gehen Sie bei allen folgenden Aufgaben und Versuchen davon aus, dass der Körper reibungsfrei drehbar gelagert ist.

2 Anwendungsbeispiel zum Schwerpunkt

2.1 Befestigen Sie links unten am Brett eine zusätzliche Masse, sodass das Brett in Ruhe bleibt, wenn es aus der waagerechten Lage losgelassen wird. (Die Aufhängung soll am gleichen Punkt sein wie in Teil 1.2 oben.)

a. Markieren Sie im Bild rechts die ungefähre Lage des Schwerpunkts des Gesamtsystems aus Brett und Zusatzmasse.

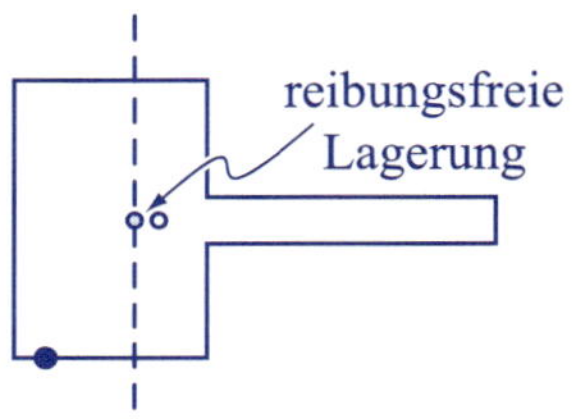

Befindet sich der Schwerpunkt *links* von der vertikalen Linie durch den Aufhängepunkt, *rechts* von ihr oder *auf dieser Linie*? Begründen Sie.

Nehmen Sie an, die Zusatzmasse wird weiter nach rechts, also näher zur vertikalen Linie hin verschoben (Punkt A).

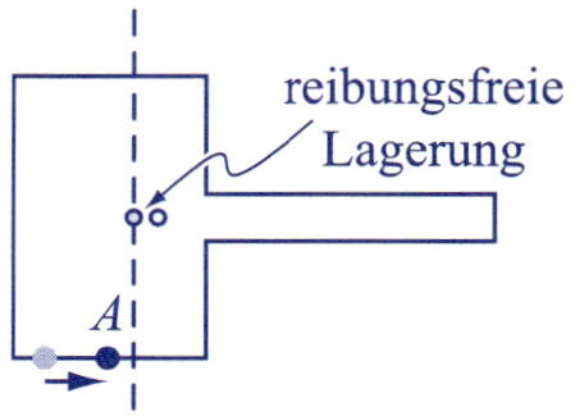

Erwarten Sie, dass das Brett im Gleichgewicht bleibt? Bitte begründen Sie Ihre Antwort.

Ändert sich die gesamte Masse links von der vertikalen Linie durch den Aufhängepunkt, wenn die Zusatzmasse zum Punkt A verschoben wird?

Überprüfen Sie Ihre Vermutungen.

b. Nehmen Sie an, die Zusatzmasse wird zurück in die ursprüngliche Lage verschoben und eine zweite Masse an der gleichen Stelle hinzugefügt.

Bleibt das Brett im Gleichgewicht?

Gibt es eine Stelle irgendwo am unteren Rand des Brettes, an der Sie beide Zusatzmassen befestigen können, um das Brett horizontal im Gleichgewicht zu halten? Falls ja, befindet sich diese Stelle *näher an* der vertikalen Linie durch den Aufhängepunkt oder *weiter von ihr entfernt*?

Überprüfen Sie Ihre Vermutung.

c. Verallgemeinern Sie Ihre Beobachtungen aus Teil 1, 2 und 3:

- Ist es möglich, die gesamte Masse auf beiden Seiten der vertikalen Linie unverändert zu lassen und das System dennoch so zu verändern, dass es sich nicht mehr im Gleichgewicht befindet?

- Ist es möglich, die gesamte Masse auf einer Seite der vertikalen Linie zu verändern und das System dennoch im Gleichgewicht zu belassen?

Reicht es aus, die gesamte Masse auf beiden Seiten der vertikalen Linie zu kennen, um zu bestimmen, ob das System im Gleichgewicht bleiben wird? Begründen Sie.

2.2 Simon balanciert einen Hammer in horizontaler Lage auf einem Finger. Betrachten Sie den folgenden Dialog zwischen dem Studenten und einem Freund.

Simon: *„Der Hammer ist deshalb im Gleichgewicht, weil sich der Schwerpunkt über meinem Finger befindet. Die Massen auf beiden Seiten des Schwerpunkts sind also gleich. Deshalb spricht man ja auch vom ‚Massenmittelpunkt'."*

Pierre: *„Es sind nicht die Massen, sondern die Momente, die auf beiden Seiten des Schwerpunktes gleich sind. Wenn die Momente nicht gleich wären, würde der Hammer sich zu drehen beginnen."*

Stimmen Sie einer der beiden Aussagen zu? Wenn ja, welcher? Begründen Sie.

Erklären Sie, auf welche Weise einer der beiden Studenten den Begriff „Schwerpunkt" (bzw. „Massenmittelpunkt") missverstanden hat.

2.3 In Teil 1.1 haben Sie beobachtet, dass das Brett im Gleichgewicht bleibt, wenn es am Schwerpunkt reibungsfrei gelagert und dann aus der Ruhe losgelassen wird. Die folgende Abbildung zeigt das Brett mit einer vertikalen Linie durch den Schwerpunkt.

Ist die Masse des Teils des Brettes, der sich links von der gestrichelten Linie befindet, *größer*, *kleiner* oder *gleich* der Masse des Teils des Brettes, der sich rechts von der Linie befindet? Begründen Sie.

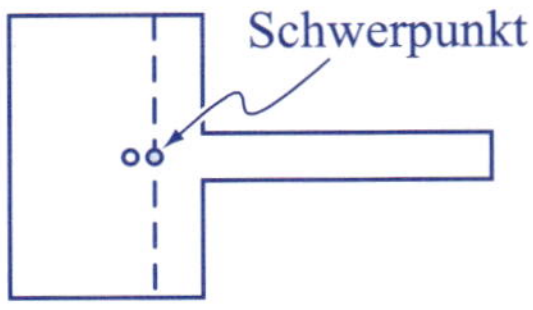

Lassen Sie sich die notwendigen Experimentiermaterialien geben und überprüfen Sie Ihre Antworten. Klären Sie eventuell auftretende Widersprüche. (*Hinweis:* Betrachten Sie die Flächen des Brettes links und rechts vom Schwerpunkt.)

2.4 Stellen Sie sich nun vor, das T-förmige Brett (ohne zusätzliche Massen) würde in die gezeigte Lage gedreht und dann aus der Ruhe losgelassen. Die Aufhängung sei im Schwerpunkt des Brettes.

a. Erwarten Sie, dass sich das Brett nach dem Loslassen bewegt? Wenn ja, in welche Richtung? Begründen Sie.

b. Überprüfen Sie Ihre Vermutung, indem Sie den gezeigten Versuch beobachten. Halten Sie Ihre Beobachtungen fest. (Eine der Übungsaufgaben zu diesem Tutorial geht auf diese Situation näher ein.)

c. Was lässt sich aus Ihrer Beobachtung für das resultierende Moment schließen? Begründen Sie.

1 Drehimpuls als vektorielle Erhaltungsgröße

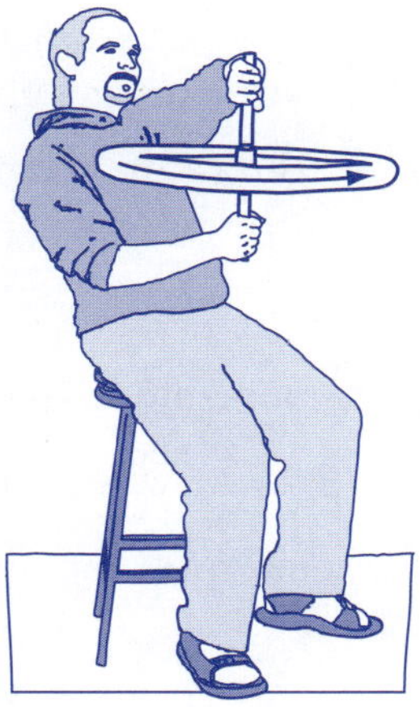

Ein Student sitzt in Ruhe auf einem Hocker und hält ein rotierendes Rad in der Hand. Betrachten Sie die folgenden drei Experimente, die mit der gleichen Anfangssituation beginnen, in der das Rad (bei Betrachtung von oben) entgegen dem Uhrzeigersinn rotiert.

Experiment 1: Der Student drückt mit seinem Arm so lang gegen den Rand des Rads, bis es auf die halbe Winkelgeschwindigkeit abgebremst worden ist.

Experiment 2: Der Student drückt mit seinem Arm so lang gegen den Rand des Rads, bis es zum Stillstand kommt.

Experiment 3: Der Student dreht das Rad (und damit dessen Drehrichtung) plötzlich um, sodass es sich dann bei Betrachtung von oben mit einer vom Betrag gleichen Winkelgeschwindigkeit *im Uhrzeigersinn* dreht.

1.1 Geben Sie Ihre Vermutung darüber an, ob sich der Student am Ende jedes Experiments *im Uhrzeigersinn* oder *entgegen dem Uhrzeigersinn dreht* oder ob er *in Ruhe ist.* Begründen Sie.

Experiment 1:

Experiment 2:

Experiment 3:

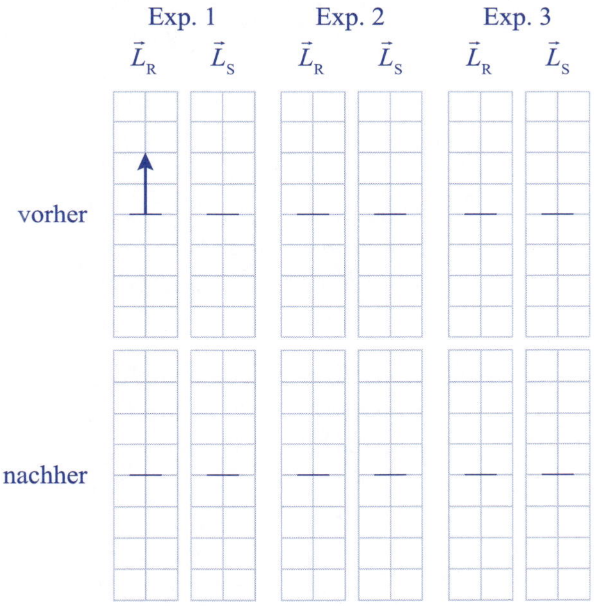

1.2 Ordnen Sie die drei Experimente (gemäß Ihrer Vermutung) nach dem *Betrag der Winkelgeschwindigkeit des Studenten am Ende des Experiments.* Falls die Winkelgeschwindigkeit des Studenten in zweien der Experimente gleich ist, geben Sie dies ausdrücklich an. Begründen Sie.

1.3 Beobachten Sie den gezeigten Versuch und überprüfen Sie Ihre Vermutungen in Teil 2.1. Falls Ihre Beobachtungen nicht mit Ihren Vermutungen übereinstimmen, halten Sie dies hier schriftlich fest.

So wie ein bewegter Körper einen (linearen) Impuls p besitzt, so besitzt ein rotierender Körper einen *Drehimpuls L*. Wie im Folgenden deutlich wird, ist es sinnvoll, dem Drehimpuls sowohl einen Betrag als auch eine Richtung zuzuschreiben. Für einen Körper, der bezüglich seiner Drehachse symmetrisch ist, zeigt der Drehimpuls parallel zur Drehachse. Seine Orientierung wird mit der folgenden *Rechte-Hand-Regel* bestimmt: krümmt man die Finger der rechten Hand entlang der Drehbewegung, so zeigt der abgespreizte Daumen in die Richtung von $\vec{L}$.

1.4 Skizzieren Sie in der Abbildung die Richtung des Drehimpulses des Rads zum dargestellten Zeitpunkt mithilfe eines Pfeils.

1.5 Vervollständigen Sie die Drehimpulsvektordiagramme rechts, wobei $\vec{L}_R$ und $\vec{L}_S$ die Drehimpulse des Rades bzw. des Studenten bezeichnen.

Sind Ihre Diagramme mit der Annahme vereinbar, dass der Drehimpuls des Systems aus Student und Rad konstant bleibt? Falls nicht, klären Sie den Widerspruch.

Sind Ihre Diagramme mit Ihren Beobachtungen vereinbar? Wenn nicht, klären Sie den Widerspruch.

Drehmomente können den Drehimpuls eines Körpers oder Systems ändern. Wenn das auf ein System wirkende resultierende Drehmoment gleich Null ist, bleibt der Drehimpuls des Systems konstant.

2 Impuls und Drehimpuls in Stoßexperimenten

2.1 Mithilfe eines Pucks und eines Stabes werden auf einer ebenen, reibungsarmen Oberfläche zwei Stoßexperimente durchgeführt. In beiden Experimenten bewegt sich der Puck mit der Anfangsgeschwindigkeit $\vec{v}_o$ nach rechts und rotiert nicht. Der Stab ist zu Beginn in Ruhe, und der Puck haftet nach dem Stoß am Stab. Puck und Stab haben etwa die gleiche Masse.

In Experiment 1 bewegt sich der Puck auf die Stabmitte zu.

In Experiment 2 bewegt sich der Puck auf einen Punkt nahe dem Stabende zu.

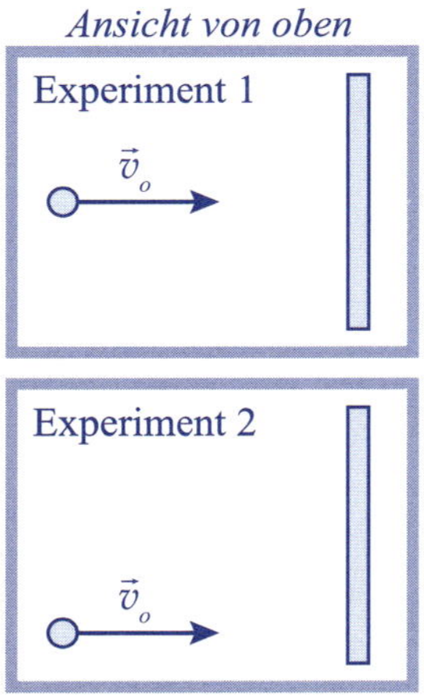

a. Markieren Sie in den beiden Abbildungen rechts den (ungefähren) Ort des Schwerpunkts des Systems aus Puck und Stab zum dargestellten Zeitpunkt. Begründen Sie Ihre Antwort.

b. Ist nach Ihrer Erwartung die Schwerpunktsgeschwindigkeit des Systems aus Puck und Stab nach dem Stoß in Experiment 1 *größer*, *kleiner* oder *gleich* der in Experiment 2. Begründen Sie.

c. Zwei Studierende diskutieren Ihre Vermutungen:

Arnold: *„In Experiment 1 wird sich das System schneller über den Tisch bewegen, da der Impuls nach dem Stoß rein linear ist. In Experiment 2 wird ein Teil des linearen Impulses in Drehimpuls umgewandelt und der Stab fängt an, sich zu drehen."*

Felix: *„Das stimmt nicht. Linearer Impuls kann nicht in Drehimpuls umgewandelt werden. Der lineare Impuls ist in beiden Experimenten gleich und konstant. Deshalb bewegen sich beide Systeme nach dem Stoß mit der gleichen Geschwindigkeit."*

Stimmen Sie einer der Aussagen zu? Begründen Sie.

d. Lassen Sie sich von einem Tutor die Bilderserien zu den beiden oben beschriebenen Stoßexperimenten zeigen.

- Ist die Schwerpunktsgeschwindigkeit des Systems Puck-Stab nach dem Stoß in Experiment 1 *größer, kleiner* oder *gleich* der in Experiment 2? Beschreiben Sie, wie sich dies aus den Fotografien entnehmen lässt.

- Lassen sich mit den Fotografien die Aussagen von Student 1 oder die von Student 2 belegen? Begründen Sie.

→ Diskutieren Sie Ihre Antworten mit einem Tutor.

2.2 Zwei Studierende diskutieren über den Ausgang eines neuen Experiments, bei dem ein Puck auf eine ruhende Scheibe stößt.

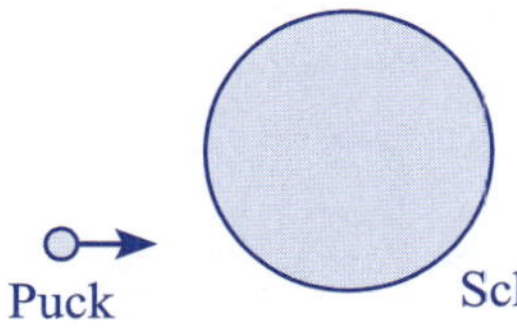

Samuel: *„Nach dem Stoß werden sich der Puck und die Scheibe drehen, also ist der Drehimpuls nicht Null. Wenn das System nach dem Stoß Drehimpuls besitzt, muss es den auch schon vor dem Stoß gehabt haben. Denn während des Stoßes greift am System aus Puck und Scheibe kein Drehmoment an und deshalb bleibt der Drehimpuls erhalten."*

Eugene: *„Das klingt eigentlich vernünftig, aber wie kann das System vorher Drehimpuls haben? Wenn sich ein Körper geradlinig bewegt, hat das nichts mit einer Drehbewegung zu tun."*

Stimmen Sie einer der Aussagen zu? Begründen Sie.

In dem Experiment in Teil 2.2 ist das auf das System aus Puck und Scheibe wirkende resultierende Drehmoment gleich Null. Der Drehimpuls des Systems ist daher konstant. Um die Rotationsbewegung des Systems nach dem Stoß erklären zu können, müssen wir annehmen, dass der Puck bereits vor dem Stoß einen Drehimpuls hatte. Dies soll im Folgenden genauer untersucht werden.

2.3 In einer Serie von drei Experimenten bewegt sich der Puck auf einer horizontalen, reibungsfreien Oberfläche und stößt auf die anfänglich ruhende Scheibe. In allen drei Experimenten bewegt sich der Puck mit der Anfangsgeschwindigkeit $\vec{v}_o$ ohne zu rotieren und haftet nach dem Stoß an der Scheibe.

In jedem der drei Experimente bewegt sich der Puck auf einen anderen Punkt auf der Scheibe zu (wie in der Abbildung zu sehen). Das Kreuz („×") bezeichnet jeweils den Mittelpunkt der Scheibe.

a. Beschreiben Sie die Gemeinsamkeiten und die Unterschiede der Bewegung des Systems aus Puck und Scheibe nach dem Stoß in den drei Experimenten.

b. Geben Sie für jedes der Experimente die Richtung des Drehimpulses des Systems aus Puck und Scheibe nach dem Stoß an.

c. Ordnen Sie die drei Experimente nach dem Betrag des Drehimpulses des Systems aus Puck und Scheibe nach dem Stoß. Gehen Sie dabei von Ihren Vermutungen über die Bewegung des Systems nach dem Stoß aus. Begründen Sie.

d. Ordnen Sie die drei Experimente nach dem Betrag des Drehimpulses des Pucks vor dem Stoß. Begründen Sie Ihre Antwort.

Die obigen drei Experimente legen nahe, dass wir einem Körper, der sich geradlinig mit konstanter Geschwindigkeit bewegt, häufig einen nicht verschwindenden Drehimpuls zuschreiben müssen, obwohl der Körper keine Drehbewegung ausführt. Unsere Betrachtung hat ergeben, dass der Betrag des Drehimpulses von der Bewegungsrichtung des Körpers relativ zu einem bestimmten Punkt abhängt. In den obigen Experimenten kann man für diesen Punkt den Mittelpunkt der Scheibe vor dem Stoß wählen.

2.4 Der Betrag des Drehimpulses eines punktförmigen Körpers hängt vom Abstand des Bezugspunktes von der geradlinigen Bahn des Körpers ab. Dieser Abstand wird häufig mit $r_\perp$ bezeichnet.

Zeichnen Sie in der Abbildung auf der vorigen Seite für jedes der drei Experimente den Abstand $r_\perp$ ein. Wählen Sie dabei als Bezugspunkt den Mittelpunkt der Scheibe.

2.5 Der Betrag des Drehimpulses eines punktförmigen Körpers Q bezüglich eines Punktes W ist definiert als $|\vec{L}_{QW}| = |\vec{p}_Q| r_\perp$,wobei $|\vec{p}_Q|$ den Betrag des (linearen) Impulses des Körpers Q bezeichnet.

Überprüfen Sie, ob die von Ihnen angegebene Reihenfolge in Teil 2.3.d mit dieser formalen Definition des Drehimpulses vereinbar ist. Wenn nicht, lösen Sie den Widerspruch auf.

2.6 Betrachten Sie die nebenstehende Stroboskopaufnahme, die zeigt, wie sich der Puck in Experiment 1 mit konstanter Geschwindigkeit auf die ruhende Scheibe zubewegt.

Ordnen Sie die drei Zeitpunkte nach dem *Betrag des Drehimpulses des Pucks*. Falls der Betrag des Drehimpulses zu zwei Zeitpunkten gleich ist, geben Sie dies ausdrücklich an. Begründen Sie.

TEIL II

Hydrostatik und Thermodynamik

ÜBERBLICK

1 Anwendung der Newton'schen Gesetze auf Flüssigkeiten

Ein Behälter mit quadratischer Grundfläche ist mit Wasser gefüllt und befindet sich auf einem Tisch in Ruhe (siehe Abbildung). Die gestrichelten Linien symbolisieren gedachte Trennflächen, welche das gesamte Wasser in drei Schichten gleichen Volumens teilen.

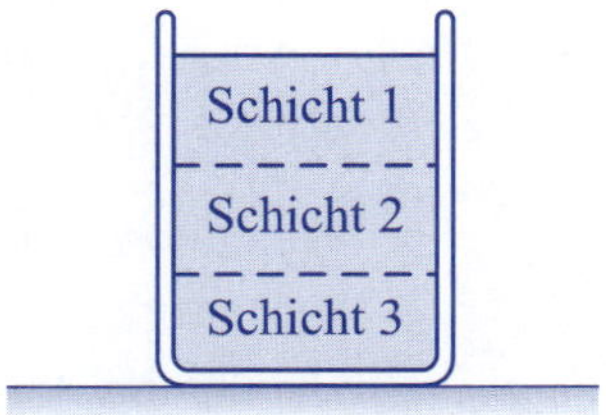

erweiterte Freikörperbilder

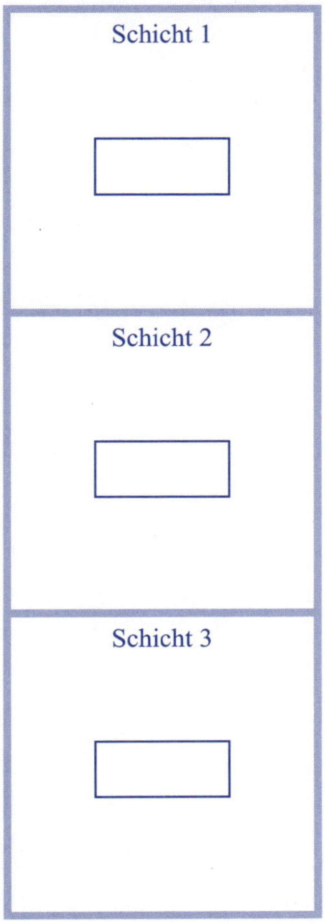

1.1 Zeichnen Sie für jede der drei Schichten ein erweitertes Freikörperbild, d. h. geben Sie für jede *Kontaktkraft* die dazugehörige Oberfläche an, auf die diese Kraft ausgeübt wird. Zeichnen Sie dazu den Vektorpfeil von der jeweiligen Oberfläche ausgehend ein. (Kräfte senkrecht zur Zeichenebene sollen nicht gezeichnet werden.)

Wie in den Tutorials zur Mechanik soll die Kennzeichnung jeder Kraft folgende Informationen enthalten: (1.) die Art der Kraft, (2.) den Körper, *auf den* sie ausgeübt wird, und (3.) den Körper, *von dem* sie ausgeübt wird.

1.2 Ordnen Sie alle *vertikalen* Kräfte nach ihrem Betrag. Begründen Sie Ihre Antwort.

Ist das Gewicht von Schicht 1 *größer, kleiner* oder *gleich* dem Gewicht von Schicht 3?

Flüssigkeiten, in der gleiche Volumina unabhängig von der Tiefe gleiches Gewicht haben (in denen also die Dichte überall gleich ist), bezeichnet man als *inkompressibel.* Nehmen Sie an, dass alle Flüssigkeiten, die in diesem Tutorial betrachtet werden, inkompressibel sind.

1.3 Nehmen Sie an, die rechte Seitenwand des Behälters hat jeweils nahe dem unteren Ende jeder Schicht ein kleines Loch.

a. Skizzieren Sie die drei austretenden Wasserstrahlen. Begründen Sie Ihre Vermutung.

b. Überprüfen Sie Ihre Vermutung anhand des vorgeführten Versuchs und notieren Sie Ihre Beobachtungen. Sollte kein Versuchsaufbau verfügbar sein, diskutieren Sie das Ergebnis des Versuchs mit einem Tutor.

Was lässt sich anhand dieses Versuchsergebnisses über die Horizontalkräfte auf die einzelnen Schichten in Teil 1.1 aussagen?

Ändern Sie gegebenenfalls Ihre Freikörperbilder so, dass sie mit dem Versuchsergebnis vereinbar sind.

2 Druck und Kraft

2.1 Geben Sie den Zusammenhang zwischen Kraft und Druck an. Im Folgenden werden wir diesen Zusammenhang auf die drei Schichten aus Abschnitt 1 anwenden.

a. Welche der in den Freikörperbildern in Abschnitt 1 auftretenden *Kontaktkräfte* können Sie verwenden, um den Druck an einem Punkt in der Grenzfläche zwischen Schicht 2 und Schicht 3 zu bestimmen? Begründen Sie.

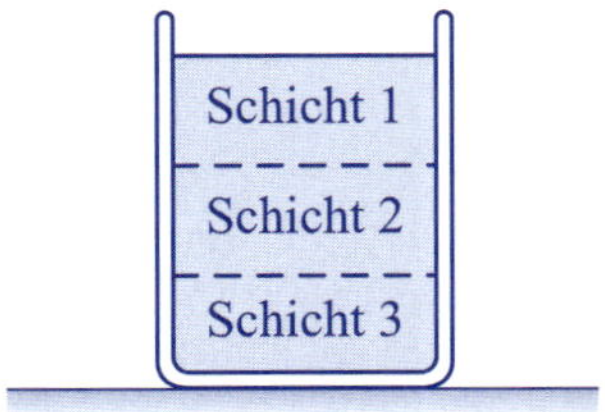

b. Welche *Fläche* müssen Sie im Zusammenhang mit der Kraft in Teil a betrachten, um den gesuchten Druck zu bestimmen? Begründen Sie.

c. Es soll nun der Druck an einem Punkt in der Mitte von Schicht 2 bestimmt werden. Welche Kraft und welche Fläche lassen sich zur Bestimmung dieses Drucks verwenden? (*Hinweis:* Zeichnen Sie ein Freikörperbild für den Körper.)

2.2 Betrachten Sie einen Punkt an der *Oberseite* von Schicht 1.

a. Ist der Druck an diesem Punkt *gleich* oder *ungleich* Null?

b. Werden an der Oberseite von Schicht 1 Kräfte ausgeübt? Wenn ja, ergänzen Sie falls nötig Ihr Freikörperbild von Schicht 1 um eine entsprechende Kraft und geben Sie an, welcher Körper diese Kraft ausübt.

2.3 Betrachten Sie die Punkte L, M und N an den Unterseiten der drei Schichten.

Ordnen Sie die Punkte L, M und N nach dem jeweils auftretenden Druck. Ist Ihr Ergebnis mit der Reihenfolge der entsprechenden Kontaktkräfte in Teil 1.2 vereinbar?

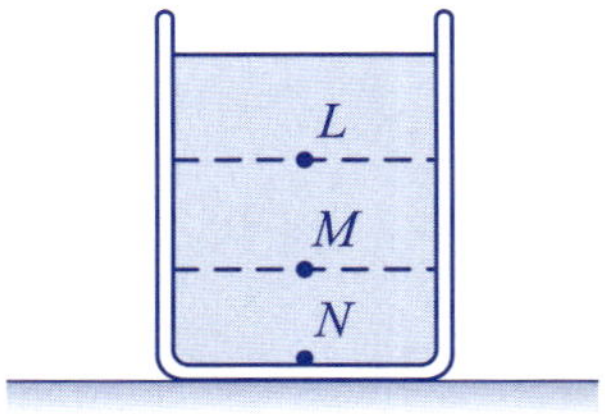

Der Druck P an einem beliebigen Punkt in einer inkompressiblen Flüssigkeit lässt sich mit der Gleichung $P = P_o + \rho g h$ beschreiben, wobei P_o der Druck in der Umgebung ist.

2.4 Prüfen Sie, ob Ihr Ergebnis in Teil 2.3 mit dieser Gleichung vereinbar ist:

- Welchem Punkt entspricht der Wert $h = 0$?
- In welche Richtung nimmt h zu?

2.5 Formulieren Sie in Worten, wie sich der Druck in einer inkompressiblen Flüssigkeit ändert, wenn Sie von einem Punkt mit bekanntem Druck ausgehend

- höher (bzw. tiefer) liegende Punkte betrachten,
- Punkte gleicher Höhe betrachten.

3 Druck in Abhängigkeit von der Tiefe

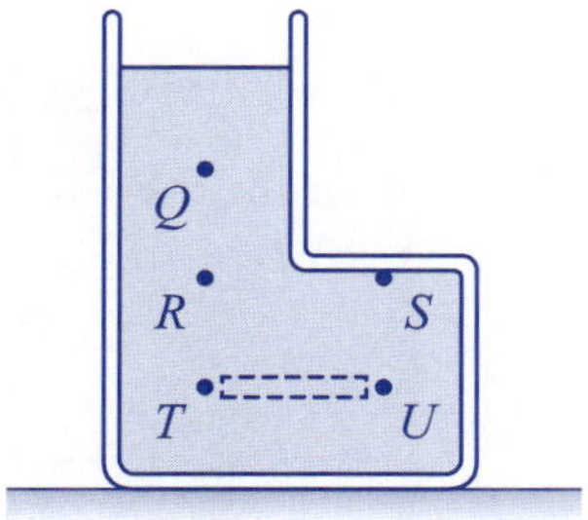

Der rechts dargestellte Behälter ist mit Wasser gefüllt und befindet sich auf einem Tisch in Ruhe. Ein kleines Teilvolumen zwischen den Punkten *T* und *U* ist besonders markiert. Betrachten Sie dieses Teilvolumen als *einen* Körper.

3.1 Zeichnen Sie ein erweitertes Freikörperbild für das Teilvolumen. Vergleichen Sie die Beträge der auf das Teilvolumen wirkenden *Horizontalkräfte.*

Ist Ihre Antwort mit dem Bewegungszustand des Teilvolumens vereinbar? Begründen Sie.

3.2 Vergleichen Sie die Werte des Drucks an den Punkten *T* und *U*. (*Hinweis:* Welcher Zusammenhang besteht zwischen dem Druck an Punkt *T* und der Kraft, die vom umgebenden Wasser an der linken Begrenzungsfläche auf das Teilvolumen ausgeübt wird?)

3.3 Ordnen Sie die Punkte *Q* bis *U* nach dem jeweils auftretenden Druck. Begründen Sie.

Ist der Druck an Punkt *S* *größer, kleiner* oder *gleich* dem Druck in der Umgebung?

3.4 Betrachten Sie die Regel, die Sie in Teil 2.5 für den Druck an einem beliebigen Punkt aufgestellt haben. Berücksichtigt diese Regel, ob sich der betrachtete Punkt (wie *Q*, *R* und *T*) unterhalb einer Behälteröffnung oder (wie *S* und *U*) unterhalb einer waagerechten Behälterwand befindet?

3.5 Betrachten Sie die folgende Diskussion zwischen zwei Studierenden:

Giovanni: **„An jedem Punkt ist der Druck gleich dem Gewicht des darüberliegenden Wassers geteilt durch die Fläche. Deshalb muss der Druck am Punkt *R* größer sein als der Druck am Punkt *S*, denn über Punkt *S* befindet sich ja kein Wasser.“**

Agnes: **„Richtig. Der Druck ist $P_o + \rho g h$, und h ist gleich Null für Punkt *S*, aber größer als Null für Punkt *R*. Deshalb ist der Druck am Punkt *R* größer.“**

Stimmen Sie einer der beiden Aussagen zu? Begründen Sie Ihre Antwort.

→ Diskutieren Sie Ihre Ergebnisse mit einem Tutor.

4 Druck im U-Rohr

Ein U-förmiges Rohr ist fast bis zum Rand mit Wasser gefüllt.

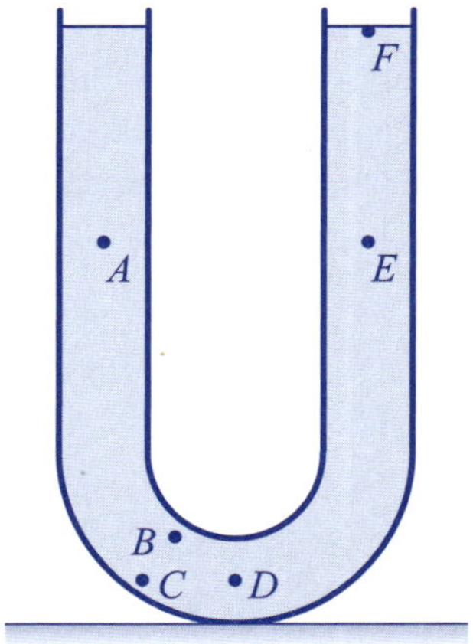

4.1 Ordnen Sie die Punkte A bis F nach dem jeweils auftretenden Druck. Begründen Sie.

Ist die von Ihnen angegebene Reihenfolge mit der Gleichung $P = P_o + \rho g h$ vereinbar? Wenn nicht, lösen Sie den Widerspruch auf.

4.2 Die rechte Öffnung des U-Rohrs wird nun so mit einem Stopfen verschlossen, dass der Wasserstand auf beiden Seiten gleich bleibt. Zwischen dem Stopfen und der Wasseroberfläche ist *keine* Luft eingeschlossen.

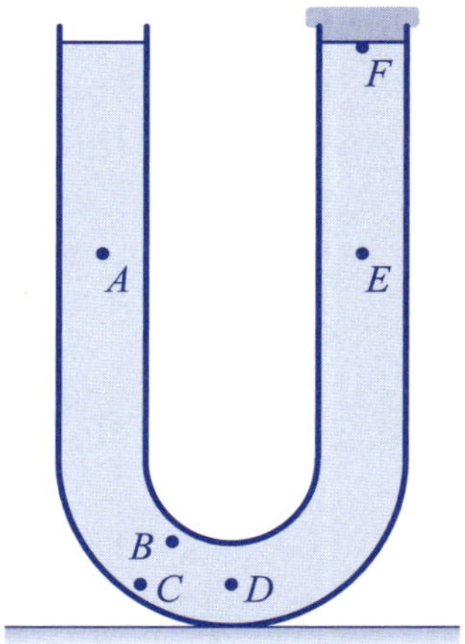

a. Nimmt der Druck an Punkt A *zu, ab* oder bleibt er *gleich?* Wie ist es an Punkt D? Begründen Sie.

b. Ist der Druck am Punkt E *größer, kleiner* oder *gleich* dem Druck am Punkt D?

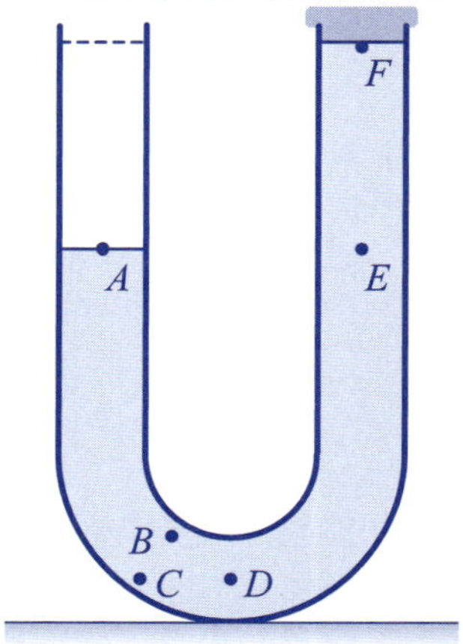

Ändert sich die Druckdifferenz ΔP_{DE} zwischen den Punkten D und E, wenn der Stopfen aufgesetzt wird? Begründen Sie.

c. Ist der Druck am Punkt F *größer, kleiner* oder *gleich* P_o?

Ist die Kraft, die der Stopfen auf die Wasseroberfläche auf der rechten Seite ausübt, *größer, kleiner* oder *gleich* der Kraft, welche die Umgebungsluft auf die Wasseroberfläche auf der linken Seite ausübt?

4.3 Durch einen Schlauch wird nun Wasser aus dem linken Arm des U-Rohrs abgesaugt. Es wird beobachtet, dass sich der Wasserstand auf der linken Seite verringert, während er auf der rechten Seite gleich bleibt.

Betrachten Sie die folgende Diskussion zwischen drei Studierenden:

Rafael: „Der Druck an Punkt F muss jetzt größer sein als der Umgebungsdruck, da das Wasser gegen den Stopfen gedrückt wird."

Gasparo: „Ich glaube, dass der Druck an Punkt E der gleiche sein muss wie an Punkt A, denn die beiden Punkte sind auf der gleichen Höhe. In beiden ist der Druck gleich dem Umgebungsdruck. Also ist der Druck an Punkt F geringer als der Umgebungsdruck, denn wir wissen, dass der Druck nach oben hin abnimmt."

Evangelista: „Aber Wasser hat eine größere Dichte als Luft. Deshalb kann der Druck an Punkt F nicht geringer sein als der Umgebungsdruck."

Stimmen Sie einer der Aussagen zu? Begründen Sie.

In den Übungen haben Sie die Gelegenheit, diese Situation noch einmal Schritt für Schritt zu analysieren.

1 Auftriebskraft

1.1 Ein würfelförmiger Klotz schwimmt zunächst in einem mit Wasser gefüllten Becherglas. Der Klotz wird nun unter der Wasseroberfläche in der Mitte des Bechers festgehalten (siehe Abbildung) und dann losgelassen.

a. Beschreiben Sie die Bewegung des Klotzes nach dem Loslassen.

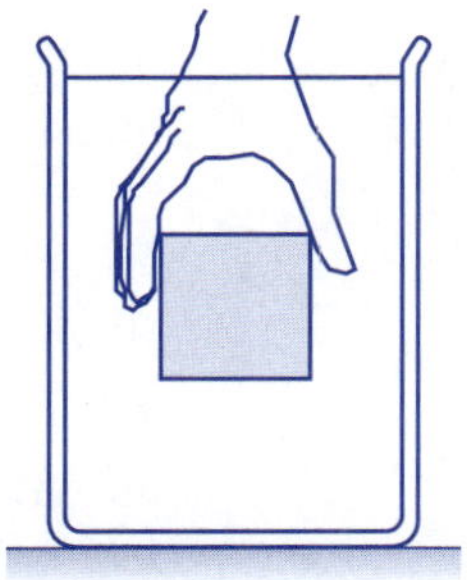

b. Zeichnen Sie ein erweitertes Freikörperbild für den Klotz unmittelbar nach dem Loslassen. Stellen Sie dabei die Kräfte, die das Wasser auf die verschiedenen Seitenflächen des Klotzes ausübt, einzeln dar. (Kräfte senkrecht zur Zeichenebene sollen nicht gezeichnet werden.)

Wie in den Tutorials zur Mechanik soll die Kennzeichnung jeder Kraft folgende Informationen enthalten: (1.) die Art der Kraft, (2.) den Körper, *auf den* sie ausgeübt wird, und (3.) den Körper, *von dem* sie ausgeübt wird.

c. Ordnen Sie die vertikalen Kräfte, die in Ihrem Freikörperbild auftreten, nach ihrem Betrag. Falls Sie keine eindeutige Reihenfolge angeben können, geben Sie bitte an, warum dies nicht möglich ist.

Haben Sie den Zusammenhang zwischen Druck und Tiefe beim Vergleichen der Beträge der vertikalen Kräfte verwendet? Wenn ja, wie?

Haben Sie Ihr Wissen über die Bewegung des Klotzes beim Vergleichen der Beträge der vertikalen Kräfte verwendet? Wenn ja, wie?

d. Geben Sie die Richtung der Vektorsumme aller Kräfte, die vom umgebenden Wasser auf den Klotz ausgeübt werden, im Zeichenfeld rechts mithilfe eines Pfeils an. Begründen Sie.

Summe aller vom Wasser auf Klotz ausgeübten Kräfte

Entspricht diese Vektorsumme der *resultierenden* Kraft auf den Klotz? (Erinnern Sie sich, dass die resultierende Kraft als Vektorsumme *aller auf einen Körper wirkenden* Kräfte definiert ist.)

Ist der Betrag der Summe aller Kräfte, die vom umgebenden Wasser auf den Klotz ausgeübt werden, *größer, kleiner* oder *gleich* dem Gewicht des Klotzes? Begründen Sie.

1.2 Der Versuch wird mit einem zweiten Klotz von gleichem Volumen und gleicher Form wiederholt. Im Unterschied zum ersten Klotz sinkt der zweite, wenn er im Wasser losgelassen wird.

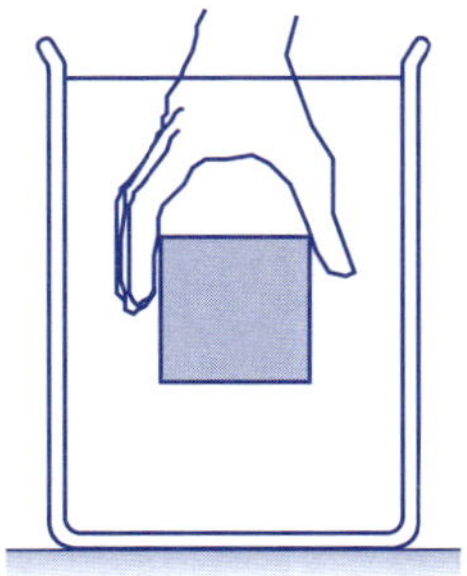

a. Skizzieren Sie im Zeichenfeld rechts ein erweitertes Freikörperbild für den Klotz unmittelbar nach dem Loslassen. Stellen Sie dabei wie zuvor die Kräfte, die das Wasser auf die verschiedenen Seitenflächen des Klotzes ausübt, einzeln dar.

b. Vergleichen Sie das Freikörperbild für den sinkenden Klotz mit dem für den Klotz in Teil 1.1:

Welche Kräfte haben den gleichen Betrag, welche einen anderen? (*Hinweis:* Vergleichen Sie den Druck an verschiedenen Stellen auf der Oberfläche des Klotzes mit dem Druck an entsprechenden Stellen in Teil 1.1.)

Gibt es Kräfte, die nur in einem der beiden Freikörperbilder auftreten?

c. Geben Sie die Richtung der Vektorsumme aller Kräfte, die vom umgebenden Wasser auf den Klotz ausgeübt werden, im Zeichenfeld rechts mithilfe eines Pfeils an. Begründen Sie Ihr Ergebnis.

Summe aller vom Wasser auf Klotz ausgeübten Kräfte

Vergleichen Sie diesen Vektor mit dem entsprechenden für den Klotz in Teil 1.1. (Beachten Sie Betrag und Richtung.)

1.3 Angenommen, Sie lassen den Klotz aus Teil 1.2 in wesentlich größerer Tiefe los. Geben Sie für jede der folgenden Kräfte an, ob sie in diesem Fall *größer, kleiner* oder *gleich* der entsprechenden Kraft auf den Klotz in Teil 1.2 ist:

- die nach oben gerichtete Kraft, die auf die Unterseite des Klotzes ausgeübt wird.

- die nach unten gerichtete Kraft, die auf die Oberseite des Klotzes ausgeübt wird.

- die Vektorsumme aller Kräfte, die vom umgebenden Wasser auf den Klotz ausgeübt werden. (*Hinweis:* Ändert sich die Druckdifferenz zwischen der Ober- und der Unterseite des Klotzes?)

Die Vektorsumme aller Kräfte, die auf einen Körper von den ihn umgebenden Fluiden (d. h. Flüssigkeiten oder Gasen) ausgeübt werden, nennt man *Auftriebskraft* (oder einfach *Auftrieb*). Die Auftriebskraft wird im Freikörperbild häufig durch einen einzigen Vektor dargestellt.

1.4 Hängt die Auftriebskraft auf einen Körper, der vollständig in einer inkompressiblen Flüssigkeit eingetaucht ist, von den folgenden Größen ab?

- von der *Masse* oder dem *Gewicht* des Körpers,
- von der *Tiefe* (unter der Flüssigkeitsoberfläche), in der sich der Körper befindet,
- vom *Volumen* des Körpers?

→ Diskutieren Sie Ihre Antworten mit einem Tutor, bevor Sie Ihre Arbeit fortsetzen.

2 Verdrängte Flüssigkeit und Archimedisches Prinzip

Betrachten Sie zwei Klötze gleicher Form und Größe, einen aus Aluminium und einen aus Messing. Beide Klötze sinken in Wasser. Der Klotz aus Aluminium wird nun in einen teilweise mit Wasser gefüllten Messzylinder gegeben, wodurch sich das auf der Skala abzulesende Volumen um $3\,\text{cm}^3$ erhöht.

2.1 Um welchen Betrag erhöht sich das auf der Skala abzulesende Volumen, wenn der Messingblock in den Zylinder gegeben wird? (Nehmen Sie an, dass kein Wasser aus dem Messzylinder austritt.) Begründen Sie.

Wenn ein Körper in einen Messzylinder gegeben wird, der eine Flüssigkeit enthält, wird die Zunahme des abgelesenen Volumens als *Volumen der verdrängten Flüssigkeit* bezeichnet.

2.2 Hängt das Volumen der von einem *vollständig eingetauchten* Körper verdrängten Flüssigkeit von den folgenden Größen ab:

- von der *Masse* oder dem *Gewicht* des Körpers,
- von der *Tiefe* (unter der Flüssigkeitsoberfläche), in der sich der Körper befindet,
- vom *Volumen* des Körpers,
- von der *Form* des Körpers?

Nach dem *Archimedischen Prinzip* ist der Betrag der Auftriebskraft, die von einer Flüssigkeit auf einen Körper ausgeübt wird, gleich dem Gewicht der vom Körper verdrängten Flüssigkeit.

2.3 Betrachten Sie die folgende Aussage eines Studenten:

„Das Archimedische Prinzip besagt einfach, dass das Gewicht des vom Körper verdrängten Wassers gleich dem Gewicht des Körpers selbst ist."

Stimmen Sie dieser Aussage zu? Begründen Sie Ihre Antwort.

3 Schwimmen und Sinken

3.1 Ein Quader (Klotz A) wird in der Mitte eines mit Wasser gefüllten Becherglases festgehalten und dann losgelassen. Der Klotz bewegt sich beschleunigt nach oben.

a. Ist die Auftriebskraft auf Klotz A unmittelbar nach dem Loslassen *größer, kleiner* oder *gleich* seinem Gewicht? Begründen Sie.

b. Einige Zeit nachdem Klotz A die Wasseroberfläche erreicht hat, schwimmt er in der Ruhelage, wie im Bild rechts dargestellt. Ist die Auftriebskraft auf den Klotz in der gezeigten Lage *größer, kleiner* oder *gleich* seinem Gewicht?

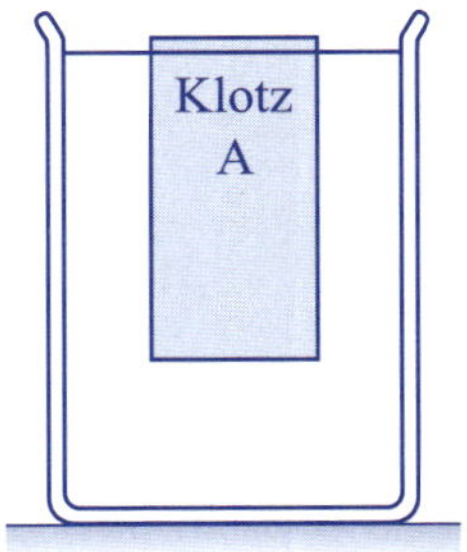

c. Sind Ihre Antworten auf die Fragen a und b mit dem Archimedischen Prinzip vereinbar? (*Hinweis:* Vergleichen Sie das Volumen des verdrängten Wassers in der Ruhelage mit dem in der Ausgangslage.)

3.2 Ein zweiter Klotz (Klotz B) von gleicher Form und Größe, aber etwas größerer Masse wird aus der gleichen Anfangslage losgelassen. Die später erreichte Ruhelage ist in der nebenstehenden Abbildung dargestellt. Vergleichen Sie die Auftriebskraft auf Klotz B mit der auf Klotz A:

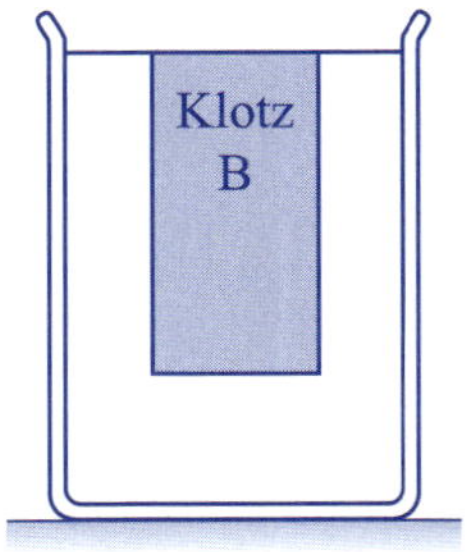

- unmittelbar nach dem Loslassen,
- nachdem die Klötze ihre Ruhelage erreicht haben.

Begründen Sie Ihre Antworten.

3.3 Ein dritter Klotz (Klotz C), ebenfalls von gleicher Form und Größe, aber noch etwas größerer Masse als Klotz B, wird wieder aus der gleichen Anfangslage losgelassen. Zwei Studierende diskutieren über die zu erwartende Ruhelage und fertigen dazu die nebenstehende Skizze an.

Thomas: ***„Da der Klotz schwerer ist als Klotz B wird er sich nach dem Loslassen nicht so weit nach oben bewegen.“***

Henrietta: ***„Ja, da stimme ich zu. Die Auftriebskraft ist etwas kleiner als das Gewicht dieses Klotzes. Deshalb sollte er etwas unterhalb der Wasseroberfläche zur Ruhe kommen.“***

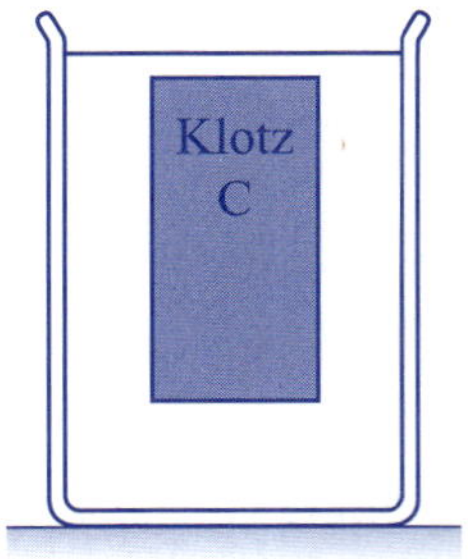

Henriettas Zeichnung

Erläutern Sie die Fehler in den beiden Aussagen und in der Skizze.

1 Druck

Ein Zylinder, der mit einem reibungsfrei beweglichen Kolben der Masse M und Querschnittsfläche A verschlossen ist, enthält ein ideales Gas. Kein Gas kann aus dem Zylinder entweichen oder in ihn eindringen. Der Kolben befindet sich in Ruhe. Die Temperatur des Gases ist gleich der Raumtemperatur. Der Umgebungsdruck ist P_o.

1.1 Zeichnen Sie an der vorgesehenen Stelle ein Freikörperbild für den Kolben.

Wie in den Tutorials zur Mechanik soll die Kennzeichnung jeder Kraft folgende Informationen enthalten: (1.) die Art der Kraft, (2.) den Körper, *auf den* sie ausgeübt wird, und (3.) den Körper, *von dem* sie ausgeübt wird.

1.2 Zeichnen Sie an der vorgesehenen Stelle einen Pfeil, der die Richtung der auf den Kolben wirkenden resultierenden Kraft angibt. Falls die resultierende Kraft gleich Null ist, geben Sie dies ausdrücklich an.

Freikörperbild für Kolben

resultierende Kraft auf Kolben

1.3 Ist die Kraft, die das Gas *im Inneren* des Zylinders auf den Kolben ausübt *größer, kleiner* oder *gleich* der Kraft, welche die Luft *außerhalb* des Zylinders auf den Kolben ausübt? Begründen Sie.

Stellen Sie eine Gleichung auf, die den Zusammenhang zwischen allen Kräften auf den Kolben darstellt.

1.4 Ist der Druck des Gases im Zylinder *größer, kleiner* oder *gleich* dem Umgebungsdruck? Begründen Sie Ihre Antwort.

Bestimmen Sie den Druck des Gases im Zylinder in Abhängigkeit von den gegebenen Größen. (*Hinweis:* Welche der Kräfte, die auf den Kolben wirken, lässt sich unmittelbar mit dem Druck des Gases in Beziehung setzen?)

1.5 Ein zweiter Zylinder enthält ebenfalls ein ideales Gas bei Umgebungstemperatur. Die beiden Zylinder und ihre Kolben sind identisch.

Ist der Druck des Gases im zweiten Zylinder *größer, kleiner* oder *gleich* dem Druck des Gases im ersten Zylinder? Falls eine eindeutige Aussage nicht möglich ist, geben Sie dies ausdrücklich an.

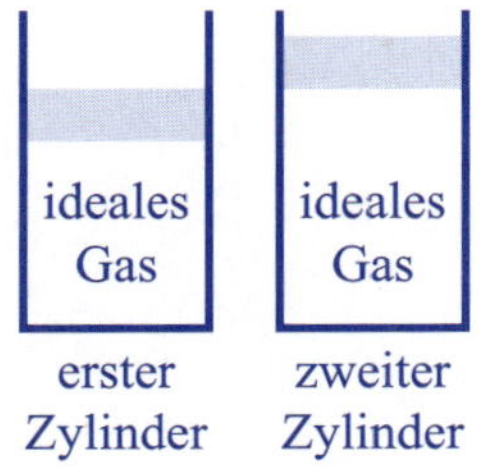

→ Diskutieren Sie Ihre Antworten mit einem Tutor, bevor Sie die Arbeit fortsetzen.

2 Druck und Temperatur

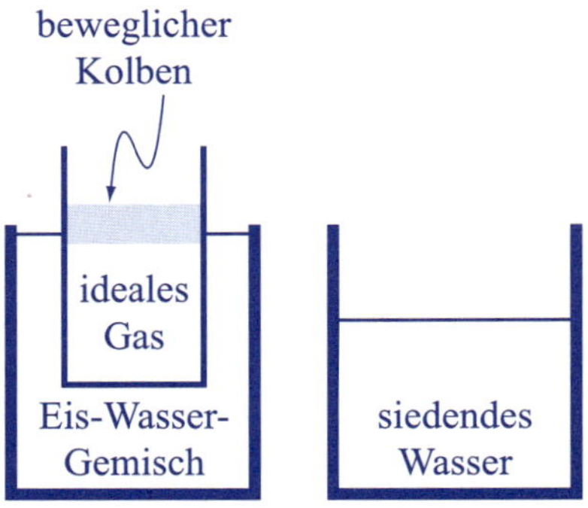

2.1 Ein Zylinder der Art, wie er in Abschnitt 1 betrachtet wurde, enthält eine konstante Menge eines idealen Gases. Das Gas ist anfänglich im thermischen Gleichgewicht mit einem Eis-Wasser-Gemisch. Druck, Volumen und Temperatur des Gases im Anfangszustand sind mit P_1, V_1 und T_1 bezeichnet.

Der Zylinder wird dann aus dem Eis-Wasser-Bad entfernt und in siedendes Wasser eingetaucht. Nachdem das System thermisches Gleichgewicht mit dem siedenden Wasser erreicht hat, haben Druck, Volumen und Temperatur die Werte P_2, V_2 und T_2. (Nehmen Sie näherungsweise an, dass der Prozess sehr langsam abläuft.)

a. Ist P_2 *größer, kleiner* oder *gleich* P_1? Begründen Sie.

Ist Ihre Antwort mit der in Teil 1.4 vereinbar? Wenn nicht, lösen Sie den Widerspruch auf.

b. Ist V_2 *größer, kleiner* oder *gleich* V_1? Begründen Sie.

Ist Ihre Antwort mit dem idealen Gasgesetz ($PV = nRT$) vereinbar? Wenn nicht, lösen Sie den Widerspruch auf.

2.2 Welche der vier Größen P, V, n und T wurden in dem in Teil 2.1 betrachteten Prozess konstant gehalten und welche konnten sich ändern? Begründen Sie Ihre Antwort.

2.3 Betrachten Sie den folgenden Dialog zwischen zwei Studierenden.

Heike: *„Nach dem idealen Gasgesetz ist der Druck proportional zur Temperatur. Da wir die Temperatur des Gases erhöht haben, muss der Druck zunehmen."*

Joseph: *„Das stimmt. Da kein Gas zum System zugefügt oder aus ihm entfernt wurde, hat sich das Volumen nicht verändert. Also muss der Druck zugenommen haben."*

Stimmen Sie einer der beiden Meinungen zu? Begründen Sie Ihre Antwort.

→ Diskutieren Sie Ihre Antworten mit einem Tutor, bevor Sie die Arbeit fortsetzen.

3 P, V-Diagramme

Prozesse mit idealen Gasen werden häufig grafisch dargestellt. In einem P, V-Diagramm werden zum Beispiel der Druck und das Volumen einer bestimmten Gasmenge gegeneinander aufgetragen. Ein Punkt im Diagramm stellt gleichzeitig gemessene Werte von Druck und Volumen des Gases dar. Diese Werte definieren einen *Zustand* des Gases.

3.1 Skizzieren Sie den Prozess aus Abschnitt 2 im nebenstehenden P, V-Diagramm. Kennzeichnen Sie Anfangs- und Endzustand des Gases.

Ist Ihre Skizze mit Ihrer Antwort in Teil 2.2 vereinbar? Begründen Sie.

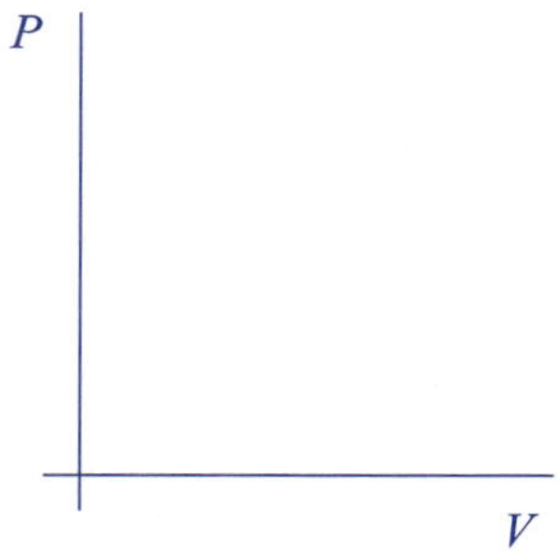

Welche zusätzliche Annahme über den Verlauf des Prozesses mussten Sie treffen, damit der Druck als exakt konstant betrachtet werden kann?

3.2 Das gleiche ideale Gas wird nun für einen anderen Versuch verwendet. Der Druck und das Volumen des Gases werden während des Experiments mehrere Male gemessen. Die Messergebnisse sind jeweils im P, V-Diagramm rechts festgehalten. (Wie üblich sollen die Werte von Druck und Volumen am Schnittpunkt der Achsen gleich Null sein.)

a. Ordnen Sie die Zustände A bis D nach den zugehörigen Temperaturen des Gases. Falls mehrere Zustände gleichen Temperaturen entsprechen, geben Sie dies ausdrücklich an.

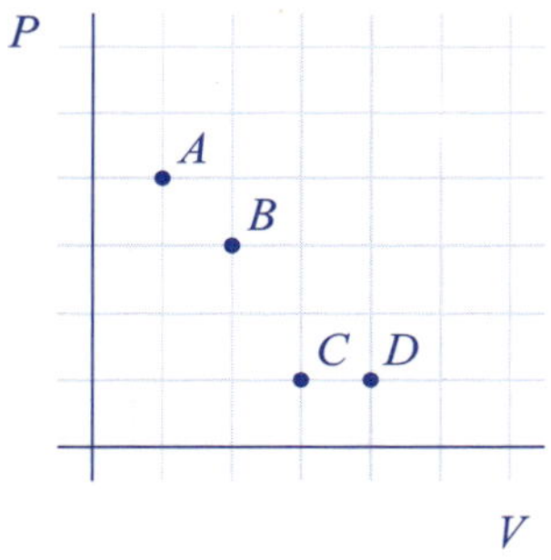

Ist die von Ihnen angegebene Reihenfolge mit dem idealen Gasgesetz vereinbar?

b. Gibt es einen Zustand, in dem das Gas das gleiche Volumen wie in Zustand B und die gleiche Temperatur wie in Zustand A hat? Wenn ja, markieren Sie diesen Zustand an der richtigen Stelle im P, V-Diagramm. Wenn nicht, geben Sie an, warum nicht.

c. Zeichnen und beschreiben Sie die Kurve (*Isotherme*) im P, V-Diagramm, auf der *alle* Zustände mit der gleichen Temperatur wie in Zustand A liegen.

→ Diskutieren Sie Ihre Antworten mit einem Tutor, bevor Sie die Arbeit fortsetzen.

4 Avogadro-Konstante

4.1 Zwei gleichartige Zylinder (wie in Abschnitt 1) enthalten Wasserstoff bzw. Sauerstoff. Beide Zylinder befinden sich bereits eine Weile im gleichen Raum. Ihre Kolben befinden sich auf gleicher Höhe.

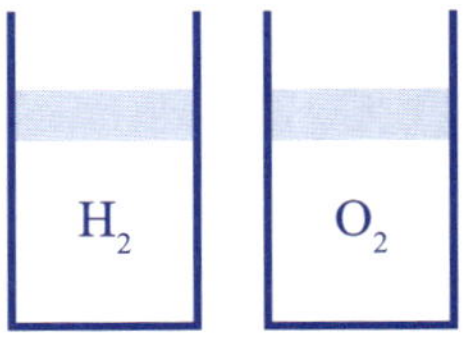

a. Vergleichen Sie die Volumen der Gase in den beiden Zylindern.

b. Vergleichen Sie die Temperaturen der Gase in den beiden Zylindern. Begründen Sie.

c. Vergleichen Sie die Drücke der Gase in den beiden Zylindern. Begründen Sie.

d. Vergleichen Sie die Stoffmengen der Gase in den beiden Zylindern. Begründen Sie.

Ist Ihre Antwort mit dem idealen Gasgesetz vereinbar?

4.2 Ein Student schlägt die molaren Massen der beiden Gase in einem Lehrbuch nach und findet die Werte 2 g (für H_2) und 32 g (für O_2).

a. Geben Sie eine *Interpretation* dieser beiden Werte. (*Hinweis:* Eine mathematische Formel ist keine Interpretation.)

b. Vergleichen Sie die Massen der Gase in den beiden Behältern. Begründen Sie.

4.3 Betrachten Sie die folgende Diskussion zwischen zwei Studierenden.

Edme: ***„Da Wasserstoffteilchen viel kleiner sind als Sauerstoffteilchen, müssen sich in einem gleich großen Volumen mehr Wasserstoffmoleküle befinden."***

Johannes: ***„Nein, da man für*** n ***beim Wasserstoff ‚2' und beim Sauerstoff ‚32' einsetzen muss, müssen es mehr Sauerstoffmoleküle sein."***

Finden Sie die Fehler in den beiden Argumentationen. Begründen Sie.

→ Überprüfen Sie Ihre Antworten mit einem Tutor.

1 Kinetische Energie und Temperatur

1.1 Zwei Teilchen eines einatomigen idealen Gases haben die Geschwindigkeiten v_1 bzw. v_2 (mit $v_2 > v_1$). Beide haben die Masse m.

a. Geben Sie mathematische Ausdrücke für die kinetischen Energien der beiden Gasteilchen an.

b. Ist die kinetische Energie von Teilchen 2 *größer, kleiner* oder *gleich* der kinetischen Energie von Teilchen 1? Begründen Sie.

1.2 Die beiden Gasteilchen stoßen miteinander zusammen. Es wird beobachtet, dass die Geschwindigkeit von Teilchen 2 nach dem Stoß geringer ist als vorher.

a. Ist die Summe der kinetischen Energien der beiden Gasteilchen nach dem Stoß *größer, kleiner* oder *gleich* der Summe der kinetischen Energien vor dem Stoß? Begründen Sie.

b. Ist die Geschwindigkeit von Teilchen 1 nach dem Stoß *größer, kleiner* oder *gleich* seiner Geschwindigkeit vor dem Stoß? Begründen Sie.

c. Sind Ihre Antworten in Teil a und b mit der Annahme vereinbar, dass die Stöße zwischen den Gasteilchen elastisch sind? Wenn nicht, lösen Sie den Widerspruch auf.

1.3 Betrachten Sie eine in einem Behälter eingeschlossene Gasmenge im thermischen Gleichgewicht mit ihrer Umgebung. Führen die ständig zwischen den Gasteilchen stattfindenden Stöße zu einer *Zunahme*, einer *Abnahme* oder zu *keiner Änderung* der folgenden Größen:

- der durchschnittlichen kinetischen Energie der Gasteilchen,

- der Temperatur des Gases? (*Hinweis:* Erinnern Sie sich an die Beziehung zwischen der Temperatur eines Gases und der mittleren kinetischen Energie seiner Teilchen.)

Sind Ihre Antworten vereinbar mit:

- der Annahme, dass die Stöße zwischen den Gasteilchen elastisch sind,

- Ihrer Erwartung hinsichtlich der Frage, ob eine *spontane* Temperaturänderung stattfindet, wenn das Gas lange Zeit im Behälter eingeschlossen bleibt?

1.4 Drei Mol Helium befinden sich zu Beginn eines Versuchs in einem großen Behälter. Am Ende des Versuchs befindet sich das Gas vollständig in einem kleineren Behälter. Weitere Details des Experiments sind nicht bekannt. Das Helium soll als ein ideales Gas betrachtet werden.

Zwei Studierende diskutieren über dieses Experiment.

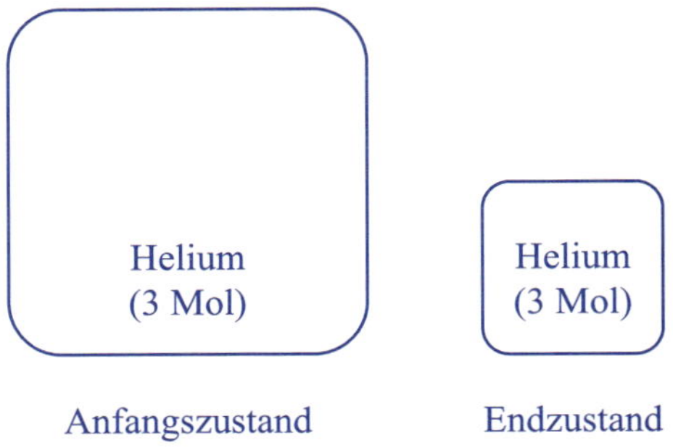

Jöns: *„Die Temperatur muss zugenommen haben, denn die gleiche Anzahl von Teilchen ist jetzt in einem kleineren Volumen eingeschlossen. Deshalb stoßen die Gasteilchen öfter zusammen und das Gas erwärmt sich."*

Amedeo: *„Nein, da bin ich anderer Meinung. Man kann die Temperatur nicht allein aufgrund des Volumens angeben. Je nach dem tatsächlichen Wert des Drucks am Ende des Experiments könnte die Temperatur zu- oder abgenommen haben oder gleich geblieben sein."*

Stimmen Sie einer der beiden Aussagen zu? Begründen Sie Ihre Antwort.

→ Diskutieren Sie Ihre Antworten mit einem Tutor, bevor Sie die Arbeit fortsetzen.

2 Elastische Stöße eines Teilchens an einer Wand

Ein Teilchen führt einen Stoß an einer starren Wand aus. Es bewegt sich anfangs senkrecht auf die Wand zu und prallt dann mit gleichem Geschwindigkeitsbetrag in die entgegengesetzte Richtung zurück. Die Masse des Teilchens beträgt m, seine Anfangsgeschwindigkeit $\vec{v}_1$.

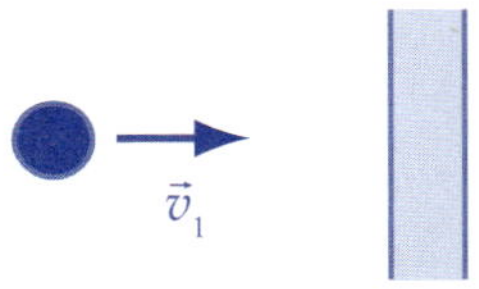

2.1 Zeichnen Sie Vektoren für die folgenden Größen und bestimmen Sie ihre Beträge:

- den Impuls des Teilchens vor dem Stoß,
- den Impuls des Teilchens nach dem Stoß,
- die Änderung des Impulses, $\Delta\vec{p}$.

Impuls vor dem Stoß	Impuls nach dem Stoß	Impulsänderung

2.2 Die Impulsänderung des Teilchens ist nicht gleich Null. Geben Sie an, weshalb.

→ Überprüfen Sie Ihre Antworten mit einem Tutor, bevor Sie die Arbeit fortsetzen.

3 Der Druck im Teilchenmodell

Im Teilchenmodell des idealen Gases kann man den Druck durch die Betrachtung der Stöße von Gasteilchen an den Behälterwänden darstellen. Insbesondere ist der Druck näherungsweise gleich dem Produkt ($P = \Phi \cdot \Delta p$) der folgenden beiden Größen:

- der Anzahl der Teilchen, die pro Zeiteinheit und pro Flächeneinheit auf die Wand auftreffen (Φ, für Teilchenfluss),
- dem Betrag der Impulsänderung eines Gasteilchens während eines Stoßes mit der Wand, gemittelt über eine große Zahl von Stößen ($\Delta p = |\Delta \vec{p}|$),

Für einen qualitativen Vergleich der Drücke in verschiedenen Zuständen (oder verschiedener Gase) reicht es häufig, ein vereinfachtes Modell zu betrachten, in dem alle Teilchen den gleichen Geschwindigkeitsbetrag (jedoch abhängig von der Temperatur des Gases) haben und sich entlang einer der drei Koordinatenachsen (d. h. senkrecht zu den Behälterwänden) bewegen.

3.1 Zwei Behälter mit gleichem Volumen enthalten jeweils ein Mol des gleichen idealen Gases. Das Gas in Behälter H hat eine höhere Temperatur als das Gas in Behälter K. Beantworten Sie die folgenden Fragen mithilfe des oben beschriebenen Modells.

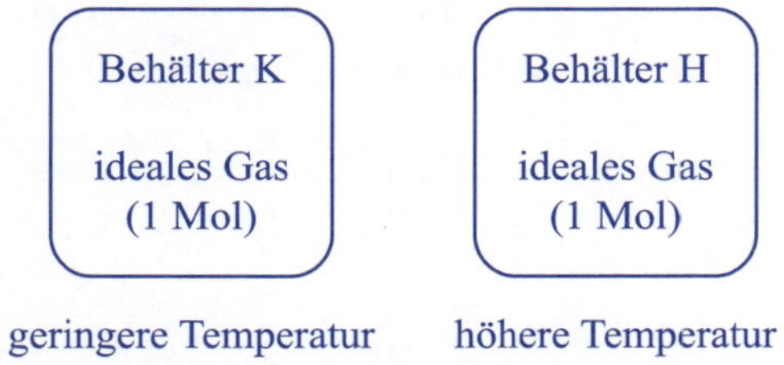

a. Ist die mittlere Geschwindigkeit der Teilchen in Behälter H *größer, kleiner* oder *gleich* der mittleren Geschwindigkeit der Teilchen in Behälter K?

b. Ist die mittlere Impulsänderung eines Gasteilchens in einem einzelnen Stoß an der Wand von Behälter H *größer, kleiner* oder *gleich* der entsprechenden Größe in Behälter K? Begründen Sie.

c. Trifft ein einzelnes Teilchen in Behälter H im Vergleich mit einem Teilchen im Behälter K im Durchschnitt *häufiger, weniger häufig* oder *gleich häufig* auf eine Behälterwand? Begründen Sie. (*Hinweis:* Unterscheiden sich die zurückgelegten Distanzen zwischen zwei Stößen an gegenüberliegenden Wänden? Unterscheiden sich die mittleren Geschwindigkeiten?)

d. Ist die Anzahl der Teilchen, die pro Zeiteinheit und Flächeneinheit auf eine Wand von Behälter H auftreffen, *größer, kleiner* oder *gleich* der Anzahl der Teilchen, die pro Zeiteinheit und Flächeneinheit auf eine Wand in Behälter K auftreffen? Begründen Sie.

e. Vergleichen Sie mithilfe Ihrer Antworten in Teil b und d den Druck in den beiden Behältern.

Erhalten Sie die gleiche Antwort mithilfe des idealen Gasgesetzes?

$\longrightarrow$ Überprüfen Sie Ihre Antworten mit einem Tutor, bevor Sie die Arbeit fortsetzen.

3.2 Zwei Behälter mit gleichem Volumen enthalten gleiche Stoffmengen verschiedener Gase. Behälter W enthält Wasserstoff, Behälter S Sauerstoff. Die Temperaturen der beiden Gase sind gleich.

Behälter W	Behälter S
Wasserstoff (1 Mol)	Sauerstoff (1 Mol)

a. Vergleichen Sie mithilfe des idealen Gasgesetzes die Drücke der beiden Gase.

b. Ist die mittlere Geschwindigkeit der Wasserstoffmoleküle in Behälter W *größer, kleiner* oder *gleich* der mittleren Geschwindigkeit der Sauerstoffmoleküle in Behälter S? Begründen Sie.

c. Stößt ein einzelnes Wasserstoffmolekül in Behälter W im Mittel *häufiger, weniger häufig* oder *gleich häufig* auf eine Behälterwand wie ein einzelnes Sauerstoffmolekül in Behälter S?

d. Ist die Anzahl der Teilchen, die pro Zeiteinheit und Flächeneinheit auf eine Wand von Behälter W auftreffen, *größer, kleiner* oder *gleich* der Anzahl der Teilchen, die pro Zeiteinheit und Flächeneinheit auf eine Wand in Behälter S auftreffen? Begründen Sie.

e. Ist die mittlere Impulsänderung eines Gasteilchens in einem einzelnen Stoß an der Wand von Behälter W *größer, kleiner* oder *gleich* der entsprechenden Größe in Behälter S? Begründen Sie Ihre Antwort wie folgt:

- mithilfe Ihrer Antworten in Teil a und d,

- mithilfe des Zusammenhangs zwischen kinetischer Energie und Impuls ($E_{\text{kin}} = p^2/2m$).

f. Zwei Studierende diskutieren über die beiden Behälter mit verschiedenen Gasen.

Otto: *„Die Sauerstoffmoleküle sind schwerer und übertragen deshalb in jedem Stoß eine größere Kraft. Deshalb muss der Druck in Behälter S größer sein als in Behälter W."*

Ludwig: *„Nein, da stimme ich nicht zu. Die Wasserstoffmoleküle bewegen sich schneller und stoßen deshalb häufiger auf eine Wand als die Sauerstoffmoleküle. Der Druck ist deshalb in Behälter W größer als in Behälter S."*

Keine der beiden Aussagen ist richtig. Erklären Sie, inwiefern die Überlegungen der beiden Studierenden nicht zutreffen.

→ Überprüfen Sie Ihre Antworten mit einem Tutor.

1 Arbeit

1.1 Geben Sie eine Definition für die Arbeit an, die an einem Körper verrichtet wird, wenn auf diesen eine Kraft wirkt.

Skizzieren Sie im jeweiligen Zeichenfeld mögliche Vektoren für die Kraft auf den Körper und seine Verschiebung, wenn die Arbeit *positiv, negativ* bzw. *gleich Null* sein soll:

positiv	negativ	Null

Gibt Ihre Skizze jeweils die einzig möglichen relativen Richtungen der Kraft und der Verschiebungsvektoren wieder? Wenn ja, begründen Sie dies. Wenn nicht, skizzieren Sie mindestens ein weiteres Vektorenpaar.

1.2 Ein Klotz wird von einer Hand eine reibungsfreie Rampe hinaufgeschoben. Seine Geschwindigkeit nimmt dabei gleichförmig zu.

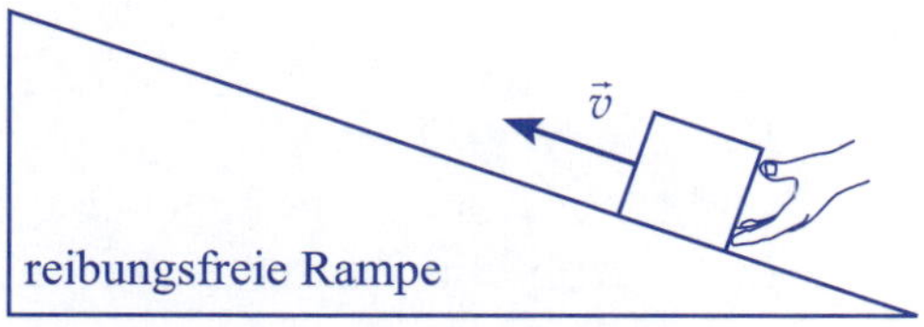

a. Zeichnen Sie im Zeichenfeld rechts ein Freikörperbild für den Klotz. Wie in den Tutorials zur Mechanik soll die Kennzeichnung jeder Kraft folgende Informationen enthalten: (1.) die Art der Kraft, (2.) den Körper, *auf den* sie ausgeübt wird, und (3.) den Körper, *von dem* sie ausgeübt wird.

b. Zeichnen Sie im Zeichenfeld rechts einen Pfeil, der die Richtung der resultierenden Kraft auf den Klotz angibt.

resultierende Kraft

c. Geben Sie für die folgenden Größen jeweils an, ob die Größe *positiv, negativ* oder *gleich Null* ist und begründen Sie Ihre Antworten.

- die Arbeit, welche von der *Hand* am Klotz verrichtet wird

- die Arbeit, welche von der *Erde* am Klotz verrichtet wird

- die Arbeit, welche von der *Rampe* am Klotz verrichtet wird

d. Verrichtet der Klotz bei diesem Vorgang Arbeit an der Hand? Wenn ja, ist diese Arbeit *positiv, negativ* oder *gleich Null?* Begründen Sie.

e. Das Gesetz der Energieerhaltung in der Mechanik kann durch die Gleichung $W_{\text{ges,äußere}} = \Delta E_{\text{ges}}$ ausgedrückt werden. Erläutern Sie, inwiefern Ihre Antworten in Teil c mit dieser Aussage vereinbar sind. (*Hinweis:* $W_{\text{ges,äußere}}$ bezeichnet die gesamte Arbeit der äußeren Kräfte, die auf den betrachteten Körper oder das betrachtete System wirken.)

f. Ändert sich eine Ihrer Antworten in Teil c, wenn der Klotz mit konstanter Geschwindigkeit die Rampe hinaufgeschoben wird?

Wie groß ist dann die gesamte von den äußeren Kräften am Klotz verrichtete Arbeit?

1.3 Ein fest verankerter Zylinder enthält ein ideales Gas und ist mit einem beweglichen Kolben verschlossen, wie in der Abbildung gezeigt. Die Reibung zwischen Kolben und Zylinderwand soll vernachlässigt werden.

a. Geben Sie die Richtung der Kraft an, die der Kolben auf das Gas ausübt.

Hängt Ihre Antwort davon ab, ob sich der Kolben bewegt?

b. Wie muss sich der Kolben bewegen, damit er

- *positive* Arbeit am Gas verrichtet,

- *negative* Arbeit am Gas verrichtet?

Hängt Ihre Antwort davon ab, ob die positive Koordinatenachse nach *rechts* oder nach *links* gewählt wird?

c. Verrichtet das Gas in den beiden Fällen in Teil b Arbeit am Kolben? Wenn ja, welcher Zusammenhang besteht zwischen dieser Arbeit und der Arbeit, die der Kolben am Gas verrichtet? (Vergleichen Sie sowohl die Beträge als auch die Vorzeichen.)

→ Überprüfen Sie Ihre Antworten mit einem Tutor, bevor Sie die Arbeit fortsetzen.

2 Arbeit und innere Energie

2.1 Der Zylinder aus Abschnitt 1 wird nun mithilfe einer Ummantelung von seiner Umgebung thermisch isoliert. Der Kolben wird bis zur dargestellten Position nach innen geschoben. Wir bezeichnen diese Verdichtung im Folgenden mit *Prozess 1.*

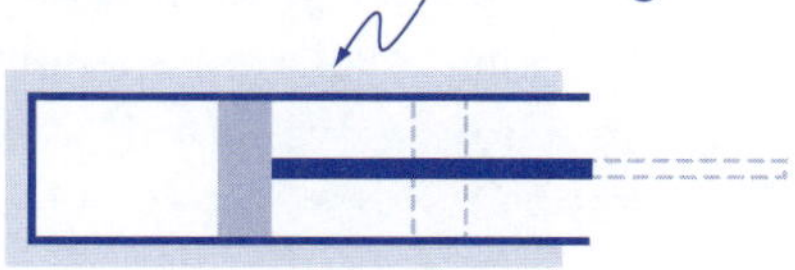

Ist die Arbeit, die der Kolben im Verlauf von Prozess 1 am Gas verrichtet, *positiv*, *negativ* oder *gleich Null?*

In der Thermodynamik betrachten wir oft die *innere Energie* (U) eines Systems, dessen Lage unverändert bleibt. Beim idealen Gas ist die innere Energie proportional zur Temperatur (in K) und zur Stoffmenge (in Mol). Die innere Energie eines Systems kann sich ändern, wenn das System Energie mit seiner Umgebung austauscht (d. h. mit Körpern außerhalb des betrachteten Systems). Im oben betrachteten Fall ändert sich die innere Energie des Gases infolge der Arbeit, die der Kolben (als Körper außerhalb des Systems) am Gas (dem System) verrichtet. Wenn ein solches System thermisch isoliert ist, ist die Änderung seiner inneren Energie gleich der gesamten an ihm verrichteten Arbeit.

$$\Delta U = W_{\text{am System}} \text{(für ein thermisch isoliertes System)}$$

2.2 Nimmt die innere Energie eines Gases in einem thermisch isolierten Zylinder *zu,* nimmt sie *ab* oder bleibt sie *gleich,* wenn der Kolben in den Zylinder hineingeschoben wird? Begründen Sie.

Ändert sich dabei die Temperatur des Gases? Begründen Sie.

2.3 Zwei Studierende diskutieren den Prozess 1:

James: *„Das Volumen des Gases nimmt ab und der Druck zu. Aufgrund des idealen Gasgesetzes muss deshalb die Temperatur gleich bleiben."*

Julius: *„Nein, da stimme ich nicht zu. Das Volumen nimmt ab, und die Teilchen stoßen deshalb häufiger miteinander zusammen. Deshalb nimmt die Temperatur zu."*

Keines der beiden Argumente ist zutreffend. Finden Sie die Fehler in den Argumentationen der beiden Studierenden.

→ Diskutieren Sie Ihre Antworten mit einem Tutor, bevor Sie Ihre Arbeit fortsetzen.

3 Wärme

Die Isolierung des Zylinders aus Abschnitt 2 wird nun entfernt und der Kolben wird arretiert. Das Gas hat anfänglich Raumtemperatur.

Der Zylinder wird nun in ein Gefäß mit siedendem Wasser eingetaucht und erreicht thermisches Gleichgewicht mit dem Wasser. Wir bezeichnen diesen Prozess im Folgenden mit *Prozess 2.*

3.1 Nehmen die folgenden Größen in Prozess 2 *zu, ab* oder bleiben sie *gleich?* Begründen Sie.

- die Temperatur des Gases
- die innere Energie des Gases
- das Volumen des Gases
- der Druck des Gases

3.2 Skizzieren Sie Prozess 2 im P, V-Diagramm rechts.

3.3 Wird in Prozess 2 am Gas Arbeit verrichtet? Begründen Sie Ihre Antwort und überprüfen Sie, ob sie mit dem P, V-Diagramm vereinbar ist.

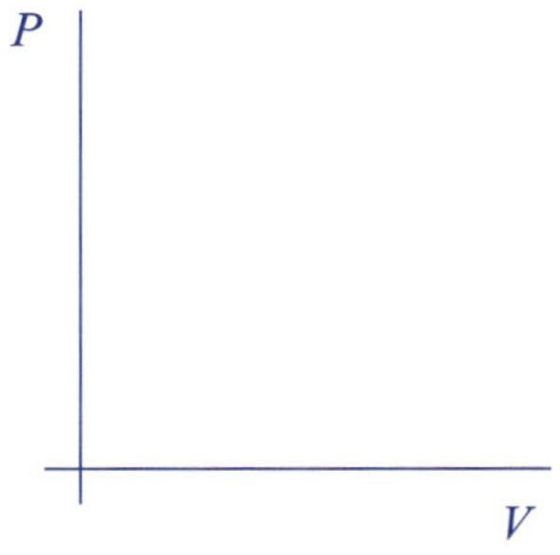

Die Energieübertragung, die in diesem Prozess stattfindet, wird als *Wärmeübertragung* (oder einfach *Wärme*) bezeichnet. Wenn an einem System keine Arbeit verrichtet wird und die ihm *zugeführte* Wärme (Q) positiv ist, nimmt die innere Energie des Systems zu.

$$\Delta U = Q_{\text{zum System}} (\text{wenn keine Arbeit verrichtet wird})$$

3.4 Ist die in Prozess 2 dem Gas zugeführte Wärme *positiv, negativ* oder *gleich Null?* Begründen Sie.

3.5 Ist die in Prozess 2 dem siedenden Wasser vom Gas zugeführte Wärme *positiv, negativ* oder *gleich Null?* Begründen Sie.

4 Wärme, Arbeit und innere Energie

Der *erste Hauptsatz der Thermodynamik* besagt, dass die Änderung der inneren Energie eines geschlossenen ortsfesten Systems gleich der Summe der gesamten am System verrichteten Arbeit und der dem System zugeführten Wärme ist:

$$\Delta U = Q_{\text{zum System}} + W_{\text{am System}}$$

4.1 Geben Sie an, wie man dieses Gesetz auch mithilfe der vom System an seiner Umgebung verrichteten Arbeit schreiben könnte.

Wie wird der erste Hauptsatz in dem von Ihnen verwendeten Lehrbuch ausgedrückt?

4.2 Für Prozess 1 (in Abschnitt 2) war es nicht nötig, Wärmeübertragung zu berücksichtigen. Welcher Aspekt des beschriebenen Versuchs verhinderte, dass dem Gas Wärme zugeführt wurde?

4.3 Für Prozess 2 (Abschnitt 3) war es nicht nötig, Arbeit zu berücksichtigen. Welcher Aspekt des beschriebenen Versuchs verhinderte, dass am Gas Arbeit verrichtet wurde?

→ Überprüfen Sie Ihre Antworten mit einem Tutor, bevor Sie die Arbeit fortsetzen.

4.4 Der Zylinder (mit dem Kolben weiterhin arretiert) wird nun in ein Eis-Wasser-Gemisch eingetaucht und erreicht thermisches Gleichgewicht mit dem Eiswasser.

Anschließend wird der Kolben entriegelt und sehr langsam in den Zylinder hineingeschoben, sodass das Gas immer im thermischen Gleichgewicht mit dem Eis-Wasser-Gemisch bleibt. Wir bezeichnen diese langsame Verdichtung im Folgenden mit *Prozess 3.*

a. Nehmen die folgenden Größen in Prozess 3 *zu, ab* oder bleiben sie *gleich?* Begründen Sie Ihre Antworten.

- das Volumen des Gases

- die Temperatur des Gases

- die innere Energie des Gases

- der Druck des Gases

b. Skizzieren Sie Prozess 3 im P, V-Diagramm rechts.

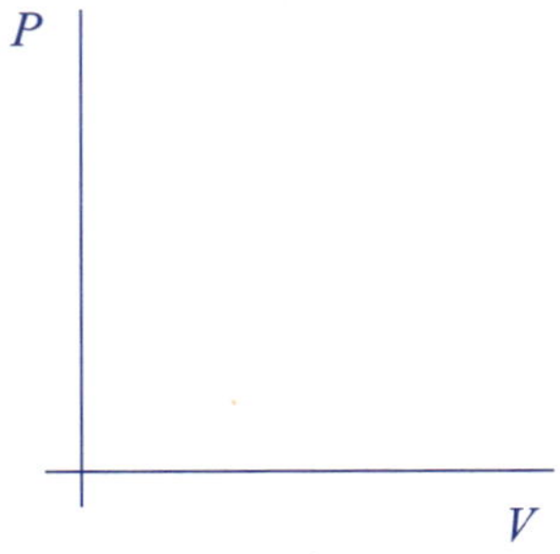

c. Geben Sie an, ob die folgenden Größen in Prozess 3 *positiv, negativ* oder *gleich Null* sind:

- die am Gas verrichtete Arbeit,
  (Begründen Sie Ihre Antwort durch Verweis auf eine Kraft und eine Verschiebung.)

- die dem Gas zugeführte Wärme.

d. Sind Ihre Antworten in Teil a und c mit dem ersten Hauptsatz der Thermodynamik vereinbar? Begründen Sie.

4.5 Wie unterscheidet sich der Verdichtungsvorgang in Prozess 3 von dem in Prozess 1?

4.6 Ein Student betrachtet Prozess 3:

Denis: ***„Es handelt sich um einen isothermen Prozess, d. h. die Temperatur ändert sich nicht. Die dem Gas zugeführte Wärme muss deshalb gleich Null sein.“***

Stimmen Sie dieser Aussage zu? Begründen Sie Ihre Antwort.

1 Wärmekraftmaschinen

Eine Wärmekraftmaschine ist eine Vorrichtung, die Energie in Form von Wärme aufnimmt und in Form von Arbeit abgibt. Wärmekraftmaschinen werden mithilfe von Kreisprozesse modelliert, in denen ein Arbeitsmedium - in der Regel das betrachtete System - eine Reihe von thermodynamischen Zustandsänderungen durchläuft und dabei immer wieder die gleichen Zustände einnimmt.

1.1 Die nachfolgende Abbildung stellt eine Wärmekraftmaschine schematisch dar, die mit Wärmereservoiren bei 800 K und 400 K in thermischem Kontakt steht. Die Zahlenwerte und Pfeile geben die pro Umlauf in Form von Arbeit oder Wärme übertragenen Energien zwischen System und Umgebung an.

a. Entnehmen Sie die Werte der folgenden Größen dem Diagramm. Beachten Sie dabei die Vorzeichen:

- die dem System pro Umlauf zugeführte Arbeit:

  $W_{zu} =$,

- die dem System pro Umlauf vom oberen Wärmereservoir zugeführte Wärme:

  $Q_{zu\ (T_{hoch})} =$,

- die dem System pro Umlauf vom unteren Wärmereservoir zugeführte Wärme:

  $Q_{zu\ (T_{niedrig})} =$.

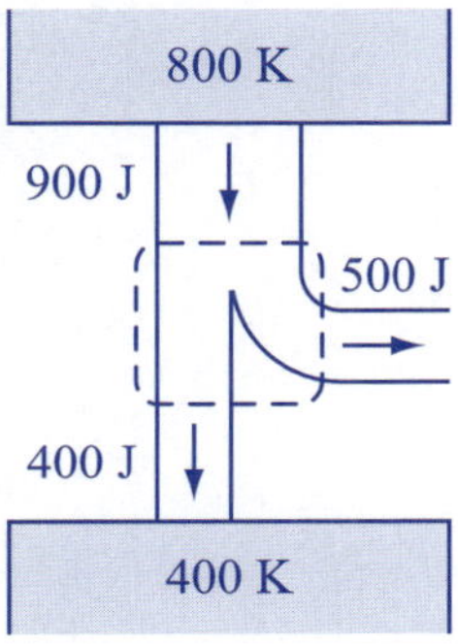

b. Für eine Verkettung mehrerer Einzelprozesse lautet der erste Hauptsatz der Thermodynamik: $\Delta U = \sum Q_{zu} + \sum W_{zu}$, wobei über die nacheinander durchlaufenen Einzelprozesse summiert wird. Bestimmen Sie mithilfe dieses Zusammenhangs die Änderung der inneren Energie des Systems in einem Umlauf. Geben Sie Ihren Lösungsweg an.

Ist Ihr Ergebnis damit vereinbar, dass die innere Energie eine Zustandsgröße ist? Begründen Sie.

1.2 Die Abbildung rechts stellt eine geplante Wärmekraftmaschine schematisch dar, die mit Wärmereservoiren bei 600 K und 400 K in thermischem Kontakt steht.

Verletzt diese Vorrichtung (mit den pro Umlauf übertragenen Energien wie angegeben) den ersten Hauptsatz der Thermodynamik? Begründen Sie.

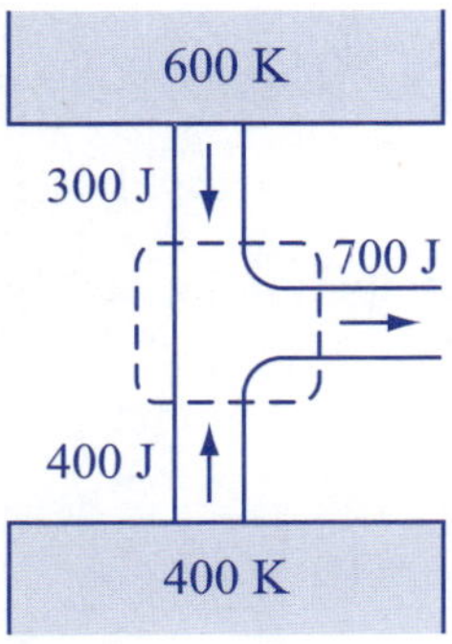

2 Der zweite Hauptsatz der Thermodynamik

Nicht alle Prozesse, die den ersten Hauptsatz der Thermodynamik erfüllen, können tatsächlich stattfinden. Der *zweite Hauptsatz der Thermodynamik* ermöglicht es, zwischen solchen Prozessen zu unterscheiden, die stattfinden können, und solchen, die nicht stattfinden können. Er kann auf verschiedene Weise ausgedrückt werden. Eine Darstellung, die so genannte *Clausius'sche Ungleichung,* lautet $\Delta S \geq \sum(Q_{\text{zu}}/T)$, wobei S eine Eigenschaft des Systems ist, die als Entropie bezeichnet wird. Wie die innere Energie ist auch die Entropie eine Zustandsgröße. Bei dieser Formulierung wird vorausgesetzt, dass die Übertragung von Wärme jeweils bei konstanter Temperatur T stattfindet.

2.1 Das Schema der geplanten Wärmekraftmaschine aus Teil 1.2 ist rechts noch einmal dargestellt.

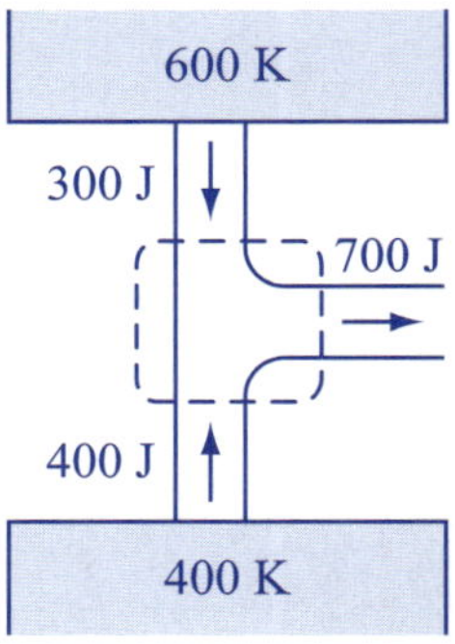

a. Bestimmen Sie die Werte der folgenden Größen. Beachten Sie dabei die Vorzeichen:

- $\dfrac{Q_{\text{zu }(T_{\text{hoch}})}}{T_{\text{hoch}}} =$
- $\dfrac{Q_{\text{zu }(T_{\text{niedrig}})}}{T_{\text{niedrig}}} =$

b. Welcher Minimalwert folgt mithilfe der Clausius'schen Ungleichung aus den obigen Werten für die Entropieänderung des Systems in einem vollständigen Umlauf?

$\Delta S \geq$

c. Ist Ihr Ergebnis damit vereinbar, dass die Entropie eine Zustandsgröße ist und dass in der Vorrichtung ein Kreisprozess abläuft? Begründen Sie.

d. Was folgt aus Ihrer Antwort in Teil c für die Realisierbarkeit dieses Entwurfes? Begründen Sie.

2.2 In der *Formulierung von Kelvin und Planck* lautet der zweite Hauptsatz: „Keine periodisch funktionierende Maschine kann in Form von Wärme aufgenommene Energie vollständig als Arbeit abgeben.“ Ist Ihre Antwort in Teil 2.1.d mit dieser Aussage vereinbar?

Der thermische Wirkungsgrad η einer Wärmekraftmaschine ist das Verhältnis der pro Umlauf an der Umgebung verrichteten Arbeit zur vom Wärmereservoir bei höheren Temperaturen aufgenommenen Wärme. Er wird wie folgt definiert: $\eta = \dfrac{|W_{\text{zu}}|}{|Q_{\text{zu }(T_{\text{hoch}})}|}$.

2.3 Die Abbildung rechts stellt eine geplante Wärmekraftmaschine schematisch dar, die mit Wärmereservoiren bei 800 K und 400 K in thermischem Kontakt steht. Es soll nun überprüft werden, ob diese Maschine funktionieren kann.

a. Bestimmen Sie den thermodynamischen Wirkungsgrad dieser Maschine.

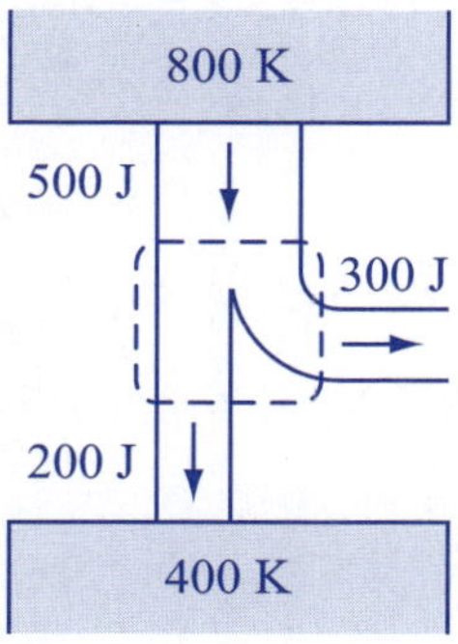

b. Verletzt das Schema die Clausius'sche Ungleichung? Ist die Maschine realisierbar? Begründen Sie.

c. Zwei Studierende diskutieren den obigen Entwurf wie folgt.

Nicolas: *„Diese Maschine kann funktionieren, weil dem Wärmereservoir bei hoher Temperatur Energie entnommen und ein Teil dieser Energie in Form von Arbeit abgegeben wird. 300 J = 500 J - 200 J."*

Rudolf: *„Ich stimme zu. Der Wirkungsgrad dieser Maschine würde 60 % betragen. Das ist ziemlich viel, aber nicht unmöglich. Er liegt ja immer noch deutlich unter 100 %."*

Stimmen Sie einer dieser Aussagen zu? Begründen Sie Ihre Antwort.

2.4 Die Abbildung rechts stellt eine Wärmekraftmaschine dar, die mit Wärmereservoiren bei 400 K und 300 K in thermischem Kontakt steht. Die pro Umlauf verrichtete Arbeit ist mit X bezeichnet. (Da es sich um eine Wärmekraftmaschine handelt, ist X negativ.)

a. Bestimmen Sie mithilfe der Clausius'schen Ungleichung den maximalen Betrag der Arbeit $|X|$, den die Maschine pro Umlauf verrichten kann. Geben Sie Ihren Lösungsweg an.

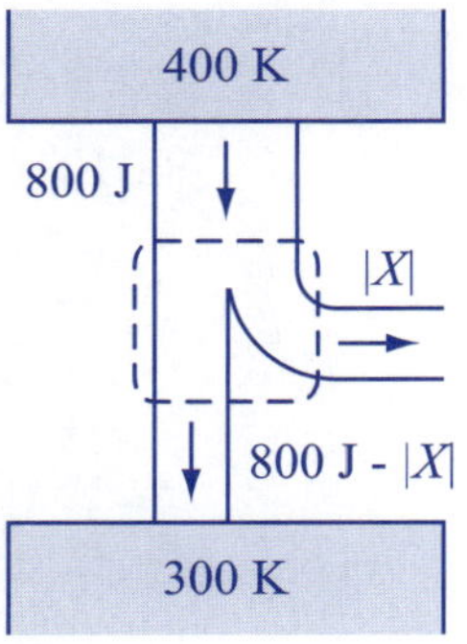

b. Welchen thermischen Wirkungsgrad kann diese Maschine maximal haben?

3 Die Carnot'sche Formulierung des zweiten Hauptsatzes

Als *Carnot-Prozess* bezeichnet man einen Kreisprozess, der aus einer bestimmten Abfolge von Zustandsänderungen (Isotherme - Adiabate - Isotherme - Adiabate) besteht. Der thermische Wirkungsgrad des Carnot-Prozesses beträgt $\eta_C = (T_{\text{hoch}} - T_{\text{niedrig}})/T_{\text{hoch}}$. Dieser Wert wird auch als *Carnot-Faktor* bezeichnet. Die *Carnot'sche Formulierung* des zweiten Hauptsatzes der Thermodynamik besagt, dass keine Wärmekraftmaschine einen höheren Wirkungsgrad als der Carnot-Prozess haben kann.

3.1 Betrachten Sie noch einmal die Wärmekraftmaschine aus Teil 2.4.

a. Bestimmen Sie den Wirkungsgrad eines Carnot-Prozesses zwischen den Temperaturen $T_{\text{hoch}} = 400\,\text{K}$ und $T_{\text{niedrig}} = 300\,\text{K}$. Für welchen Wert von $|X|$ muss die dargestellte Wärmekraftmaschine nach dem Carnot-Prozess ablaufen?

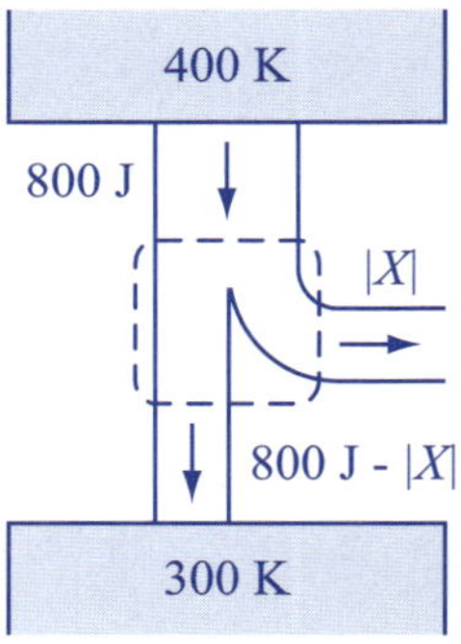

b. Vergleichen Sie diese Werte mit Ihren Ergebnissen in Teil 2.4.

3.2 Die Abbildung rechts stellt eine geplante Wärmekraftmaschine schematisch dar, die mit Wärmereservoiren bei 500 K und 300 K in thermischem Kontakt steht.

a. Bestimmen Sie den thermischen Wirkungsgrad dieser Maschine.

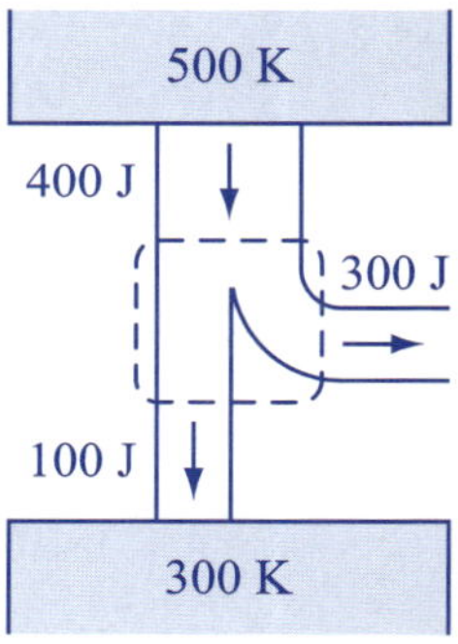

b. Bestimmen Sie den Carnot-Faktor für die Temperaturen 500 K und 300 K.

c. Zwei Studierende diskutieren über die geplante Maschine.

Victor: *„Diese Maschine arbeitet nicht nach dem Carnot-Prozess, denn sie hat einen Wirkungsgrad, der nicht dem Carnot-Faktor entspricht."*

Rudolf: *„Da stimme ich zu. Und da sie nicht nach dem Carnot-Prozess abläuft, wissen wir, dass diese Maschine nicht realisierbar ist."*

Stimmen Sie einer der Aussagen zu? Begründen Sie Ihre Antwort.

TEIL III

Elektrizität und Magnetismus

1 Elektrische Wechselwirkungen

Wir untersuchen die elektrischen Wechselwirkungen mithilfe von Kunststofffolien. Sie zeigen die Effekte und Wechselwirkungen besonders deutlich.

1.1 Legen Sie einen Folienstreifen flach auf eine glatte Unterlage und streichen Sie mit der Hand fest darüber. (Sie können dazu auch ein Tuch verwenden.) Heben Sie den Streifen dann ab und hängen Sie ihn (z. B. mit einer Wäscheklammer) an einem Stativ auf.

Beschreiben Sie das Verhalten des Folienstreifens, wenn Sie andere Gegenstände (eine Hand, ein Buch, einen Stift usw.) in seine Nähe bringen.

1.2 Stellen Sie noch einen zweiten Streifen nach dem gleichen Verfahren her. Bringen Sie den zweiten Streifen in die Nähe des ersten. Beschreiben Sie Ihre Beobachtungen.

Warum ist es wichtig, dass Sie Ihre Hände und andere Gegenstände in ausreichender Entfernung zu den Folienstreifen halten? Begründen Sie.

Welchen Einfluss hat die Entfernung der beiden Streifen auf die Wechselwirkung zwischen ihnen?

1.3 Jeder Teilnehmer Ihrer Arbeitsgruppe soll nun einen Streifen auf dem Tisch feststreichen und mit einem „U“ (für unten) kennzeichnen. Dann soll jeweils ein zweiter Streifen darauf festgedrückt werden und mit einem „O“ (für oben) gekennzeichnet werden.

Heben Sie nun beide Streifen gemeinsam vom Tisch ab und trennen Sie sie von einander. Hängen Sie nun einen U-Streifen und einen O-Streifen an jeweils einem Stativ auf.

Beschreiben Sie für die folgenden Kombinationen von Streifen die Wechselwirkungen, wenn sie einander angenähert werden:

- zwei O-Streifen
- zwei U-Streifen
- einen O- und einen U-Streifen

1.4 Nehmen Sie einen Acrylstab und ein Wolltuch oder Fell. Reiben Sie den Stab mit dem Tuch und bringen Sie ihn dann in die Nähe eines neuen O- bzw. U-Streifens.

Vergleichen Sie die Wechselwirkung zwischen Stab und Streifen mit den Wechselwirkungen zwischen den Streifen in Teil 1.3. Beschreiben Sie Ähnlichkeiten und Unterschiede.

Man sagt, dass der Stab und die Streifen elektrisch geladen sind, wenn sie die von Ihnen beobachteten Wechselwirkungen zeigen.

1.5 Beantworten Sie die folgenden Fragen auf der Grundlage Ihrer Beobachtungen.

a. Wie viele verschiedene Sorten Ladungen muss es mindestens geben, um die bisherigen Beobachtungen zu erklären? Begründen Sie Ihre Antwort.

b. Nach Übereinkunft nennt man die Ladung eines Glasstabes, der mit einem Seidentuch gerieben wurde, „positiv“.

Ihr Tutor wird Ihnen mitteilen, ob der Acrylstab positiv oder negativ geladen ist, wenn er mit dem verwendeten Material gerieben wurde.

Wie wechselwirken zwei Objekte, die beide positiv geladen sind? Erklären Sie, wie Sie das untersuchen können.

Welche der Streifen, O oder U, haben eine positive Ladung? Begründen Sie.

→ Diskutieren Sie Teil 1 mit einem Tutor, bevor Sie Ihre Arbeit fortsetzen.

2 Superposition

Das *Coulomb'sche Gesetz* sagt aus, dass die elektrische Kraft zwischen zwei *Punktladungen* entlang der Verbindungsgeraden der beiden Punktladungen wirkt. (Eine *Punktladung* ist ein geladener Körper, das so klein ist, dass man die auf ihm verteilte Ladung als in einem Punkt konzentriert betrachten kann.) Der Betrag der Kraft auf jede der beiden Ladungen ist proportional zum Produkt der beiden Ladungen und umgekehrt proportional zum Quadrat des Abstandes der beiden Ladungen.

2.1 Zwei positive Punktladungen $+q$ und $+Q$ (wobei $|Q| > |q|$) sind im Abstand s voneinander befestigt.

a. Geben Sie die Richtung der elektrischen Kraft auf jede der beiden Ladungen durch einen Pfeil in der Abbildung an.

b. Ist der Betrag der Kraft, welche die Ladung $+Q$ auf die Ladung $+q$ ausübt, *größer*, *kleiner* oder *gleich* dem Betrag der Kraft, welche die Ladung $+q$, auf die Ladung $+Q$ ausübt? Begründen Sie.

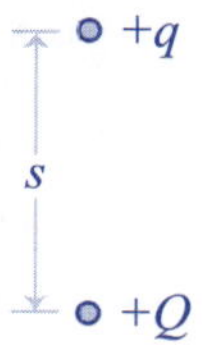

c. Um welchen Faktor würde sich die elektrische Kraft auf $+q$ ändern, wenn die Ladungen in einen Abstand von $2s$ gebracht würden?

2.2 Jetzt werden zwei weitere Ladungen $+Q$ an die eingezeichneten Orte gebracht. Die drei Ladungen $+Q$ haben alle von $+q$ denselben Abstand s. Betrachten Sie folgende Diskussion zweier Studenten über die Gesamtkraft auf die Ladung $+q$:

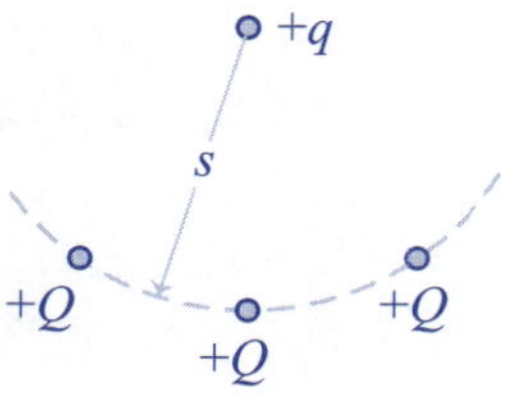

Benjamin: *„Die Gesamtkraft auf die Ladung $+q$ ist jetzt dreimal so groß wie zuvor, da es nun drei positive Ladungen gibt, die Kraft darauf ausüben."*

Georg: *„Ich glaube das nicht. Die Kraft von der Ladung $+Q$ auf der rechten Seite wird die Kraft der Ladung $+Q$ auf der linken Seite aufheben. Die Gesamtkraft wird genau so groß sein wie in Teil 2.1."*

a. Stimmen Sie einer der beiden Aussagen zu? Begründen Sie.

b. Zeichnen Sie die Richtung der elektrischen Gesamtkraft auf die Ladung $+q$ ein. Begründen Sie.

c. Wie ändert sich der Betrag der elektrischen Gesamtkraft auf die Ladung $+q$, wenn die beiden Ladungen $+Q$ hinzugefügt werden? Begründen Sie.

2.3 Ordnen Sie die vier abgebildeten Fälle nach dem Betrag der elektrischen Gesamtkraft auf die Ladung $+q$. Begründen Sie, wie Sie die Reihenfolge festgelegt haben.

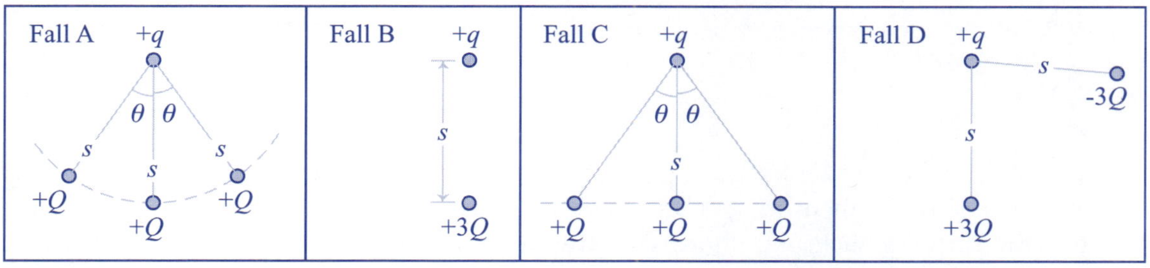

→ Überprüfen Sie Ihr Ergebnis gemeinsam mit einem Tutor, bevor Sie Ihre Arbeit fortsetzen.

3 Ladungsverteilungen

3.1 Laden Sie einen Acrylstab durch Reiben mit einem Wolltuch.

Nehmen Sie ein Testkügelchen an einem isolierenden Faden. Berühren Sie die Kugel mit dem geladenen Stab und beobachten Sie ihr Verhalten nach der Berührung.

Ist die Kugel nach der Berührung geladen? Wenn ja, hat die Ladung der Kugel das gleiche oder das entgegengesetzte Vorzeichen wie die Ladung des Stabs? Begründen Sie Ihre Antwort.

3.2 Halten Sie den geladenen Stab horizontal. Untersuchen Sie die Umgebung des geladenen Stabes mithilfe des Testkügelchens. Stellen Sie, ausgehend von Ihren Beobachtungen, die elektrische Gesamtkraft an jedem der mit „×" bezeichneten Punkte dar, indem Sie jeweils einen *Vektor* einzeichnen.

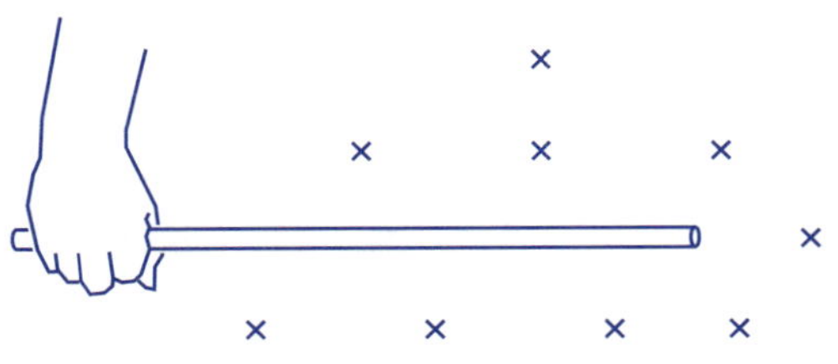

Ansicht von oben

Ist die gesamte Ladung des Stabes an einem Punkt (z. B. an der Stabspitze) konzentriert? Begründen Sie.

Ist es auf der Grundlage der von Ihnen gezeichneten Vektoren zutreffend, den Stab als Punktladung zu betrachten? Begründen Sie.

3.3 Stellen Sie sich vor, zwei geladene Stäbe werden nebeneinander gehalten, wie abgebildet. Ein geladenes Testkügelchen befindet sich am Ort P.

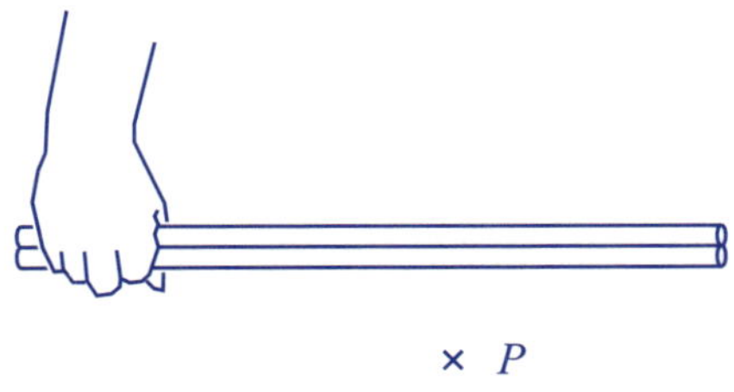

Ansicht von oben

Übt dann der weiter von der Kugel entfernte Stab eine Kraft auf die Kugel aus? Begründen Sie.

Überprüfen Sie Ihre Vermutung, indem Sie ein geladenes Testkügelchen in die Nähe von zwei geladenen Stäben bringen und dann langsam einen der Stäbe entfernen. Beschreiben Sie Ihre Beobachtung und diskutieren Sie mit Ihren Partnern, ob die Versuchsergebnisse Ihre Vermutung bestätigen oder nicht.

3.4 Fünf kurze Segmente (bezeichnet mit 1-5) eines Acrylstabes sind wie abgebildet nebeneinander angeordnet. Alle Segmente wurden mit einem Tuch gerieben und haben gleich große Ladungen. Ein geladenes Testkügelchen wird nacheinander an die Punkte A und B gebracht.

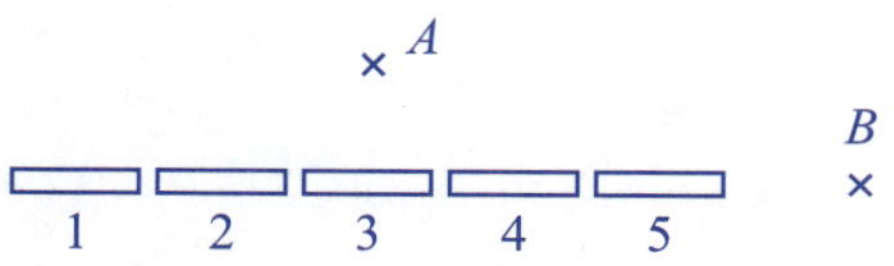

Ansicht von oben

Zeichnen Sie näherungsweise die Richtung derjenigen Kraft auf die Kugel an den Punkten A und B ein, die nur von Segment 5 hervorgerufen wird.

Welche Richtung hat die *elektrische Gesamtkraft* auf das Testkügelchen an den Punkten A und B? Geben Sie Ihren Lösungsweg an.

Übt das Segment 2 eine Kraft auf die Kugel aus, wenn sich diese am Punkt B befindet? Begründen Sie.

3.5 In Fall A rechts befindet sich eine Punktladung im Abstand s vom Mittelpunkt einer kleinen Kugel mit der Ladung $+Q$.

In Fall B befindet sich die Ladung $+q$ im Abstand s von der Mitte eines Acrylstabes mit der Gesamtladung $+Q$.

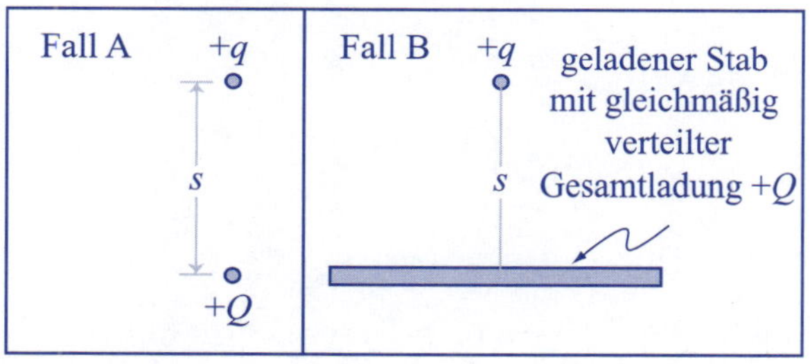

Betrachten Sie die folgende Diskussion zwischen zwei Studierenden:

Charles: **„Der geladene Stab und die geladene Kugel haben die gleiche Ladung $+Q$ und befinden sich in derselben Entfernung von der Punktladung $+q$. Deshalb ist die Gesamtkraft in beiden Fällen gleich groß."**

Joseph: **„Nein, in Fall B sind die Ladungen über den gesamten Stab verteilt. Die Ladung direkt unterhalb der Punktladung wird die gleiche Kraft auf die Punktladung ausüben wie die Kugel in Fall a. Der Rest der Ladung auf dem Stab bewirkt, dass die Kraft in Fall B größer ist."**

Keine der beiden Aussagen ist zutreffend. Diskutieren Sie mit den Mitgliedern Ihrer Gruppe die Fehler in den Aussagen. Schreiben Sie eine korrekte Darstellung, wie sich die Kräfte in den beiden Fällen verhalten.

ELEKTRIZITÄT UND MAGNETISMUS
Elektrostatik

4 Ein Modell für die elektrische Ladung

4.1 Eine Kugel mit der Gesamtladung Null ist auf der einen Seite positiv und auf der anderen Seite gleich stark negativ geladen. Die Kugel befindet sich in der Nähe einer positiven Punktladung wie in der Abbildung.

Wird die Kugel von der Punktladung *angezogen, abgestoßen* oder *nicht beeinflusst?* Begründen Sie.

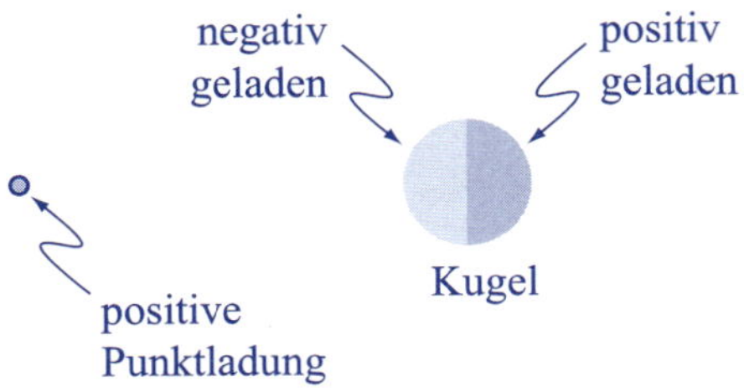

Ist Ihre Antwort mit dem Coulomb'schen Gesetz vereinbar? Begründen Sie.

4.2 Hängen Sie eine ungeladene metallische oder metallisierte Kugel an einem isolierenden Faden auf. Laden Sie dann einen Streifen wie in Abschnitt 1 elektrisch auf und bringen Sie ihn in die Nähe der Kugel.

Beschreiben Sie Ihre Beobachtung.

4.3 Die Situation in Teil 4.1 legt ein Modell für die Anziehung zwischen einer geladenen Folie und einer ungeladenen Metallkugel in Teil 4.2 nahe.

Versuchen Sie die Anziehung in Teil 4.2 zu erklären. Zeichnen Sie die Ladungsverteilungen auf dem Streifen und auf der Kugel für großen und für kleinen Abstand voneinander.

1 Fläche als Vektor

1.1 Halten Sie ein Stück festes Papier (z. B. eine Karteikarte) flach vor sich hin. Stellen Sie sich dabei das Blatt als Teil einer größeren Ebene vor.

Welche *einzelne* Gerade können Sie verwenden, um die Lage der Papierebene zu beschreiben? (Es sollte also für jemand anderen möglich sein, aus der Geraden die Lage der Ebene im Raum zu erschließen.)

1.2 Man kann eine Fläche durch einen einzelnen *Vektor* darstellen. Diesen Vektor nennt man den Flächenvektor $\vec{A}$.

Welche Bedeutung hat die Richtung dieses Vektors?

Welche Bedeutung hat der Betrag des Vektors?

1.3 Legen Sie ein größeres Stück kariertes Papier flach auf den Tisch.

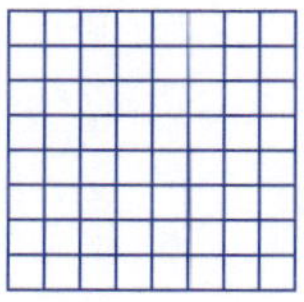

Beschreiben Sie die Richtung und den Betrag des Flächenvektors $\vec{A}$, der zur gesamten Papierfläche gehört.

Beschreiben Sie die Richtung und den Betrag des Flächenvektors $d\vec{A}$ für jedes einzelne Quadrat auf dem Papier.

1.4 Falten Sie das Papier zweimal, sodass sich ein dreieckiges Rohr ergibt.

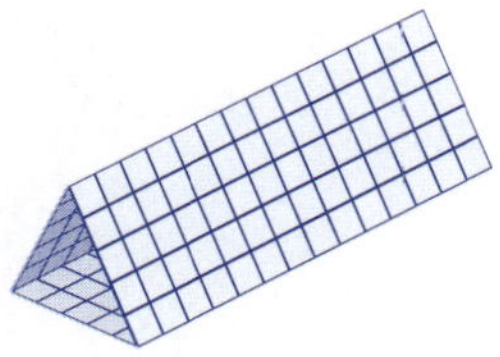

Kann man das gesamte Papierblatt weiterhin durch einen einzelnen Vektor beschreiben? Falls nicht, was ist die Mindestzahl von Flächenvektoren, die man für die Beschreibung nun benötigt?

1.5 Formen Sie das Blatt nun zu einem Rohr wie abgebildet.

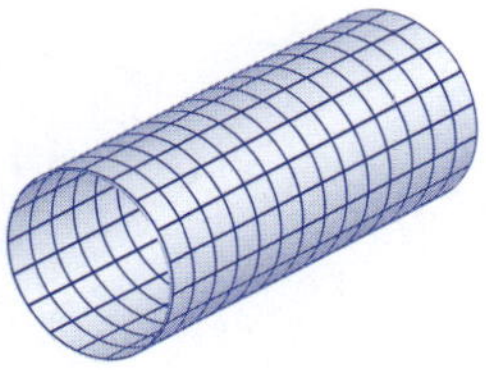

Lässt sich die Lage jedes der einzelnen Quadrate des Kästchenpapiers immer noch durch einen Vektor $d\vec{A}$ darstellen, wie in Teil 1.3 oben? Begründen Sie.

1.6 Welche Eigenschaften muss ein Flächenstück haben, damit es durch *einen* Flächenvektor $\vec{A}$ beschrieben werden kann?

ELEKTRIZITÄT UND MAGNETISMUS
Elektrostatik

2 Elektrisches Feld

2.1 Im Tutorial *Ladung* haben Sie die Umgebung eines geladenen Acrylstabes mithilfe eines Testkügelchens untersucht, dessen Ladung dasselbe Vorzeichen hatte wie die Ladung des Stabes.

Zeichnen Sie *Vektoren* an jeder der markierten Stellen in der rechten Abbildung, um die elektrische Kraft auf die Kugel am jeweiligen Ort darzustellen.

Vergleichen Sie den Betrag der Kraft auf die Kugel am Punkt A mit der Kraft auf die Kugel am Punkt B.

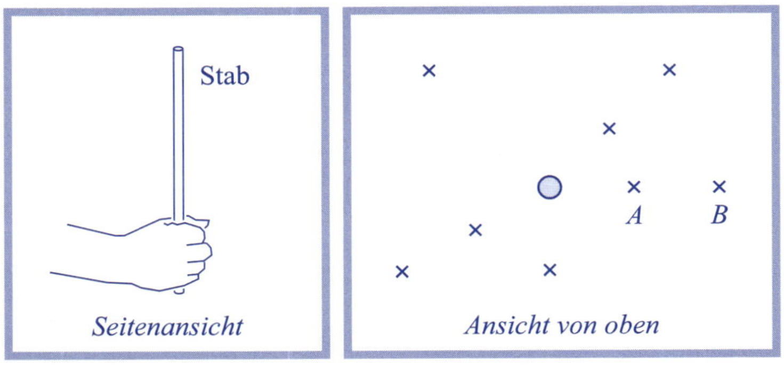

2.2 Nehmen Sie an, die Ladung q_{test} des Testkügelchens wird halbiert.

Wird sich die elektrische Kraft auf die Kugel an den markierten Stellen dadurch ändern oder nicht? Wenn ja, wie ändert sie sich? Wenn nein, begründen Sie, warum nicht.

Wird sich das Verhältnis $\vec{F}/q_{\text{test}}$ ändern? Wenn ja, wie ändert es sich? Wenn nein, begründen Sie, warum nicht.

2.3 Die Größe $\vec{F}/q_{\text{test}}$, bestimmt an einem beliebigen Punkt, nennt man die *elektrische Feldstärke* $\vec{E}$ an diesem Punkt.

Vergleichen Sie den Betrag der elektrischen Feldstärke am Punkt A mit dem Betrag der elektrischen Feldstärke am Punkt B. Begründen Sie.

2.4 Zeichnen Sie *Vectoren* an den markierten Stellen, um das elektrische Feld $\vec{E}$ an diesen Punkten darzustellen.

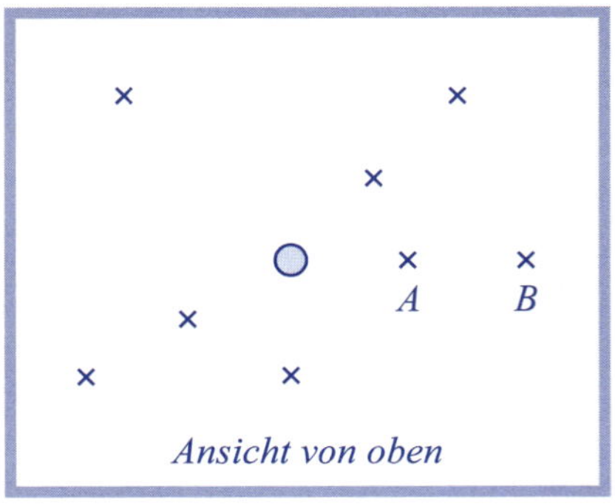

Wird sich der Betrag oder die Richtung des elektrischen Feldes am Punkt A ändern, wenn

- die Ladung auf dem *Stab* vergrößert wird? Begründen Sie.

- der Betrag der Testladung vergrößert wird? Begründen Sie.

- das Vorzeichen der Testladung geändert wird? Begründen Sie.

Das elektrische Feld wird üblicherweise auf zwei Arten dargestellt: durch *Feldvektoren* oder durch *Feldlinien*. In der Vektordarstellung zeichnet man an vielen Punkten Vektoren, die die Richtung und den Betrag des elektrischen Feldes an diesen Punkten darstellen. In der *Feldliniendarstellung* zeichnet man gerade oder gekrümmte Linien, sodass an jedem Punkt der Feldlinie, die Richtung des elektrischen Feldes mit der Richtung der Tangente an die Feldlinie übereinstimmt. Wir werden im Weiteren untersuchen, wie die Feldliniendarstellung auch in der Lage ist, den Betrag des elektrischen Feldes wiederzugeben.

2.5 Die Abbildung rechts zeigt eine zweidimensionale Ansicht der Feldlinien, die das elektrische Feld eines positiv geladenen Stabes darstellen.

Sie haben bereits herausgefunden, dass der Betrag des elektrischen Feldes am Punkt A größer ist als der Betrag des Feldes am Punkt B. Welche Eigenschaft des Feldlinienbildes gibt diese Information über den Betrag des elektrischen Feldes wieder?

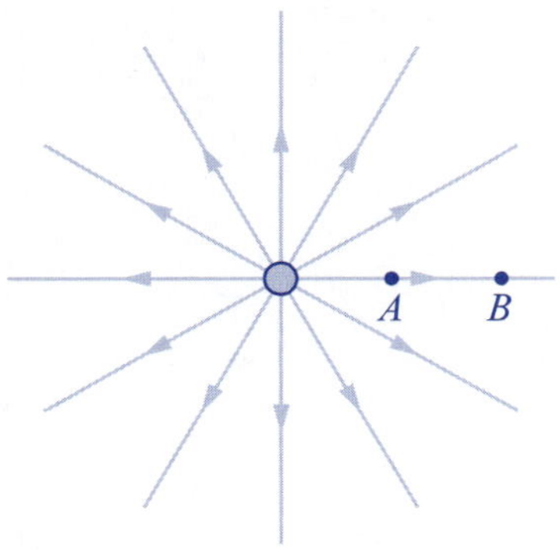

3 Elektrischer Fluss

Lassen Sie sich einen Klotz mit durchgesteckten Nägeln geben. Die Nägel stellen die Feldlinien eines homogenen elektrischen Feldes dar. (Der Klotz dient nur dazu, die Nägel zu fixieren.)

Die Abbildung rechts zeigt eine zweidimensionale Darstellung dieses elektrischen Feldes, von der Seite betrachtet.

3.1 Vergleichen Sie den Betrag des elektrischen Feldes an den Punkten P und Q. Begründen Sie Ihre Antwort.

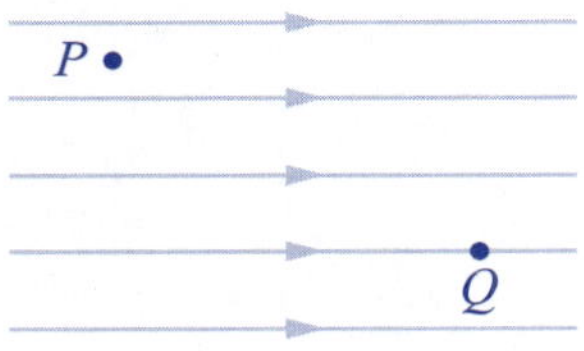

Nehmen Sie an, Sie erhalten einen weiteren Klotz mit Nägeln, die ein schwächeres homogenes elektrisches Feld darstellen. Wie unterscheiden sich die beiden Nagelplatten? Begründen Sie.

3.2 Lassen Sie sich eine Drahtschleife geben. Die Schleife markiert den *Rand* einer gedachten ebenen Fläche mit dem Flächeninhalt A.

Zeichnen Sie jeweils eine Skizze, welche die relative Orientierung von Fläche und elektrischen Feldlinien zeigt, wenn die Anzahl der Feldlinien, die durch die Fläche treten,

- maximal ist,
- minimal ist.

Für ein gegebenes Flächenstück ist der *elektrische Fluss* Φ_E (genauer der Fluss des elektrischen Feldes) proportional zu der Anzahl an Feldlinien, die durch die Fläche hindurch gehen. Für ein homogenes Feld ist der maximale elektrische Fluss gleich dem Produkt des Betrages des elektrischen Feldes (am Ort der Fläche) und dem Flächeninhalt (also EA). Der elektrische Fluss wird als *positiv* definiert, wenn das elektrische Feld $\vec{E}$ eine Komponente in Richtung des Flächenvektors $\vec{A}$ hat, und als *negativ,* wenn das elektrische Feld eine Komponente in Gegenrichtung zum Flächenvektor hat.

3.3 Zeichnen Sie Vektoren $\vec{A}$ und $\vec{E}$, sodass für den elektrischen Fluss gilt:

positiv	negativ	Null

3.4 Sie werden nun den Zusammenhang zwischen der Anzahl der Feldlinien durch eine Fläche und dem Winkel zwischen $\vec{A}$ und $\vec{E}$ untersuchen. (Sie benötigen dazu einen Winkelmesser.)

a. Halten Sie die Drahtschleife so über die Nägel, dass die Anzahl der gedachten hindurchgehenden Feldlinien maximal ist. Bestimmen Sie den Winkel zwischen $\vec{A}$ und $\vec{E}$. Notieren Sie den Winkel und die Anzahl der durch die Drahtschleife gehenden Feldlinien.

b. Drehen Sie die Schleife, sodass eine Reihe Nägel weniger durch die Schleife hindurchgeht. Messen Sie wieder den Winkel und notieren Sie diesen und die Anzahl der hindurchgehenden Feldlinien. Setzen Sie dies fort bis zum Winkel $\theta = 180°$.

c. Zeichnen Sie in einem Koordinatensystem den Graphen für die Anzahl n gegen den Winkel θ. (Für den Winkelbereich 90° bis 180° ist die Anzahl der hindurchtretenden Feldlinien als negativ anzusehen.)

n (Anzahl der Feldlinien durch die Fläche)	θ (Winkel zwischen $\vec{A}$ und $\vec{E}$)

3.5 Für den Fall, in dem $\vec{A}$ und $\vec{E}$ parallel waren, haben wir die Größe EA als den elektrischen Fluss durch die Fläche bezeichnet. Wir hatten dabei herausgefunden, dass EA proportional zur Anzahl der Feldlinien durch die Fläche ist.

Mit welcher trigonometrischen Funktion muss man EA multiplizieren, damit das Produkt für jeden beliebigen Winkel zur Anzahl der durch die Fläche tretenden Feldlinien proportional ist?

Stellen Sie den gesamten Ausdruck für Φ_E als Produkt der Vektorgrößen $\vec{E}$ und $\vec{A}$ dar.

1 Elektrischer Fluss durch geschlossene Flächen

Im Tutorial und den Übungen *Elektrisches Feld und Fluss* haben wir herausgefunden, dass der elektrische Fluss durch eine Menge von gedachten kleinen Flächen $d\vec{A}_i$, auf denen jeweils ein homogenes elektrisches Feld $\vec{E}_i$ herrscht, folgendermaßen geschrieben werden kann:

$$\Phi_{\text{gesamt}} = \vec{E}_1 \cdot d\vec{A}_1 + \vec{E}_2 \cdot d\vec{A}_2 + \vec{E}_3 \cdot d\vec{A}_3 + \ldots$$

Die Flächenvektoren an den Punkten einer *geschlossenen Fläche* (d. h. einer Fläche, die einen Raumbereich vollständig umgibt,) werden nach Übereinkunft so gewählt, dass sie *nach außen* zeigen. Eine geschlossene Fläche wird auch *Gauß'sche Fläche* genannt.

In den folgenden Fragen wird ein Gauß'scher Zylinder mit dem Radius r und der Länge l betrachtet, der sich in unterschiedlichen elektrischen Feldern befindet. Die Endflächen sind mit A und C bezeichnet, die Mantelfläche mit B. In jedem der Fälle soll die Antwort bezüglich des Gesamtflusses nur auf qualitative Argumente gestützt werden.

1.1 Der Gauß'sche Zylinder befindet sich in einem homogenen elektrischen Feld der Stärke E_o in Richtung der Zylinderachse.

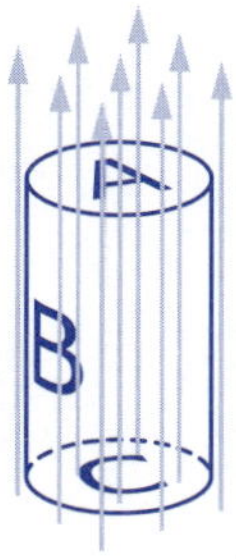

- Bestimmen Sie das Vorzeichen und den Betrag des Flusses durch

  Fläche A: Fläche B: Fläche C:

- Ist der Gesamtfluss durch die Gauß'sche Fläche *positiv, negativ* oder *gleich Null?*

1.2 Der Gauß'sche Zylinder enthält eine negative Ladung.

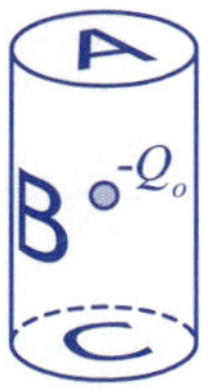

- Bestimmen Sie das Vorzeichen des Flusses durch

  Fläche A: Fläche B: Fläche C:

- Ist der Gesamtfluss durch die Gauß'sche Fläche *positiv, negativ* oder *gleich Null?*

1.3 Der Gauß'sche Zylinder enthält entgegengesetzte Ladungen gleichen Betrags. (Die Ladungen liegen auf der Zylinderachse und sind gleich weit von der Mitte entfernt.)

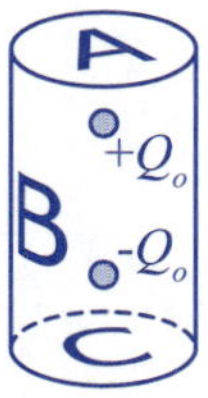

- Bestimmen Sie das Vorzeichen des Flusses durch

  Fläche A: Fläche B: Fläche C:

- Ist der Gesamtfluss durch die Gauß'sche Fläche *positiv, negativ* oder *gleich Null?*

1.4 Eine positive Ladung befindet sich oberhalb des Zylinders.

- Bestimmen Sie das Vorzeichen des Flusses durch

  Fläche A: Fläche B: Fläche C:

- Können Sie entscheiden, ob der Gesamtfluss durch den Zylinder *positiv, negativ* oder *gleich Null* ist? Begründen Sie.

→ Überprüfen Sie Ihre Antworten mit einem Tutor, bevor Sie Ihre Arbeit fortsetzen.

2 Der Gauß'sche Satz

Der Satz von Gauß besagt, dass der elektrische Fluss durch eine Gauß'sche Fläche direkt proportional zu der von der Fläche eingeschlossenen Gesamtladung ist. ($\Phi_E = q_{\text{ges}}/\epsilon_o$)

2.1 Sind Ihre Antworten in 1.1 bis 1.4 mit dem Gauß'schen Satz vereinbar? Begründen Sie.

2.2 In Teil 1.4 haben Sie versucht, das Vorzeichen des Gesamtflusses durch die abgebildete Zylinderoberfläche zu bestimmen.

a. Entscheiden Sie nun mithilfe des Gauß'schen Satzes, ob der Gesamtfluss durch die Fläche *positiv*, *negativ* oder *gleich Null* ist. Begründen Sie.

b. Bestimmen Sie Φ_B für $\Phi_A = -10\,\text{Nm}^2/\text{C}$ und $\Phi_C = 2\,\text{Nm}^2/\text{C}$.

2.3 Bestimmen Sie den Gesamtfluss durch jede der unten abgebildeten Gauß'schen Flächen.

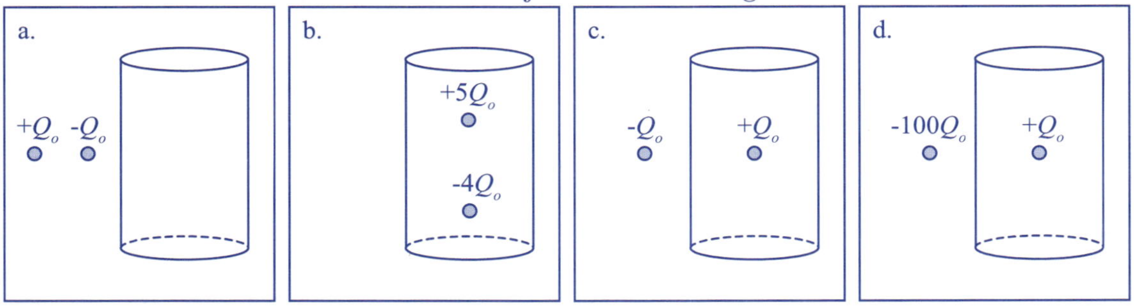

2.4 Die drei kugelförmigen Gauß'schen Flächen rechts umschließen jeweils eine Ladung $+Q_o$. Im Fall C befindet sich noch eine andere Ladung $-6Q_o$ außerhalb der Fläche.

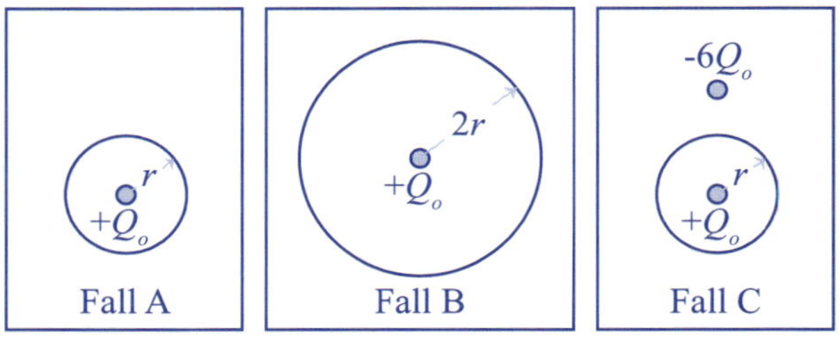

Drei Studierende diskutieren über die Fälle A bis C:

Carl: ***„Da sich in jeder der Gauß'schen Flächen dieselbe Ladung befindet, muss der Gesamtfluss in allen drei Fällen gleich groß sein."***

Michail: ***„Man kann den Gauß'schen Satz hier nicht anwenden. Das elektrische Feld auf der Gauß'schen Fläche im Fall B ist schwächer als im Fall A, da die Fläche weiter von der Ladung entfernt ist. Da der Fluss proportional zur Stärke des elektrischen Feldes ist, muss der Fluss also im Fall B geringer sein."***

George: ***„Ich habe A und C verglichen. In C wird das Feld auf der gesamten Oberfläche verändert. Da die Flächeninhalte gleich sind, muss der Fluss daher verschieden sein."***

Stimmen Sie einer der Aussagen zu? Begründen Sie.

3 Anwendungen des Gauß'schen Satzes

3.1 Die nachfolgenden Abbildungen zeigen einen Ausschnitt aus einer unendlich ausgedehnten Flächenladung mit Flächenladungsdichte $+\sigma_o$. Eine zylindrische Gauß'sche Fläche der Länge $2L_o$ umschließt einen Teil der Flächenladung. A_1, A_2 und A_3 sind die Flächeninhalte der Mantelfläche und der Deckelflächen des Zylinders.

a. Zeichnen Sie in der Abbildung rechts den Ort der Ladung ein, die vom Zylinder eingeschlossen ist.

Geben Sie einen Ausdruck für die eingeschlossene Gesamtladung in Abhängigkeit von σ_o und weiteren Größen an.

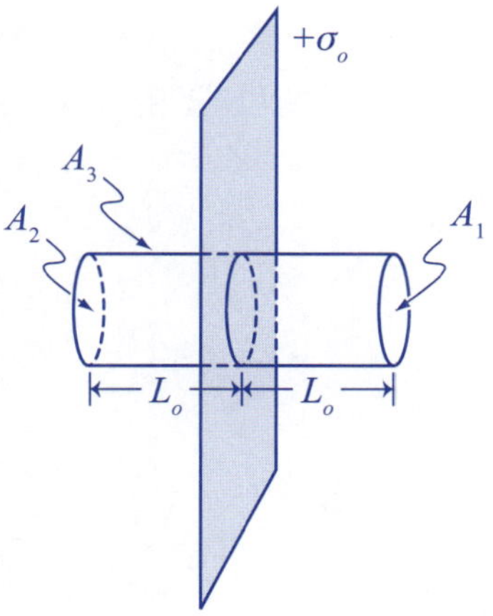

b. Skizzieren Sie die elektrischen Feldlinien auf beiden Seiten der Flächenladung.

Beeinflusst der Zylinder die Feldlinien oder die Verteilung der Ladung? Begründen Sie.

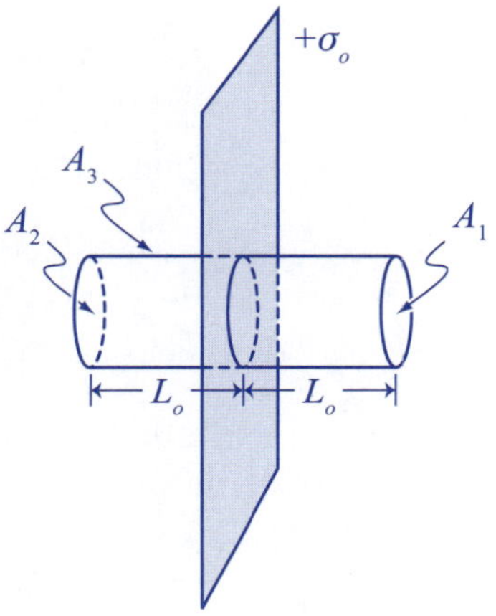

c. E_L und E_R sind die Beträge des elektrischen Feldes auf der rechten bzw. linken Deckelfläche des Zylinders.

Vergleichen Sie die Beträge des elektrischen Feldes E_L und E_R. Begründen Sie.

Vergleichen Sie den Flächeninhalt der beiden Deckelflächen des Zylinders.

d. Durch welche der Flächen (A_1, A_2 und A_3) ist der elektrische Fluss $\neq$ Null? Begründen Sie mithilfe einer Skizze, welche die relativen Orientierungen des elektrischen Feldvektors und der Flächenvektoren zeigt.

Formulieren Sie einen mathematischen Ausdruck für den elektrischen Gesamtfluss Φ_gesamt durch den Zylinder, ausgedrückt durch die drei Flächeninhalte (A_1, A_2 und A_3), sowie E_L und E_R.

Verwenden Sie die Zusammenhänge zwischen den Beträgen des elektrischen Feldes E_L und E_R und zwischen den Flächeninhalten von A_1 und A_2, um die Gleichung für den Gesamtfluss zu vereinfachen.

e. Der Satz von Gauß ($\Phi_{\text{gesamt}} = q_{\text{ges}}/\epsilon_o$) verknüpft den elektrischen Fluss durch eine geschlossene Fläche (den Sie in Teil d untersucht haben) mit der eingeschlossenen Gesamtladung (die Sie in Teil a untersucht haben). Bestimmen Sie mithilfe dieser Beziehung die Richtung und den Betrag des elektrischen Feldes auf der rechten Deckelfläche.

Geben Sie das elektrische Feld auf der linken Deckelfläche des Zylinders an.

Hängt das elektrische Feld in der Nähe einer ausgedehnten Flächenladung vom Abstand ab? Begründen Sie mithilfe Ihrer Ergebnisse.

Ist Ihre Antwort mit den elektrischen Feldlinien vereinbar, die Sie in Teil b gezeichnet haben? Begründen Sie.

→ Überprüfen Sie Ihre Ergebnisse mit einem Tutor, bevor Sie Ihre Arbeit fortsetzen.

3.2 Der geschlossene Zylinder in der Abbildung rechts umschließt jeweils einen Teil von zwei unendlich ausgedehnten Flächenladungen. Die Flächenladungsdichte links beträgt $+\sigma_o$, die Flächenladungsdichte rechts ist $+2\sigma_o$.

a. Bestimmen Sie die vom Zylinder eingeschlossene Gesamtladung, in Abhängigkeit von σ_o und weiteren Größen an.

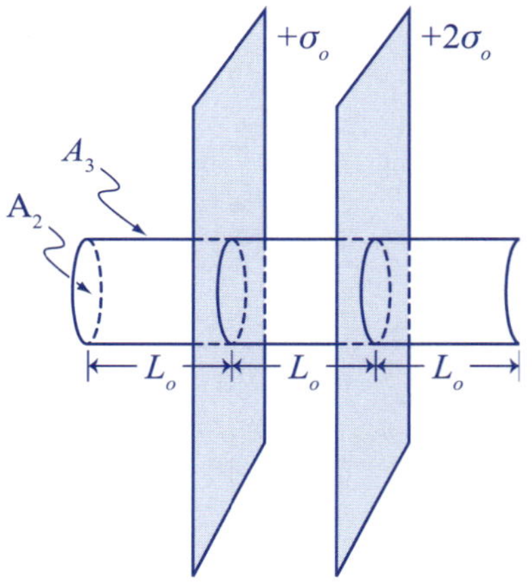

b. E_L und E_R sind die Beträge des elektrischen Feldes auf der linken bzw. der rechten Deckelfläche des geschlossenen Zylinders.

Ist E_L *größer, kleiner* oder *gleich* E_R? Begründen Sie.

c. Bestimmen Sie den Gesamtfluss durch den geschlossenen Zylinder, ausgedrückt durch E_L und E_R, sowie weitere Größen.

d. Bestimmen Sie mithilfe des Gauß'schen Satzes das elektrische Feld im Abstand L_o rechts von der Flächenladung $+2\sigma_o$.

Sind Ihre Antworten mit den Ergebnissen vereinbar, die Sie erhalten, wenn Sie die Felder einzeln bestimmen und das Prinzip der Superposition anwenden? Begründen Sie.

1 Wiederholung des physikalischen Begriffs *Arbeit*

1.1 Nehmen Sie an, ein Körper bewegt sich, während auf ihn eine Kraft wirkt. Zeichnen Sie Vektoren für die Kraft und die Verschiebung mit solchen Richtungen, dass für die am Körper verrichtete Arbeit gilt:

positiv	negativ	Null

1.2 Ein Körper bewegt sich vom Punkt A zum Punkt B. Dabei wirken zwei betraglich gleich große und konstante Kräfte auf den Körper (siehe Abbildung).

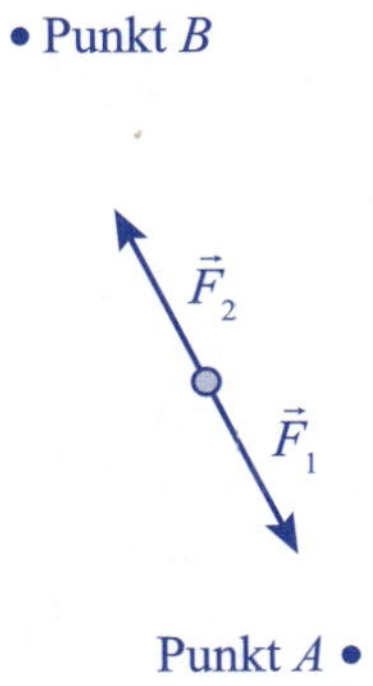

a. Ist die von der Kraft $\vec{F}_1$ insgesamt verrichtete Arbeit *positiv, negativ* oder *gleich Null*?

b. Ist die von der Kraft $\vec{F}_2$ insgesamt verrichtete Arbeit *positiv, negativ* oder *gleich Null*?

c. Ist die von beiden Kräften verrichtete Gesamtarbeit *positiv, negativ* oder *gleich Null*? Begründen Sie.

d. Ist die Geschwindigkeit des Körpers am Punkt B *größer, kleiner* oder *gleich* der am Punkt A? Begründen Sie Ihre Antwort.

1.3 Ein Körper bewegt sich vom Punkt A zum Punkt B. Dabei wirken zwei betraglich *unterschiedlich* große und konstante Kräfte $\vec{F}_3$ und $\vec{F}_4$ auf den Körper (siehe Abbildung).

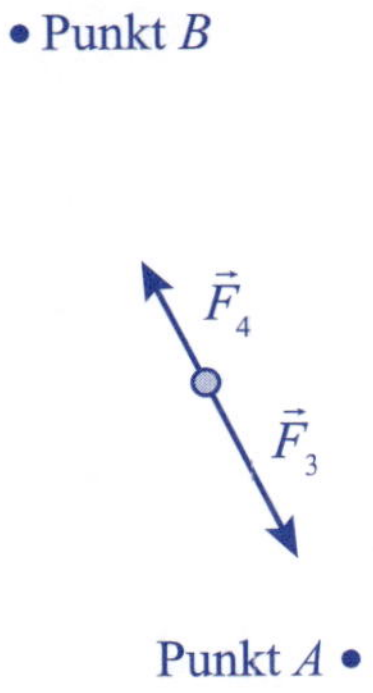

a. Ist die von der Kraft F_3 verrichtete Arbeit *positiv, negativ* oder *gleich Null*?

b. Ist die von der Kraft F_4 verrichtete Arbeit *positiv, negativ* oder *gleich Null*?

c. Ist die von beiden Kräften verrichtete Gesamtarbeit *positiv, negativ* oder *gleich Null*? Begründen Sie.

d. Ist die Geschwindigkeit des Körpers am Punkt B *größer, kleiner* oder *gleich* der am Punkt A? Begründen Sie Ihre Antwort.

1.4 Formulieren Sie den Zusammenhang zwischen Arbeit und Energie mit eigenen Worten. Sind Ihre Antworten in Teil 1.2 und 1.3 mit dem Gesetz der Energieerhaltung vereinbar? Begründen Sie.

2 Arbeit und elektrische Felder

Die Abbildung rechts zeigt einen positiv geladenen Stab in der Ansicht von oben. Die Punkte W, X, Y und Z liegen in einer horizontalen Ebene auf Höhe der Stabmitte. Die Punkte W und Y bzw. X und Z haben jeweils die gleiche Entfernung vom Stab.

2.1 Zeichnen Sie Vektoren für das elektrische Feld an den Punkten W, X, Y und Z ein.

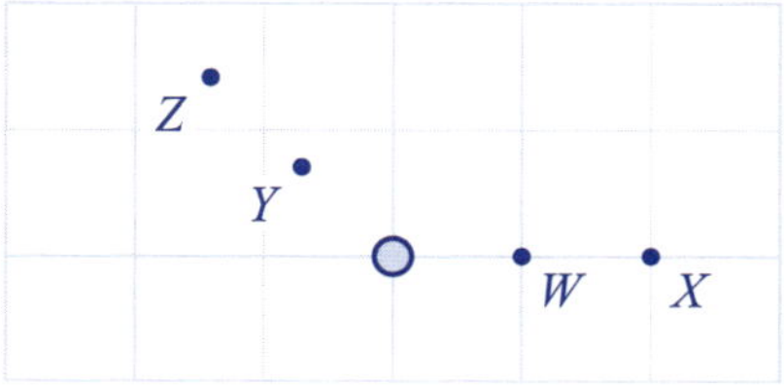

2.2 Ein Teilchen mit der Ladung $+q_o$ bewegt sich entlang des geradlinigen Weges von W nach X.

Ist die vom elektrischen Feld am Teilchen verrichtete Arbeit *positiv, negativ* oder *gleich Null*? Begründen Sie mithilfe einer Skizze, welche die elektrische Kraft auf das Teilchen und seine Verschiebung darstellt.

Vergleichen Sie die vom elektrischen Feld verrichtete Arbeit, wenn das Teilchen sich von W nach X bewegt, mit der Arbeit bei der Bewegung von X nach W.

2.3 Das Teilchen wird entlang des eingezeichneten Bogens von X nach Z bewegt.

a. Ist die vom *elektrischen Feld* am Teilchen verrichtete Arbeit *positiv, negativ* oder *gleich Null*? Begründen Sie. (*Hinweis:* Zeichnen Sie die Richtung der Kraft und der Verschiebung für mehrere kurze Teilstücke der Bewegung ein.)

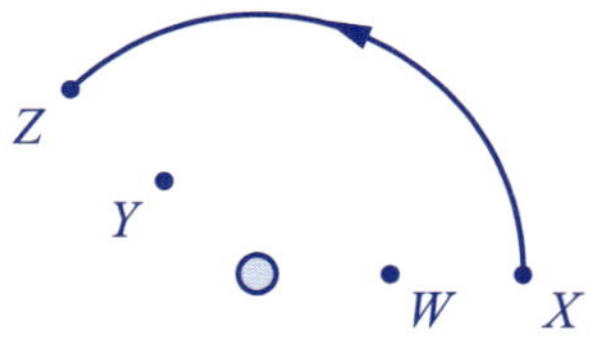

b. Vergleichen Sie die bei der Bewegung von W nach X verrichtete Arbeit mit der Arbeit, die bei der Bewegung von W nach Z verrichtet wird. Begründen Sie.

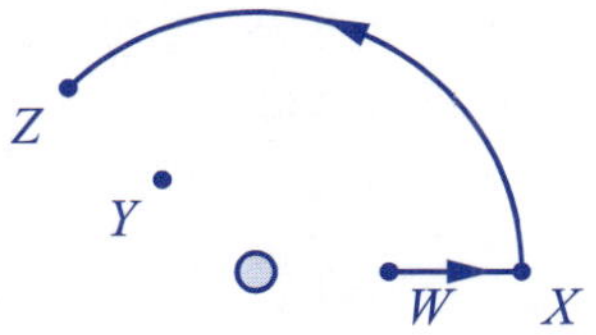

2.4 Nehmen Sie an, das Teilchen bewegt sich vom Punkt W zum Punkt Y entlang des eingezeichneten Weges $W \to X \to Y \to Z$.

a. Vergleichen Sie die vom Feld verrichtete Arbeit, wenn sich das Teilchen von W nach X bewegt, mit der Arbeit, die auf dem Weg von Z nach Y verrichtet wird. Begründen Sie.

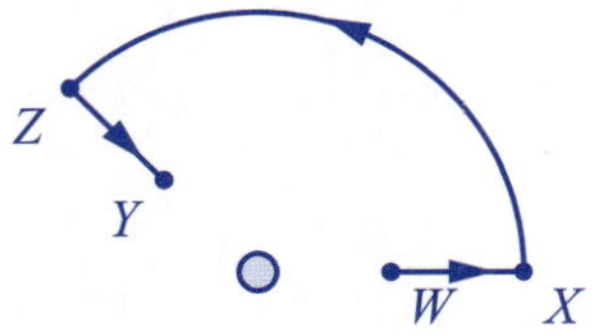

Wie groß ist die vom Feld verrichtete Gesamtarbeit bei der Bewegung entlang des Weges $W \to X \to Y \to Z$?

b. Nehmen Sie an, das Teilchen bewegt sich von W nach Y entlang des eingezeichneten Bogens. Ist die vom elektrischen Feld am Teilchen verrichtete Arbeit *positiv, negativ* oder *gleich Null*? Erläutern Sie mithilfe von Kraft- und Verschiebungsvektoren.

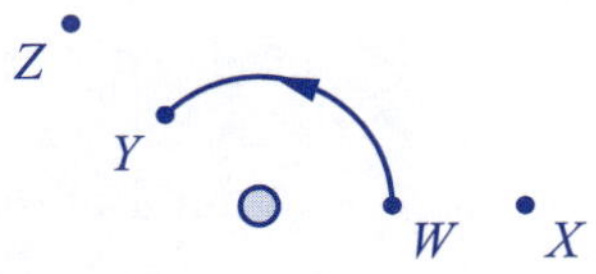

c. Nehmen Sie an, das Teilchen bewegt sich entlang des geraden Weges $W \to Y$. Ist die vom elektrischen Feld am Teilchen verrichtete Arbeit *positiv, negativ* oder *gleich Null*? Begründen Sie mithilfe von Kraft- und Verschiebungsvektoren. (*Hinweis:* Vergleichen Sie die Arbeit auf der ersten Hälfte des Weges mit der auf der zweiten Hälfte verrichteten Arbeit.)

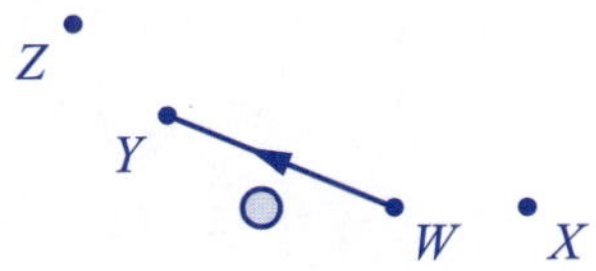

2.5 Vergleichen Sie die am Teilchen verrichtete Arbeit bei der Bewegung von W nach Y entlang der drei unterschiedlichen Wege aus Teil 2.4 (a-c).

Man sagt, dass die von einem statischen elektrischen Feld verrichtete Arbeit *wegunabhängig* ist. Begründen Sie, inwiefern Ihre Ergebnisse aus 2.4 mit dieser Aussage vereinbar sind.

3 Elektrische Potentialdifferenz

3.1 Nehmen Sie an, die Ladung des Teilchens aus Teil 2 wird auf den Wert $+1{,}7q_o$ erhöht.

a. Ist die bei der Bewegung von W nach X vom elektrischen Feld am Teilchen verrichtete Arbeit *größer, kleiner* oder *gleich* der vom elektrischen Feld am ursprünglichen Teilchen verrichteten Arbeit? Begründen Sie.

b. Wie ändert sich bei dieser Veränderung der Ladung der Quotient aus *verrichteter Arbeit dividiert durch die Ladung*? Begründen Sie.

Die *elektrische Potentialdifferenz* $\Delta V_{W \to X}$ von Punkt W zu Punkt X ist definiert als

$$\Delta V_{W \to X} = V_X - V_W \equiv -\frac{W_{\text{el}}}{q}.$$

dabei ist W_{el} die vom Feld an der Ladung q verrichtete Arbeit, wenn sich die Ladung von W nach X bewegt. Beachten Sie, dass manche Lehrbücher eine abweichende Schreibweise (z. B. ΔV_{WX} anstelle von $\Delta V_{W \to X}$) oder eine andere Festlegung (z. B. $\Delta V_{WX} = V_W - V_X$) verwenden. Prüfen Sie, wie dieser Zusammenhang in Ihrem Lehrbuch dargestellt ist.

c. Hängt die elektrische Potentialdifferenz vom *Betrag* der Ladung ab, die für die Messung verwendet wird? Begründen Sie.

d. Hängt die elektrische Potentialdifferenz vom *Vorzeichen* der Ladung ab, die für die Messung verwendet wird? Begründen Sie.

3.2 Die Abbildung rechts zeigt wieder einen positiv geladenen Stab in der Ansicht von oben. Die Punkte W, X, Y und Z liegen in einer Ebene auf Höhe der Stabmitte. Die Punkte W und Y bzw. X und Z haben jeweils die gleiche Entfernung vom Stab. Ein geladenes Teilchen mit der Masse $m_o = 3 \times 10^{-8}$ kg wird am Punkt W los gelassen und erreicht später Punkt X.

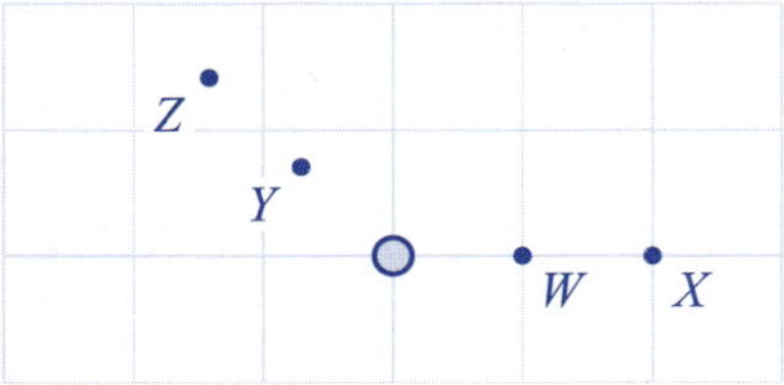

a. Ist das Teilchen *positiv* oder *negativ* geladen? Begründen Sie.

b. Die Ladung des Teilchens hat den Wert 2×10^{-6} C. Die Geschwindigkeit beim Passieren des Punktes X beträgt 40 m/s.

i. Bestimmen Sie die Änderung der kinetischen Energie des Teilchens bei der Bewegung von Punkt W nach X.

ii. Bestimmen Sie die Arbeit, die vom elektrischen Feld bei der Bewegung von W nach X am Teilchen verrichtet wird. (*Hinweis:* Beachten Sie Teil 1.4.)

iii. Bestimmen Sie die Potentialdifferenz zwischen den Punkten W und X.

iv. Falls dasselbe Teilchen an der Stelle Y losgelassen wird, ist seine Geschwindigkeit beim Passieren des Punktes Z dann *größer, kleiner* oder *gleich* 40 m/s? Begründen Sie.

c. Nehmen Sie an, ein zweites Teilchen mit derselben Masse wie das erste, aber einer neunmal so großen Ladung (also 18×10^{-6} C) wird an der Stelle W losgelassen.

i. Ändert sich dadurch die Potentialdifferenz zwischen den Punkten W und X? Wenn ja, wie ändert sie sich? Wenn nein, warum nicht?

ii. Ist die Geschwindigkeit des zweiten Teilchens beim Passieren des Punktes X *größer, kleiner* oder *gleich* der Geschwindigkeit des ersten Teilchens an dieser Stelle? Begründen Sie.

d. Ein Teilchen mit der Masse $m_o = 3 \times 10^{-8}$ kg bewegt sich von der Stelle Z auf den Stab zu, sodass es genau am Punkt Y umkehrt.

  i. Mit welcher Geschwindigkeit muss das Teilchen starten, wenn es die Ladung $q_o = 2 \times 10^{-6}$ C besitzt? Begründen Sie.

  ii. Mit welcher Geschwindigkeit muss das Teilchen starten, wenn es stattdessen die Ladung $9q_o$ (18×10^{-6} C) hat? Begründen Sie.

1 Das elektrische Feld in der Nähe leitender Platten

1.1 Die Abbildung rechts zeigt einen kleinen Teil in der Nähe der Mitte einer großen, dünnen, leitenden *Platte* (Metallplatte). Das gezeigte Stück soll auf jeder Seite den Flächeninhalt A_1 und die Gesamtladung Q_1 haben.

Geben Sie einen Ausdruck für die Flächenladungsdichte σ auf jeder der beiden Oberflächen der leitenden Platte an.

geladene Platte (Ansicht von der Seite)

1.2 Bestimmen Sie das elektrische Feld im Innern der Platte mithilfe des Superpositionsprinzips.

Ist Ihre Antwort mit Ihrem Wissen über das elektrische Feld im Innern elektrischer Leiter vereinbar? Begründen Sie.

1.3 Bestimmen Sie die elektrische Feldstärke auf beiden Seiten der Platte mithilfe des Superpositionsprinzips.

Trägt die Ladung auf der *rechten* Oberfläche zur elektrischen Feldstärke auf der *linken* Seite der Platte bei (obwohl sich zwischen den beiden Bereichen Metall befindet)? Begründen Sie.

1.4 Betrachten Sie statt einer Platte nun eine weit ausgedehnte Flächenladung mit Flächeninhalt A_1 und Ladung Q_1. Wieder soll ein Bereich nahe der Mitte der Flächenladung untersucht werden.

Vergleichen Sie die Ladungsdichte σ' der *Flächenladung* mit der Ladungsdichte σ auf jeder der beiden Seiten der geladenen *Platte* aus Teil 1.1. Begründen Sie.

Vergleichen Sie die elektrische Feldstärke auf einer Seite der *Flächenladung* mit der Feldstärke auf der gleichen Seite der geladenen *Platte*. Begründen Sie.

1.5 Nun wird eine zweite, gleich große Platte neben die erste Platte gebracht. Sie trägt eine Ladung mit gleichem Betrag und entgegengesetztem Vorzeichen. Die Platten sind so groß und so nahe nebeneinander, dass Randeffekte vernachlässigt werden können.

Die Abbildung unten zeigt verschiedene Möglichkeiten für die Verteilung der Ladungen auf den beiden Platten. Entscheiden Sie, welche der Variante physikalisch korrekt ist. Begründen Sie.

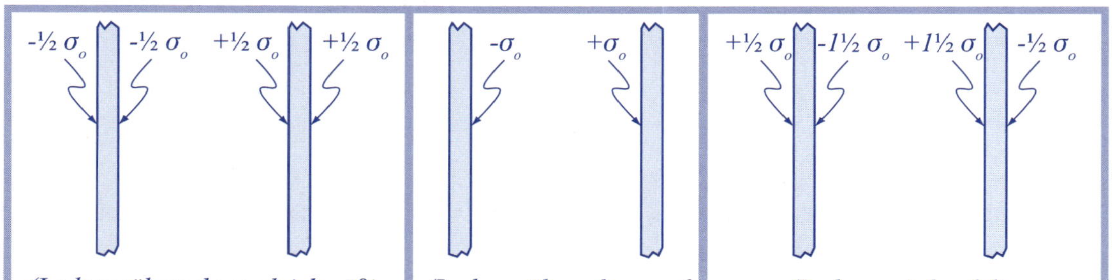

(Ladungsüberschuss gleichmäßig auf beide Oberflächen verteilt) *(Ladungsüberschuss auf den inneren Flächen)* *(Ladung wird auf die inneren Flächen gezogen)*

2 Parallele Platten und Kapazität

Zwei sehr große, dünne leitende Platten befinden sich in einer Entfernung D voneinander.

Der Flächeninhalt jeder der beiden Seiten einer Platte ist A_o. Eine Seitenansicht eines kleinen Bereichs (in der Mitte der Plattenanordnung) ist rechts abgebildet.

2.1 Die innere Oberfläche der einen Platte hat die Flächenladungsdichte $+\sigma_o$, die andere $-\sigma_o$. Die Flächenladungsdichte auf den äußeren Oberflächen ist gleich Null.

a. Zeichnen Sie (mit zwei verschiedenen Farben) für jeden der angegebenen Punkte das elektrische Feld ein, das von den Ladungen auf der linken bzw. rechten Platte erzeugt wird.

b. Drücken Sie die folgenden Größen mithilfe der gegebenen Variablen (D, A_o, σ_o) aus:

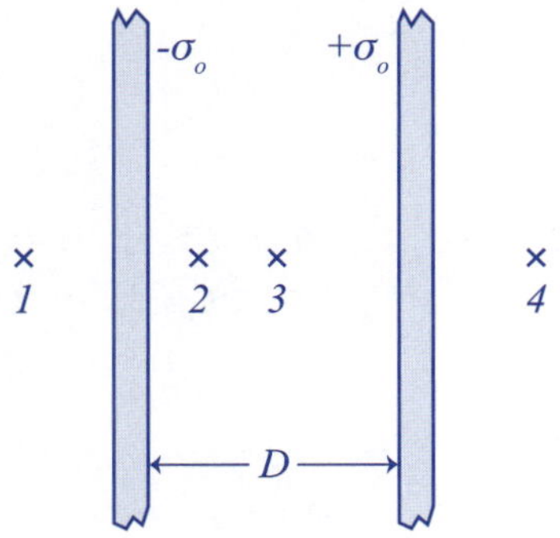

- das elektrische Feld an den Punkten 1, 2, 3 und 4,

- die Potentialdifferenz zwischen den beiden Platten.

c. Die rechte Platte wird nun nach links bewegt, wie in der Abbildung gezeigt. Beide Platten sind dabei elektrisch isoliert.

Beschreiben Sie für jede der unten angegebenen Größen, ob und wie sie sich dabei ändert. Begründen Sie jeweils kurz.

- die Flächenladungsdichte auf jeder der beiden Platten,

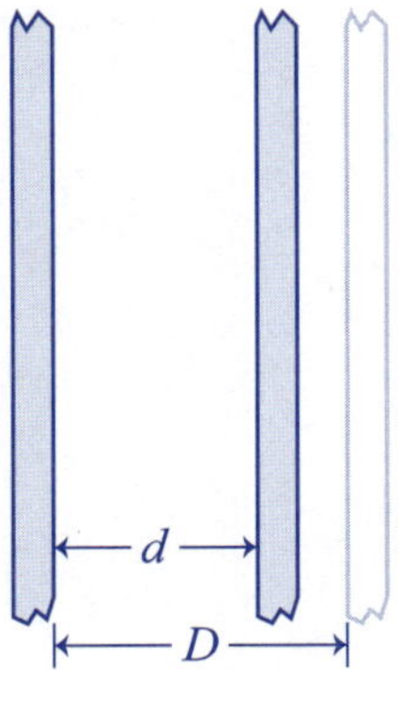

- die elektrische Feldstärke sowohl außerhalb als auch innerhalb der Platten,

- die Potentialdifferenz zwischen den Platten.

d. Drücken Sie die folgenden Größen mithilfe der Variablen d und σ_o aus:

- den Betrag des elektrischen Feldes zwischen den Platten,

- die Potentialdifferenz zwischen den Platten.

e. Bestimmen Sie $Q/\Delta V$, d. h. das Verhältnis der Gesamtladung auf einer Platte zur Potentialdifferenz zwischen den beiden Platten.

Wie ändert sich dieser Quotient, wenn die Flächenladungsdichten auf den Platten auf $+2\sigma_o$ und $-2\sigma_o$ geändert werden?

→ Überprüfen Sie Ihre Antworten mit einem Tutor, bevor Sie Ihre Arbeit fortsetzen.

2.2 Nehmen Sie an, die Platten werden entladen, anschließend im Abstand D zueinander befestigt und mit einer Batterie verbunden. Randeffekte der Felder und Ladungen sollen vernachlässigt werden.

a. Drücken Sie die folgenden Größen mithilfe der angegebenen Variablen D und U_o aus. Begründen Sie jeweils:

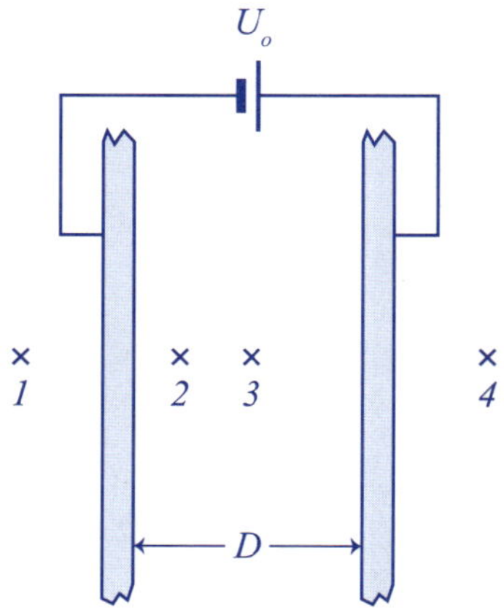

- die Potentialdifferenz ΔV zwischen den Platten,

- die elektrische Feldstärke an den Punkten 1, 2, 3 und 4,

- die Flächenladungsdichte auf jeder der Platten.

b. Die rechte Platte wird nun erneut nach links bewegt, wie in der Abbildung gezeigt. Beide Platten bleiben dabei an die Batterie angeschlossen. Beschreiben Sie für jede der unten angegebenen Größen, ob und wie sie sich dabei ändert. Begründen Sie jeweils kurz:

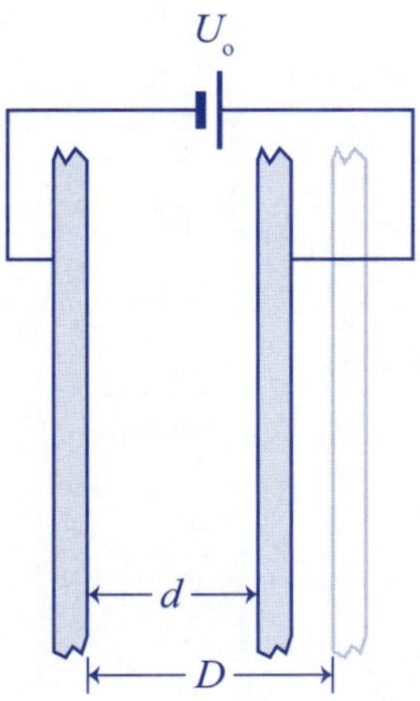

- die Potentialdifferenz ΔV zwischen den Platten,
- die elektrische Feldstärke sowohl außerhalb als auch zwischen den Platten,
- die Flächenladungsdichte auf jeder der beiden Platten.

c. Drücken Sie die folgenden Größen mithilfe der Variablen d und U_o aus:

- den Betrag des elektrischen Feldes zwischen den Platten,
- die Flächenladungsdichte auf jeder der beiden Platten.

d. Bestimmen Sie $Q/\Delta V$, d. h. das Verhältnis der Gesamtladung auf einer Platte zur Potentialdifferenz zwischen den beiden Platten.

Wie ändert sich dieser Quotient, wenn die Spannung der Batterie auf $2U_o$ verdoppelt wird?

$\longrightarrow$ Überprüfen Sie Ihre Antworten mit einem Tutor, bevor Sie Ihre Arbeit fortsetzen.

2.3 Vergleichen Sie das Verhältnis $Q/\Delta V$, das Sie für zwei isolierte Platten bestimmt haben (Teil 2.1), mit dem entsprechenden Verhältnis für zwei mit einer Spannungsquelle verbundene Platten (Teil 2.2).

a. Hängt der Quotient $Q/\Delta V$ davon ab, ob die Platten mit einer Spannungsquelle verbunden sind oder nicht?

b. Hängt der Quotient $Q/\Delta V$ vom Abstand zwischen den beiden Platten ab?

Die Potentialdifferenz ΔV zwischen zwei isolierten Leitern hängt von deren Gesamtladungen und ihrer Anordnung ab. Haben die Leiter die Ladungen $+Q$ und $-Q$, dann nennt man den Quotienten $Q/\Delta V$ die *Kapazität* C für die jeweilige Anordnung der Leiter.

2.4 Untersuchen Sie die folgenden Fälle und geben Sie jeweils an, welche der folgenden Größen sich ändern und welche konstant bleiben: q, σ_o, E, ΔV und C.

a. Zwei isolierte Platten werden auseinander gezogen.

b. Zwei mit einer Batterie verbundene, leitende Platten werden auseinandergezogen.

In diesem Tutorial entwickeln wir eine Modellvorstellung für den elektrischen Strom, mit der wir das Verhalten einfacher Stromkreise vorhersagen und erklären können.

1 Vollständige Stromkreise

1.1 Lassen Sie sich eine Batterie, eine Glühlampe und ein einzelnes Stück Draht geben. Verbinden Sie diese in unterschiedlicher Weise und zeichnen Sie die Anordnungen. Klassifizieren Sie diese nach Ihren Beobachtungen.

Anordnungen, in denen die Glühlampe leuchtet	Anordnungen, in denen die Glühlampe *nicht* leuchtet

Sie sollten mindestens vier verschiedene Anordnungen gefunden haben, in denen die Lampe leuchtet. Welche Ähnlichkeiten bestehen zwischen diesen Anordnungen? Wie unterscheiden sie sich von denjenigen Anordnungen, in denen die Lampe nicht leuchtet?

Formulieren Sie die Bedingungen, welche die Anordnung der Bauteile erfüllen muss, damit die Glühlampe leuchtet.

1.2 Ein Student hat die beiden Pole einer Batterie kurz mit einem Stück Draht verbunden, bis der Draht sich erwärmt. Er beobachtet, dass sich der Draht an den Punkten 1, 2 und 3 etwa gleich stark erwärmt.

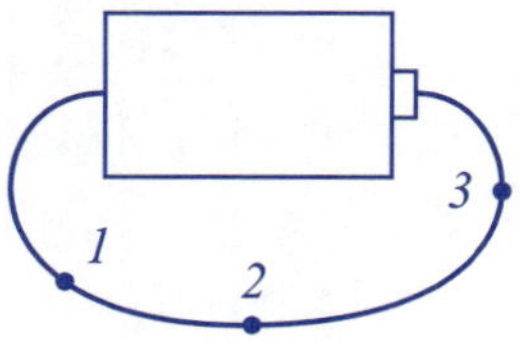

Was lässt sich aufgrund dieser Beobachtung über die Vorgänge im Draht an verschiedenen Stellen folgern?

ELEKTRIZITÄT UND MAGNETISMUS
Elektrische Stromkreise

1.3 Bringen Sie eine Glühlampe mit einer Batterie und einem Draht zum Leuchten. Fügen Sie nun Gegenstände aus unterschiedlichen Materialien in die Schaltung ein und beobachten Sie das Verhalten (d. h. die Helligkeit) der Glühlampe. (Verwenden Sie Gegenstände wie Papierstreifen, Münzen, Bleistiftminen, Stifte, Radiergummis usw.)

Welche Gemeinsamkeit haben die meisten der Gegenstände, bei denen die Glühlampe leuchtet?

1.4 Untersuchen Sie eine Glühlampe sorgfältig. Zwei Drähte reichen vom Glühdraht bis in die Fassung. Sie können vermutlich nicht in die Fassung hineinsehen, sollten jedoch in der Lage sein, eine Vermutung darüber zu formulieren, wo diese Drähte angeschlossen sind. Erläutern Sie Ihre Vermutung mithilfe Ihrer Beobachtungen aus Teil 1.1 bis 1.3.

Erläutern Sie, welche Merkmale einer Glühlampe im hier verwendeten Schaltsymbol (siehe Abbildung rechts) wiedergegeben werden und welche nicht. (*Hinweis:* Wir verwenden dieses Schaltsymbol abweichend von der in Deutschland üblichen Konvention.)

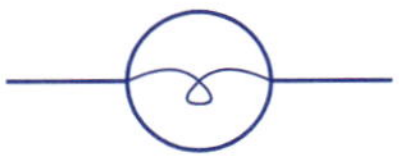

Schaltsymbol für Glühlampe

in Deutschland übliches Schaltsymbol

Auf der Grundlage der bisherigen Beobachtungen treffen wir die folgenden Annahmen für unsere Modellvorstellung des elektrischen Stromkreises:

- In einem vollständigen Stromkreis tritt ein „Fluss“ auf, der im Kreis von einem Pol der Batterie entlang der Schaltung zum anderen Pol der Batterie, dann durch die Batterie und schließlich erneut durch die Schaltung verläuft. Diesen Fluss nennen wir den *elektrischen Strom.*
- Bei identischen Glühlampen kann man die Helligkeit der Glühlampen als ein relatives Maß für die Stärke des Stroms durch die Glühlampe verwenden: Je heller die Glühlampe leuchtet, desto stärker ist der Strom durch die Glühlampe.

Ausgehend von diesen Annahmen werden wir eine Modellvorstellung entwickeln, die wir verwenden können, um das Verhalten einfacher Stromkreise zu erklären. Die Konstruktion eines wissenschaftlichen Modells ist ein schrittweiser Prozess, bei dem wir nur so viele Annahmen machen wie unbedingt notwendig, um die beobachteten Vorgänge zu erklären.

2 Glühlampen in Reihenschaltung

Bauen Sie einen Schaltkreis mit zwei identischen Glühlampen auf, die hintereinander angeordnet sind (siehe Abbildung). Glühlampen, die so verbunden sind, bezeichnet man als *in Reihe* geschaltet.

2.1 Vergleichen Sie die Helligkeiten der beiden Glühlampen. (Beachten Sie nur deutliche Unterschiede in der Helligkeit. Kleinere Unterschiede können auch dadurch auftreten, dass „identische" Glühlampen nicht wirklich identisch sind.)

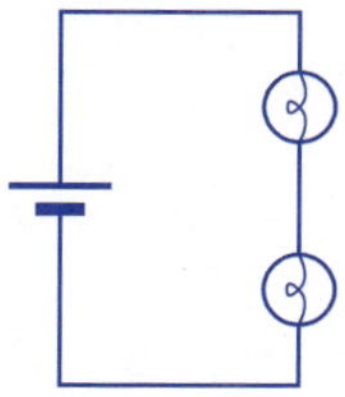

Beantworten Sie die folgenden Fragen mithilfe der Annahmen, die wir oben zur Grundlage unserer Modellvorstellung gemacht haben:

a. Wird der Strom in der ersten Glühlampe „verbraucht", oder ist der Strom durch die beiden Glühlampen gleich groß?

b. Erwarten Sie eine Änderung der Helligkeiten beim Vertauschen der Glühlampen? Überprüfen Sie Ihre Antwort.

c. Lässt sich allein aufgrund Ihrer bisherigen Beobachtungen entscheiden, in welcher Richtung der elektrische Strom durch den Stromkreis fließt?

2.2 Vergleichen Sie die Helligkeit der beiden Glühlampen in der Reihenschaltung mit der Helligkeit einer einzelnen Glühlampe im Stromkreis (bei gleicher Batterie).

Beantworten Sie die folgenden Fragen mithilfe der Annahmen, die wir oben zur Grundlage unserer Modellvorstellung gemacht haben:

a. Ist der Strom durch die Glühlampe in einer Schaltung mit einer einzelnen Lampe *größer*, *kleiner* oder *gleich* dem Strom durch dieselbe Glühlampe, wenn diese mit einer weiteren Lampe in Reihe geschaltet ist? Begründen Sie.

b. Was folgt aus Ihrer Antwort auf Frage 2.2.a hinsichtlich des Stroms durch die Batterie in der Schaltung mit einer Glühlampe im Vergleich zum Strom durch die Batterie in der Reihenschaltung von zwei Lampen? Begründen Sie.

2.3 Wir können uns eine Glühlampe als ein Hindernis oder einen *Widerstand* für den Strom in einem Stromkreis vorstellen.

a. Erwarten Sie ausgehend von dieser Vorstellung, dass das Hinzufügen weiterer Glühlampen in Reihe den Gesamtwiderstand *vergrößert*, *verkleinert* oder *unverändert lässt*?

b. Formulieren Sie eine Regel, die angibt, ob der Strom durch die Batterie *zunimmt*, *abnimmt* oder *gleich bleibt*, wenn man die Anzahl der in Reihe geschalteten Glühlampen vergrößert oder verkleinert.

3 Glühlampen in Parallelschaltung

Bauen Sie eine Schaltung aus einer Batterie und zwei identischen Glühlampen auf, deren Anschlüsse jeweils miteinander verbunden sind (siehe Abbildung). Glühlampen, die so verbunden sind, bezeichnet man als *parallel* geschaltet.

3.1 Vergleichen Sie die Helligkeiten der beiden Glühlampen in dieser Schaltung. (Beachten Sie nur deutliche Unterschiede in der Helligkeit. Kleinere Unterschiede können auch dadurch auftreten, dass „identische“ Glühlampen nicht wirklich identisch sind.)

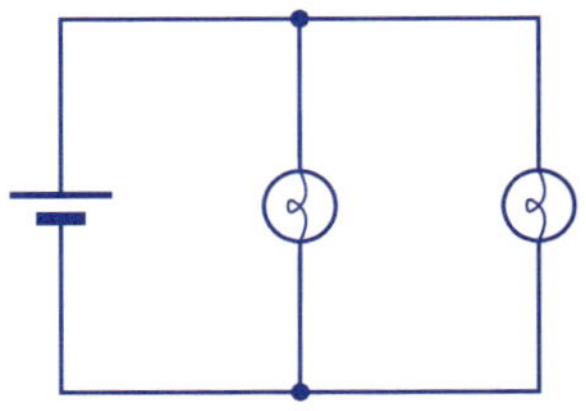

a. Was können Sie aus Ihren Beobachtungen über den Strom durch jede der beiden Glühlampen folgern?

b. Beschreiben Sie den elektrischen Strom im gesamten Stromkreis. Gehen Sie dabei von Ihren Beobachtungen aus. Wie teilt sich der Strom der Batterie an den Verbindungspunkten der beiden parallelen Zweige und wie wird er wieder zusammengeführt?

3.2 Vergleichen Sie die Helligkeiten der beiden Glühlampen in der Parallelschaltung mit der Helligkeit einer einzelnen Glühlampe im Stromkreis (bei gleicher Batterie).

Ist der Strom durch die Batterie in einer Schaltung mit einer einzelnen Glühlampe *größer*, *kleiner* oder *gleich* dem Strom durch die Batterie in einer Schaltung mit zwei parallel geschalteten Glühlampen? Begründen Sie Ihre Antwort mithilfe Ihrer Beobachtungen.

3.3 Formulieren Sie eine Regel, die angibt, ob der Strom durch die Batterie *zunimmt*, *abnimmt* oder *gleich bleibt*, wenn man die Anzahl der parallel geschalteten Glühlampen vergrößert oder verkleinert. Begründen Sie Ihre Antwort mit Ihren Beobachtungen am Stromkreis mit zwei parallel geschalteten Glühlampen und den Annahmen des Modells für den elektrischen Strom.

Was können Sie über den Gesamtwiderstand eines Stromkreises sagen, wenn die Anzahl der parallel geschalteten Zweige vergrößert oder verkleinert wird?

3.4 Deuten Ihre Ergebnisse darauf hin, dass der Strom durch die Batterie von der Anzahl und der Anordnung der Glühlampen in der Schaltung abhängt?

3.5 Schrauben Sie eine der beiden Glühlampen der Parallelschaltung heraus. Ändert sich dadurch wesentlich der Strom durch den Zweig mit der anderen Glühlampe?

Eine Eigenschaft einer *idealen* Batterie (d. h. einer *idealen Spannungsquelle*) ist, dass unmittelbar an der Batterie angeschlossene, parallele Zweige voneinander unabhängig sind.

4 Grenzen der bisher entwickelten Modellvorstellung

4.1 Die rechts abgebildete Schaltung enthält drei identische Glühlampen und eine ideale Batterie. Nehmen Sie an, dass der Widerstand der Verbindungsdrähte und des geschlossenen Schalters vernachlässigbar ist. Bearbeiten Sie die folgenden Punkte mithilfe des Modells, das wir für den elektrischen Stromkreis entwickelt haben.

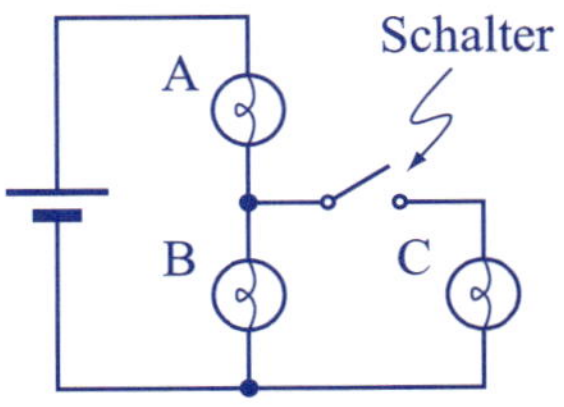

- Ordnen Sie die drei Glühlampen nach ihrer Helligkeit bei *geschlossenem* Schalter. Begründen Sie.

- Wie ändert sich die Helligkeit von Glühlampe A, wenn der Schalter geöffnet wird? Begründen Sie.

4.2 Zeigen Sie, dass die Anwendung der bisher entwickelten Modellvorstellung für den elektrischen Strom nicht dazu ausreicht, die Änderung der Helligkeit von Glühlampe B beim Öffnen des Schalters zu bestimmen.

Bisher haben wir ein Modell für das Verhalten einfacher Stromkreise entwickelt. Dabei wurde die Helligkeit einer Glühlampe als Anzeige für die Stärke des durch sie fließenden Stroms verwendet. In diesem Tutorial werden wir dieses Modell um den Begriff der elektrischen Spannung erweitern.

1 Rückblick: Strom und Widerstand

Die Stromkreise rechts bestehen aus jeweils identischen Batterien und Glühlampen. Die mit X und Y bezeichneten Quadrate stehen für unterschiedliche unbekannte Bauelemente (z. B. Kombinationen von Glühlampen), enhalten jedoch keine Batterien.

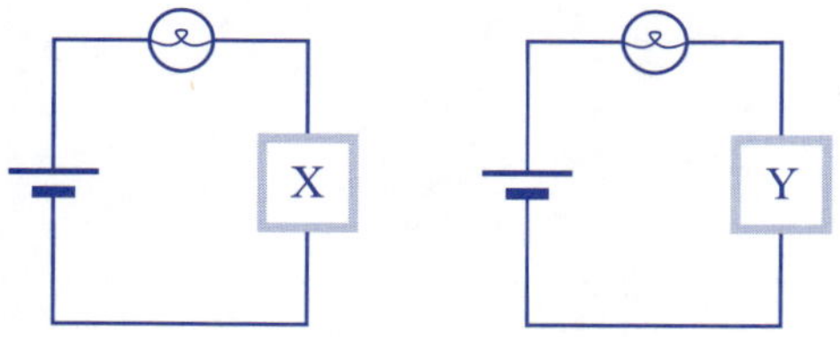

Es wird beobachtet, dass die Glühlampe im linken Stromkreis heller leuchtet als die rechten.

1.1 Entscheiden Sie anhand dieser Beobachtung: Ist der Widerstand von Element X *größer, kleiner* oder *gleich* dem Widerstand von Element Y? Begründen Sie.

Geben Sie für jeden der beiden Stromkreise an, ob der Strom durch die Glühlampe *größer, kleiner* oder *gleich* dem Strom durch das unbekannte Element ist.

Geben Sie für jeden der beiden Stromkreise an, ob der Strom durch die Glühlampe *größer, kleiner* oder *gleich* dem Strom durch die Batterie ist.

2 Batterien in Reihenschaltung

Bitten Sie einen Tutor um die rechts abgebildeten Schaltkreise I bis III.

Untersuchen Sie die Helligkeiten der Glühlampen.

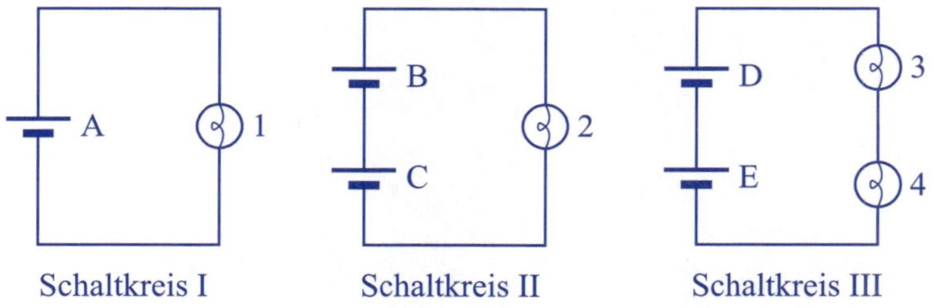

2.1 Ordnen Sie die Glühlampen nach der Stärke des durch sie fließenden Stroms. Falls der Strom durch zwei der Glühlampen gleich groß ist, geben Sie dies ausdrücklich an. Erklären Sie, wie Sie dies ohne Ampèremeter feststellen konnten.

2.2 Ist der Strom durch die Batterie D *größer, kleiner* oder *gleich* dem Strom durch die Batterie A? Begründen Sie Ihre Antwort.

2.3 Ist der Strom durch die Batterie B *größer, kleiner* oder *gleich* dem Strom durch die Batterie A? Begründen Sie Ihre Antwort.

Angenommen, einem Stromkreis wird eine Batterie in Reihe zu einer vorhandenen Batterie hinzugefügt. Nimmt der Strom durch den Stromkreis dann *zu, ab* oder bleibt er *gleich*? Begründen Sie.

Die obigen Beobachtungen legen nahe, sich die Batterie als einen „Antrieb" des Stroms durch den Stromkreis vorzustellen. Wir werden diese Vorstellung nun genauer untersuchen.

3 Spannung

3.1 Benutzen Sie ein Voltmeter, um den Wert der Spannung an jedem der Elemente in den Schaltkreisen I bis III zu messen. Notieren Sie Ihre Messungen in der Tabelle.

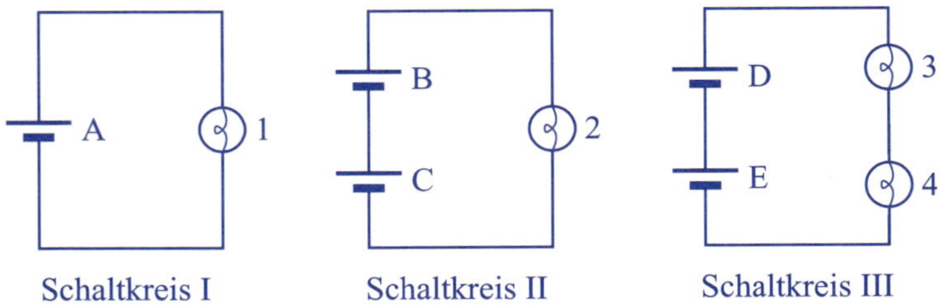

$U_{Batt\,A}$	$U_{Lampe\,1}$	$U_{Batt\,B}$	$U_{Batt\,C}$	$U_{Lampe\,2}$	$U_{Batt\,D}$	$U_{Batt\,E}$	$U_{Lampe\,3}$	$U_{Lampe\,4}$

3.2 Ordnen Sie die Glühlampen nach dem Betrag der anliegenden Spannung. (Vernachlässigen Sie dabei kleine Unterschiede.)

Vergleichen Sie die hier gefundene Reihenfolge mit der Reihenfolge nach der Helligkeit.

Die Beobachtung legt nahe, dass wir unser Modell für elektrische Stromkreise um die Vorstellung erweitern können, dass bei identischen Glühlampen die Helligkeit nicht nur ein Maß für den hindurchgehenden *Strom*, sondern auch für die *Spannung* an der Glühlampe ist.

3.3 Welche Anzeige erwarten Sie am Voltmeter, wenn es an dem aus den Batterien D und E bestehenden Netzwerk angeschlossen wird? Begründen Sie Ihre Antwort.

Überprüfen Sie Ihre Vermutung mithilfe eines Voltmeters. Lösen Sie eventuelle Widersprüche auf.

3.4 Welche Anzeige erwarten Sie am Voltmeter, wenn es an dem aus den Glühlampen 3 und 4 bestehenden Netzwerk angeschlossen wird? Begründen Sie Ihre Antwort.

Überprüfen Sie Ihre Vermutungen und lösen Sie eventuelle Widersprüche auf.

3.5 Entwickeln Sie anhand Ihrer Beobachtungen eine Regel für die Spannung an einem Netzwerk aus in Reihe geschalteten Elementen. Die Regel soll die Spannung am gesamten Netzwerk mit den Spannungen an den einzelnen Elementen des Netzwerkes verknüpfen.

3.6 Betrachten Sie die Schaltkreise II und IV in der Abbildung rechts.

a. Welche Reihenfolge erwarten Sie für die Helligkeiten der Glühlampen? Falls zwei Glühlampen die gleiche Helligkeit haben, geben Sie dies ausdrücklich an. Begründen Sie.

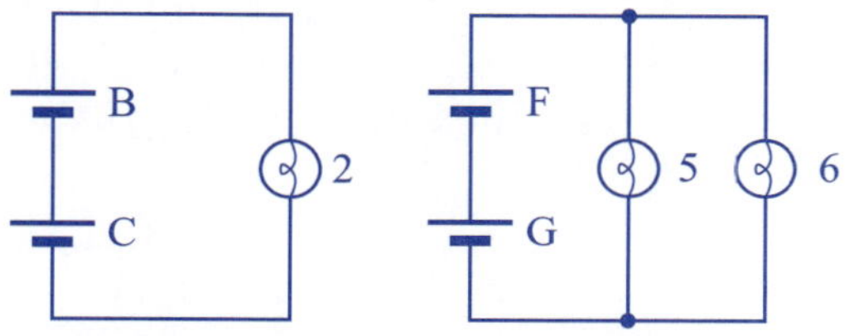

Stromkreis II Stromkreis IV

Bitten Sie einen Tutor um die Schaltkreise, um Ihre Antwort zu überprüfen. Lösen Sie eventuelle Widersprüche auf.

b. Welche Reihenfolge erwarten Sie für die Spannungen an den Glühlampen? Falls an zwei Glühlampen die gleiche Spannung anliegt, geben Sie dies ausdrücklich an. Begründen Sie.

Stimmt Ihre Antwort mit der Reihenfolge der Glühlampen nach der Helligkeit überein?

Überprüfen Sie Ihre Antworten mithilfe eines Voltmeters. Lösen Sie eventuelle Widersprüche auf.

c. Ist der Strom durch die Batterie F *größer, kleiner* oder *gleich* dem Strom durch die Batterie B? Begründen Sie.

3.7 Beantworten Sie die folgenden Fragen anhand Ihrer bisherigen Ergebnisse.

a. Wenn an zwei identischen *Glühlampen* die gleiche Spannung anliegt, fließt dann immer auch der gleiche Strom durch sie hindurch? Begründen Sie.

b. Wenn an zwei identischen *Batterien* die gleiche Spannung anliegt, fließt dann immer auch der gleiche Strom durch sie hindurch? Begründen Sie.

→ Diskutieren Sie Ihre Antworten zu Teil 3.7 mit einem Tutor.

4 Schaltkreise mit mehreren Maschen

4.1 Betrachten Sie Schaltkreis V rechts. Welche Anzeige erwarten Sie, wenn ein Voltmeter an den einzelnen Elementen dieses Schaltkreises angeschlossen wird. Begründen Sie.

$U_{Batt\,H}$	$U_{Batt\,I}$	$U_{Lampe\,7}$	$U_{Lampe\,8}$	$U_{Lampe\,9}$

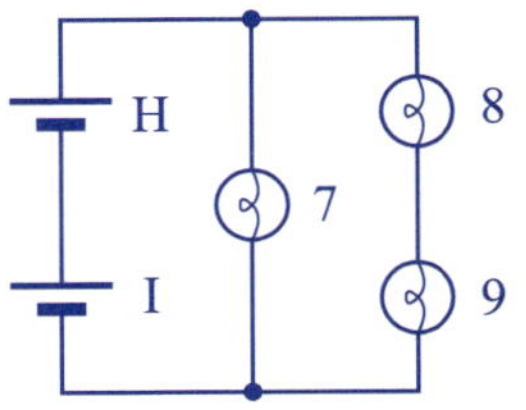

Stromkreis V

Bitten Sie einen Tutor um diesen Schaltkreis und überprüfen Sie Ihre Vermutungen. Falls Ihre Messungen nicht mit Ihren Erwartungen übereinstimmen, lösen Sie die Widersprüche auf.

4.2 Betrachten Sie Schaltkreis VI rechts. Ordnen Sie die Glühlampen nach der anliegenden Spannung. Begründen Sie.

$U_{Batt\,J}$	$U_{Batt\,K}$	$U_{Lampe\,10}$	$U_{Lampe\,11}$	$U_{Lampe\,12}$

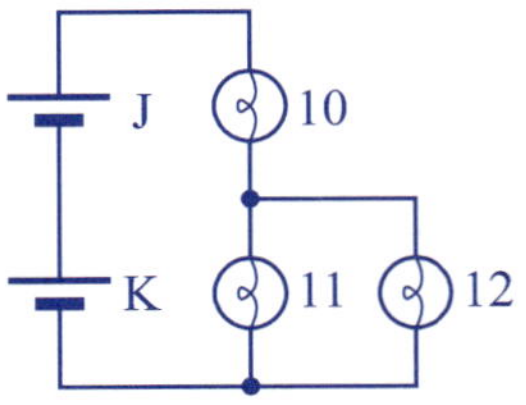

Schaltkreis VI

Bitten Sie einen Tutor um diesen Schaltkreis und messen Sie die Spannungen an den einzelnen Elementen. Falls Ihre Messungen nicht mit Ihren Erwartungen übereinstimmen, lösen Sie die Widersprüche auf.

4.3 Die Schaltkreise V und VI haben jeweils mehr als einen möglichen Weg für den Strom. Jeder in sich *geschlossene* Weg in einem Schaltkreis wird als Masche bezeichnet. Eine Masche muss keine Batterie enthalten.

a. Zeichnen Sie in beiden Schaltbildern jeweils alle Maschen ein, die die Batterien enthalten.

b. Berechnen Sie für jede der gezeichneten Maschen die Summe aller Spannungen an den Glühlampen. (Verwenden Sie Ihre obigen Messungen.)

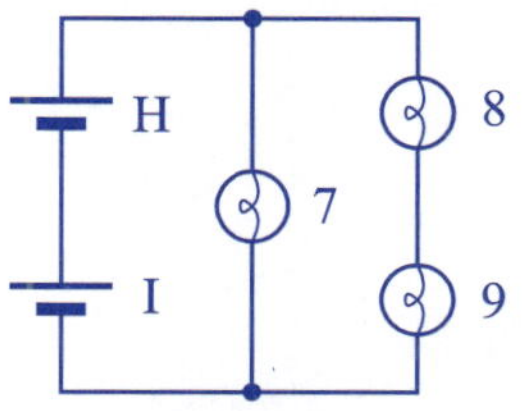

Schaltkreis V

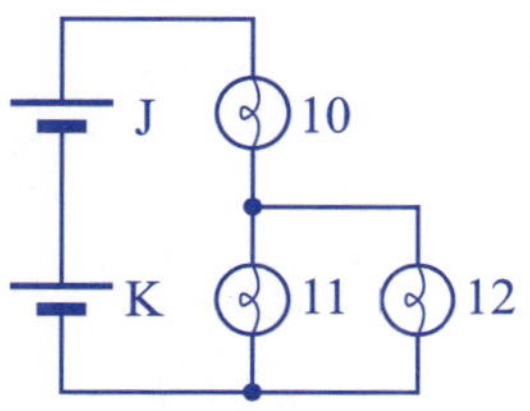

Schaltkreis VI

c. Vergleichen Sie die Summe der Spannungen an den Glühlampen in den verschiedenen Maschen mit der Spannung der beiden Batterien.

5 Verallgemeinerung: Spannungen an Netzwerken

Die Netzwerke N, O und P bestehen jeweils aus zwei oder mehr gleichartigen Glühlampen und sind wie abgebildet mit einer Batterie verbunden.

5.1 Wie hängt die Spannung am Netzwerk N mit der Spannung an der Batterie zusammen? Begründen Sie.

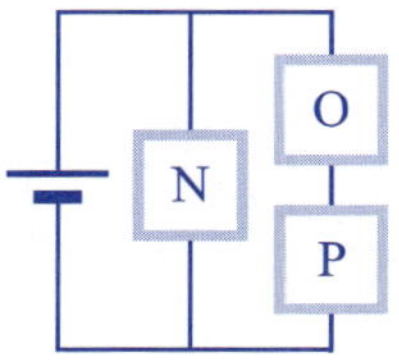

5.2 Wie hängen die Spannungen an den Netzwerken O und P mit der Spannung an der Batterie zusammen? Begründen Sie.

5.3 Nehmen Sie an, das Netzwerk O besteht aus mehreren in Reihe geschalteten Glühlampen. Wie hängt die Spannung am Netzwerk O mit der Spannung an den einzelnen Glühlampen zusammen? Begründen Sie.

5.4 Nehmen Sie an, das Netzwerk P besteht aus parallel geschalteten Glühlampen. Wie hängt die Spannung am Netzwerk P mit der Spannung an den einzelnen Glühlampen zusammen? Begründen Sie.

Bisher haben wir herausgefunden, dass wir die Helligkeit einer Glühlampe sowohl mit dem Strom durch die Glühlampe als auch mit der Spannung an der Glühlampe verknüpfen können. In diesem Tutorial werden wir diese Ideen auf Stromkreise mit mehreren Batterien und mehreren Maschen anwenden. Nehmen Sie an, dass alle Glühlampen identisch und alle Batterien ideal sind.

1 Zwei Batterien und eine Glühlampe

Zwei Kupferdrähte sind mit zwei Batterien verbunden wie abgebildet.

1.1 Ist es möglich, die Glühlampe zum Leuchten zu bringen, indem man die Enden der Drähte mit der Glühlampe verbindet?

Wenn ja, zeichnen Sie, wie Sie die Drähte verbinden würden und begründen Sie Ihre Antwort. Wenn nicht, begründen Sie, warum dies nicht möglich ist.

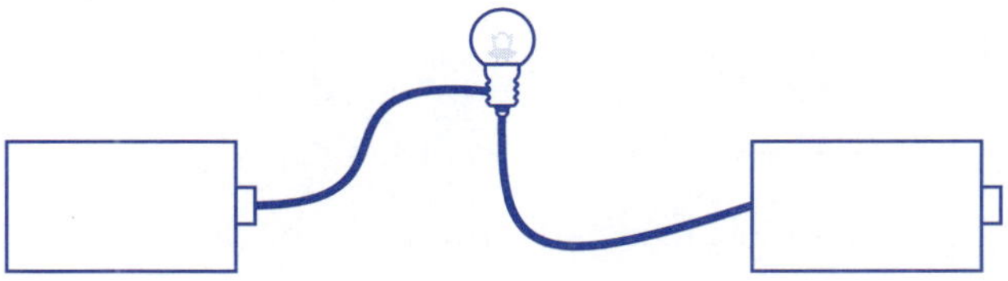

Diagramm von Student 1

1.2 Zwei Studierende diskutieren ihre Vermutungen:

André Marie: *„Die Glühlampe wird leuchten, wenn die Drähte so verbunden sind wie abgebildet. Da ein Draht am Minuspol und der andere am Pluspol angeschlossen ist, ist der Stromkreis vollständig."*

Thomas: *„Ich bin einverstanden, dass die Glühlampe leuchtet, aber ich denke, das liegt daran, dass es eine Spannung an der Glühlampe gibt. Der Pluspol hat ein höheres Potential als der Minuspol. Dies wird einen Strom durch die Glühlampe bewirken."*

Stimmen Sie mit einer der beiden Aussagen überein? Begründen Sie Ihre Antwort.

1.3 Bitten Sie einen Tutor um das benötigte Material und überprüfen Sie Ihre Antwort aus Teil 1.1. Lösen Sie eventuelle Widersprüche auf. Falls Sie Ihre Antwort in Teil 1.1 nicht mehr für richtig halten, korrigieren Sie diese.

2 Mehrere Batterien in Schaltkreisen mit einer Masche

2.1 Betrachten Sie die abgebildeten Schaltkreise.

Welche Reihenfolge erwarten Sie für die Helligkeit der Glühlampen? Falls mehrere Glühlampen die gleiche Helligkeit haben oder nicht leuchten, geben Sie dies ausdrücklich an. Begründen Sie.

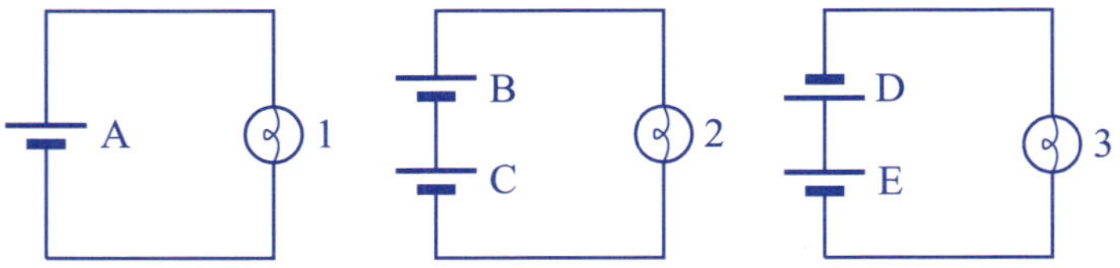

Schaltkreis I Schaltkreis II Schaltkreis III

Bitten Sie einen Tutor um die Schaltkreise und überprüfen Sie Ihre Antwort. Lösen Sie eventuelle Widersprüche auf.

2.2 Stimmt die Helligkeit von Glühlampe 4 in Schaltkreis IV mit der Helligkeit einer der Glühlampen aus den Schaltkreisen I bis III überein? Begründen Sie.

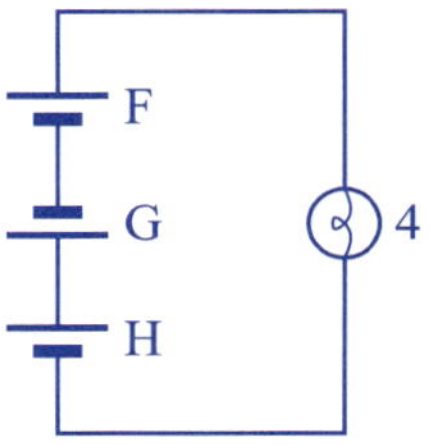

Schaltkreis IV

Bitten Sie einen Tutor um den Schaltkreis und überprüfen Sie Ihre Antwort. Lösen Sie eventuelle Widersprüche auf.

2.3 Entwickeln Sie anhand Ihrer bisherigen Beobachtungen eine Regel, welche die Spannung an einem Netzwerk von in Reihe geschalteten Batterien mit den Spannungen an den einzelnen Batterien verknüpft.

2.4 Nehmen Sie an, Glühlampe 4 in Schaltkreis IV wird an einer Stelle zwischen den Batterien F und G eingebaut. Ist an dieser neuen Position die Helligkeit von Glühlampe 4 *größer, kleiner* oder *gleich* der in Schaltkreis IV? Falls die Glühlampe nicht leuchtet, geben Sie dies ausdrücklich an. Begründen Sie.

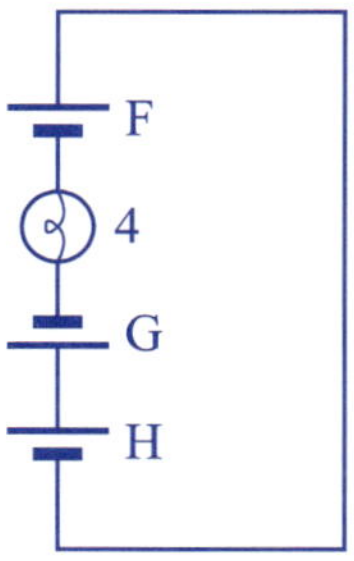

Schaltkreis V

Bitten Sie einen Tutor um den Schaltkreis und überprüfen Sie Ihre Antwort. Lösen Sie eventuelle Widersprüche auf.

3 Mehrere Batterien in Schaltkreisen mit mehreren Maschen

3.1 Betrachten Sie den Schaltkreis rechts.

a. Nimmt die Helligkeit von Glühlampe 5 *zu, ab* oder bleibt sie *gleich*, wenn der Schalter geschlossen wird? Begründen Sie.

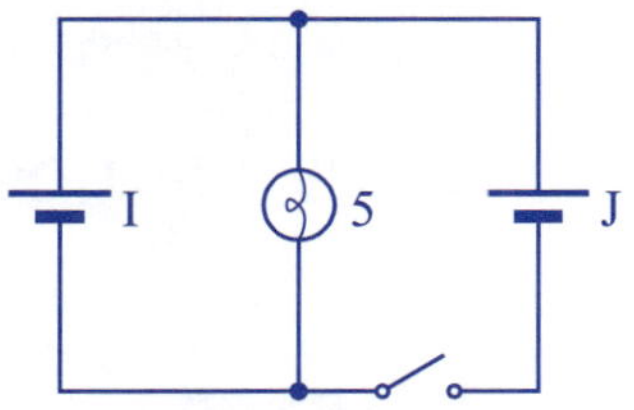

Schaltkreis VI

Bitten Sie einen Tutor um den Schaltkreis und überprüfen Sie Ihre Antwort.

b. Beantworten Sie anhand Ihrer Beobachtungen: Ändert sich die Spannung an Glühlampe 5, wenn der Schalter geschlossen wird? Begründen Sie.

c. Nimmt der Strom durch Batterie I *zu, ab* oder bleibt er *gleich*, wenn der Schalter geschlossen wird? Begründen Sie Ihre Antwort.

3.2 Zum Schaltkreis VI wird die rechts eingezeichnete Glühlampe 6 hinzugefügt.

a. Erwarten Sie, dass die Helligkeit von Glühlampe 5 *zunimmt, abnimmt* oder *gleich bleibt*, wenn der Schalter geschlossen wird? Begründen Sie Ihre Antwort.

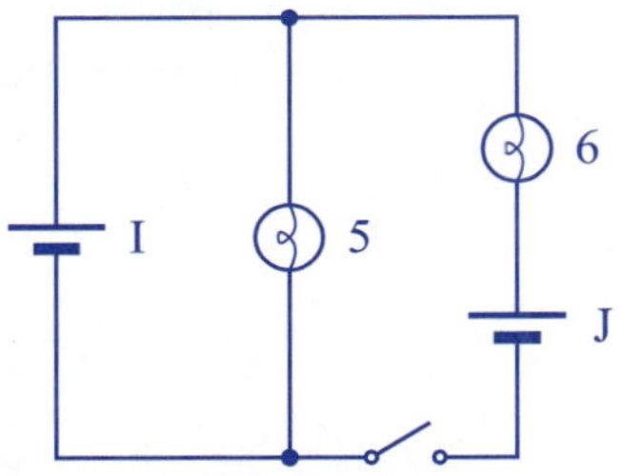

Schaltkreis VII

b. Glühlampe 5 wird nun aus der Fassung entfernt. Leuchtet Glühlampe 6, wenn der Schalter geschlossen wird? Begründen Sie Ihre Antwort.

c. Überprüfen Sie anhand Ihrer Antwort auf Frage b noch einmal Ihre Antwort auf Frage a. Korrigieren Sie Ihre Antwort, falls notwendig.

Bitten Sie einen Tutor um diesen Schaltkreis und überprüfen Sie Ihre Ergebnisse.

d. Betrachten Sie den ursprünglichen Schaltkreis VII (mit Glühlampe 5 in der Fassung), wie rechts abgebildet.

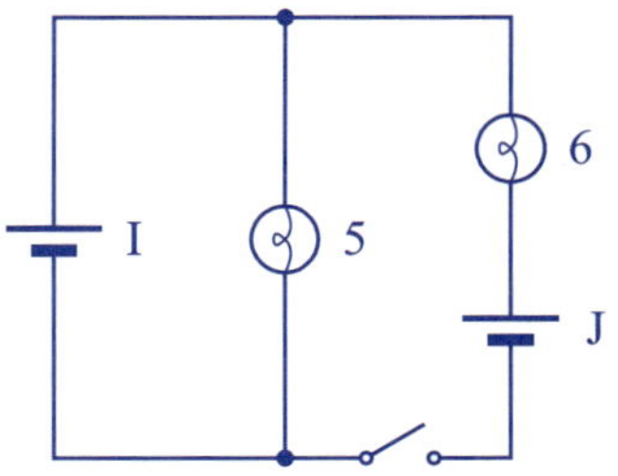

Schaltkreis VII

Ist der Wert der Spannung an Glühlampe 5 *größer*, *kleiner* oder *gleich* der Spannung an Batterie I? Hängt Ihre Antwort davon ab, ob der Schalter geschlossen ist oder nicht? Begründen Sie.

Ist die Spannung am Netzwerk aus Glühlampe 6 und Batterie J bei geschlossenem Schalter *größer, kleiner* oder *gleich* der Spannung an Batterie I? Begründen Sie.

Ist die Spannung an Glühlampe 6 *gleich* oder *ungleich* Null, unter der Voraussetzung, dass die Batterien I und J identisch sind? Begründen Sie.

e. Messen Sie bei geschlossenem Schalter die Spannung an jedem der Elemente in Schaltkreis VII. Notieren Sie die Messwerte in der Tabelle rechts.

$V_{\text{Batt I}}$	$V_{\text{Batt J}}$	$V_{\text{Lampe 5}}$	$V_{\text{Lampe 6}}$

Gibt es einen nennenswerten Strom durch Glühlampe 6? Begründen Sie, wie Sie das anhand Ihrer Messergebnisse entscheiden können.

Was folgt daraus für den Strom durch die Batterie J? Begründen Sie.

Vergleichen Sie den Strom durch die Batterie I mit dem Strom durch die Batterie in einem Stromkreis aus einer Batterie und einer Glühlampe (z. B. Batterie A in Stromkreis I)? Begründen Sie.

Fließt durch eine Batterie immer ein von Null verschiedener Strom, wenn sie Teil eines geschlossenen Stromkreises ist? Begründen Sie.

3.3 Glühlampe 7 wird wie abgebildet zum Schaltkreis VII hinzugefügt.

Fließt durch Glühlampe 6 ein Strom, wenn der Schalter geschlossen wird? Begründen Sie.

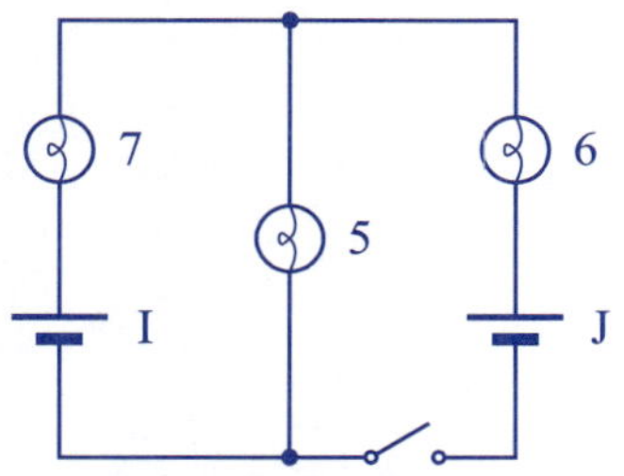

Schaltkreis VIII

Ordnen Sie die Glühlampen nach dem Strom, der bei geschlossenem Schalter durch sie fließt. Falls der Strom durch mehrere Glühlampen gleich ist, geben Sie dies ausdrücklich an. Begründen Sie.

Wenn Sie in diesem Tutorial nach einer Erwartung gefragt werden, formulieren Sie diese, *bevor* Sie den Schaltkreis aufbauen.

1 Einfache RC-Schaltungen

1.1 Ein Kondensator ist mit einer Batterie, einer Glühlampe und einem Schalter verbunden, wie in der Abbildung dargestellt. Nehmen Sie an, dass der Schalter bereits vor längerer Zeit geschlossen wurde.

a. Ist die Helligkeit der Glühlampe nach Ihrer Erwartung *größer, geringer* oder *gleich* der einer Glühlampe, die direkt an die Batterie angeschlossen ist? Begründen Sie.

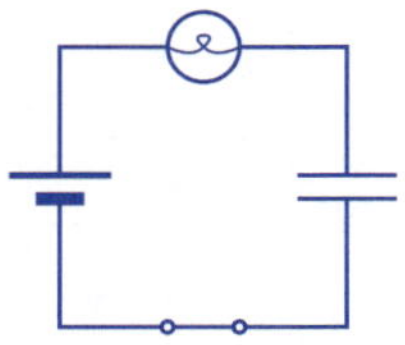

b. Vergleichen Sie die von Ihnen am Kondensator, an der Batterie und an der Glühlampe erwarteten Spannungen. Begründen Sie.

c. Beschreiben Sie kurz die Verteilung der Ladung auf den Kondensatorplatten.

Erinnern Sie sich an den Zusammenhang zwischen der Ladung auf einem Kondensator und der anliegenden Spannung. Beschreiben Sie mithilfe dieses Zusammenhangs, wie Sie ein Voltmeter benutzen können, um die Ladung auf einem Kondensator zu bestimmen.

d. Lassen Sie sich den Schaltkreis und ein Voltmeter geben. Überprüfen Sie Ihre Vermutungen in Teil a und b.

1.2 Entfernen Sie den Kondensator aus dem Schaltkreis.

a. Welche Spannungen erwarten Sie am ausgebauten Kondensator? Begründen Sie.

Überprüfen Sie Ihre Vermutung.

b. Erwarten Sie, dass die Spannung am ausgebauten Kondensator *zunimmt, abnimmt* oder *gleich bleibt*, wenn Sie *einen* der beiden Anschlüsse erden? Begründen Sie Ihre Antwort.

Überprüfen Sie Ihre Vermutung. (Sie können einen Heizkörper oder einen Wasserhahn als Erdung verwenden.)

c. Überlegen Sie sich eine Methode, um die Spannung am Kondensator auf Null zu reduzieren, und führen Sie diese durch. (Man nennt diesen Vorgang auch das *Entladen* des Kondensators.)

d. Man bezeichnet den Zustand des Kondensators in Teil 1.1 als von der Batterie *geladen*.

Hat der Kondensator eine Gesamtladung, nachdem er an der Batterie angeschlossen war?

Beschreiben Sie annhand Ihrer obigen Antwort, was mit *der Ladung* eines Kondensators gemeint ist.

2 Laden und Entladen von Kondensatoren

2.1 Ein ungeladener Kondensator wird nun mit einer Batterie und einer Glühlampe in Reihe geschaltet, wie in der Abbildung dargestellt.

a. Welches Verhalten der Glühlampe erwarten Sie, wenn der Schalter geschlossen wird? Begründen Sie.

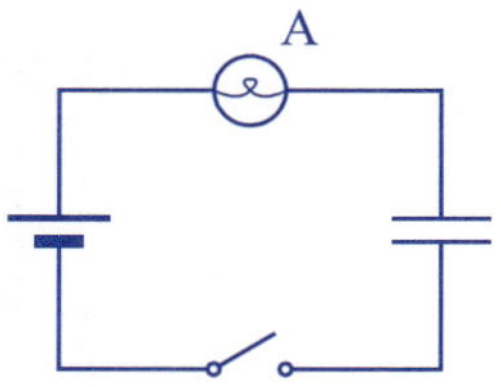

Bauen Sie den Schaltkreis auf und überprüfen Sie Ihre Vermutung.

Falls Ihre Beobachtung nicht mit Ihrer Vermutung übereinstimmt, geben Sie eine Erklärung für das, was sie beobachtet haben.

b. Bestimmen Sie, *ohne ein Voltmeter zu verwenden*, die Spannung am Kondensator zu den folgenden Zeiten:

- *sofort* nachdem der Schalter geschlossen wurde.

  Erläutern Sie, wie Sie zu Ihrer Aussage gelangt sind. (*Hinweis:* Vergleichen Sie die Helligkeit der Glühlampe mit der einer Glühlampe, die ohne Kondensator an eine Batterie angeschlossen ist.)

- *eine lange Zeit* nachdem der Schalter geschlossen wurde. Begründen Sie.

Überprüfen Sie Ihre Vorhersagen mithilfe eines Voltmeters. (*Hinweis:* Entladen Sie den Kondensator nach jeder Beobachtung vollständig.)

2.2 Der Kondensator wird im Folgenden mit zwei in Reihe geschalteten Glühlampen verbunden, wie in der Abbildung dargestellt.

a. Vergleichen Sie die von Ihnen erwarteten Helligkeiten von Glühlampe B und Glühlampe C unmittelbar nach Schließen des Schalters. Begründen Sie.

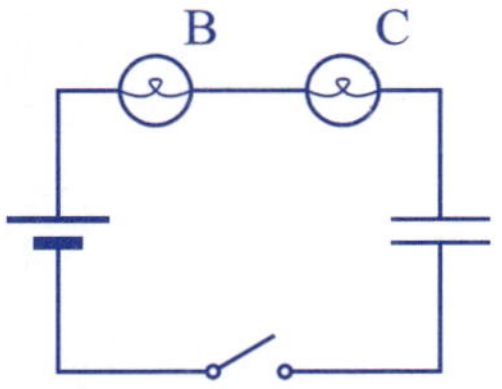

b. Vergleichen Sie die von Ihnen erwartete Helligkeit von Glühlampe B mit der von Glühlampe A (in 3.1) jeweils unmittelbar nach Schließen des Schalters. Begründen Sie.

Entladen Sie den Kondensator und bauen Sie den Schaltkreis mit dem ungeladenen Kondensator auf. Überprüfen Sie Ihre Vermutungen.

Falls Ihre Beobachtung nicht mit Ihrer Vermutung übereinstimmt, geben Sie eine Erklärung für das, was sie beobachtet haben.

ELEKTRIZITÄT UND MAGNETISMUS
Elektrische Stromkreise

c. Vergleichen Sie die Ladung auf dem Kondensator mit der Ladung des Kondensators in Teil 2.1, jeweils lange nach Schließen des Schalters.

Überprüfen Sie Ihre Vermutung mithilfe eines Voltmeters.

2.3 Die Glühlampen werden nun nicht in Reihe, sondern parallel geschaltet.

a. Vergleichen Sie die von Ihnen erwarteten Helligkeiten von Glühlampe D und Glühlampe E unmittelbar nach Schließen des Schalters. Begründen Sie.

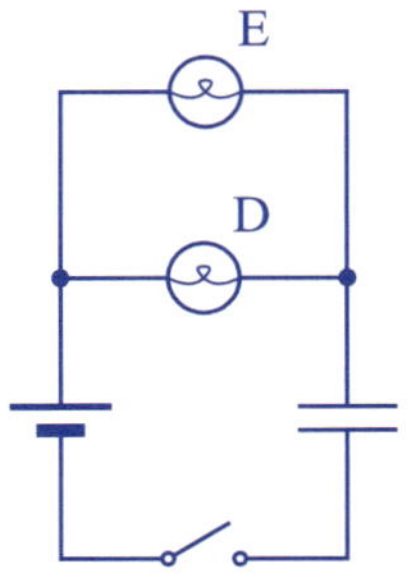

b. Vergleichen Sie die von Ihnen erwarteten Helligkeiten von Glühlampe D und den Glühlampen A, B und C aus den vorigen Schaltkreisen jeweils unmittelbar nach Schließen des Schalters. Begründen Sie.

c. Vergleichen Sie die Ladung auf dem Kondensator mit der Ladung des Kondensators in Teil 2.1, jeweils lange nach Schließen des Schalters.

Bauen Sie den Schaltkreis auf und überprüfen Sie Ihre Vermutungen.

Falls Ihre Beobachtungen nicht mit Ihren Vermutungen übereinstimmen, geben Sie eine Erklärung für das, was sie beobachtet haben.

2.4 Zwei Studierende diskutieren über die obigen Versuche:

Pieter: *„Der Kondensator mit den beiden in Reihe geschalteten Glühlampen wurde deutlich mehr aufgeladen als der Kondensator, der mit den parallel geschalteten Glühlampen verbunden war, denn der Reihenschaltkreis hat den Kondensator viel länger aufgeladen."*

Ewald: *„Ich bin anderer Meinung. Die parallel geschalteten Glühlampen waren deutlich heller. Deshalb hat der Kondensator dabei mehr Ladung aufgenommen."*

Stimmen Sie mit einer der beiden Aussagen überein? Begründen Sie.

2.5 Ein Kondensator mit kleinerer Kapazität als zuvor wird mit der Batterie und einer Glühlampe so verbunden wie in Teil 2.1.

a. Vergleichen Sie die von Ihnen unmittelbar nach Schließen des Schalters erwartete Spannung an der Glühlampe mit der entsprechenden Spannung in Teil 2.1. Begründen Sie.

b. Vergleichen Sie die von Ihnen unmittelbar nach Schließen des Schalters erwartete Helligkeit der Glühlampe mit der entsprechenden Helligkeit in Teil 2.1. Begründen Sie.

c. Vergleichen Sie die Ladung auf dem Kondensator mit der Ladung des Kondensators in Teil 2.1, jeweils lange nach Schließen des Schalters.

Bauen Sie den Schaltkreis auf und überprüfen Sie Ihre Vermutungen.

Falls Ihre Beobachtungen nicht mit Ihren Vermutungen übereinstimmen, geben Sie eine Erklärung für das, was sie beobachtet haben.

3 Mehrere Kondensatoren

Eine Glühlampe wird wie abgebildet mit einer Batterie und zwei Kondensatoren verbunden. C_1 ist kleiner als C_2.

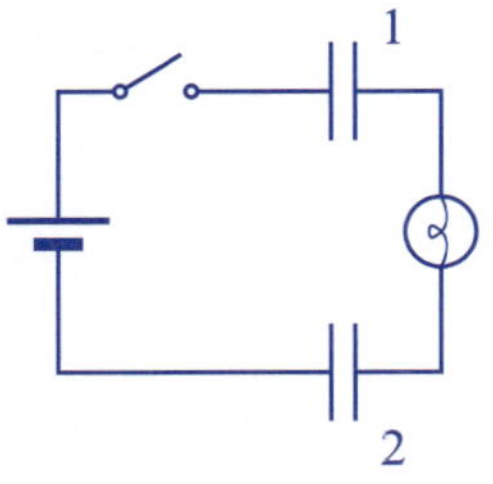

3.1 Vor dem Aufbau der Schaltung äußert der Student Benjamin die folgende Vermutung:

„Strom fließt vom Pluspol der Batterie zum Minuspol. Da die Glühlampe auf beiden Seiten von der Batterie getrennt ist, wird die Glühlampe nicht leuchten."

Stimmen Sie dieser Aussage zu? Begründen Sie.

Bitten Sie einen Tutor um einen zweiten Kondensator und überprüfen Sie Ihre Antwort.

3.2 Formulieren Sie für die folgenden Situationen Vermutungen anhand Ihrer Beobachtungen dieses Schaltkreises, ohne ein Voltmeter zu verwenden.

a. Unmittelbar nach dem Schließen des Schalters:

- Wie groß ist die Spannung an der Glühlampe? Erklären Sie, wie Sie das aus der Helligkeit der Glühlampe schlussfolgern können.

- Wie groß ist die Spannung an jedem der Kondensatoren? Begründen Sie Ihre Antwort.

b. Eine lange Zeit nach dem Schließen des Schalters:

- Wie groß ist die Spannung an der Glühlampe? Begründen Sie Ihre Antwort.

- Wie groß ist die Summe der Spannungen an den beiden Kondensatoren? Begründen Sie.

- Ist die Ladung auf Kondensator 1 *größer, kleiner* oder *gleich* der Ladung auf Kondensator 2? Begründen Sie.

- Ist die Spannung an Kondensator 1 *größer, kleiner* oder *gleich* der Spannung an Kondensator 2? Begründen Sie.

Überprüfen Sie Ihre Vermutungen in Teil 3.2 mithilfe eines Voltmeters.

1 Magnetische Materialien

1.1 Untersuchen Sie die Gegenstände, die Ihnen gegeben wurden (Magnete, Metallgegenstände, Kork, Plastik, Holz usw.). Teilen Sie die Gegenstände nach ihren Wechselwirkungen miteinander in drei Klassen ein.

a. Ordnen Sie die Gegenstände den drei Klassen zu.

Klasse 1 Klasse 2 Klasse 3

b. Füllen Sie die nachfolgende Tabelle aus. Beschreiben Sie jeweils in ein oder zwei Worten die Wechselwirkung zwischen den Gegenständen aus derselben und aus verschiedenen Klassen.

Tabelle der Wechselwirkungen

	Klasse 1	Klasse 2	Klasse 3
Klasse 1			
Klasse 2			
Klasse 3			

c. Sind alle Metalle in derselben Klasse?

d. In welcher Klasse sind die Magnete? Handelt es sich bei allen Gegenständen in dieser Klasse um Magnete?

1.2 Lassen Sie sich die beiden Gegenstände für diese Aufgabe geben. Einer davon ist ein Magnet, der andere wird von diesem Magneten angezogen, aber nicht abgestoßen.

Angenommen Sie wissen nicht, welcher der beiden Gegenstände der Magnet ist. Überlegen Sie sich ein Verfahren, um nur mithilfe der beiden Gegenstände den Magneten zu identifizieren. (*Hinweis:* Gibt es an einem der beiden Gegenstände bestimmte Stellen, die nicht genau so stark wechselwirken wie andere?)

1.3 Die Stellen eines Permanentmagneten, die besonders stark wechselwirken, nennt man die *Pole* des Magneten.

Wie viele magnetische Pole haben die Magnete? Erläutern Sie, wie Sie diese gefunden haben.

Wie viele *verschiedene* Pole haben Sie bisher gefunden? Begründen Sie.

Verwenden Sie drei Magnete und finden Sie ein Verfahren, um die *verschiedenen* Pole zu unterscheiden.

1.4 Beschreiben Sie, wie Sie mit einem *ungeladenen* Testkügelchen (aus Styropor), dass an einem Faden aufgehängt ist, prüfen können, ob ein Körper elektrisch geladen ist.

Welches Verhalten erwarten Sie, wenn ein ungeladenes Testkügelchen in die Nähe eines Magnetpols gebracht wird? Begründen Sie.

Überprüfen Sie Ihre Vermutung mit einem Testkügelchen. Notieren Sie Ihre Ergebnisse.

Welches Verhalten erwarten Sie, aufgrund Ihrer bisherigen Beobachtungen, wenn das Testkügelchen in die Nähe des anderen Pols des Magneten gebracht wird. Überprüfen Sie Ihre Vermutung.

Besitzt der Nord- bzw. Südpol eines Magneten *elektrische Ladung?* Begründen Sie.

1.5 Eine Büroklammer wird an einem Faden in einem Aluminium-beschichteten Becher wie abgebildet aufgehängt.

a. Welches Verhalten der Büroklammer *erwarten* Sie, wenn ein geladener Stab in die Nähe des Bechers gebracht wird. Begründen Sie Ihre Vermutung mithilfe Ihres Wissens über das elektrische Feld im Innern des Bechers.

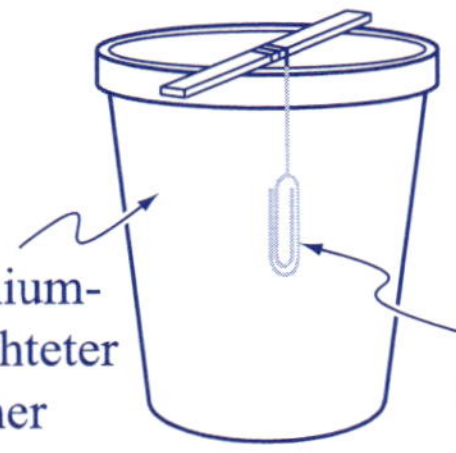

Überprüfen Sie Ihre Vermutung mit entsprechenden Materialien. Diskutieren Sie dieses Experiment in Ihrer Arbeitsgruppe.

Welches Verhalten *erwarten* Sie, wenn sich die Büroklammer außerhalb des Bechers befindet, während der geladene Stab in ihre Nähe gebracht wird. Begründen Sie Ihre Vermutung und überprüfen Sie diese.

b. Bringen Sie einen Magneten in die Nähe des Bechers und beobachten Sie, was mit der Büroklammer im Innern des Bechers passiert. Notieren Sie Ihre Beobachtung.

1.6 Deuten Ihre Beobachtungen darauf hin, dass es sich bei der magnetischen und der elektrischen Wechselwirkung um *dieselbe* oder *verschiedene* Wechselwirkungen handelt. Begründen Sie.

2 Magnetische Felder

Wir haben beobachtet, dass Magnete auch dann Wechselwirkungen zeigen, wenn sie nicht in direktem Kontakt sind. In der Elektrostatik haben wir die Vorstellung eines elektrischen Feldes benutzt, um die Wechselwirkung zwischen Ladungen zu beschreiben, die einen Abstand voneinander hatten. Für magnetische Wechselwirkungen definieren wir in entsprechender Weise ein *magnetisches Feld.*

2.1 Bitten Sie einen Tutor um einen Kompass.

a. Untersuchen Sie mithilfe des Kompasses die Umgebung eines Stabmagneten.

Beschreiben Sie das Verhalten der Kompassnadel sowohl in der Nähe der Pole des Magneten als auch im Bereich zwischen den Polen.

Zu welcher der drei Klassen in Abschnitt 1 gehört die Kompassnadel? Begründen Sie.

b. Bewegen Sie den Kompass möglichst weit weg von allen anderen Gegenständen. Schütteln Sie den Kompass leicht und beschreiben Sie das Verhalten der Kompassnadel.

Verhält sich die Kompassnadel so, als befände sie sich in einem magnetischen Feld (d. h. im Wechselwirkungsbereich eines anderen Magneten)?

Wir können das Verhalten der Kompassnadel erklären, wenn wir annehmen, dass sie mit der Erde wechselwirkt. Dabei gehen wir davon aus, dass die Erde ebenfalls zu einer der drei Klassen aus Abschnitt 1 gehört.

Zu welcher Klasse gehört die Erde Ihrer Beobachtung nach? Begründen Sie Ihre Entscheidung.

c. Wir legen fest, dass der *Nordpol* dasjenige Ende eines Stabmagneten ist, das nach Norden zeigt, wenn der Magnet von anderen Gegenständen weit entfernt ist und sich frei drehen kann.

Ist der geografische Nordpol der Erde ein magnetischer Nordpol oder ein magnetischer Südpol?

Verwenden Sie Ihren Kompass, um an einem unmarkierten Stabmagneten den Nordpol zu bestimmen.

2.2 Legen Sie einen Stabmagneten auf eine Vergrößerung der Abbildung rechts.

a. Legen Sie den Kompass an jeden der bezeichneten Punkte und markieren Sie jeweils die Richtung der Kompassnadel an dieser Stelle.

Diskutieren Sie in Ihrer Gruppe, wie die Wechselwirkung der Kompassnadel mit dem Magneten vom Ort des Kompasses in der Nähe des Magneten aussieht.

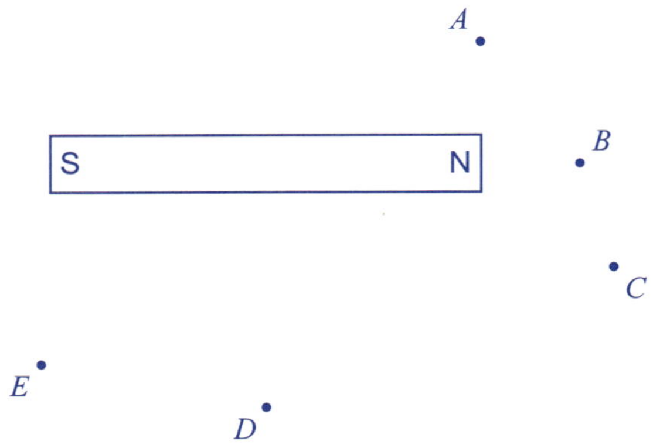

Überlegen Sie sich ein Verfahren, mit dessen Hilfe Sie die Stärke des magnetischen Feldes an den verschiedenen Punkten näherungsweise vergleichen können. Begründen Sie.

b. Wir *legen fest,* dass die Richtung des magnetischen Feldes an einem Punkt mit der Richtung übereinstimmt, in die der Nordpol einer Kompassnadel an dieser Stelle zeigt.

Ändern Sie die Pfeile auf dem Arbeitsblatt in magnetische *Feldvektoren,* d. h. zeichnen Sie die Pfeile so, dass sie vom betrachteten Punkt ausgehen und sowohl die Richtung als auch die Stärke des Magnetfeldes wiedergeben.

2.3 Bitten Sie einen Tutor um einige kleine Magnete. Setzen Sie diese so zusammen, dass sich ein Stabmagnet mit etwa denselben Abmessungen ergibt wie in Teil 2.2. Legen Sie diesen auf eine Vergrößerung der Abbildung rechts.

a. Zeichnen Sie die magnetischen Feldvektoren an den Punkten A bis E.

Vergleichen Sie das magnetische Feld des zusammengesetzten Magneten mit dem des Stabmagneten.

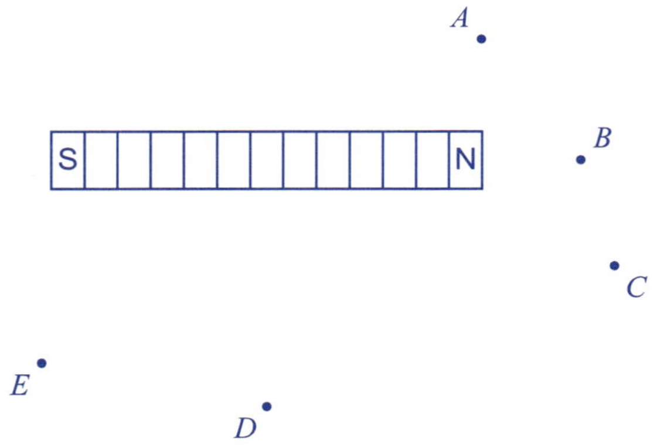

b. Teilen Sie den Stapel in zwei Hälften und untersuchen Sie die Stellen, an denen der Stapel geteilt wurde. Wie viele Nord- und Südpole gibt es jetzt?

Was lässt Ihre Beobachtung über das Verhalten eines Stabmagneten vermuten, wenn man diesen in zwei Teile bricht?

c. Zeichnen Sie auf Ihrem Arbeitsblatt die magnetischen Feldvektoren an den sechs angegebenen Punkten A bis F ein, wenn nur die rechte Hälfte des Stapels vorhanden ist.

Zeichnen Sie mit einem andersfarbigen Stift die magnetischen Feldvektoren an den sechs Punkten ein, wenn nur die linke Hälfte des Stapels vorhanden ist.

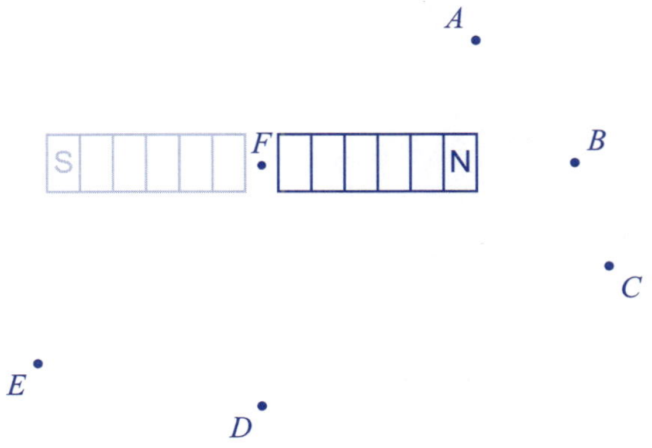

Vergleichen Sie die Feldvektoren für die beiden Hälften des Stapels mit den Feldvektoren für den vollständigen Stapel.

Stimmen Ihre Beobachtungen mit der Vorstellung überein, dass das magnetische Feld das Superpositionsprinzip erfüllt? Begründen Sie.

Was können Sie aus Ihren Beobachtungen über die Richtung des magnetischen Feldes im Innern eines Stabmagneten schließen? Begründen Sie.

Zeichnen Sie die magnetischen Feldvektoren an einigen Stellen innerhalb des Magneten.

Zeigt das Magnetfeld eines Stabmagneten immer vom Nordpol zum Südpol des Magneten?

Was vermuten Sie über die Stärke des Magnetfeldes im Innern im Vergleich zu dem Magnetfeld außerhalb des Magneten?

1 Kräfte auf stromdurchflossene Leiter im Magnetfeld

1.1 Für die nachfolgenden Experimente benötigen Sie folgende Gegenstände:

- Magnet
- Holzstab
- Stativ mit Stativklemme
- Batterie
- zwei Büroklammern
- zwei Verbindungskabel mit Klemmen
- 30 cm festen Draht
- Kompass

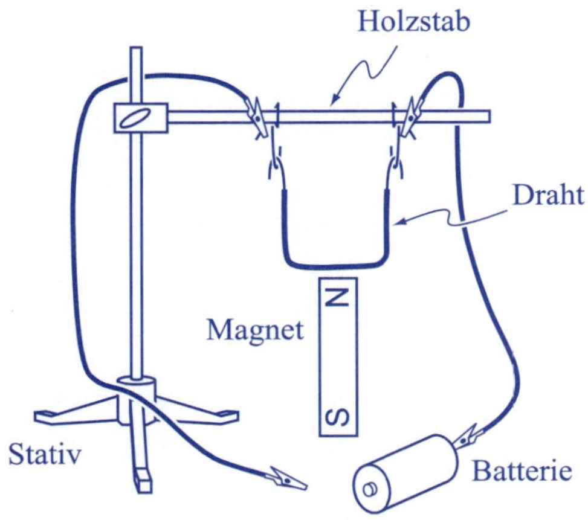

Hängen Sie den Draht so an die Büroklammern, dass er frei schwingen kann (siehe Abbildung). Schließen Sie den Stromkreis erst dann, wenn Sie im Text dazu aufgefordert werden.

a. Skizzieren Sie die Feldlinien des Magneten in der unten stehenden Abbildung. Verwenden Sie ggf. auch eine Vergrößerung der Abbildung.

Zeichnen Sie die Richtung des Stromflusses ein, wenn der Stromkreis geschlossen wird.

Welche Richtung erwarten Sie für die Kraft, die der Magnet auf den Draht ausübt, wenn der Stromkreis geschlossen wird? Begründen Sie Ihre Antwort.

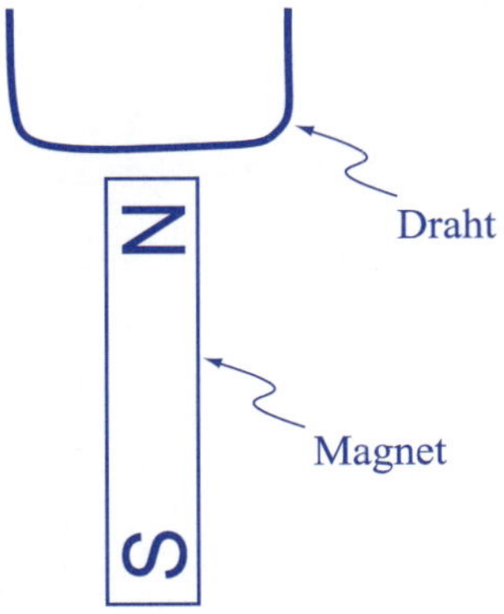

Überprüfen Sie Ihre Vermutung. (Schließen Sie den Stromkreis immer nur für ein oder zwei Sekunden, da sonst die Batterie, der Draht und die Verbindungskabel sehr heiß werden.)

b. Geben Sie anhand Ihrer Beobachtungen aus Teil a für die folgenden fünf Fälle an, in welche Richtung der Draht ausgelenkt wird. Stellen Sie zuerst alle fünf Vermutungen auf, bevor Sie diese dann experimentell überprüfen.

i. Der Magnet wird umgedreht, sodass sich jetzt der Südpol direkt unterhalb des Drahtes befindet.

Vermutung:

Beobachtung:

ii. Die Anschlüsse an der Batterie werden vertauscht. (Betrachten Sie beide Orientierungen des Magneten.)

Vermutung:

Beobachtung:

iii. Der Nordpol des Magneten wird in die Nähe des Drahtes gebracht, ohne dass diesmal die Batterie angeschlossen wird.

Vermutung:

Beobachtung:

iv. Der Nordpol des Magneten wird (a) in größerem Abstand bzw. (b) in geringerem Abstand unterhalb des Drahtes gehalten.

Vermutung:

Beobachtung:

v. Der Magnet wird parallel unterhalb des Drahtes gehalten.

Vermutung:

Beobachtung:

Sofern zwischen Ihren Vermutungen und Ihren Beobachtungen Widersprüche auftreten, lösen Sie diese auf. (*Hinweis*: Beachten Sie die Vektorgleichung für die magnetische Kraft auf einen stromdurchflossenen Leiter in einem Magnetfeld: $\vec{F} = i\vec{L} \times \vec{B}$.)

2 Das Magnetfeld eines stromdurchflossenen Leiters

Führen Sie die nachfolgend beschriebenen Versuche erst dann durch, wenn Sie Ihre Vermutungen schriftlich festgehalten haben.

2.1 Angenommen, Sie bringen einen kleinen, drehbar gelagerten Magneten in ein Magnetfeld, wie wird sich der Magnet zu den Feldlinien ausrichten? Skizzieren Sie Ihre Antwort.

2.2 Sie halten einen Kompass waagerecht unter den Draht, wie in der Abbildung zu sehen. (Ein Kompass enthält eine drehbar gelagerte Magnetnadel.)

a. In welche Richtung zeigt die Kompassnadel, wenn der Stromkreis geschlossen wird? Skizzieren Sie die Richtung des Stromflusses im Draht, die Richtung des Magnetfeldes und die erwartete Orientierung der Kompassnadel.

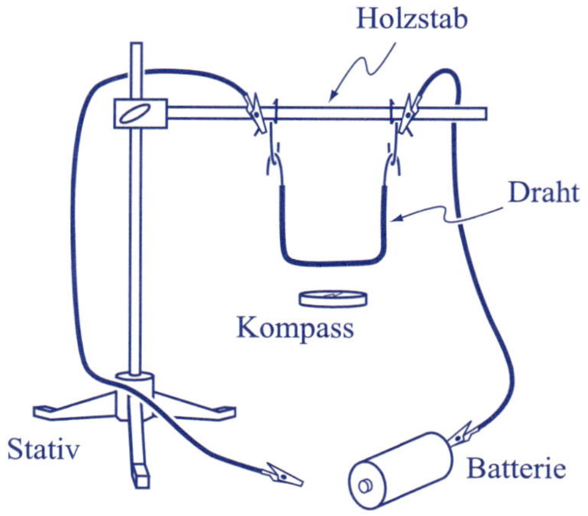

b. Überprüfen Sie Ihre Vermutung. Lösen Sie eventuelle Widersprüche auf. (*Hinweis*: Gibt es noch weitere Magnetfelder, welche die Kompassnadel beeinflussen?)

2.3 Sie halten den Kompass an anderen Stellen in der Nähe des Drahtes (z. B. oberhalb oder neben dem Draht). In welche Richtung zeigt nach Ihrer Erwartung die Kompassnadel an den verschiedenen Stellen, wenn der Stromkreis geschlossen wird? Skizzieren Sie Ihre Vermutungen.

Überprüfen Sie Ihre Vermutungen und lösen Sie eventuelle Widersprüche auf.

2.4 Skizzieren Sie die Feldlinien des Magnetfeldes eines stromdurchflossenen Leiters. Zeichnen Sie auch die Richtung des Stromes ein.

3 Leiterschleifen und Spulen

3.1 Ein Draht wird zu einem Rechteck gebogen und die Zuleitungen werden miteinander verdrillt. So entsteht eine Leiterschleife mit den Seiten A bis D. Die Stromrichtung ist eingezeichnet. (Es gilt: ⊙ bedeutet Strom aus der Papierebene heraus, ⊗ Strom in die Papierebene hinein.)

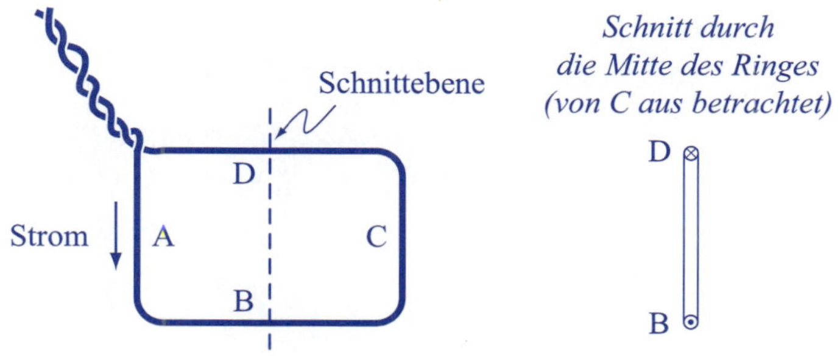

a. Zeichnen Sie in die oberen beiden Abbildungen die Feldlinien des Magnetfeldes der Leiterschleife ein. (*Hinweis*: Gehen Sie dabei vom Feld eines stromdurchflossenen Drahtes aus.)

Begründen Sie, warum das durch die Zuleitungen hervorgerufene Magnetfeld vernachlässigt werden kann.

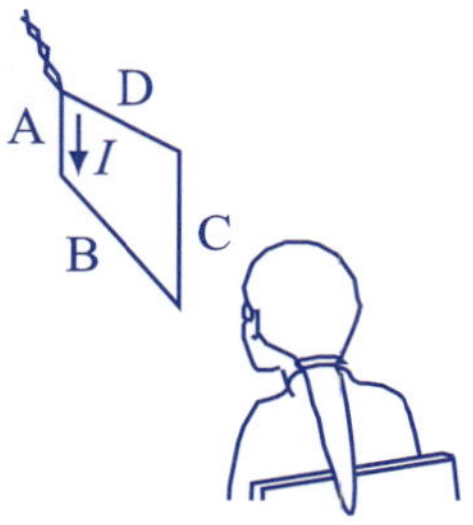

b. Betrachten Sie das Magnetfeld eines Stabmagneten.

Vergleichen Sie die Feldlinien der Leiterschleife mit denen eines kurzen Stabmagneten.

Ist es möglich, im Fall der Leiterschleife einen „Nordpol" und einen „Südpol" anzugeben?

Bei vorgegebener Richtung des Stromes können Sie mithilfe Ihrer rechten Hand die Orientierung der „Magnetpole" einer Leiterschleife bestimmen. Geben Sie eine Regel dafür an.

ELEKTRIZITÄT UND MAGNETISMUS
Magnetismus

3.2 Eine kleine stromdurchflossene Leiterschleife wird in die Nähe eines großen Magneten gebracht, wie in der Abbildung rechts dargestellt.

a. Zeichnen Sie Vektoren ein, welche die magnetischen Kräfte auf die beiden Seiten der Leiterschleife darstellen.

Welche Wirkung haben beide Kräfte zusammen?

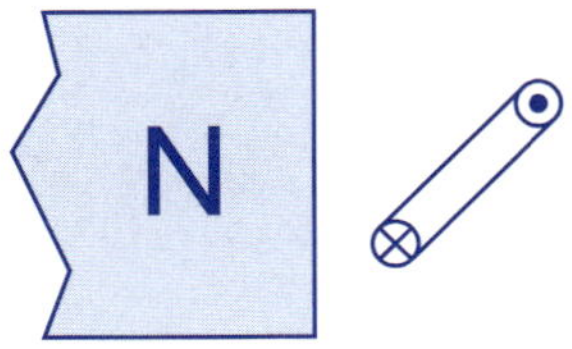

b. Die Leiterschleife wird gedreht und befindet sich nun in der rechts abgebildeten Orientierung.

Welche Wirkung haben beide Kräfte in diesem Fall?

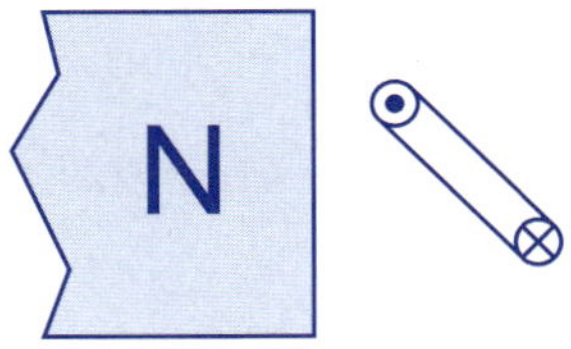

Gibt es eine Ausrichtung der Leiterschleife, für die das resultierende Drehmoment gleich Null ist? Skizzieren Sie Ihre Antwort.

c. Sind Ihre obigen Antworten damit vereinbar, dass eine stromdurchflossene Leiterschleife als ein kleiner Magnet betrachtet werden kann? Kennzeichnen Sie die Magnetpole der Leiterschleife in den Diagrammen, um Ihre Antwort zu überprüfen.

d. Welchen Effekt würden Sie zusätzlich zu einer Drehung noch beobachten, wenn Sie an die Stelle der Leiterschleife einen kleinen Magneten halten würden?

Lässt sich dieser Effekt auch anhand der Kräfte auf die Seiten der Leiterschleife nachvollziehen? (*Hinweis:* Sind die Kräfte auf die beiden Seiten genau entgegengesetzt gerichtet und vom Betrag gleich?)

3.3 Eine Spule ist eine Anordnung vieler Leiterschleifen nebeneinander (siehe Abbildung). Der Strom durch jede Schleife ist gleich groß und fließt in der eingezeichneten Richtung.

Lassen Sie sich eine vergrößerte Abbildung der Spule geben oder skizzieren Sie diese selbst.

a. Zeichnen Sie an jedem der markierten Punkte einen Vektor ein, der Richtung und Betrag des Magnetfeldes darstellt. Verwenden Sie dabei das Superpositionsprinzip.

b. Skizzieren Sie die Magnetfeldlinien auf der vergrößerten Darstellung.

Beschreiben Sie das Magnetfeld im Inneren der Spule.

Schnittbild der Spule

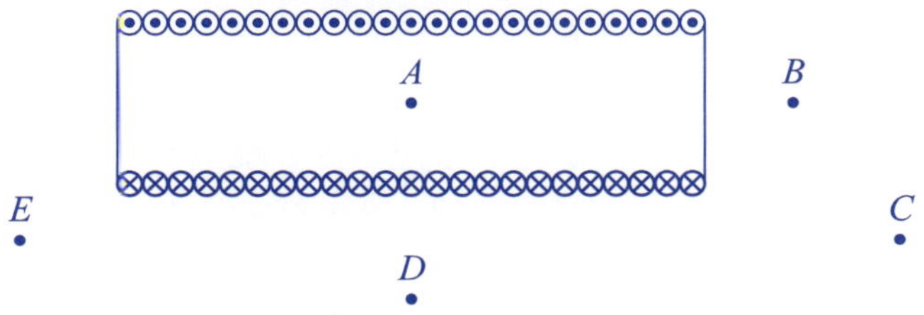

c. Vergleichen Sie das Magnetfeld an den Punkten A bis E mit dem Feld an den entsprechenden Punkten innerhalb bzw. außerhalb eines Stabmagneten.

Welches Ende der Spule entspricht einem Nordpol, welches einem Südpol?

d. Wie wird das Magnetfeld innerhalb der Spule durch folgende Veränderungen beeinflusst? Begründen Sie Ihre Antworten.

- Der Strom durch die Leiterschleifen wird verdoppelt.

- Die Anzahl der Leiterschleifen wird bei gleicher Länge der Spule und gleichem Strom verdoppelt.

1 Induzierte Ströme

1.1 Ein Ring aus Kupferdraht befindet sich in einem homogenen Magnetfeld. Geben Sie für die folgenden Fälle jeweils an, ob in dem Ring ein Strom fließt. Begründen Sie Ihre Antwort, indem Sie untersuchen, welche magnetischen Kräfte auf die Ladungen im Ring ausgeübt werden.

- Der Ring bewegt sich nicht.
- Der Ring bewegt sich nach links.
- Der Ring bewegt sich nach rechts.

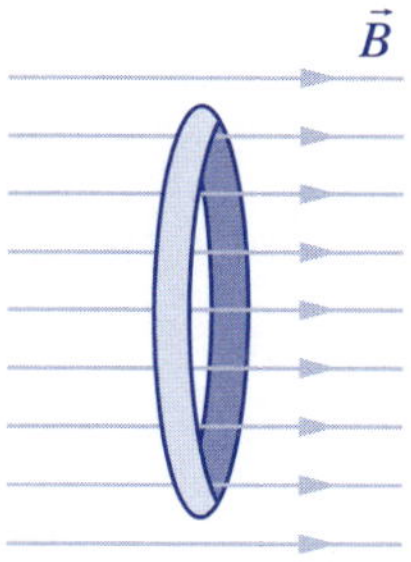

1.2 Nehmen Sie an, dass sich der Ring nun im Magnetfeld einer Spule befindet.

a. Geben Sie für die folgenden Fälle jeweils an, ob in dem Ring ein Strom fließt. Wenn ja, geben Sie die Stromrichtung an. Untersuchen Sie dazu, ob (und ggf. in welche Richtung) auf die Ladungen im Ring magnetische Kräfte ausgeübt werden.

- Der Ring bewegt sich nicht.
- Der Ring bewegt sich auf die Spule zu.
- Der Ring entfernt sich von der Spule.

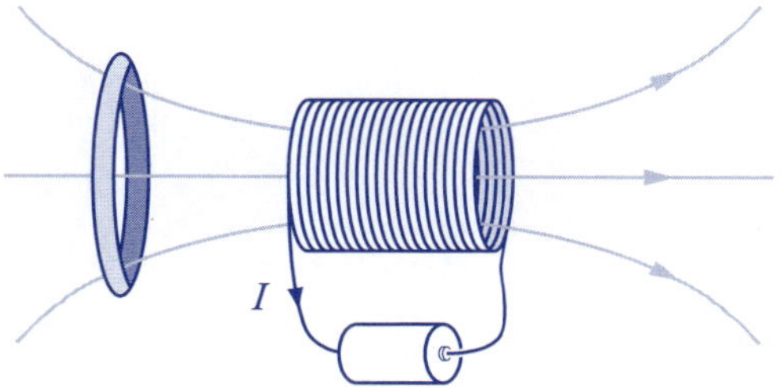

b. Geben Sie für die Fälle, in denen ein Strom induziert wird, an,

- in welche Richtung das *magnetische Moment* (des Rings) zeigt; (*Hinweis:* Bestimmen Sie die Richtung des durch den induzierten Strom hervorgerufenen Magnetfeldes in der Mitte des Ringes. Das magnetische Moment hat dieselbe Richtung.)
- ob der Ring von der Spule *angezogen* oder *abgestoßen* wird;
- ob die Kraft, die auf den Ring wirkt, die Bewegung des Rings relativ zur Spule *verstärkt* oder *abschwächt.*

1.3 Die folgenden Abbildungen zeigen einen Ring zu den Zeiten t_o und $t_o + \Delta t$. Der Ring ist in beiden Fällen zu Anfang in Ruhe und wird dann im Fall A nach *rechts*, im Fall B nach *links* bewegt. Bestimmen Sie

- die Richtung des induzierten Stroms im Ring,
- das daraus resultierende magnetische Moment des Ringes,
- einen Flächenvektor für jeden der Ringe,
- das Vorzeichen des durch das äußere Magnetfeld hervorgerufenen Flusses und
- das Vorzeichen des induzierten Flusses.

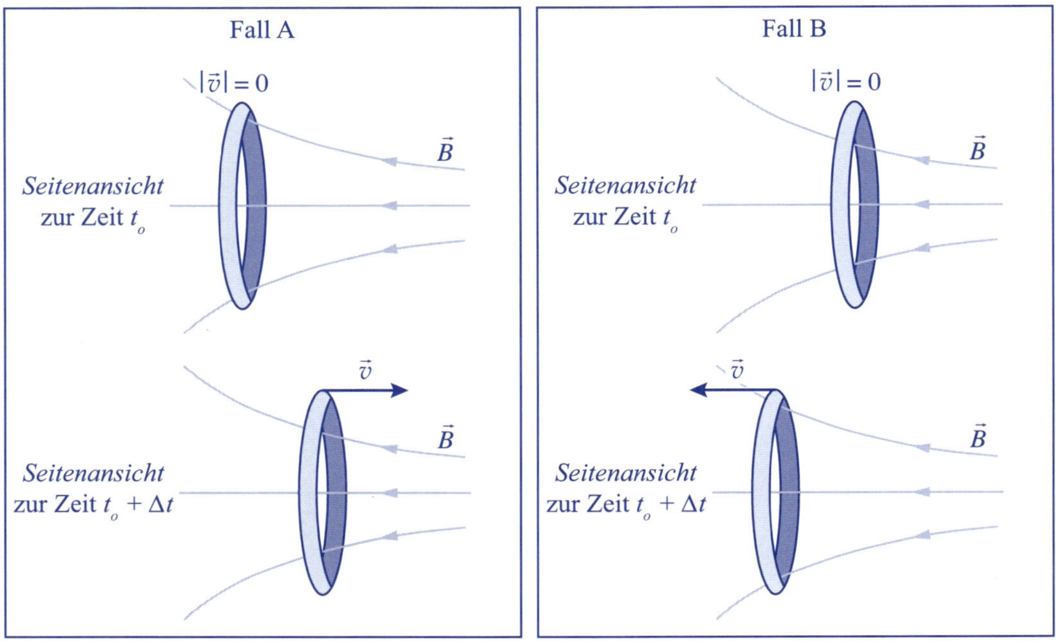

1.4 Welchen der folgenden Aussagen von drei Studierenden stimmen Sie zu? Begründen Sie Ihre Zustimmung oder geben Sie ein Gegenbeispiel an. (*Hinweis:* Betrachten Sie die beiden obigen Fälle A und B.)

Michael: ***„Das durch den Strom im Ring induzierte Magnetfeld ist immer dem äußeren Magnetfeld entgegengesetzt."***

Heinrich: ***„Das Vorzeichen des induzierten magnetischen Flusses ist immer dem Vorzeichen des magnetischen Flusses aufgrund des äußeren Magnetfeldes entgegengesetzt."***

Floris: ***„Der Fluss aufgrund des induzierten Stroms im Ring wirkt der Änderung des Flusses aufgrund des äußeren Magnetfeldes immer entgegen."***

→ Überprüfen Sie Ihre Ergebnisse mit einem Tutor bevor Sie Ihre Arbeit fortsetzen.

2 Die Lenz'sche Regel

Wir haben bisher einige Situationen mit induzierten Strömen untersucht und dabei erste Vermutungen formuliert. Nun soll ein Experiment betrachtet werden, mit dem wir diese Vermutungen testen können.

2.1 Die Abbildung zeigt einen Kupferring in einem homogenen Magnetfeld. Die Feldstärke *nimmt* mit der Zeit *ab*.

a. Stellen Sie eine Vermutung über das Auftreten eines induzierten Stroms im Kupferring an mithilfe

- der Annahme, dass auf jede Ladung, die sich durch ein Magnetfeld bewegt, eine magnetische Kraft wirkt,

- derjenigen Aussage aus Teil 1.4, der Sie zugestimmt haben.

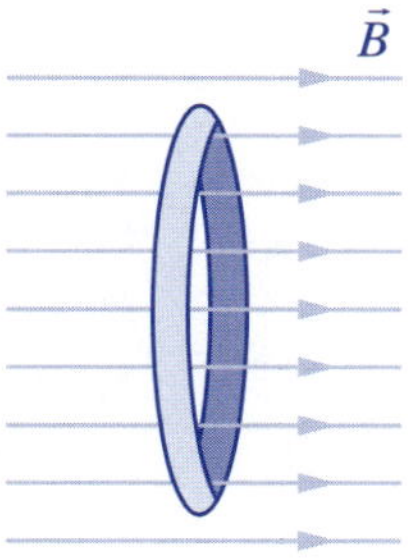

b. Es wird bei diesem Experiment festgestellt, dass ein Strom fließt. Verwenden Sie die zutreffende Überlegung aus Teil a, um die Richtung des Stroms durch den Ring zu bestimmen.

In Abschnitt 1 konnten wir für das Verständnis der Wechselwirkung zwischen Ring und Spule die Vorstellung benutzen, dass auf ein geladenes Teilchen, das sich in einem Magnetfeld bewegt, eine Kraft ausgeübt wird. In den Fällen, in denen sich Ring und Spule relativ zueinander bewegt haben, wurde ein Strom induziert. Auch in Situationen, in denen keine Relativbewegung auftritt, kann jedoch (wie im Beispiel auf dieser Seite) ein Strom induziert werden. Dies lässt sich nicht mit der Kraft auf bewegte Ladungen erklären. Die *Lenz'sche Regel* kann jedoch *in allen Fällen* angewendet werden, um das Vorhandensein und die Richtung eines induzierten Stroms zu bestimmen.

2.2 Diskutieren Sie in Ihrer Arbeitsgruppe die Formulierung der Lenz'schen Regel in Ihrem Lehrbuch. Klären Sie den Zusammenhang mit derjenigen Aussage in Teil 1.4, der Sie zugestimmt haben.

2.3 Eine Leiterschleife bewegt sich in ein homogenes Magnetfeld. Das Magnetfeld zeigt in die Zeichenebene hinein.

Die Abbildung zeigt die Leiterschleife zu zwei Zeitpunkten: $t = t_1$ und $t = t_1 + \Delta t$.

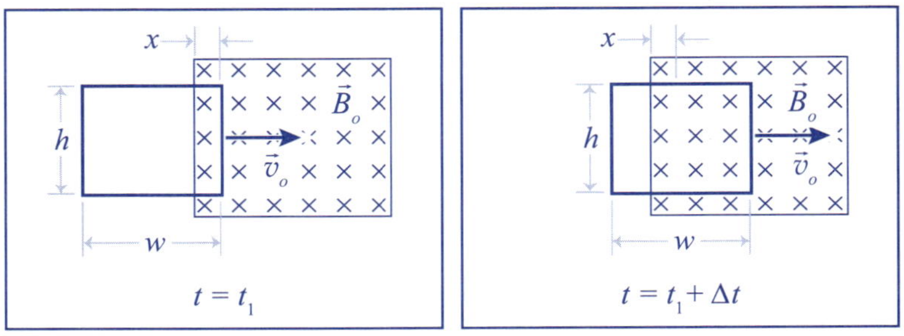

a. Ist der magnetische Fluss durch die Leiterschleife aufgrund des äußeren Feldes *positiv, negativ* oder *gleich Null:*

- zur Zeit $t = t_1$?
- zur Zeit $t = t_1 + \Delta t$?

b. Ist die Änderung des magnetischen Flusses im Zeitintervall Δt *positiv, negativ* oder *gleich Null?*

c. Bestimmen Sie anhand der *Lenz'schen Regel,* ob der magnetische Fluss, der durch den induzierten Strom entsteht, *positiv, negativ* oder *gleich Null* ist.

d. In welche Richtung fließt der Strom in der Leiterschleife in diesem Zeitintervall?

2.4 Das Bild rechts zeigt die Leiterschleife zu zwei späteren Zeitpunkten, $t = t_2$ und $t = t_2 + \Delta t$.

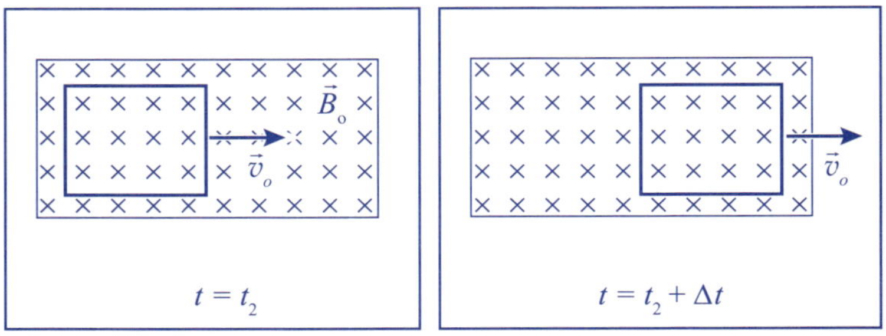

a. Bestimmen Sie auch hier anhand der Lenz'schen Regel, ob der magnetische Fluss, der durch den induzierten Strom in der Leiterschleife hervorgerufen wird, *positiv, negativ* oder *gleich Null* ist. Begründen Sie Ihre Antwort.

b. Beschreiben Sie den Strom im Ring während dieses Zeitintervalls.

c. Zwei Studenten diskutieren die obige Situation:

James: ***„Das Vorzeichen des magnetischen Flusses ist das gleiche wie in Teil 2.3. Also muss der Strom auch hier gegen den Uhrzeigersinn fließen."***

George: ***„Ich stimme zu. Die Kraft auf eine positive Ladung in der rechten Seite der Leiterschlaufe muss nach oben zeigen. Das stimmt mit einem gegen den Uhrzeigersinn fließenden Strom überein."***

Stimmen Sie einer der Aussagen zu? Begründen Sie.

1 Das Faraday'sche Gesetz

Zwei Ringe mit gleichem Radius befinden sich in der Nähe einer Spule. Beide Ringe sind vom Ende der Spule gleich weit entfernt und haben denselben Abstand von der Achse der Spule.

1.1 Der Widerstand von Ring 2 ist größer als der von Ring 1. (Die Ringe bestehen aus unterschiedlichem Material.)

a. Gibt es zu den folgenden Zeitpunkten einen induzierten Strom in einem der Ringe:

- bevor der Schalter geschlossen wird? Begründen Sie.
- unmittelbar nachdem der Schalter geschlossen wurde? Begründen Sie.
- lange Zeit nach Schließen des Schalters? Begründen Sie.

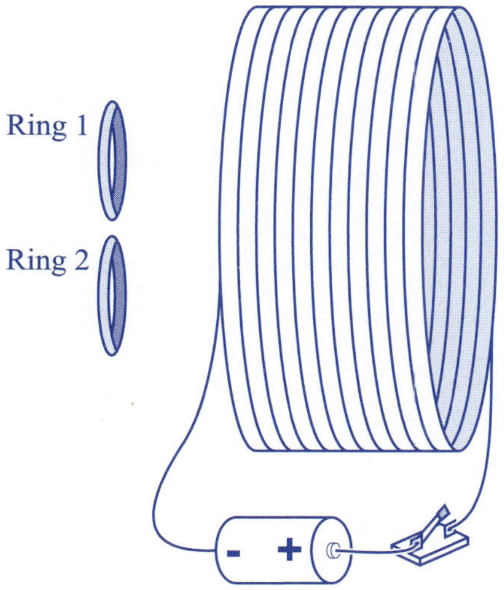

b. Geben Sie für die Zeitspanne, in der ein Strom durch die Ringe fließt, die Richtung dieses Stroms an.

c. Experimentell ergibt sich, dass das Verhältnis der induzierten Ströme dem Kehrwert des Verhältnisses der Widerstände der beiden Ringe entspricht.

Was können Sie aus diesem Ergebnis über das Verhältnis der induzierten *Spannungen* (genauer: *elektromotorischen Kräfte*) in den beiden Ringen schließen?

1.2 Ring 2 wird durch einen Holzring ersetzt.

- Wird auch im Holzring eine Spannung induziert?
- Fließt auch im Holzring ein induzierter Strom?

1.3 Ring 2 wird vollständig entfernt. Betrachten Sie den kreisförmigen Weg, den der Ring zuvor eingenommen hat.

- Wird auch entlang dieses kreisförmigen Weges eine Spannung induziert? Begründen Sie.
- Fließt auch entlang des kreisförmigen Weges ein induzierter Strom? Begründen Sie.

Die Ergebnisse der vorhergehenden Untersuchungen lassen sich mithilfe der folgenden Vorstellung verstehen: Eine Änderung des magnetischen Flusses durch die Fläche einer Schleife induziert in dieser eine Spannung. (Diese Größe wird eigentlich als *elektromotorische Kraft* bezeichnet, da es sich nicht um eine Spannung im Sinne einer Potentialdifferenz handelt. Wir verwenden hier dennoch den üblichen Begriff der induzierten Spannung.) Ist die betrachtete Schleife leitfähig (also z. B. ein Draht), so fließt dabei ein Strom. Die induzierte Spannung ist vom Material der Schleife unabhängig, der induzierte Strom dagegen nicht. Im Experiment findet man, dass die induzierte Spannung proportional zur Änderungsrate des magnetischen Flusses durch die Schleife ist. Diesen Zusammenhang nennt man das Faraday'sche Induktionsgesetz. Die Richtung des induzierten Stroms ergibt sich aus der Lenz'schen Regel.

1.4 Drei Leiterschleifen aus dem gleichen Draht befinden sich in der Nähe identischer Spulen wie abgebildet. Die Spulen sind in Reihe geschaltet. Betrachten Sie das magnetische Feld in der Nähe der Spulen als homogen.

Schleife 2 besteht aus einem doppelt so langen Draht wie Schleife 1 und hat zwei Windungen. Schleife 3 besteht aus einem halb so langen Draht wie Schleife 1.

Unmittelbar nach Schließen des Schalters steigt der Strom durch die Batterie an. Die folgenden Fragen beziehen sich auf die Zeitspanne, in welcher der Strom zunimmt.

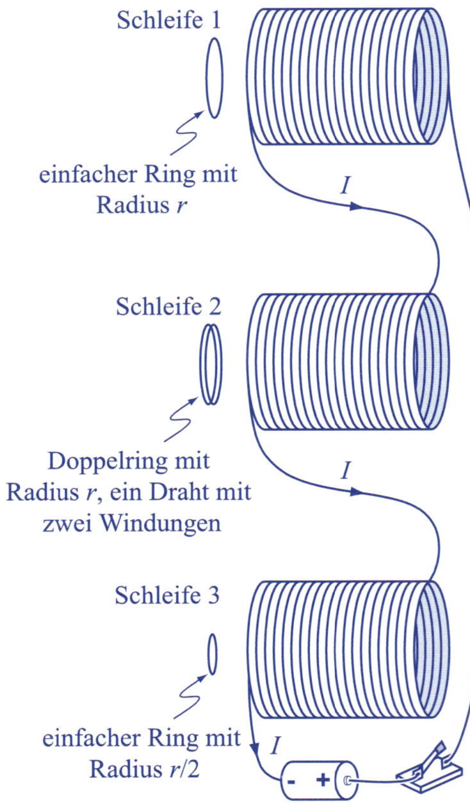

a. U_{ind} bezeichnet die induzierte Spannung in Schleife 1. Bestimmen Sie die induzierte Spannung in den anderen Schleifen, in Abhängigkeit von U_{ind}. Begründen Sie Ihre Antwort.

b. R bezeichnet den Widerstand von Schleife 1. Bestimmen Sie den Widerstand der anderen Schleifen, in Abhängigkeit von R. Begründen Sie.

c. Bestimmen Sie den induzierten Strom für jede der Schleifen, in Abhängigkeit von U_{ind} und R.

2 Anwendungen

2.1 Galvanometer

Bitten Sie einen Tutor um ein Gerät wie das unten abgebildete. Es enthält eine Spule mit vielen Drahtwindungen und einen Magneten, der so aufgehängt ist, dass er frei schwingen kann. Ein Zeiger ist so am Magneten befestigt, dass eine kleine Auslenkung des Magneten einen deutlichen Zeigerausschlag hervorruft. Wenn kein Strom durch die Spule fließt, hängt der Magnet horizontal und der Zeiger steht senkrecht.

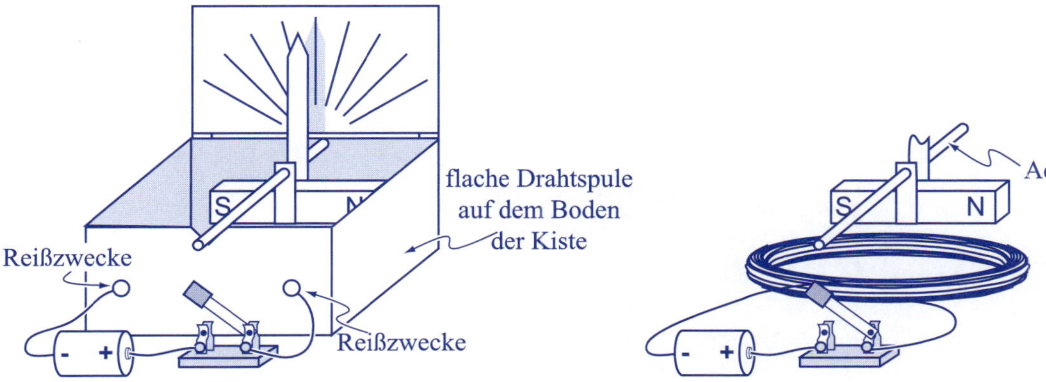

Erwarten Sie einen Zeigerausschlag, wenn der Schalter geschlossen wird? Wenn ja, erfolgt der Ausschlag nach rechts oder nach links? Begründen Sie Ihre Überlegungen.

Schließen Sie den Stromkreis und beobachten Sie den Ausschlag des Zeigers. Falls Ihre Beobachtung nicht mit Ihrer Vermutung übereinstimmt, klären Sie die Widersprüche mit einem Tutor.

Das verwendete Gerät entspricht in seiner Funktion einem *Galvanometer*. Es kann verwendet werden, um Ströme anzuzeigen. Falls die Skala des Galvanometers in Ampère geeicht wurde, nennt man es auch *Ampèremeter*.

2.2 Einfacher Elektromotor

Bitten Sie einen Tutor um die folgenden Materialien:

- einen Magneten, eine Batterie, einen Schalter und ein Ampèremeter,
- eine Kupferdrahtspule; an den Enden der Zuleitungen zur Spule ist der isolierende Lack auf einer Hälfte entfernt worden,
- zwei leitende Halterungen, in denen sich die Spule drehen kann,

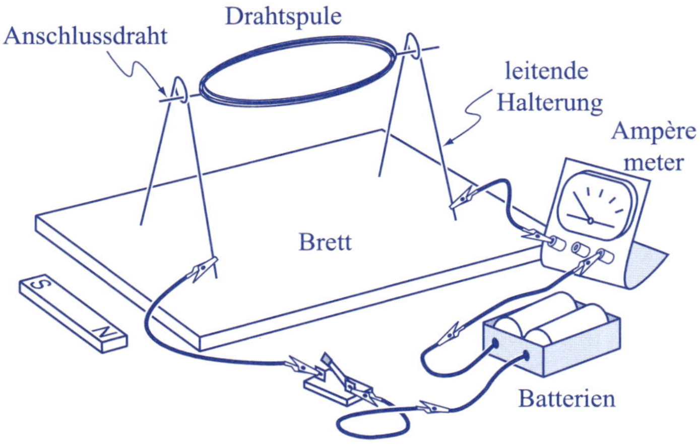

Bauen Sie die abgebildete Anordnung auf.

a. Untersuchen Sie die Zuleitungen der Spule genau. Beachten Sie, welche Bereiche des Drahtes isoliert sind und welche nicht.

In welchen Positionen der Spule fließt durch sie ein Strom?

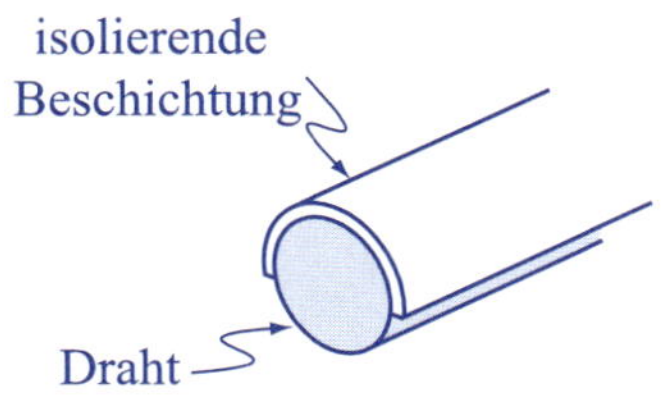

Anschlussdraht mit zur Hälfte entfernter Beschichtung

Überprüfen Sie Ihre Antwort, indem Sie den Schalter schließen, die Spule langsam drehen und dabei das Ampèremeter beobachten.

b. Nehmen Sie nun den Motor in Betrieb: Halten Sie den Magneten mit einem Pol in die Nähe der Spule und schließen Sie den Schalter. Falls die Spule sich nicht selbsttätig dreht, stoßen Sie diese leicht an oder verändern Sie die Position des Magneten.

Untersuchen Sie das Verhalten des Elektromotors. Verändern Sie die Lage des Magneten, verwenden Sie zwei Magnete usw.

Verwenden Sie Ihr Wissen über Elektromagnetismus, um die Bewegung der Drahtspule zu erklären. Die folgenden Fragen können Ihnen als Hilfe dienen, um ein Verständnis für die Funktion des Motors zu entwickeln.

c. Betrachten Sie die Spule in der abgebildeten Position, in der sie von einem Strom durchflossen wird.

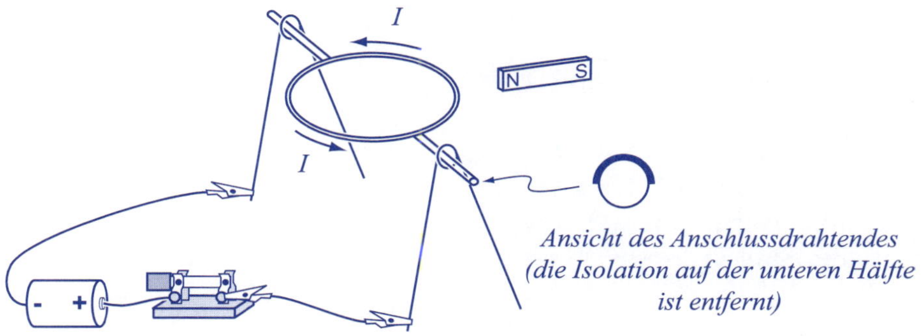

i. Die Spule wird so angestoßen, dass sie sich *im Uhrzeigersinn* dreht.

In welchen Abschnitten der Umdrehung bildet die Spule mit der Batterie einen geschlossenen Stromkreis, sodass durch sie ein Strom fließt?

Der Strom erzeugt ein magnetisches Moment, das mit dem magnetischen Feld des Stabmagneten wechselwirkt. Wird durch diese Wechselwirkung die Bewegung der Spule *beschleunigt* oder *gebremst?* Begründen Sie.

ii. Die Spule wird so angestoßen, dass sie sich *gegen den Uhrzeigersinn* dreht.

In welchen Abschnitten der Umdrehung bildet die Spule mit der Batterie einen geschlossenen Stromkreis, sodass durch sie ein Strom fließt?

Der Strom erzeugt ein magnetisches Moment, das mit dem magnetischen Feld des Stabmagneten wechselwirkt. Wird durch diese Wechselwirkung die Bewegung der Spule *beschleunigt* oder *gebremst?* Begründen Sie.

Überprüfen Sie, ob das Verhalten des Motors mit Ihrer Erwartung übereinstimmt.

d. Beantworten Sie die folgenden Fragen:

- Warum wird für die Spule isolierter Draht verwendet? Funktioniert der Motor auch mit blankem Draht? Begründen Sie.

- Erwarten Sie, dass der Motor funktioniert, wenn die Zuleitungen vollständig abisoliert sind? Begründen Sie.

e. Welchen Effekt hat es auf den Motor, wenn man (i) die Anschlüsse der Batterie vertauscht oder (ii) den Magneten umdreht.

Überprüfen Sie Ihre Vermutungen.

2.3 Elektrischer Generator

Entfernen Sie die Batterie aus dem Stromkreis aus Teil 2.2 und verwenden Sie den empfindlichsten Bereich des Ampèremeters.

a. Die Spule wird gedreht. Welche Zeigerausschläge des Ampèremeters erwarten Sie während einer vollen Umdrehung der Spule?

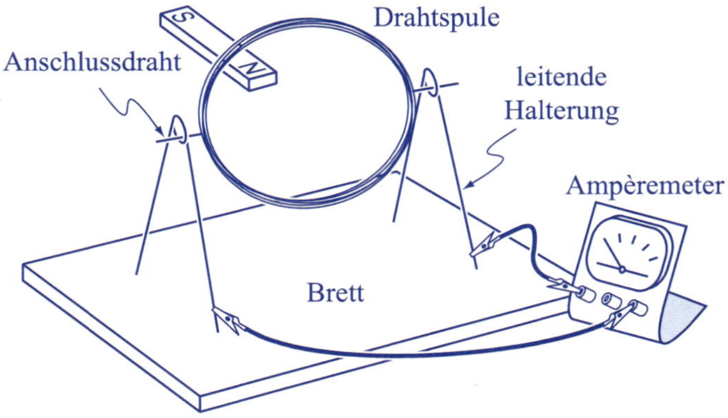

Ändert sich Ihre Vermutung, wenn

- die Spule in der entgegengesetzten Richtung gedreht wird?

- die Pole des Magneten vertauscht werden?

b. Überprüfen Sie Ihre Vermutungen, indem Sie die Spule leicht in Drehung versetzen und dann frei rotieren lassen.

Wenn die Spule des obigen Apparates von einem äußeren Antrieb gedreht wird, so nennt man einen solchen Apparat einen *elektrischen Generator.*

TEIL IV

Schwingungen und Wellen

ÜBERBLICK

IV

1 Das Hooke'sche Gesetz für Federn

Ein Klotz der Masse m ist mit einer idealen Feder mit Federkonstante k verbunden und liegt auf einem reibungsfreien Untergrund (wie in Abbildung 1). Das andere Ende der Feder ist an der Wand befestigt. Die unterbrochenen Linien markieren den Ort des Klotzes (d. h. seinen Mittelpunkt) bei entspannter Feder (Gleichgewichtslage).

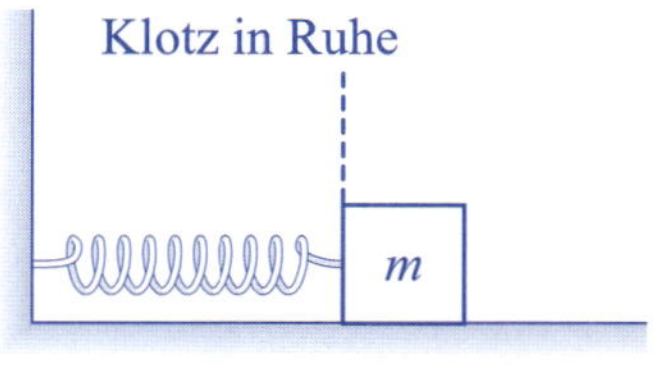

Abbildung 1

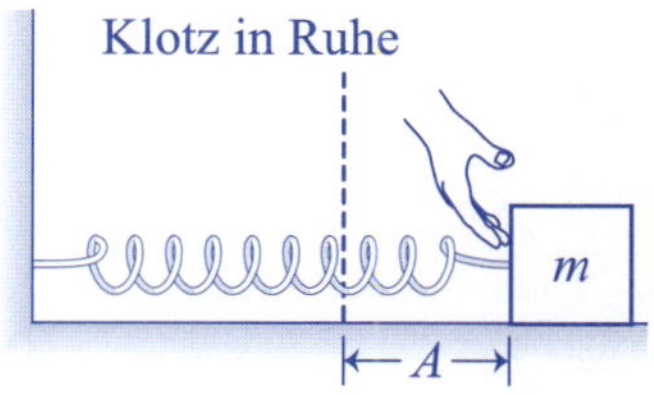

Abbildung 2

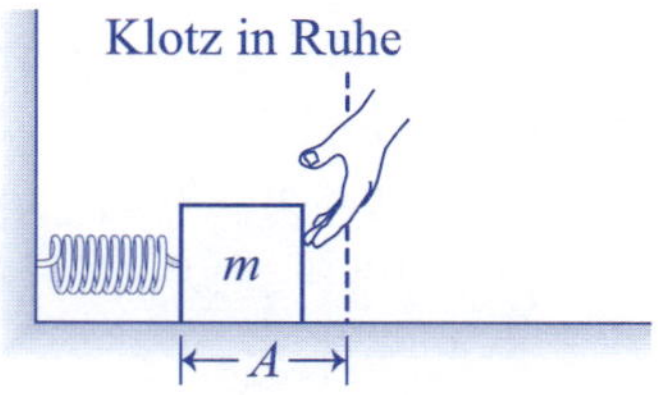

Abbildung 3

Die Abbildungen 2 und 3 zeigen den Klotz jeweils nachdem er von Hand aus der Gleichgewichtslage um eine Strecke A nach *rechts* bzw. nach *links* geschoben wurde und nun in der neuen Lage festgehalten wird.

1.1 Zeichnen Sie in der Tabelle rechts Pfeile ein, welche die Richtungen der folgenden Größen angeben:

- des Ortsvektors des Klotzes relativ zur Gleichgewichtslage ($\vec{x}$),
- der Kraft, welche die Feder auf den Klotz ausübt ($\vec{F}$).

Pfeile für Abbildung 2	Pfeile für Abbildung 3
Ort der Masse	Ort der Masse
Kraft der Feder auf die Masse	Kraft der Feder auf die Masse

Begründen Sie anhand der obigen Pfeile, warum das negative Vorzeichen im Hooke'schen Gesetz für eine ideale Feder ($\vec{F} = -k\vec{x}$) auftritt.

1.2 Bestimmen Sie die resultierende Kraft auf den Klotz, wenn er in der in Abbildung 2 gezeigten Lage festgehalten wird. Begründen Sie.

Die Hand in Abbildung 2 lässt plötzlich los. Welcher Zusammenhang besteht nach dem Loslassen zwischen der Kraft, welche die Feder auf den Klotz ausübt, und der resultierenden Kraft auf den Klotz? Begründen Sie.

1.3 Stellen Sie mithilfe des zweiten Newton'schen Axioms eine Gleichung für die Beschleunigung $\vec{a}$ des Klotzes als Funktion von $\vec{x}$, k und m für einen beliebigen Zeitpunkt nach dem Loslassen auf.

2 Harmonische Schwingungen

Ein horizontal angeordnetes Feder-Masse-System wie in Teil 1 (Federpendel) befindet sich direkt unterhalb eines Fadenpendels. Die beiden bewegten Massen m sind gleich groß, die Federkonstante beträgt k und die Länge des Fadenpendels ist l. Die Größen sind so gewählt, dass sich die beiden Körper immer direkt übereinander befinden.

2.1 Zeichnen Sie unten in den Zeichenfeldern Pfeile ein, die jeweils die Richtung der resultierenden Kraft auf die Körper angeben, wenn diese sich am linken Ende ihrer Schwingung befinden.

resultierende Kraft auf den Körper (Feder)	resultierende Kraft auf den Körper (Faden)

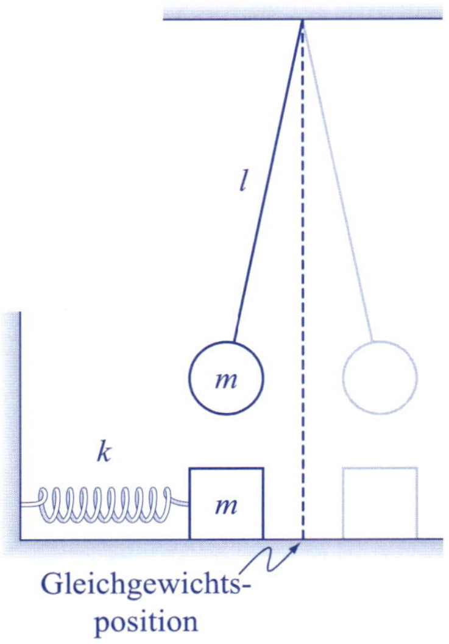

2.2 Beide Massen werden nun verdoppelt. Anschließend werden sie an der gleichen Stelle wie zuvor aus der Ruhe losgelassen.

Untersuchen Sie anhand der folgenden Fragen, ob die beiden Körper sich nach Verdopplung der Massen immer noch synchron bewegen.

a. Hat sich der Betrag der *resultierenden Kraft* auf den jeweiligen Körper in der oben dargestellten Position *verdoppelt, halbiert* oder ist er *gleich geblieben*? Begründen Sie.

- $F_{\text{res, Feder}}$

- $F_{\text{res, Faden}}$

b. Hat sich der Betrag der *Beschleunigung* des jeweiligen Körpers in der oben dargestellten Position *verdoppelt, halbiert* oder ist er *gleich geblieben*? Begründen Sie.

- a_{Feder}

- a_{Faden}

c. Ist das Zeitintervall (Δt_o), das der jeweilige Körper benötigt, um sich von der Ausgangsposition (ganz links) zur Gleichgewichtslage zu bewegen, *größer, kleiner* oder ist es *gleich geblieben*? Begründen Sie.

- $\Delta t_{o,\text{ Feder}}$

- $\Delta t_{o,\text{ Feder}}$

d. Überprüfen Sie, ob Ihre Antworten auf Frage b mit den unten angegebenen Formeln vereinbar sind. (*Hinweis:* Welcher Zusammenhang besteht in den beiden Fällen zwischen Δt_o und der Schwingungsperiode T?)

- $T = 2\pi\sqrt{m/k}$ (*Federpendel*)
- $T = 2\pi\sqrt{l/g}$ (*Fadenpendel*)

e. Ist die Bewegung von Fadenpendel und Federpendel mit verdoppelten Massen immer noch synchron? Wenn nicht, geben Sie an, welche zusätzlichen Änderungen gemacht werden können, damit sich die beiden Körper wieder synchron bewegen.

3 Energie eines harmonischen Oszillators

Der Graph rechts gibt die Gesamtenergie des horizontal angeordneten Federpendels als Funktion des Ortes der Masse (relativ zur Gleichgewichtslage) an. Die Masse bewegt sich zwischen den Extremlagen $-A_o$ und $+A_o$.

3.1 Welcher Aspekt des Diagramms zeigt, dass die Gesamtenergie des Systems während der Bewegung erhalten bleibt?

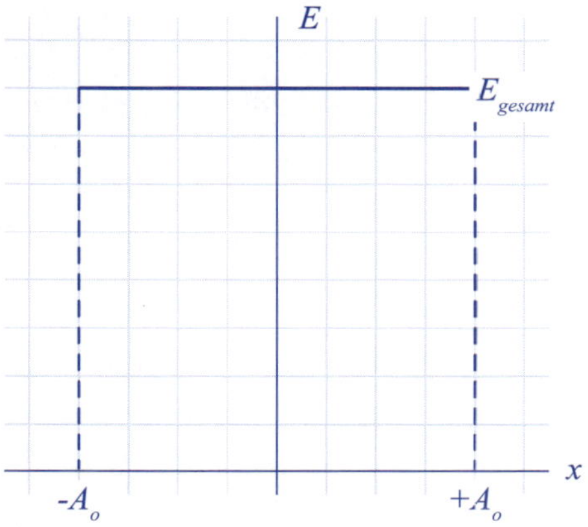

3.2 Bestimmen Sie das Verhältnis zwischen der potentiellen Energie und der Gesamtenergie (*Hinweis:* $E_{\text{pot}} = \frac{1}{2}kx^2$),

- wenn sich die Masse am Ort $x = +A_o$ befindet,
- wenn sich die Masse am Ort $x = +A_o/2$ befindet.

Tragen Sie im Diagramm zusätzlich den Graphen für die in der Feder gespeicherte potentielle Energie E_{pot} als Funktion von x ein. Ihr Graph sollte mit Ihren Antworten oben vereinbar sein.

3.3 Tragen Sie im gleichen Diagramm die kinetische Energie E_{kin} als Funktion von x ein. (*Hinweis:* Welcher Zusammenhang besteht zwischen der kinetischen, der potentiellen und der Gesamtenergie eines Systems?)

Kennzeichnen Sie die einzelnen Graphen farbig, sodass Sie die kinetische Energie E_{kin} leicht von der potentiellen Energie E_{pot} unterscheiden können.

3.4 Ist die Zeit, welche die Masse benötigt, um von $x = 0$ nach $x = +A_o/2$ zu gelangen *größer, kleiner* oder *gleich* der Zeit, die sie benötigt, um von $x = +A_o/2$ nach $x = +A_o$ zu gelangen? Begründen Sie, inwiefern Ihre Antwort mit dem Diagramm vereinbar ist.

3.5 Betrachten Sie die zwei Punkte P und Q rechts von der Gleichgewichtslage der Masse. Punkt P hat die Position $x = +A_o/2$. Punkt Q ist der Punkt, an dem kinetische und potentielle Energie des Systems jeweils gleich der halben Gesamtenergie sind.

a. Liegt Punkt Q *rechts von, links von* oder *an der gleichen Stelle* wie Punkt P? Begründen Sie.

Kennzeichnen Sie die Punkte P und Q auf der x-Achse in Ihrem Diagramm oben.

b. Ist die kinetische Energie der Masse *größer, kleiner* oder *gleich* der potentiellen Energie des Systems, wenn sich die Masse im Punkt P (d. h. bei $x = +A_o/2$) befindet? Begründen Sie anhand des Graphen.

c. Berechnen Sie das Verhältnis der kinetischen Energie zur potentiellen Energie, wenn sich die Masse am Punkt P befindet (d. h. bei $x = +A_o/2$).

3.6 Die Masse des Federpendels wird nun halbiert und das System erneut aus derselben Lage ($x = +A_o$) losgelassen.

a. Ändern sich dadurch die Graphen für die drei verschiedenen Energien (E_{ges}, E_{pot}, E_{kin})? Wenn ja, wie? Begründen Sie.

b. Kann man die Schwingungsdauer eines Federpendels allein aufgrund der Energiekurven bestimmen? Wenn ja, beschreiben Sie, wie Sie dabei vorgehen würden. Wenn nein, geben Sie an, welche anderen Informationen Sie dazu benötigen.

3.7 Im Folgenden wird wieder das Federpendel mit der ursprünglichen Masse betrachtet. Die Masse schwingt aber nur zwischen den Orten $x = -A_o/2$ und $x = +A_o/2$.

a. Hat infolge dieser Änderung die Gesamtenergie *zugenommen, abgenommen* oder ist sie *gleich geblieben?* Begründen Sie.

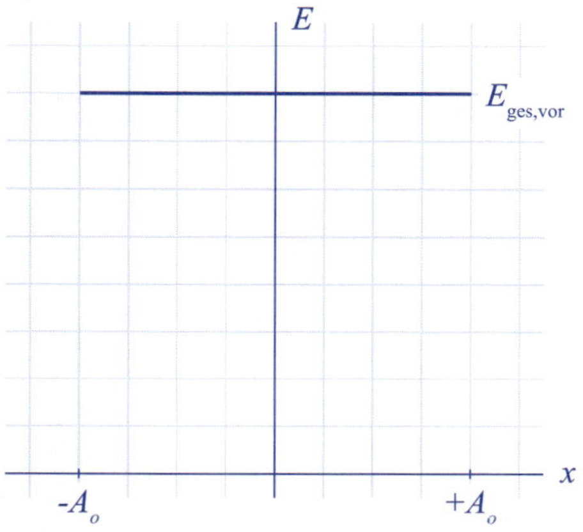

b. Tragen Sie im Diagramm rechts die Gesamtenergie $E_{\text{ges,nach}}$, die potentielle Energie $E_{\text{pot,nach}}$ und die kinetische Energie $E_{\text{kin,nach}}$ für den neuen Versuch ein.

c. Deckt sich ein Teil dieser neuen Kurven mit einem Teil einer der vorigen Kurven? Begründen Sie.

d. Vergleichen Sie die Zeit, welche die Masse nun für den Weg von $x = 0$ nach $x = +A_o/2$ benötigt, mit der Zeit, die sie für diesen Weg benötigte, *bevor* die Schwingungsamplitude verringert wurde. Ist die Zeit nun *größer, kleiner* oder *unverändert?* Begründen Sie.

→ Überprüfen Sie Ihre Antworten mit einem Tutor.

1 Störungen auf einer gespannten Feder

Ein Tutor zeigt Ihnen in einem Experiment verschiedene Störungen der Gleichgewichtslage auf einer langen gespannten Feder. Beobachten Sie die Bewegung der Störungen auf der Feder und die Bewegungen der Feder selbst. Diskutieren Sie Ihre Beobachtungen in Ihrer Arbeitsgruppe.

1.1 An einer Stelle der Feder ist ein kurzer Faden befestigt. Vergleichen Sie die Bewegung des Fadens mit der Bewegung der Störung für die verschiedenen beobachteten Fälle.

Man benutzt üblicherweise die Bezeichnungen *transversal* bzw. *longitudinal* für die beiden Arten von Störungen, die Sie beobachtet haben. Welche Eigenschaft der Störungen beschreiben diese Bezeichnungen?

Im weiteren Verlauf dieses Tutorials werden wir uns auf die Untersuchung *transversaler* Störungen konzentrieren.

1.2 Haben sich in den vorangegangenen Experimenten die folgenden Eigenschaften *deutlich* geändert, während sich eine Störungen auf der Feder fortbewegt hat? (Ignorieren Sie hierbei, was passiert, wenn die Störung das Ende der Feder erreicht.)

- die Amplitude (maximale Auslenkung) der Störung
- die Breite der Störung
- die Form der Störung
- die Geschwindigkeit der Störung

1.3 Während des Experiments wurden die folgenden Größen variiert. Hat eine der Änderungen die Geschwindigkeit der Störung beeinflusst? Wenn ja, wie?

- die Spannung (z. B. dadurch, dass die Feder stärker gedehnt wurde)
- die Amplitude der Störung
- die Breite der Störung
- die Form der Störung

2 Überlagerung

2.1 Die Momentaufnahmen unten zeigen zwei Störungen, die auf einer Feder aufeinander zulaufen. Die Zeitabstände zwischen den Bildern sind jeweils gleich. Die Auslenkungen der Störungen sind jeweils nach oben gerichtet.

a. Betrachten Sie das Zusammentreffen der beiden Störungen. Bewegt sich danach jede der Störungen in der ursprünglichen Richtung weiter oder kehren sich die Richtungen um?

Begründen Sie Ihre Antwort anhand der Fotografien.

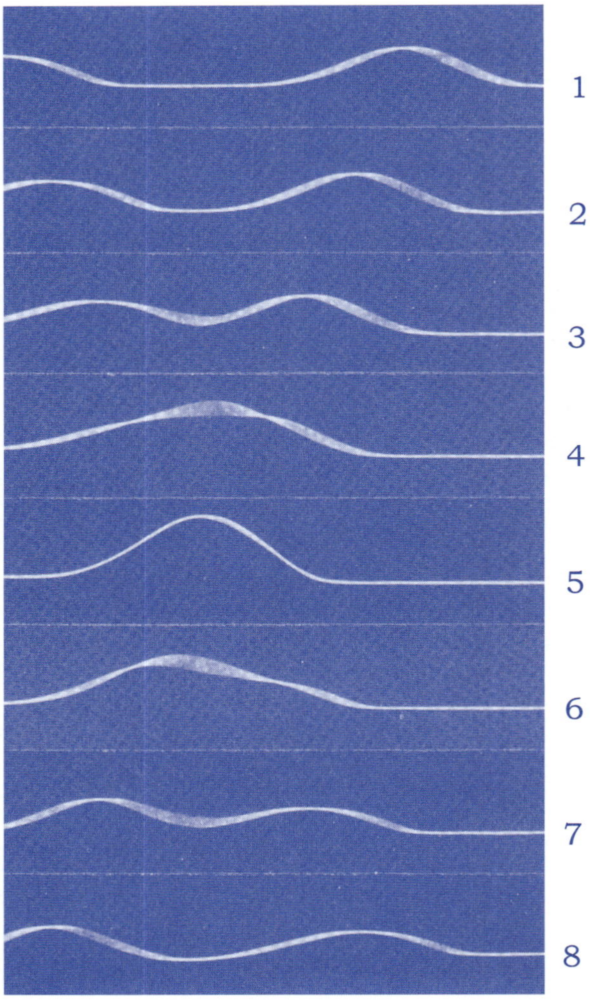

b. Betrachten Sie die vollständige Überlappung der beiden Störungen in Aufnahme 5. Vergleichen Sie die Form der Feder mit der Form der einzelnen (ursprünglichen) Störungen.

c. Beschreiben Sie, wie Sie mithilfe des Superpositionsprinzips die Form der Feder zu jedem Zeitpunkt während der Überlagerung bestimmen können.

d. Zwei Störungen bewegen sich aufeinander zu wie abgebildet. Das untere Diagramm zeigt die Lage von Störung 1 eine kurze Zeit später.

Zeichnen Sie in das untere Diagramm die Lage von Störung 2 zum selben Zeitpunkt ein. Zeichnen Sie schließlich die Form der Feder zu diesem Zeitpunkt ein.

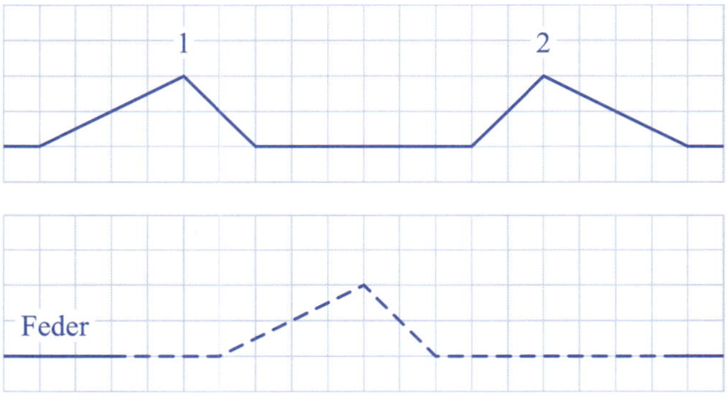

2.2 Zwei Störungen mit gleicher Amplitude und Breite bewegen sich aufeinander zu. Die Störungen sind diesmal gegenphasig, d. h. ihre Auslenkungen zeigen in *entgegengesetzte* Richtungen. Die Zeitabstände der einzelnen Momentaufnahmen sind wieder gleich groß.

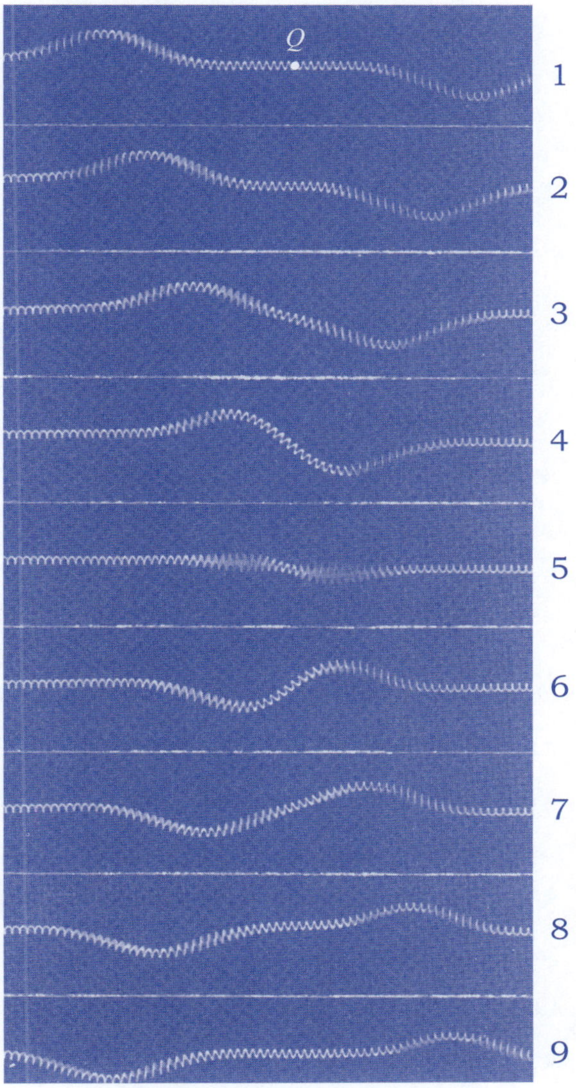

a. Ist die Bewegung der Feder mit dem Prinzip der Superposition vereinbar? Wenn ja, welche Größe wird in diesem Fall addiert? Wenn nicht, so erklären Sie, warum nicht.

b. Unten ist eine vereinfachte Darstellung der beiden Störungen zu einem Zeitpunkt zwischen den Abbildungen 4 und 5 abgebildet.

Zeichnen Sie die Form der Feder zu diesem Zeitpunkt.

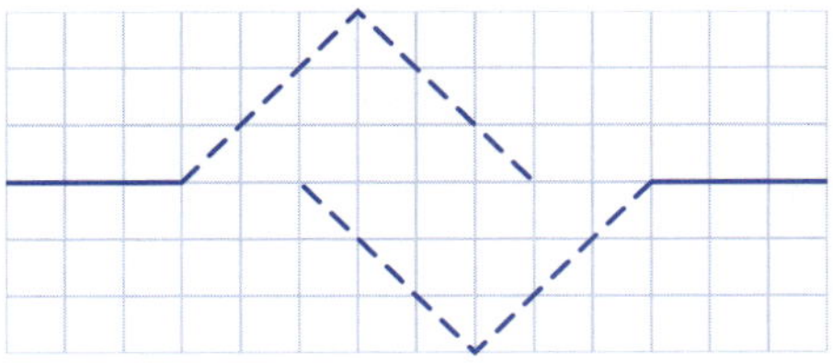

c. Q ist der Punkt der Feder, der genau in der Mitte der beiden Störungen liegt.

Beschreiben Sie die Bewegung von Punkt Q während des in den Aufnahmen 1 bis 9 dargestellten Zeitraumes.

d. Welche der folgenden Änderungen beeinflussen die Bewegung des Punktes Q? Erläutern Sie Ihre Antwort.

- Verdoppelung der Amplitude beider Störungen
- Verdoppelung der Amplitude einer der beiden Störungen
- Verdoppelung der Breite bei einer der beiden Störungen

e. Betrachten Sie eine asymmetrische Störung wie in der Abbildung.

Welche Form muss eine zweite Störung mit entgegengesetzter Ausbreitungsrichtung haben, damit sich Punkt Q nicht bewegt, wenn ihn die beiden Störungen durchlaufen?

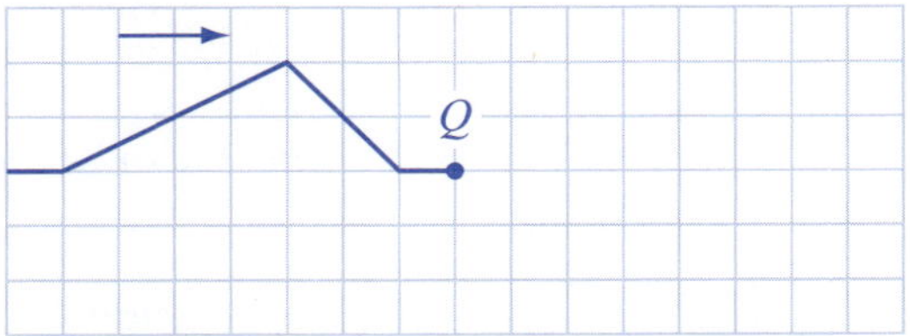

Zeichnen Sie in das Diagramm die *Lage*, die *Form* und die *Ausbreitungsrichtung* dieser zweiten Störung zum dargestellten Zeitpunkt ein.

3 Reflexion

3.1 Reflexion an einem festen Ende

Die Momentaufnahmen rechts zeigen eine Störung, die am rechten, befestigten Ende einer Feder *reflektiert* wird.

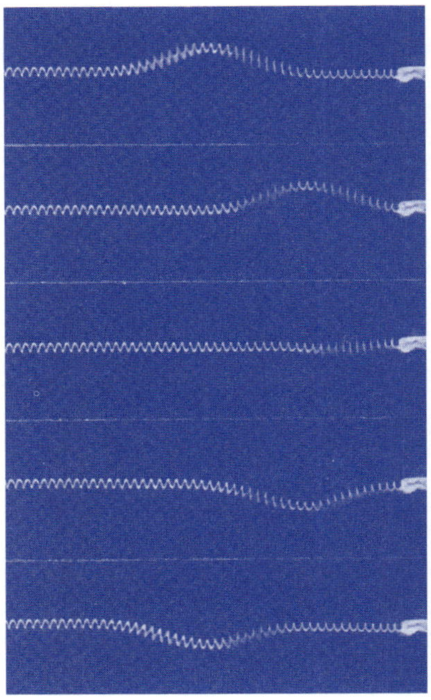

a. Beschreiben Sie die Ähnlichkeiten und Unterschiede zwischen der *einlaufenden Störung* (die sich auf das Ende zubewegt) und der *reflektierten Störung*.

b. Betrachten Sie die Situation in Teil 2.2, in der zwei gegenphasige Störungen aufeinandertrafen. Decken Sie dort die rechte Hälfte der Abbildung ab, sodass die Feder jeweils nur *links* von Punkt Q sichtbar ist.

c. Vergleichen Sie das Verhalten des sichtbaren Teils der Feder (einschließlich Punkt Q) mit dem Verhalten der Feder bei der Reflexion rechts.

Die Ergebnisse dieser Betrachtung legen eine Modellvorstellung für die Reflexion von Störungen an festen Enden von Federn nahe. Dazu stellen wir uns vor, die Feder sei über das feste Ende verlängert und auf diesem virtuellen Teil der Feder könnten sich virtuelle Störungen bewegen. Bei einer Reflexion wählen wir nun Amplitude, Breite und Lage der virtuellen Störung so, dass sich bei der Überlagerung mit der einlaufenden Störung das Ende der Feder *nicht bewegt*. (Solch eine Bedingung für das Verhalten des Endes der Feder ist ein Beispiel für eine *Randbedingung*.) Die virtuelle Störung läuft über das feste Ende auf die reale Feder und entspricht dort dann der reflektierten Störung.

d. Eine Störung läuft mit der Geschwindigkeit 1,0 m/s auf ein festes Ende einer Feder zu.

Bestimmen Sie die Form der Feder zu den Zeitpunkten $t = 0{,}2\,\text{s}$, $t = 0{,}4\,\text{s}$ und $t = 0{,}6\,\text{s}$.

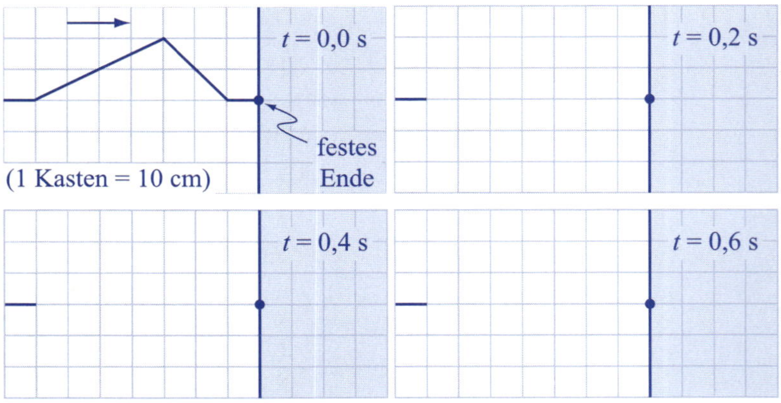

Vergleichen Sie die Form der reflektierten Störung mit der Form der einfallenden Störung.

3.2 Reflexion an einem freien Ende

Am Ende dieses Tutorials wird Ihnen eine Demonstration zur Reflexion an einem *freien Ende* einer Feder gezeigt. Notieren Sie Ihre Beobachtungen, um diesen Vorgang in den Übungen zu untersuchen.

1 Störungen auf einer gespannten Feder

Ein Student erzeugt eine Störung auf einer gespannten Feder durch Bewegen des einen Endes der Feder entlang der y-Achse. Seine Hand beginnt zum Zeitpunkt t_1 bei $y = 0$ mit einer Bewegung in die positive y-Richtung bis zur Auslenkung $y = y_{\max}$, dann zurück zu $y = 0$ zum Zeitpunkt t_2. Die Form der Feder eine kurze Zeit später (Zeitpunkt t_3) ist rechts abgebildet.

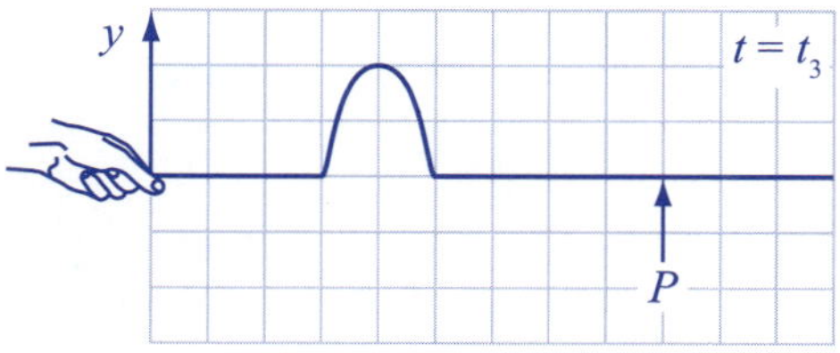

1.1 Sie messen die Zeit, welche die Störung benötigt, um den Punkt P zu passieren (d. h. das Zeitintervall, welches beginnt, wenn die Vorderkante der Störung den Punkt P erreicht, und endet, wenn die Hinterkante den Punkt P passiert).

Ist dieses Zeitintervall *größer, kleiner* oder *gleich* der Zeit, die zur Erzeugung der Störung benötigt wurde (also $t_2 - t_1$)? Begründen Sie.

1.2 In einem zweiten Experiment wird die Feder stärker gespannt, sodass die Ausbreitungsgeschwindigkeit doppelt so groß ist. Der Student bewegt das Ende der Feder in exakt derselben Weise wie zuvor.

a. Vergleichen Sie die Strecken, welche die Vorderkante der Störung in den beiden Experimenten jeweils in der Zeit von t_1 bis t_3 zurücklegt.

b. Ist die Breite der Störung in Experiment 2 *größer, kleiner* oder *gleich* der Breite in Experiment 1? Begründen Sie.

c. Zeichnen Sie in der Abbildung rechts die Form der Feder zum Zeitpunkt t_2 für Experiment 2 ein. (Die gestrichelte Linie stellt die Form der Feder zum Zeitpunkt t_3 für Experiment 1 dar.) Überprüfen Sie, ob Ihre Zeichnung mit Ihren obigen Antworten vereinbar ist.

Experiment 2

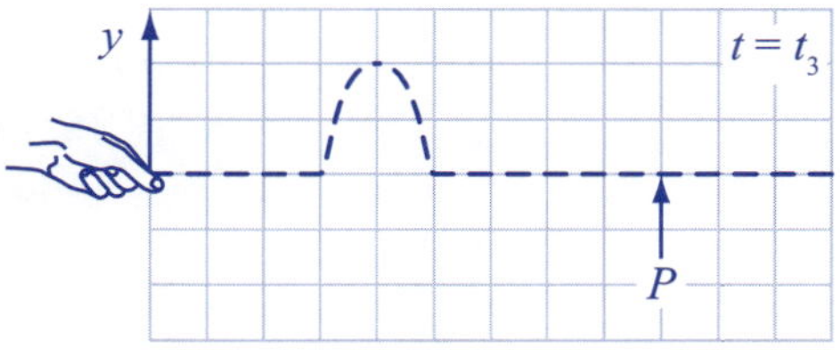

d. Ist die Zeit, welche die Störung in Experiment 2 benötigt, um den Punkt P zu passieren, *größer, kleiner* oder *gleich* der Zeit, welche für die Erzeugung der Störung gebraucht wurde (d. h. $t_2 - t_1$)? Begründen Sie.

1.3 Welche *einzelne* Änderung kann der Student vornehmen, um eine schmalere Störung zu erzeugen?

Gibt es mehr als eine mögliche Antwort? Begründen Sie.

→ Überprüfen Sie Ihre Antworten in diesem Abschnitt mit einem Tutor.

2 Reflexion und Transmission beim Übergang zwischen Medien

Die Momentaufnahmen unten zeigen das Verhalten von zwei unterschiedlichen, miteinander verbundenen Federn, wenn eine Störung die Grenze zwischen den Federn erreicht. Die Zeitabstände zwischen den einzelnen Aufnahmen sind jeweils gleich groß.

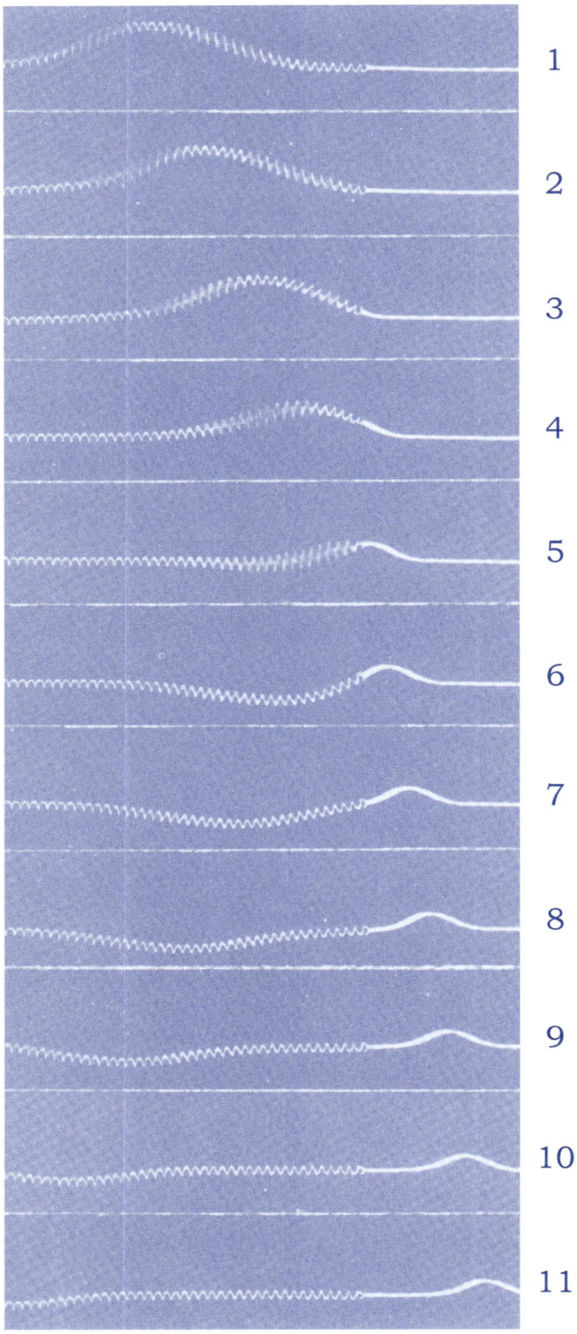

2.1 Beschreiben Sie, was passiert, wenn die Störung die Grenze zwischen den Medien erreicht.

Vergleichen Sie die Breiten der einfallenden und der transmittierten Störung.

2.2 Vergleichen Sie die Geschwindigkeit der Störung in der einen Feder mit der Geschwindigkeit der Störung in der anderen Feder. Gehen Sie dazu auf zwei verschiedene Arten vor:

a. Begründen Sie durch Vergleichen verschiedener Aufnahmen.

b. Begründen Sie mithilfe der Information in einer einzelnen Aufnahme (z. B. aus Nr. 8).

2.3 Nehmen Sie bei der Beantwortung der folgenden Fragen an, dass die Spannung innerhalb jeder Feder gleichmäßig ist.

a. Vergleichen Sie die Spannung in der linken Feder mit der Spannung in der rechten Feder. Begründen Sie.

b. Vergleichen Sie die linearen Massendichten der beiden Federn. Begründen Sie.

→ Überprüfen Sie Ihre Antworten mit einem Tutor.

3 Transmission mehrerer Störungen

Zwei identische Störungen laufen auf die Grenze zwischen den beiden Federn aus Abschnitt 2 zu (siehe Abbildung). In diesem Abschnitt sollen Reflexionen vernachlässigt werden.

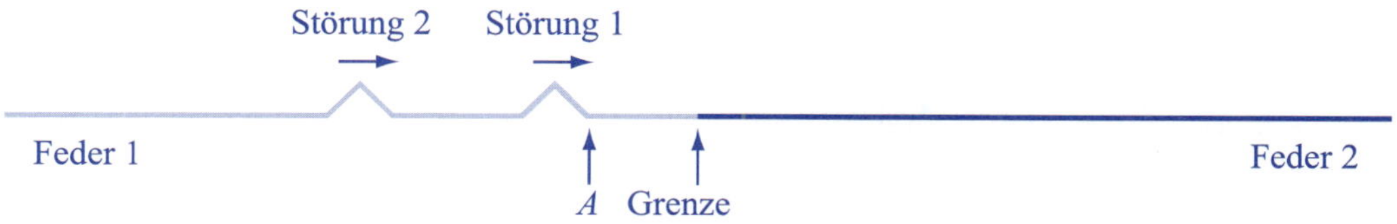

3.1 Sie messen das Zeitintervall Δt_1, das beginnt, wenn die Vorderkante der Störung 1 Punkt A erreicht und endet, wenn die Vorderkante von Störung 2 denselben Punkt erreicht.

Ändert sich diese Zeitdifferenz, wenn Sie die entsprechende Messung an einem anderen Punkt in Feder 1 vornehmen? Begründen Sie.

3.2 Die Abbildung unten zeigt den Zeitpunkt, wenn die Vorderkante von Störung 1 die Grenze der Federn erreicht.

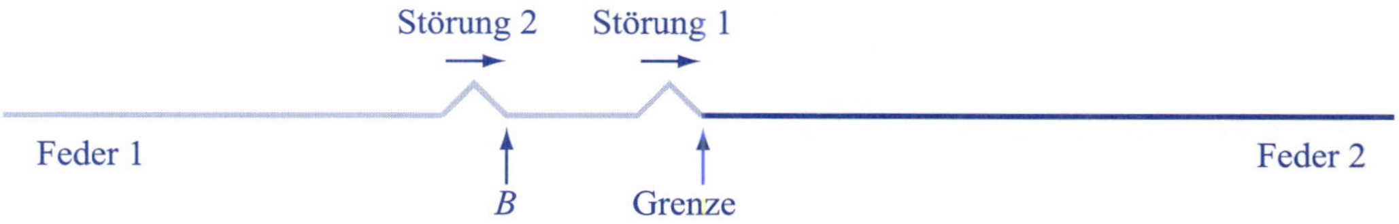

Ist die Zeit, welche die Vorderkante von Störung 2 für die Strecke von Punkt B zur Grenze benötigt, *kleiner, größer* oder *gleich* Δt_1? Begründen Sie.

3.3 Zeichnen Sie in die Abbildung unten die Position von Störung 1 auf Feder 2 zu dem Zeitpunkt, wenn die Vorderkante von Störung 2 die Grenze erreicht.

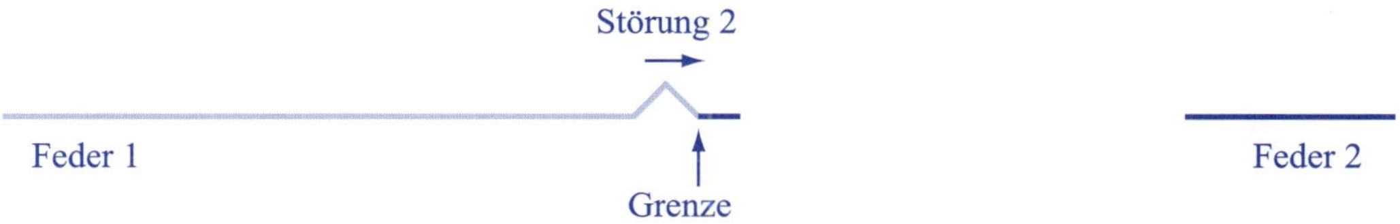

Kennzeichnen Sie den Ort der Vorderkante von Störung 1 als Punkt C.

Ist die Zeit, welche Störung 1 benötigt, um von der Grenze bis zu Punkt C zu gelangen, *kleiner, größer* oder *gleich* Δt_1? Begründen Sie.

Ist der (räumliche) Abstand zwischen den transmittierten Störungen *größer, kleiner* oder *gleich* dem Abstand zwischen den einlaufenden Störungen? Begründen Sie.

3.4 Ist das Zeitintervall Δt_1, welches Sie in Teil 3.1 für die Störungen auf Feder 1 gemessen haben, *größer, kleiner* oder *gleich* dem entsprechenden Zeitintervall für die transmittierten Störungen auf Feder 2?

3.5 Ist die Zeit, die eine einfallende Störung benötigt, um Punkt A zu passieren *größer, kleiner* oder *gleich* der Zeit, welche die transmittierte Störung benötigt, um Punkt C zu passieren?

Begründen Sie, warum die Änderung der Breite der Störung beim Übergang von der ersten Feder zur zweiten eine direkte Konsequenz der Ausbreitungsgeschwindigkeit auf den beiden Federn ist.

→ Überprüfen Sie Ihre Antworten für die Teile 3.1 bis 3.5 mit einem Tutor.

4 Reflexion und Transmission bei umgekehrter Anordnung

In der Fotografie rechts sind dieselben Federn wie in Abschnitt 2 abgebildet. Nun läuft allerdings eine Störung von rechts auf die Grenze zwischen den beiden Federn zu.

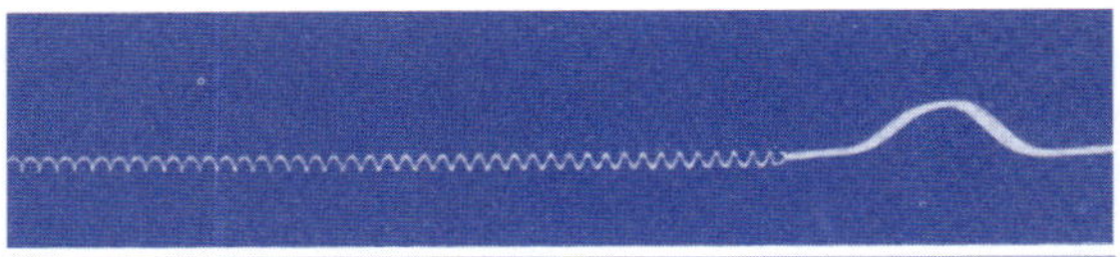

4.1 Erwarten Sie eine Reflexion, nachdem die Vorderkante der einfallenden Störung die Grenze erreicht hat?

Wenn ja: Welche Auslenkungsrichtung hat die reflektierte Störung? Wie groß ist ihre Breite im Vergleich zur einfallenden Störung?

Wenn nicht: Erklären Sie, warum nicht.

Welche Unterschiede erwarten Sie zwischen der transmittierten Störung und der einfallenden Störung?

Zeichnen Sie im Zeichenfeld unter der Fotografie die Form der Feder zu einem Zeitpunkt, an dem die einlaufende Störung vollständig transmittiert wurde. Ihre Zeichnung sollte die relative Lage und die relative Breite der Störung darstellen und zeigen, welche Richtung die Auslenkung der Feder hat.

4.2 Bitten Sie einen Tutor um die Fotoserie zu diesem Versuch und überprüfen Sie Ihre Vermutungen. Falls Ihre Vermutungen nicht zutreffen, identifizieren Sie diejenigen Aspekte, die nicht mit der Fotoserie vereinbar sind.

5 Ein Modell für die Reflexion an einer Grenze

Wir haben beobachtet, dass beim Auftreffen einer Störung auf eine Grenze zwischen zwei Federn (also auf eine abrupte Änderung des Mediums) Reflexion auftritt. Wir möchten angeben können, ob sich die Grenze mehr wie ein festes oder mehr wie ein loses Ende verhält.

5.1 Betrachten Sie noch einmal die Situation in Abschnitt 2. Haben die Auslenkungen der einlaufenden und der reflektierten Störung *dieselbe* Richtung oder haben sie *entgegengesetzte* Richtungen?

Entspricht die Reflexion an der Grenze eher der an einem festen oder an einem losen Ende?

5.2 Welche der folgenden Größen sind auf beiden Seiten der Grenze unterschiedlich groß?

- Spannung der Feder
- lineare Massendichte
- Ausbreitungsgeschwindigkeit

Anhand welcher der obigen Größen können Sie vorhersagen, ob sich die Grenze eher wie ein festes oder wie ein loses Ende verhält? (*Hinweis:* Untersuchen Sie Grenzfälle, d. h. Fälle sehr großer oder sehr kleiner Werte für die Größen.)

Erläutern Sie, wie Sie entscheiden können, ob die Auslenkungen der *reflektierten* und der *einlaufenden* Störung in dieselbe oder in entgegengesetzte Richtungen zeigen.

Erläutern Sie, wie Sie entscheiden können, ob die Auslenkungen der *transmittierten* und der *einlaufenden* Störung in dieselbe oder in entgegengesetzte Richtungen zeigen.

5.3 Angenommen, eine Störung läuft auf die Grenze einer Feder zu. Überlegen Sie für die folgenden Fälle, ob sich die Grenze eher wie ein festes oder eher wie ein loses Ende verhält:

Die Feder ist verbunden mit

- einer schweren Kette,
- einer sehr leichten Angelschnur.

1 Wasserwellen in Bereichen unterschiedlicher Tiefe

Die Abbildung rechts zeigt die Seitenansicht eines großen Wasserbeckens mit zwei Bereichen unterschiedlicher Tiefe.

Man beobachtet, dass sich Wasserwellen im tiefen Wasser schneller ausbreiten als im flachen Wasser.

Am linken Rand des Beckens wird eine periodische Welle erzeugt. (Die Welle ist nicht dargestellt.)

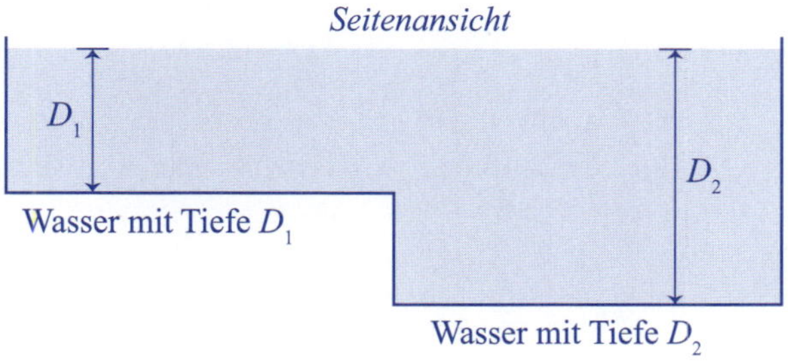

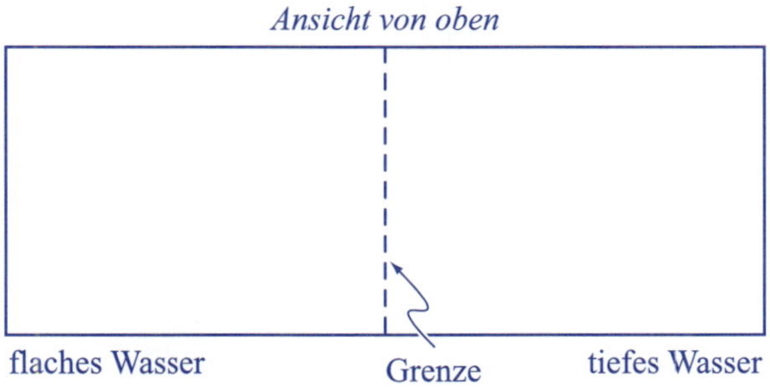

1.1 Wenn die periodische Welle die Grenze überquert, nimmt ihre Ausbreitungsgeschwindigkeit dann *zu, ab* oder bleibt sie *gleich?* Begründen Sie.

1.2 Die Wassertiefe auf der linken Seite wird nun vergrößert, sodass der linke Bereich tiefer ist als der rechte. Die Tiefe im rechten Bereich bleibt unverändert.

Geben Sie für beide Bereiche an, ob die Wellengeschwindigkeit dort nach der Änderung *größer, kleiner* oder *gleich groß* ist. Begründen Sie.

- linker Bereich

- rechter Bereich

Ist es möglich, die Wellengeschwindigkeit im rechten Bereich zu vergrößern, indem man sie auf der linken Seite vergrößert? Begründen Sie.

2 Ausbreitung einer periodischen Welle

Eine periodische Welle wird durch das gleichmäßige Hin- und Herbewegen eines Stabes in einem Wasserbecken mit konstanter Tiefe erzeugt. Die Abbildung zeigt die Ausrichtung des Stabes. (Es ist nur ein Teil des Beckens dargestellt.)

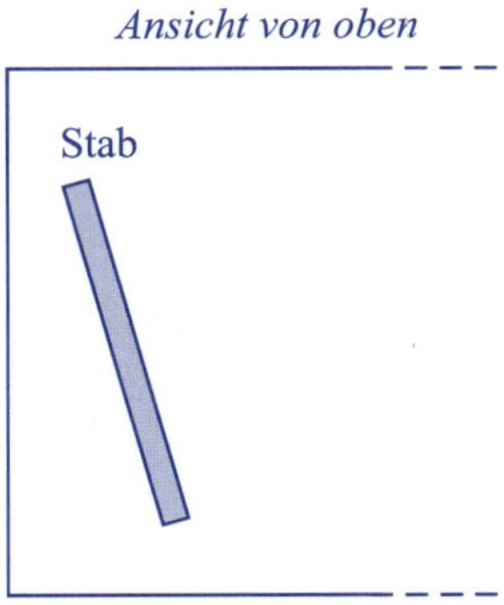

2.1 Zeichnen Sie in die Abbildung (a) mehrere Wellenfronten (z. B. Linien, die vom Stab erzeugte Wellenberge darstellen) und (b) einen Pfeil, welcher die Ausbreitungsrichtung der Wellenfronten angibt.

Bitten Sie einen Tutor, Ihnen den Versuch zu zeigen, und überprüfen Sie Ihre Antworten experimentell.

Die Ausbreitungsrichtung einer geraden Wellenfront kann durch einen Strahl angegeben werden (——►——). Ein Diagramm, das Wellen durch Strahlen darstellt, nennt man *Strahlengang.*

2.2 Beschreiben Sie anhand Ihrer Beobachtungen die Strahlrichtung relativ zur Ausrichtung der Wellenfronten. Ist Ihre Antwort mit dem Bild, das Sie in Teil 2.1 gezeichnet haben, vereinbar?

3 Wasserwellen beim Übergang vom tiefen zum flachen Wasser

3.1 Die Abbildung rechts zeigt ein anderes Wasserbecken mit zwei unterschiedlich tiefen Bereichen.

Mit dem Stab wird im linken flachen Bereich eine periodische Welle erzeugt. Nur die Wellenfronten im flachen Bereich sind dargestellt.

Beantworten Sie die folgenden Punkte mithilfe Ihres Wissens über das Verhalten von Störungen beim Übergang zwischen verschiedenen Federn.

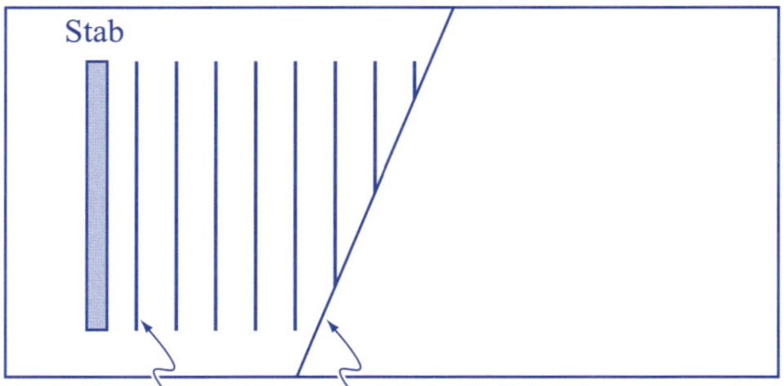

- Wird ein Wellenberg als *Wellenberg, Wellental* oder *keines von beiden* transmittiert? Begründen Sie.

- Vergleichen Sie jeweils die Wellenlängen und die Frequenzen der Wellen in den beiden Bereichen. Begründen Sie.

- Zeichnen Sie in der Abbildung oben die Wellenfronten der transmittierten Welle im tiefen Bereich. (Vernachlässigen Sie Reflexionen an der Grenze.) Begründen Sie.

3.2 Lassen Sie sich eine Fotografie geben, die Wasserwellen zeigt, die von links auf eine Grenzlinie zwischen zwei Bereichen einlaufen. Überprüfen Sie damit Ihre Antworten aus Teil 3.1.

a. Erklären Sie, wie Sie anhand der Fotografie begründen können, dass der Bereich mit geringerer Tiefe auf der linken Seite der Fotografie ist.

b. Beschreiben Sie, wie sich die Wellenfronten beim Passieren der Grenze verändern. Bestimmen Sie mithilfe Ihrer Beobachtungen in Abschnitt 2 die Ausbreitungsrichtung der transmittierten Wellen.

c. Sind Ihre Antworten in Teil 3.1 mit Ihren Antworten in Teil a und b vereinbar? Wenn nicht, lösen Sie die Widersprüche auf.

Die Bedingungen, die das Verhalten von Wellen an einer Grenze bestimmen, werden *Randbedingungen* genannt.

4 Wasserwellen an einer Grenze

4.1 In Experiment 1 wird in einem Wasserbecken mit zwei unterschiedlich tiefen Bereichen eine periodische Welle erzeugt, indem ein Stab mit der Frequenz f_o hin und her bewegt wird. Die Welle bewegt sich vom tiefen ins flache Wasser. Es wird beobachtet, dass die Ausbreitungsgeschwindigkeit im flachen Wasser halb so groß ist wie im tiefen Wasser. Die auf die Grenze einfallenden Wellenfronten sind abgebildet.

Ansicht von oben

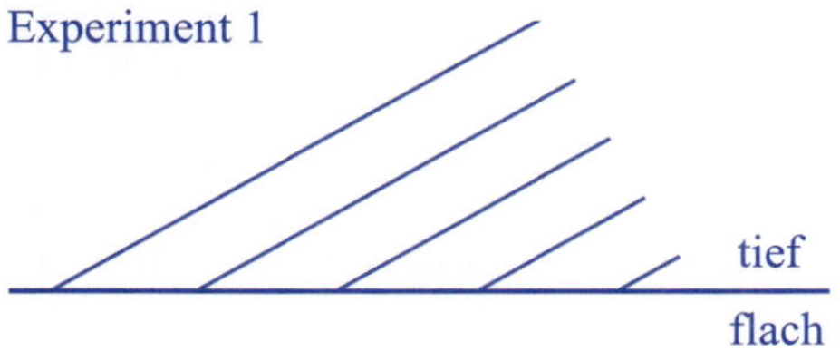

Bitten Sie einen Tutor um eine Vergrößerung der Abbildung und einen Satz Folien.

a. Wählen Sie diejenige Folie, auf der die transmittierten Wellenfronten durch die parallelen Linien am besten dargestellt werden. Begründen Sie.

b. Richten Sie die ausgewählte Folie auf der Vergrößerung so aus, dass die in Abschnitt 3 gefundenen Randbedingungen erfüllt werden.

Beschreiben Sie die Randbedingungen, die Sie hierbei berücksichtigt haben.

Gibt es mehr als eine mögliche Ausrichtung der transmittierten Wellenfronten, die diese Randbedingungen erfüllen?

→ Überprüfen Sie Ihre Antworten zu Teil a und b mit einem Tutor.

c. Stellen Sie in den Abbildungen unten eine Welle beim Übergang vom tiefen zum flachen Wasser mit dem gezeigten Einfallswinkel dar. Zeichnen Sie dazu links die Wellenfronten, rechts die Strahlen ein.

Darstellung der Wellenfronten

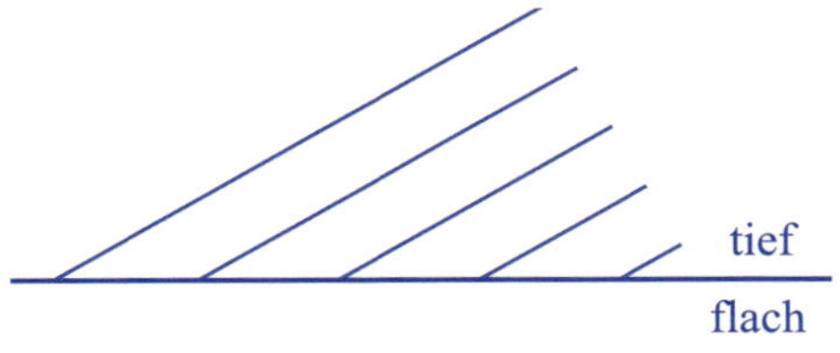

Strahlengang

Die Änderung der Ausbreitungsrichtung einer Welle beim Übergang in einen Bereich mit veränderter Wellengeschwindigkeit nennt man *Brechung.* Man definiert dabei den *Einfallswinkel* als den Winkel zwischen dem Strahl, der die einfallende Welle darstellt, und dem Lot auf die Grenze. Der *Brechungswinkel* ist in entsprechender Weise definiert. Im verbleibenden Teil dieses Tutorials beziehen sich *ungestrichene* Größen auf einfallende und *gestrichene* Größen auf transmittierte Wellen.

4.2 Kennzeichnen Sie in der Abbildung in Teil 3.1 den Einfallswinkel θ und den Brechungswinkel θ'.

4.3 In Experiment 2 wird, wie in Experiment 1, durch Bewegen des Stabes mit der Frequenz f_o eine Welle in Bereich 1 erzeugt. Der experimentelle Aufbau ist nun jedoch verändert: Die Ausbreitungsgeschwindigkeit der transmittierten Welle ist jetzt doppelt so groß wie die der einlaufenden Welle.

a. Stellen Sie kurz dar, welche Änderungen am Aufbau von Experiment 1 vorgenommen worden sein könnten, um die Geschwindigkeit der transmittierten Welle zu erhöhen.

b. Wählen Sie aus Ihrem Foliensatz diejenige Folie, welche die transmittierten Wellenfronten in Experiment 2 am besten darstellt. Bestimmen Sie eine Ausrichtung der einfallenden und transmittierten Wellenfronten, welche die Randbedingungen erfüllt.

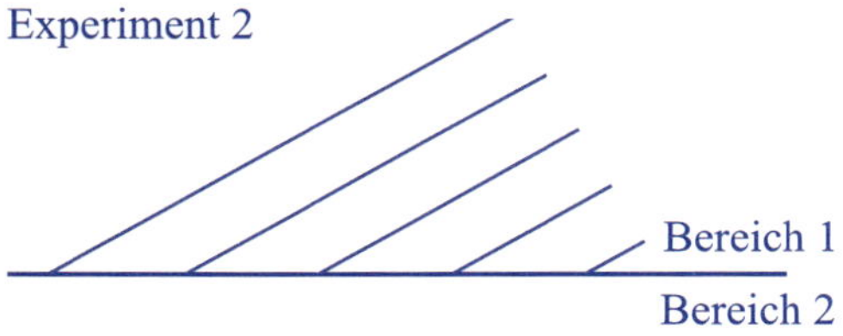

- Skizzieren Sie in der Abbildung oben die transmittierten Wellenfronten für Experiment 2.
- Markieren Sie unten die Größen, die in Experiment 1 und 2 unterschiedliche Werte haben.

$$v \quad \lambda \quad f \quad \theta \quad v' \quad \lambda' \quad f' \quad \theta'$$

Geben Sie für jede der markierten Größen an, ob der Wert der Größe in Experiment 2 *größer* oder *kleiner* ist als in Experiment 1. Begründen Sie.

4.4 In Experiment 3 wird wieder eine Welle erzeugt, indem in Bereich 1 ein Stab bewegt wird. Die Abbildung rechts zeigt die Wellenfronten und die dazugehörigen Strahlen der einfallenden und der transmittierten Wellen.

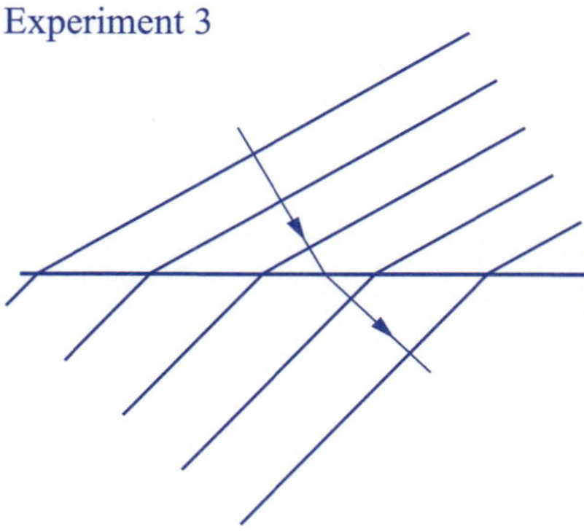

a. In Experiment 4 wird gegenüber Experiment 3 *eine* Änderung vorgenommen: Die Frequenz, mit welcher der Stab bewegt wird, ist *doppelt* so groß wie zuvor.

- Wählen Sie unter den Abbildungen auf der letzten Seite des Tutorials diejenige aus, welche die Wellenfronten für Experiment 4 am besten darstellt. Falls es keine solche Abbildung gibt, geben Sie dies ausdrücklich an und begründen Sie.
- Markieren Sie unten alle die Größen, die in den Experimenten 3 und 4 unterschiedliche Werte haben.

$$v \quad \lambda \quad f \quad \theta \quad v' \quad \lambda' \quad f' \quad \theta'$$

Geben Sie für jede der markierten Größen an, ob der Wert der Größe in Experiment 4 *größer* oder *kleiner* ist als in Experiment 3. Begründen Sie.

b. In Experiment 5 wird gegenüber Experiment 3 wieder *eine* Änderung vorgenommen: Die Tiefe des Wassers in Bereich 1 wurde vergrößert, sodass die Wellengeschwindigkeit dort nun *doppelt* so groß ist wie in Experiment 3.

- Wählen Sie unter den Abbildungen auf der letzten Seite des Tutorials diejenige aus, welche die Wellenfronten für Experiment 5 am besten darstellt. Falls es keine solche Abbildung gibt, geben Sie dies ausdrücklich an und begründen Sie.
- Markieren Sie unten alle die Größen, die in den Experimenten 3 und 5 unterschiedliche Werte haben.

$$v \quad \lambda \quad f \quad \theta \quad v' \quad \lambda' \quad f' \quad \theta'$$

Geben Sie für jede der markierten Größen an, ob der Wert der Größe in Experiment 5 *größer* oder *kleiner* ist als in Experiment 3. Begründen Sie.

c. In Experiment 6 werden gegenüber Experiment 3 *zwei* Änderungen vorgenommen: Die Frequenz, mit welcher der Stab bewegt wird, ist doppelt so groß wie in Experiment 3 und die Tiefe des Bereiches 1 wurde vergrößert, sodass die Wellengeschwindigkeit dort *doppelt* so groß ist wie in Experiment 3.

- Wählen Sie von den Abbildungen auf der letzten Seite des Tutorials diejenige aus, welche die Wellenfronten für Experiment 6 am besten darstellt. Falls es keine solche Abbildung gibt, geben Sie dies ausdrücklich an und begründen Sie.
- Markieren Sie unten alle die Größen, die in den Experimenten 3 und 6 unterschiedliche Werte haben.

$$v \quad \lambda \quad f \quad \theta \quad v' \quad \lambda' \quad f' \quad \theta'$$

Geben Sie für jede der markierten Größen an, ob der Wert der Größe in Experiment 6 *größer* oder *kleiner* ist als in Experiment 3. Begründen Sie.

5 Auswahl von Wellendiagrammen für Abschnitt 4

Abbildung A

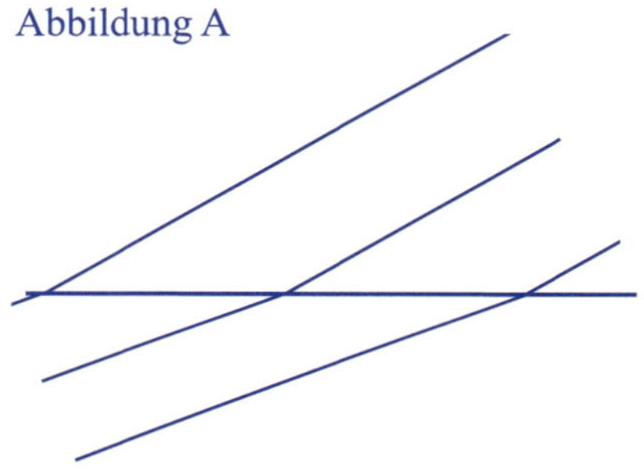

Abbildung B

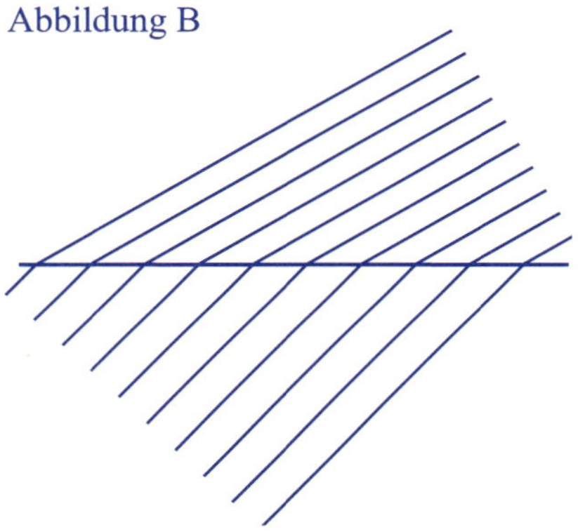

Abbildung C

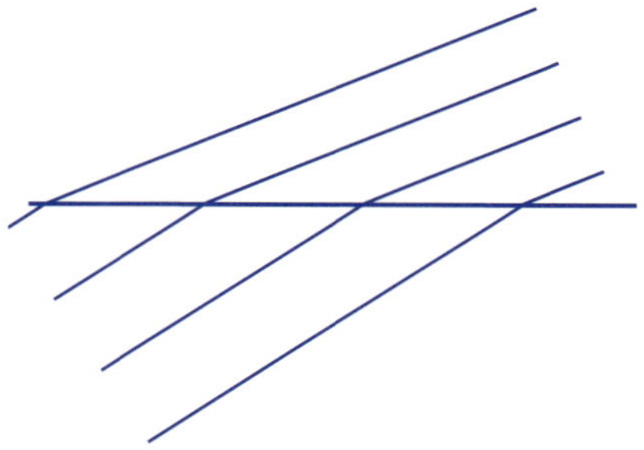

Abbildung D

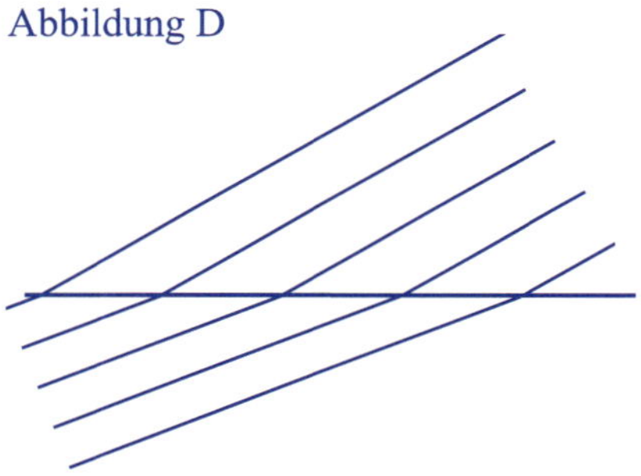

1 Darstellung elektromagnetischer Wellen

1.1 Die unten algebraisch und grafisch dargestellte ebene elektromagnetische Welle breitet sich im Vakuum aus. Das elektrische Feld ist parallel zur z-Achse; das magnetische Feld parallel zur y-Achse. ($\vec{e}_x$, $\vec{e}_y$ und $\vec{e}_z$ sind die Einheitsvektoren entlang der positiven x-, y- bzw. z-Achse.)

$$\vec{E}(x,y,z,t) = E_o \sin(kx + \omega t)\vec{e}_z \qquad \vec{B}(x,y,z,t) = B_o \sin(kx + \omega t)\vec{e}_y$$

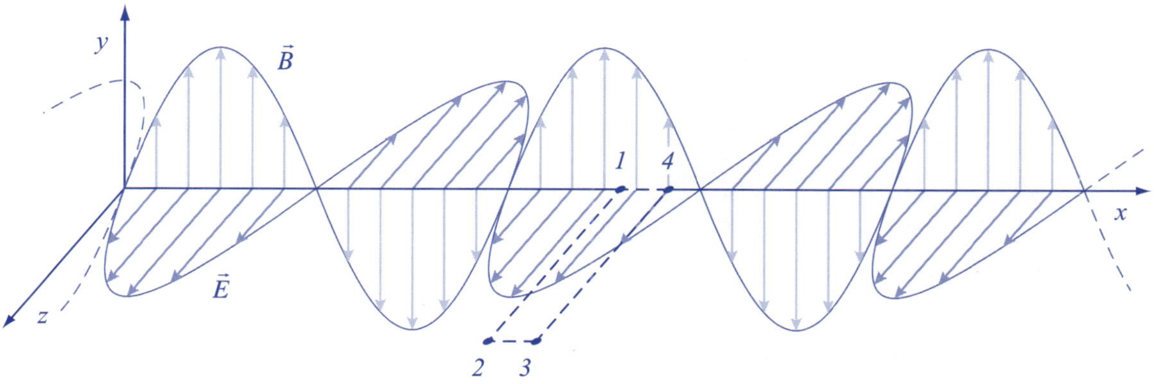

a. Handelt es sich um eine Longitudinal- oder eine Transversalwelle? (*Hinweis:* Welche Größen zeigen hier oszillatorisches Verhalten?)

In welche Richtung breitet sich die Welle aus? Begründen Sie Ihre Antwort

- mithilfe der Ausdrücke für das elektrische und magnetische Feld und

- mithilfe des Poyntingvektors.

b. Die markierten Punkte 1 bis 4 im obigen Diagramm liegen in der x,z-Ebene.

Ordnen Sie die vier Punkte nach dem Betrag des *elektrischen Feldes* zum dargestellten Zeitpunkt. Falls das elektrische Feld an einem oder mehreren der Punkte gleich Null ist, geben Sie dies ausdrücklich an.

Ist die von Ihnen gefundene Reihenfolge mit dem oben angegebenen mathematischen Ausdruck für das elektrische Feld vereinbar? Wenn nicht, lösen Sie den Widerspruch auf. (*Hinweis:* Wie wirkt sich z. B. eine Veränderung der z-Koordinate auf den Wert des elektrischen Feldes $\vec{E}(x,y,z,t)$ aus?)

Ordnen Sie die Punkte 1 bis 4 nach dem Betrag des *magnetischen Feldes* zum dargestellten Zeitpunkt. Überprüfen Sie dann, ob die von Ihnen gefundene Reihenfolge mit dem oben angegebenen mathematischen Ausdruck für das magnetische Feld $\vec{B}(x,y,z,t)$ vereinbar ist.

Die in der nebenstehenden Abbildung mit „×“ markierten Punkte liegen alle in einer Ebene parallel zur y,z-Ebene. Einer der Punkte liegt zudem auf der x-Achse.

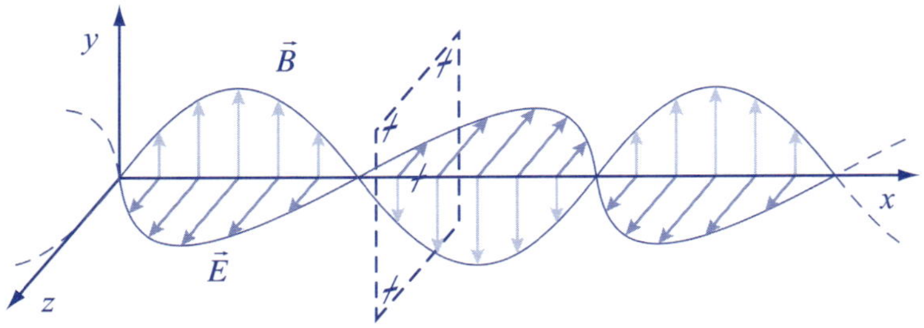

Skizzieren Sie in der Abbildung Vektoren, die den Betrag und die Richtung des elektrischen Feldes an den gekennzeichneten Punkten darstellen.

Erläutern Sie die Bezeichnung *ebene Welle* für diese elektromagnetische Welle.

→ Überprüfen Sie Ihre Antworten mit einem Tutor.

1.2 Die Abbildungen rechts stellen drei Lichtwellen dar. Die Abbildungen sind im gleichen Maßstab gezeichnet.

a. Worin unterscheidet sich die Welle in Fall 1 von der in Fall 2? Begründen Sie anhand der Abbildungen.

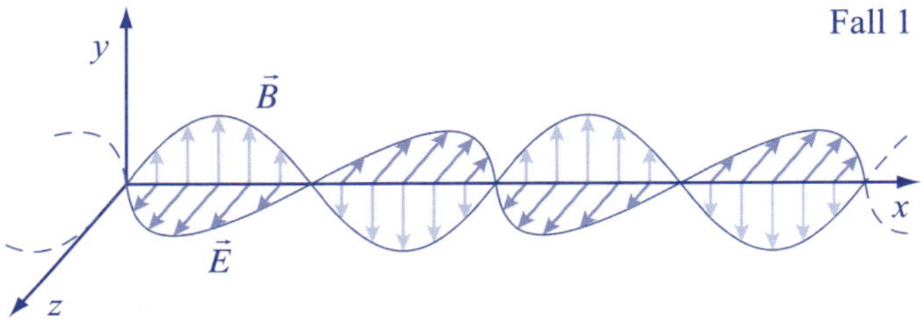

b. Die Welle in Fall 2 stellt *grünes Licht* dar. Handelt es sich dann bei der Welle in Fall 3 um *rotes* oder um *blaues* Licht? Begründen Sie.

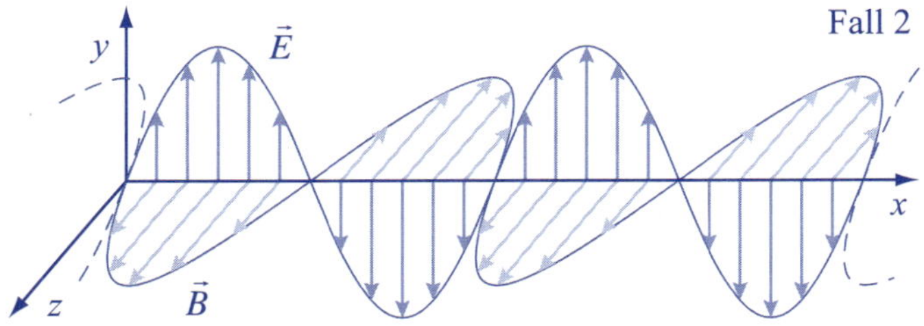

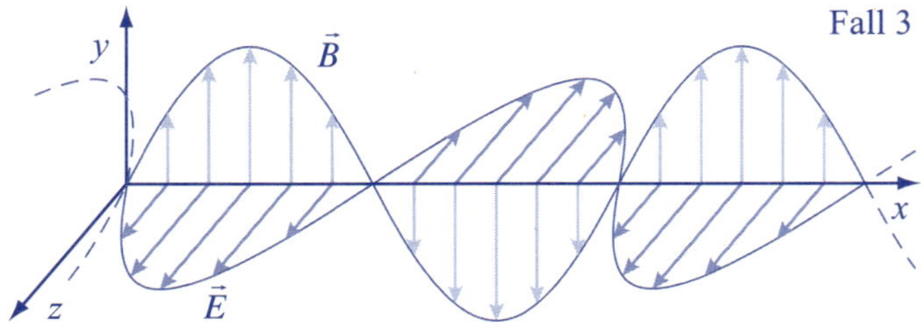

2 Empfang elektromagnetischer Wellen

2.1 Geben Sie einen mathematischen Ausdruck für die Kraft an, die (1) ein elektrisches Feld $\vec{E}$ bzw. (2) ein magnetisches Feld $\vec{B}$ auf eine Ladung q ausüben.

Wirkt auf eine Ladung, die sich in einem elektrischen und einem magnetischen Feld befindet, eine Kraft, auch wenn die Ladung zu Anfang in Ruhe ist? Begründen Sie.

2.2 Wir betrachten nun eine Welle wie die in Abschnitt 1, aber mit der Frequenz einer Radiowelle. Ein langer und dünner leitender Draht (siehe Abbildung) wird von der Welle bestrahlt.

a. Der Draht ist parallel zur z-Achse ausgerichtet.

Versetzt das *elektrische Feld* der Radiowelle die Ladungen im Draht in Bewegung? Wenn ja, bewegen sich die Ladungen entlang des Drahtes oder senkrecht dazu? Begründen Sie.

Versetzt das *magnetische Feld* der Radiowelle die Ladungen im Draht entlang des Drahtes in Bewegung? Begründen Sie.

b. Der Draht wird nun in zwei Hälften geteilt und jede der Hälften wird mit einem der Anschlüsse einer Glühlampe verbunden (siehe Abbildung). Die Glühlampe mit den Drähten wird nun wieder parallel zur z-Achse ausgerichtet.

Leuchtet die Glühlampe in dieser Anordnung? Begründen Sie. (*Hinweis:* Unter welchen Voraussetzungen leuchtet eine Glühlampe auch ohne einen geschlossenen Stromkreis?)

Wie ändert sich Ihre Antwort gegebenenfalls, wenn der Draht folgendermaßen angeordnet wird:

- parallel zur y-Achse

- parallel zur x-Achse

c. Die Glühlampe wird nun entfernt und die beiden Hälften des Drahtes werden wie in der Abbildung rechts an eine Schaltung angeschlossen. (Ein leitender Stab oder Draht, der in dieser Weise verwendet wird, ist ein einfaches Beispiel für eine *Antenne.*)

Wie muss die Antenne relativ zur eintreffenden Radiowelle ausgerichtet sein, um die Welle möglichst gut zu empfangen (d. h. um in der Schaltung den größtmöglichen Strom zu erzeugen)? Begründen Sie.

3 Elektromagnetische Wellen und die Maxwell'schen Gleichungen

3.1 Erinnern Sie sich an das Faraday'sche Induktionsgesetz aus der Elektrodynamik:

$$\oint \vec{E} \cdot d\vec{l} = -\frac{d\Phi_B}{dt}$$

Wir wenden nun jede der beiden Seiten des Induktionsgesetzes auf den geschlossenen Integrationsweg $1 \rightarrow 2 \rightarrow 3 \rightarrow 4 \rightarrow 1$ in der Abbildung in Teil 1.1 an.

a. Bestimmen Sie, ob die nachstehend angegebenen Größen zum in der Abbildung dargestellten Zeitpunkt *positiv, negativ* oder *gleich Null* sind. Begründen Sie jeweils Ihre Antwort.

- der Wert des Integrals $\oint \vec{E} \cdot d\vec{l}$ entlang des Weges $1 \rightarrow 2$
- der Wert des Integrals $\oint \vec{E} \cdot d\vec{l}$ entlang des Weges $2 \rightarrow 3$
- der Wert des Integrals $\oint \vec{E} \cdot d\vec{l}$ entlang des geschlossenen Integrationsweges $1 \rightarrow 2 \rightarrow 3 \rightarrow 4 \rightarrow 1$ (*Hinweis:* Das Ergebnis ist nicht Null!)

Die Richtung der Flächennormalen für eine gedachte Fläche mit einer geschlossenen Kurve als Rand wird gewöhnlich mithilfe der Rechte-Hand-Regel festgelegt. Der Normalenvektor zu der ebenen, rechteckigen Fläche, die durch die Kurve $1 \rightarrow 2 \rightarrow 3 \rightarrow 4 \rightarrow 1$ begrenzt wird, zeigt demnach in die *positive* y-Richtung.

b. Ist der magnetische Fluss durch die von der Kurve $1 \rightarrow 2 \rightarrow 3 \rightarrow 4 \rightarrow 1$ eingeschlossene Fläche zum dargestellten Zeitpunkt *positiv, negativ* oder *gleich Null?* Begründen Sie Ihre Antwort anhand der Abbildung.

Nimmt der Betrag des Flusses durch diese Fläche zu diesem Zeitpunkt *zu, ab* oder ist er *momentan konstant?* Begründen Sie ebenfalls anhand der Abbildung.

c. Ist die Größe $\left(-\frac{d\Phi_B}{dt}\right)$ auf der rechten Seite des Faraday'schen Induktionsgesetzes demnach *positiv, negativ* oder *gleich Null?* Begründen Sie.

Ist die Größe auf der linken Seite des Induktionsgesetzes nach Ihren Ergebnissen in Teil a *positiv, negativ* oder *gleich Null?*

Ergibt sich für die Vorzeichen auf beiden Seiten des Induktionsgesetzes die gleiche Antwort? Wenn nicht, lösen Sie den Widerspruch auf.

3.2 Das elektrische Feld einer Lichtwelle ist durch $\vec{E}(x,y,z,t) = E_o \sin(kx + \omega t)\vec{e}_z$ gegeben.

Kann das magnetische Feld dieser Welle für alle Werte von x und t gleich Null sein? Begründen Sie Ihre Antwort mithilfe des Faraday'schen Induktionsgesetzes. (*Hinweis:* Ändert sich eine Ihrer Antworten in Teil 3.1, wenn das magnetische Feld für alle x und t gleich Null ist?)

TEIL V

Optik

Für die Aktivitäten in diesem Tutorial benötigen Sie einen abgedunkelten Raum. *In jedem Experiment sollen Sie zunächst eine Vermutung formulieren, bevor Sie das Experiment durchführen.* Lösen Sie jeweils eventuelle Widersprüche auf, bevor Sie weiterarbeiten.

1 Licht

1.1 Eine kleine Glühlampe, eine Lochblende und ein Schirm sind wie in der Abbildung angeordnet. Die kreisförmige Blende hat einen Durchmesser von ca. 1 cm.

Was ist Ihrer *Erwartung nach* auf dem Schirm zu sehen? Erläutern Sie mit Worten und einer Skizze.

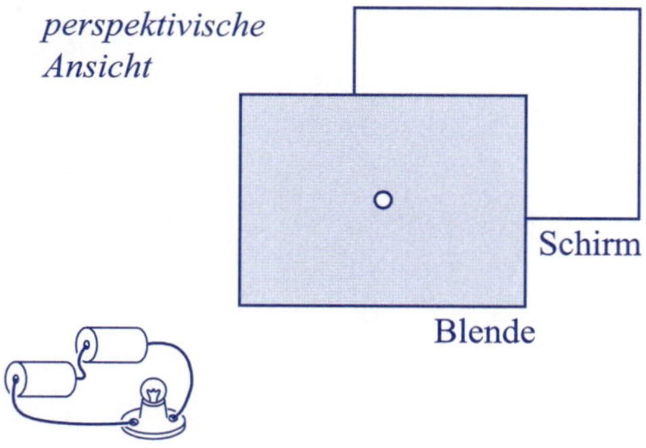

Welche Auswirkungen erwarten Sie auf dem Schirm, wenn die Glühlampe aufwärts bewegt wird? Begründen Sie.

Führen Sie die Experimente durch und überprüfen Sie Ihre Vermutungen. Falls Ihre Vermutungen nicht zutreffen, lösen Sie die Widersprüche auf.

1.2 Welche Auswirkungen erwarten Sie auf dem Schirm bei den folgenden Veränderungen der Anordnung? Begründen Sie mit Worten und mit einer Skizze.

- Die Blende wird durch eine Blende mit *dreieckigem* Loch ersetzt.

- Der Abstand der Glühlampe von der Blende wird vergrößert.

Führen Sie die Experimente durch und überprüfen Sie Ihre Vermutungen. Lösen Sie eventuelle Widersprüche auf.

1.3 Eine Blende mit kreisförmiger Öffnung befindet sich zwischen Glühlampe und Schirm.

Welche Auswirkungen erwarten Sie auf dem Schirm, wenn eine *zweite* Glühlampe oberhalb der ersten angeordnet wird? Begründen Sie.

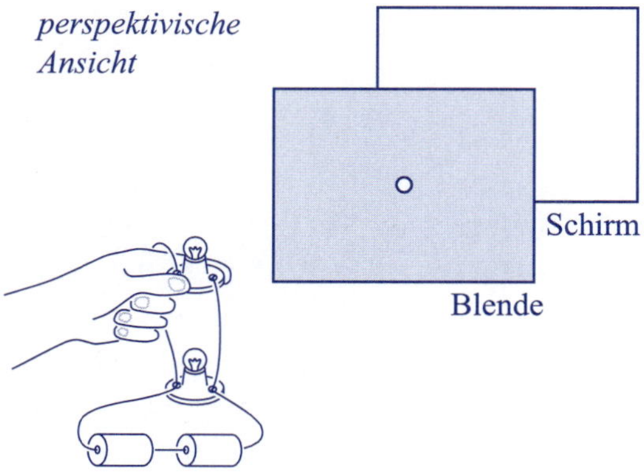

Welche Auswirkungen erwarten Sie auf dem Schirm, wenn die obere Glühlampe aufwärts bewegt wird? Begründen Sie.

Führen Sie die Experimente durch und überprüfen Sie Ihre Vermutungen. Lösen Sie eventuelle Widersprüche auf.

1.4 Welche Vorstellung über den Weg des Lichts von der Glühlampe zum Schirm legen Ihre Beobachtungen nahe.

1.5 Sie halten mehrere kleine Glühlampen dicht übereinander. Was ist Ihrer Erwartung nach dann auf dem Schirm zu sehen?

Was ist Ihrer Erwartung nach dann auf dem Schirm zu sehen, wenn Sie stattdessen eine Glühlampe mit lang gestreckter Glühwendel verwenden? Begründen Sie.

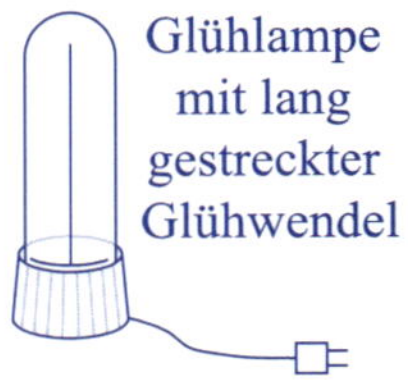

Überprüfen Sie ihre Vermutung.

1.6 Die in den Teilen 1.3 bis 1.5 verwendete Blende wird nun durch eine mit dreieckigem Loch wie in der Abbildung ersetzt.

Was ist Ihrer Erwartung nach auf dem Schirm zu sehen, wenn eine kleine Glühlampe oben links neben die Glühlampe mit lang gestreckter Glühwendel gehalten wird? Skizzieren Sie Ihre Vermutung.

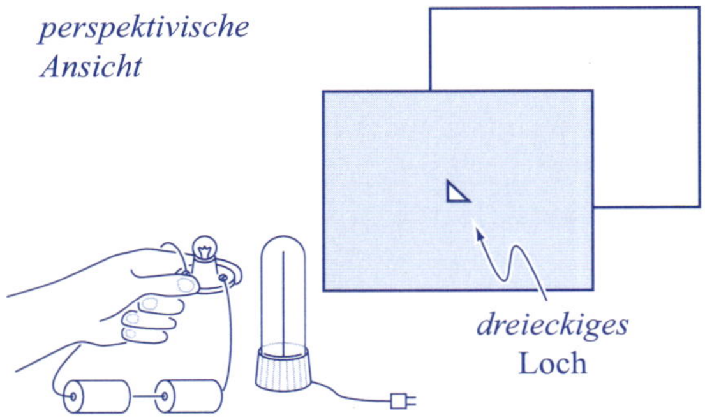

Vergleichen Sie Ihre Vermutungen in Ihrer Arbeitsgruppe und versuchen Sie, sich auf eine Antwort zu einigen. Überprüfen Sie diese. Lösen Sie eventuelle Widersprüche auf.

1.7 Was ist Ihrer Erwartung nach in der rechts abgebildeten Situation auf dem Schirm zu sehen?

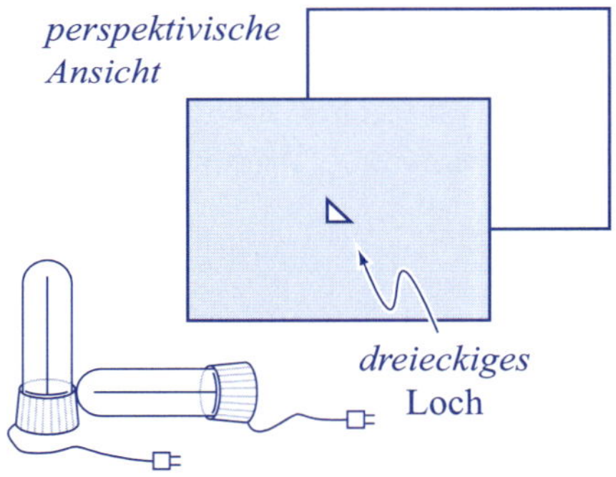

Was ist Ihrer Erwartung nach auf dem Schirm zu sehen, wenn die Blende *entfernt* wird?

Überprüfen Sie Ihre Vermutungen. Falls eine Ihrer Vermutungen falsch war, lösen Sie den Widerspruch auf.

1.8 Was ist Ihrer Erwartung nach auf dem Schirm zu sehen, wenn eine mattierte Glühlampe vor eine Blende mit einem dreieckigen Loch gehalten wird (siehe Abbildung)?

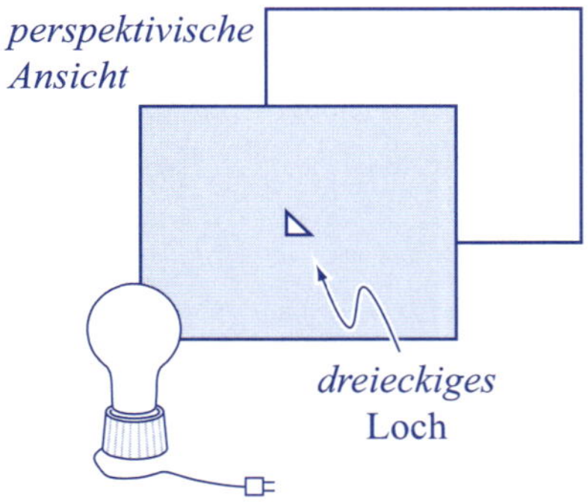

→ Diskutieren Sie Ihre Vermutung mit einem Tutor. Lassen Sie sich danach eine mattierte Glühlampe geben und führen Sie das Experiment durch.

2 Licht: Quantitative Betrachtungen

2.1 Welche Ausdehnung erwarten Sie für den beleuchteten Bereich auf dem Schirm rechts? Betrachten Sie dabei die Glühlampe als Punktquelle (d. h. als ob das gesamte Licht von einem Punkt ausginge).

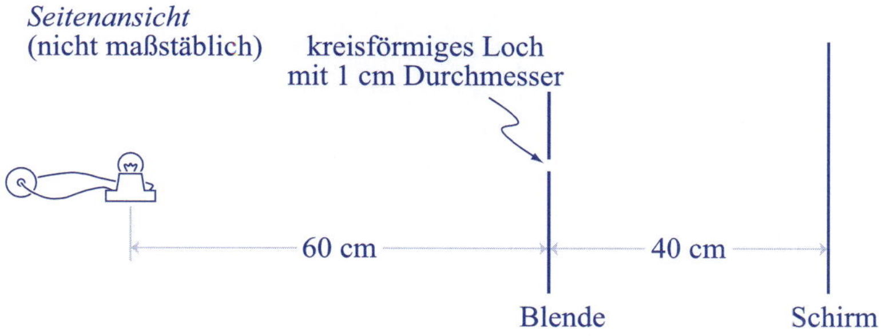

Welche Änderung erwarten Sie für den Durchmesser des beleuchteten Bereichs, wenn der Durchmesser des Loches halbiert wird? (Ist der Bereich dann ebenfalls halb so groß?) Begründen Sie.

2.2 Die Glühlampe wird durch eine Lampe mit lang gestreckter Glühwendel ersetzt (siehe Abbildung).

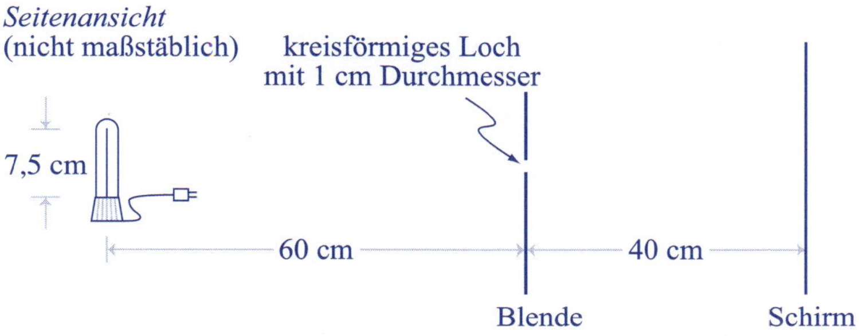

Welche Änderung der Länge des beleuchteten Bereichs erwarten Sie, wenn der Lochdurchmesser halbiert wird? (Ist der Bereich halb so groß?) Begründen Sie in Worten und mit einer Skizze.

Führen Sie den Versuch durch und überprüfen Sie Ihre Vermutung. Falls diese nicht zutreffend war, lösen Sie den Widerspruch auf.

Welche Ausdehnung und Form erwarten Sie *näherungsweise für* den beleuchteten Bereich im Grenzfall eines sehr klein Loches? (*Hinweis:* Ist in diesem Grenzfall der beleuchtete Bereich *länger, kürzer* oder *gleich* der Länge des Glühfadens?)

2.3 Was ist Ihrer *Erwartung* nach in der rechts dargestellten Situation auf dem Schirm zu sehen?

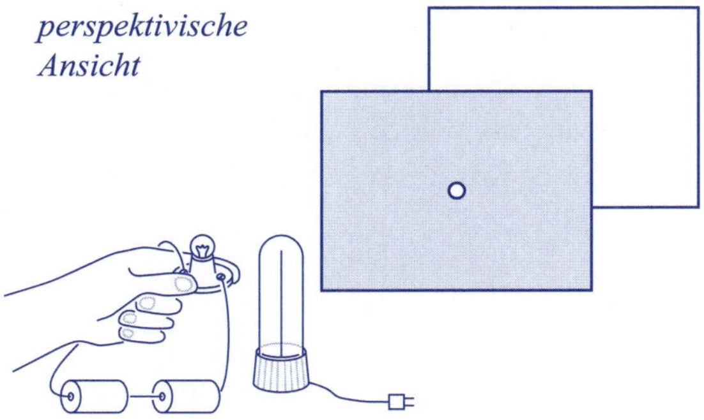

Wie ändern sich Höhe und Breite der beleuchteten Bereiche, wenn der Lochdurchmesser halbiert wird? Begründen Sie.

Überprüfen Sie Ihre Vermutungen experimentell. Falls diese nicht zutreffend waren, lösen Sie den Widerspruch auf.

3 Ergänzung: Schatten

Lassen Sie sich eine Schachtel und eine kleine Kugel geben. Befestigen Sie die Kugel wie abgebildet.

perspektivische Ansicht

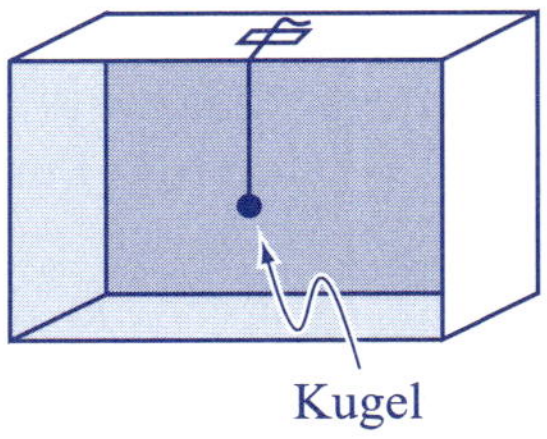

3.1 Was ist Ihrer *Erwartung* nach in der rechts dargestellten Situation auf dem Schirm hinten in der Schachtel zu sehen? Begründen Sie Ihre Antwort.

Welche Änderungen erwarten Sie auf dem Schirm, wenn eine zweite Glühlampe oberhalb der ersten angeordnet wird? Begründen Sie Ihre Antwort.

perspektivische Ansicht

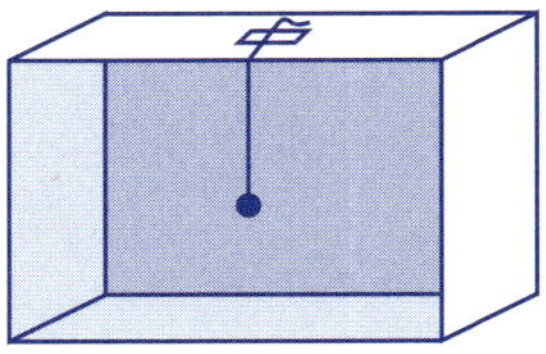

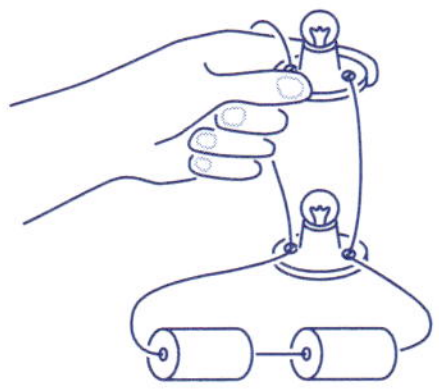

Führen Sie die Experimente durch. Lösen sie alle Widersprüche zwischen den Beobachtungen und Ihren Erwartungen auf.

Muss ein Bereich *vollständig* dunkel sein, damit ein Schatten auftritt? Begründen Sie.

3.2 Das Licht der oberen Glühlampe ist rot, das der unteren grün. Was ist nach Ihrer Erwartung auf dem Schirm zu sehen? Begründen Sie Ihre Antwort.

Bitten Sie einen Tutor um rote und grüne Farbfilter und führen Sie das oben beschriebene Experiment durch. Falls Ihre Vermutungen nicht zutreffend waren, finden Sie die Fehler in Ihren Überlegungen.

3.3 Was ist Ihrer *Erwartung* nach in der rechts dargestellten Situation auf dem Schirm zu sehen? Begründen Sie Ihre Antwort.

perspektivische Ansicht

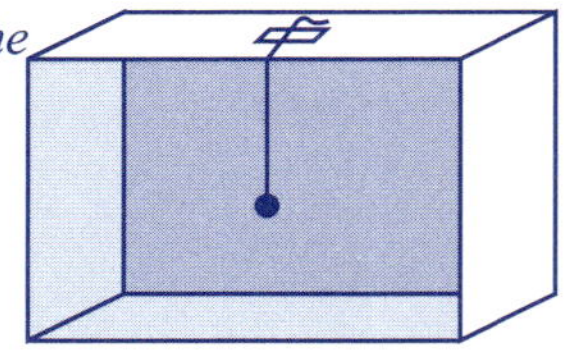

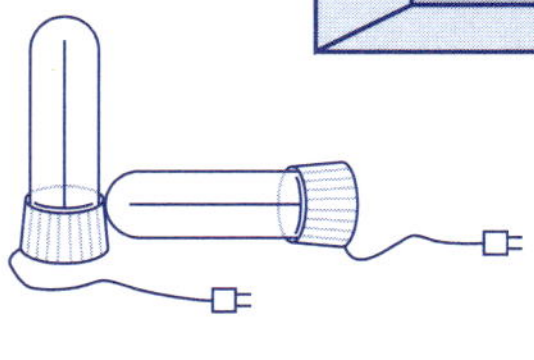

Das Licht von der senkrechten Glühlampe ist rot, das von der waagerechten Lampe grün. Was ist Ihrer *Erwartung* nach dann auf dem Schirm zu sehen?

Führen Sie die Experimente durch. Lösen Sie alle Widersprüche zwischen den Beobachtungen und Ihren Erwartungen auf.

1 Die Parallaxenmethode

Schließen Sie ein Auge und halten Sie Ihr offenes Auge so, dass Sie flach über den Tisch blicken. Bitten Sie Ihren Partner, ein kleines Papierstückchen (etwa 2 mm Kantenlänge) auf den Tisch fallen zu lassen.

Halten Sie einen Finger einige Zentimeter über den Tisch und bewegen Sie ihn so lange, bis Sie glauben, dass er sich direkt über dem Papier befindet. Bewegen Sie dann den Finger senkrecht nach unten und prüfen Sie, ob Sie das Papier treffen.

Führen Sie dies mehrmals durch, wobei Ihr Partner die Lage des Papiers variiert. Halten Sie dabei Ihr offenes Auge immer auf Tischhöhe. Tauschen Sie nach mehreren Versuchen mit Ihrem Partner die Rollen.

Erklären Sie, warum Ihr Finger den Tisch nie zu weit rechts oder links trifft, sondern immer nur vor oder hinter dem Papier (falls Sie nicht genau getroffen haben).

1.1 Angenommen, Sie halten beim vorigen Versuch nach dem Senken Ihren Finger *hinter* das Papier (wie im Bild rechts zu sehen).

Erwarten Sie, dass Ihr Finger dann *links* oder *rechts* vom Papier oder in einer Linie mit ihm zu sehen ist, wenn

- Sie Ihren Kopf nach links bewegen,

- Sie Ihren Kopf nach rechts bewegen?

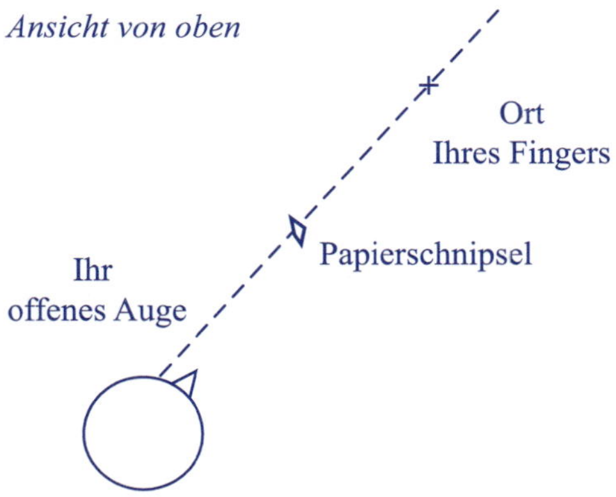

Überprüfen Sie Ihre Vermutungen und lösen Sie eventuelle Widersprüche auf.

1.2 Angenommen, Sie halten Ihren Finger *vor* anstatt hinter das Papierstückchen (wie im Bild rechts zu sehen).

Wenn Sie Ihren Kopf nun nach links bewegen, welches Objekt ist dann weiter links zu sehen: das Papier oder Ihr Finger? Überprüfen Sie Ihre Antwort experimentell.

1.3 Entwickeln Sie anhand Ihrer Ergebnisse in den Aufgabenteilen 1.1 und 1.2 ein Verfahren, mit dem Sie die Lage des Papiers im Versuch aus Teil 1.1 bestimmen können. Ihr Verfahren soll es Ihnen erlauben zu entscheiden, wo sich Ihr Finger befindet: direkt über dem Papier, davor oder dahinter. Erklären Sie Ihr Verfahren Ihrem Partner und testen Sie es anschließend.

→ Diskutieren Sie Ihre Antworten mit einem Tutor.

Wir bezeichnen das Verfahren, das Sie zur Bestimmung der Lage des Papierstückchens entwickelt haben, als die *Parallaxenmethode.*

2 Lage des Bildes

Lassen Sie sich einen kleinen Spiegel und zwei gleiche Nägel geben. Stellen Sie den Spiegel in der Mitte eines Blattes Papier aufrecht hin. Stellen Sie einen Nagel mit dem Kopf nach unten etwa 10 cm vor der Spiegeloberfläche auf. Wir bezeichnen diesen Nagel hier als den ‚Gegenstandsnagel".

Markieren Sie die Lage des Spiegels und des Gegenstandsnagels.

2.1 Halten Sie Ihren Kopf so, dass Sie das Bild des Nagels im Spiegel sehen können.

Verwenden Sie die Parallaxenmethode, um den zweiten Nagel so aufzustellen, dass er sich am gleichen Ort befindet wie das Bild des Gegenstandsnagels. Markieren Sie die Lage auf dem Papier.

Befindet sich das Bild des Nagels *vor dem Spiegel, hinter ihm* oder *auf seiner Oberfläche?* Begründen Sie.

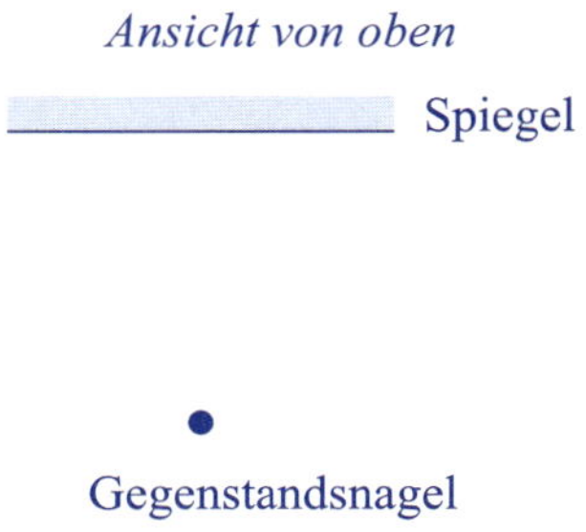

Ergibt sich für Beobachter an anderen Stellen der gleiche Ort für das Bild des Nagels? Überprüfen Sie Ihre Antwort experimentell.

2.2 Verschieben Sie den Nagel ein Stück nach rechts wie im Bild zu sehen. Bestimmen Sie erneut die Lage des Bildes.

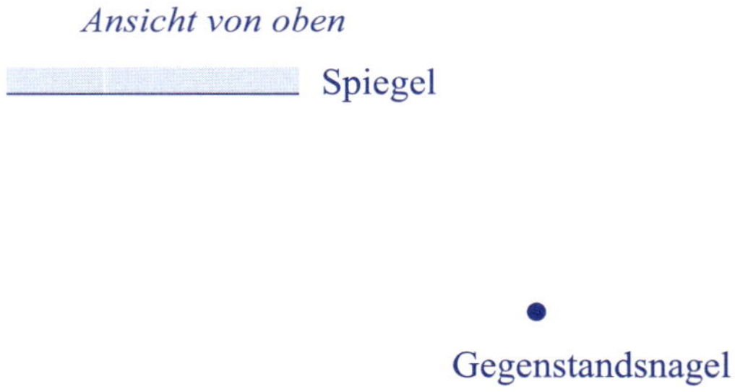

In den folgenden Versuchen werden wir ein zweites Verfahren kennen lernen, um den Ort des Bildes eines Gegenstands zu bestimmen: die *Bildkonstruktion mithilfe des Strahlenganges.* Dieses Verfahren geht von der Annahme aus, dass sich das Licht entweder von einem leuchtenden Gegenstand (z. B. einer Glühlampe) in alle Richtungen ausbreitet oder von einem nicht selbst leuchtenden Gegenstand (z. B. einem Nagel) in alle Richtungen reflektiert wird.

3 Bildkonstruktion mithilfe des Strahlenganges

3.1 Legen Sie ein großes Blatt Papier auf den Tisch. Stellen Sie einen Nagel mit dem Kopf nach unten an einem Ende auf das Papier.

Schließen Sie ein Auge und halten Sie den Kopf so, dass sich Ihr geöffnetes Auge auf der anderen Seite des Blattes auf Tischhöhe befindet. Zeichnen Sie mit einem Lineal die *Sichtlinie* zum Nagel, also eine Gerade von Ihrem Auge zum Nagel.

Zeichnen Sie mit diesem Verfahren noch Sichtlinien von drei weiteren Beobachterpunkten und *entfernen Sie dann den Nagel.*

Wie können Sie mithilfe dieser Sichtlinien bestimmen, wo sich der Nagel befunden hat?

Wie viele Sichtlinien benötigen Sie mindestens zur Bestimmung des Ortes des Nagels?

3.2 Verwenden Sie für die folgende Aufgabe ein frisches Blatt Papier (oder die Rückseite Ihres Blattes). Stellen Sie den Spiegel in die Mitte des Blattes und stellen Sie einen Nagel vor dem Spiegel auf. Markieren Sie die Lage des Spiegels und des Nagels auf dem Papier.

Zeichnen Sie auf dem Papier mehrere Sichtlinien zum *Bild* des Nagels.

Wie können Sie mithilfe dieser Sichtlinien die Lage des Bildes bestimmen?

Verwenden Sie nun die Parallaxenmethode zur Bestimmung der Lage des Bildes.

Ergeben die beiden Methoden die gleiche Lage für das Bild des Nagels (innerhalb einer gewissen experimentellen Ungenauigkeit)?

3.3 Entfernen Sie den Spiegel und den Gegenstandsnagel. Zeichnen Sie für jeden Beobachterpunkt in Teil 3.2 den Weg des Lichts vom *Gegenstandsnagel* zum Spiegel.

Kennzeichnen Sie mit Pfeilspitzen (——▸——) die Richtung, in der das Licht auf jedem einzelnen Abschnitt des Weges fortschreitet.

Formulieren Sie anhand der von Ihnen eingezeichneten Wege eine Regel, mit der Sie den Weg angeben können, dem das Licht *nach* der Reflexion am Spiegel folgt.

3.4 Stellen Sie den zweiten Nagel am Ort des *Bildes* des Gegenstandsnagels auf. Zeichnen Sie für die gleichen Beobachterpunkte wie in Teil 3.3 die Wege ein, die das Licht vom Bildnagel zu Ihrem Auge zurücklegt.

Vergleichen Sie das Diagramm für diese Situation mit dem Diagramm, das Sie in Teil 3.3 gezeichnet haben.

Kann Ihr Auge diese beiden Situationen voneinander unterscheiden?

4 Strahlengang beim ebenen Spiegel

Verwenden Sie in diesem Teil des Tutorials ein Geometrie-Dreieck, um die Strahlen möglichst genau zu zeichnen.

4.1 Zeichnen Sie in der Abbildung rechts einen Lichtstrahl, der von der Nadel ausgeht und am Spiegel reflektiert wird.

Was sehen Sie, wenn Sie Ihr Auge so platzieren, dass Sie entlang des eingezeichneten Strahls zurückblicken?

Haben Sie aufgrund *eines* Strahls genügend Informationen, um die Lage des Bildes zu bestimmen?

Wenn nicht, was können Sie über die Lage des Bildes aufgrund eines Strahls aussagen?

4.2 Zeichnen Sie nun einen zweiten Lichtstrahl, der von der Nadel ausgeht und in der Nähe des ersten Strahls am Spiegel reflektiert wird.

Was lässt sich *allein aufgrund des zweiten Lichtstrahls* über die Lage des Bildes aussagen?

Wie können Sie mithilfe *beider* Strahlen die Lage des Bildes bestimmen?

Erhalten Sie weitere Informationen über die Lage des Bildpunktes, wenn Sie drei oder mehr Strahlen einzeichnen?

4.3 Konstruieren Sie die Lage des Bildes mithilfe des Strahlenganges wie in Abschnitt 3. (Zeichnen Sie dabei alle Linien, die nicht den tatsächlichen Weg des Lichtes wiedergeben, *gestrichelt.*) Kommt das Licht, das den Beobachter erreicht, tatsächlich vom Bildpunkt, oder *scheint es nur* von diesem Punkt zu kommen?

Wie viele Strahlen muss man mindestens zeichnen, um damit die Lage des Bildes eines punktförmigen Gegenstandes zu bestimmen? Begründen Sie.

Vergleichen Sie den Abstand des Bildes von der Spiegelebene mit dem Abstand der Nadel von der Spiegelebene.

Das Diagramm, das Sie oben gezeichnet haben, um die Lage des Bildes zu bestimmen, nennt man einen *Strahlengang.* Den Ort, von dem das reflektierte Licht zu kommen scheint (d. h. den Ort der Nadel, die Sie im Spiegel gesehen haben), nennt man den *Bildpunkt.*

Ein Bild eines Gegenstandes wird als *virtuell* bezeichnet, wenn das Licht, welches das Bild erzeugt, nicht tatsächlich vom Ort des Bildes herkommt. Ein Bild eines Gegenstandes wird als *reell* bezeichnet, wenn das Licht, welches das Bild erzeugt, vom Ort des Bildes herkommt.

Bei der Konstruktion des Strahlenganges bei Spiegeln und Linsen verwendet man *durchgezogene Linien mit einer Pfeilspitze* (——►——) zur Darstellung eines Strahls, also eines Weges, den das Licht zurücklegt. Zur Verlängerung eines Strahls, die zeigt, woher das Licht zukommen scheint, werden gestrichelte Linien (_ _ _ _ _ _ _) verwendet, um den Unterschied zu den tatsächlichen Wegen des Lichts deutlich zu machen.

1 Zylindrische Spiegel

1.1 Eine Nadel steckt vor einem zylindrischen Spiegel, so wie in der Abbildung (Ansicht von oben) dargestellt. Die Linien A bis E stellen einige der Lichtstrahlen dar, die von der Nadel ausgehend den Spiegel erreichen. Die Punkte M und N markieren die Positionen von zwei Beobachtern.

Lassen Sie sich eine Vergrößerung dieser Abbildung geben.

a. Zeichnen Sie die reflektierten Strahlen mithilfe eines Geometrie-Dreiecks. (*Hinweis:* Der Mittelpunkt des Zylinderspiegels ist eingezeichnet.)

Beschreiben Sie, wie Sie die Richtungen der reflektierten Strahlen ermittelt haben.

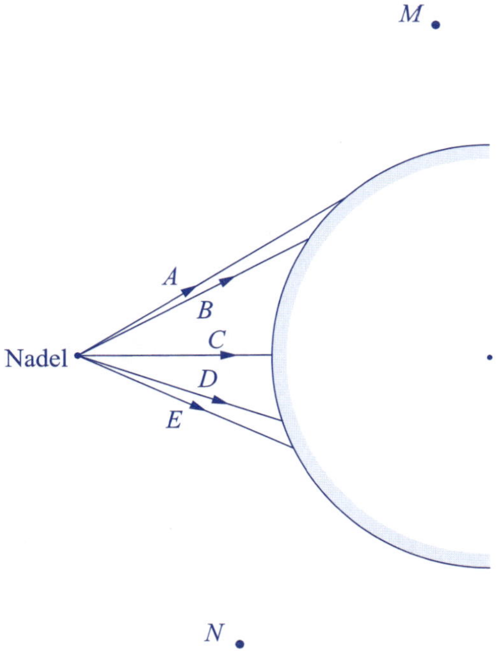

b. Zeichnen Sie für jeden der reflektierten Strahlen eine gestrichelte Linie, welche die Richtung darstellt, aus welcher der reflektierte Strahl zu kommen scheint.

Gibt es einen Punkt, von dem alle reflektierten Strahlen auszugehen scheinen?

c. Zeichnen Sie in der Abbildung einen Strahl A' ein, der zwischen den Strahlen A und B verläuft. Zeichnen Sie den dazugehörigen reflektierten Strahl.

Welche Strahlen scheinen genauer durch *einen* gemeinsamen Punkt zu gehen, die reflektierten Strahlen A, A' und B oder die reflektierten Strahlen A, B und C?

Bestimmen und markieren Sie möglichst genau den Ort, an dem das Bild der Nadel für einen Beobachter an Punkt M erscheint. Zeichnen Sie diesen Ort möglichst genau in der Abbildung ein.

OPTIK
Geometrische Optik

Bestimmen und markieren Sie möglichst genau den Ort, an dem das Bild der Nadel für einen Beobachter an Punkt N erscheint.

Geben die Beobachter bei M und N den gleichen Ort für das Bild der Nadel an? Begründen Sie, wie Sie dies aus dem Strahlengang folgern können.

d. Bitten Sie einen Tutor um einen halbzylindrischen Spiegel. Stellen Sie den Spiegel auf die vergrößerte Abbildung und verwenden Sie die Parallaxenmethode, um Ihre Antworten zu überprüfen. (*Hinweis:* Es hilft Ihnen vielleicht, den Spiegel auf der Abbildung mit Klebeband zu befestigen.) Falls Ihre Antworten nicht mit Ihren Beobachtungen vereinbar sind, lösen Sie die Widersprüche auf.

1.2 Können Sie in den folgenden Fällen zwei *beliebige* Strahlen verwenden (auch solche, die *nicht* in der Nähe eines bestimmten Beobachters verlaufen), um den Ort zu finden, an dem das Bild der Nadel für diesen Beobachter erscheint:

- im Fall eines ebenen Spiegels? Begründen Sie,

- im Fall eines gekrümmten Spiegels? Begründen Sie.

1.3 Die Beobachter bei M und N betrachten ein Bild der Nadel im Spiegel.

a. Der Spiegel ist bis auf einen kleinen Bereich abgedeckt, wie abgebildet.

Beeinflusst diese Änderung, was die Beobachter bei M und N sehen? Begründen Sie.

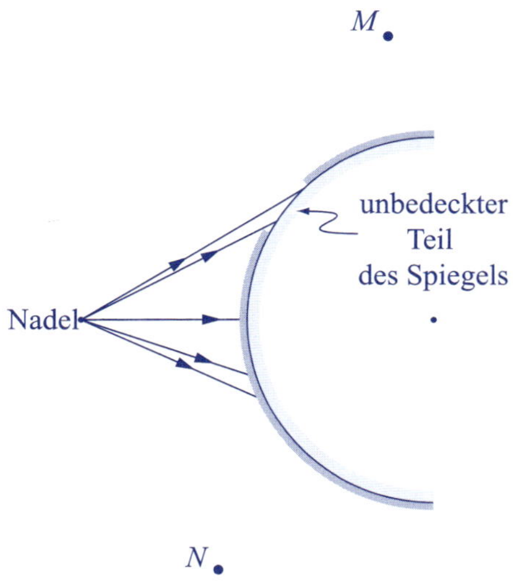

Bestimmen Sie den Bereich, in dem sich ein Beobachter befinden muss, damit er ein Bild der Nadel sehen kann. Diskutieren Sie Ihre Überlegungen in Ihrer Arbeitsgruppe.

Stimmen zwei Beobachter an unterschiedlichen Positionen innerhalb dieses Bereiches über den ungefähren Ort des Bildes der Nadel überein? Begründen Sie.

b. Der Spiegel ist nun bis auf einen Bereich in der Mitte abgedeckt, wie abgebildet.

Bestimmen Sie den Bereich, in dem sich ein Beobachter befinden muss, damit er ein Bild der Nadel sehen kann.

Stimmen zwei Beobachter an unterschiedlichen Positionen innerhalb dieses Bereiches über den ungefähren Ort des Bildes der Nadel überein? Wenn ja, geben Sie den ungefähren Ort des Bildes an. Wenn nicht, so begründen Sie, warum nicht.

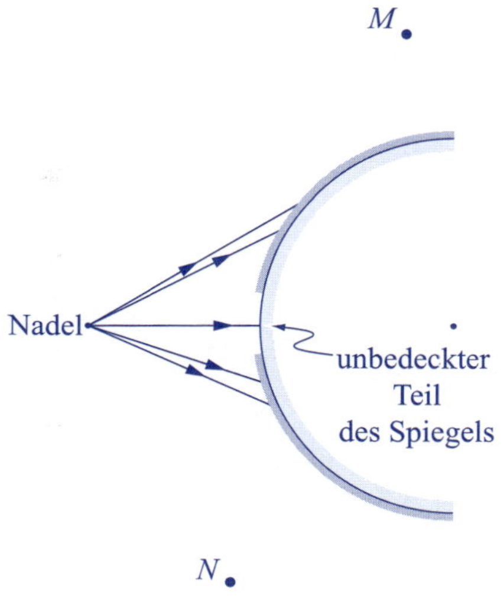

Überprüfen Sie Ihre Antworten experimentell.

Obwohl der Ort des Bildes in bestimmten Fällen von der Position des Beobachters unabhängig ist (z. B. bei ebenen Spiegeln), gilt dies im Allgemeinen nicht. In vielen Fällen kann man jedoch einen begrenzten Bereich finden, für den der Ort des Bildes weitgehend unabhängig von der Position des Beobachters ist. Ein Beispiel dafür ist, wenn sowohl das Objekt als auch der Beobachter sich sehr nahe an der optischen Achse eines zylindrischen oder sphärischen Spiegels befinden. In dieser Situation sind alle Strahlen *achsennah,* d. h. sie verlaufen unter kleinen Winkeln zur optischen Achse. Strahlengänge legen oft den Ort eines Bildes fest, aber nicht die Position des Beobachters. Für solche Diagramme wird angenommen, dass der Ort des Bildes von der Position des Beobachters unabhängig ist.

2 Mehrere ebene Spiegel

2.1 Stecken Sie eine Nadel in ein Stück Karton und halten Sie zwei Spiegel im rechten Winkel in die Nähe der Nadel, wie in der Abbildung gezeigt.

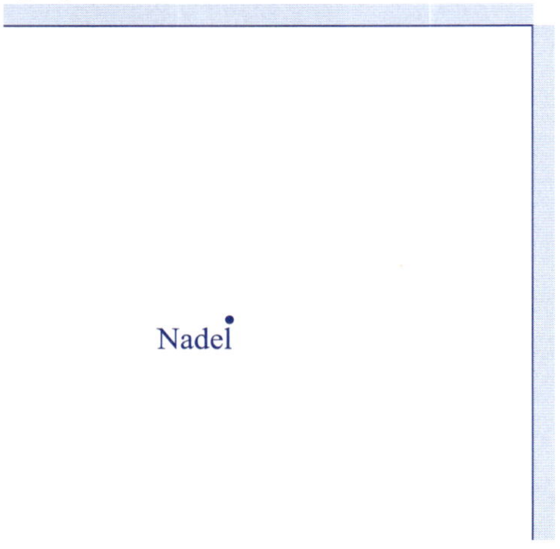

a. Beschreiben Sie Ihre Beobachtung.

b. Betrachten Sie die Anordnung von mehreren Positionen aus und platzieren Sie mithilfe der Parallaxenmethode eine Nadel an jedem Ort eines Bildes.

c. Einer der Spiegel wird entfernt. Welche der Bilder sehen Sie dann weiterhin und welche verschwinden?

Überprüfen Sie Ihre Antworten. Falls Ihre Vermutungen nicht zutreffen, lösen Sie die Widersprüche auf.

d. Zeichnen Sie in der Abbildung oben (mit beiden Spiegeln) einen Strahlengang, der alle Bilder berücksichtigt.

Beschreiben Sie, inwiefern sich eines der Bilder von den anderen Bildern unterscheidet.

2.2 Verkleinern Sie nach und nach den Winkel zwischen den Spiegeln, wobei die Nadel zwischen den Spiegeln bleiben soll.

Wie können Sie die zusätzlichen Bilder, die Sie dabei beobachten, erklären?

1 Ort des Bildes

1.1 Eine Nadel wird senkrecht an die Rückwand in einem durchsichtigen Wasserbehälter mit quadratischer Grundfläche gehalten, wie in den Abbildungen dargestellt. Der Teil der Nadel unter der Wasseroberfläche ist nicht dargestellt.

a. Zeichnen Sie auf eine Vergrößerung der rechten Abbildung mehrere von der Nadel ausgehende Strahlen, die durch das Wasser im Behälter hindurchgehen und ihn dann zum Auge hin verlassen. (*Hinweis:* Die Ausbreitungsgeschwindigkeit des Lichts im Wasser ist geringer als die in der Luft.)

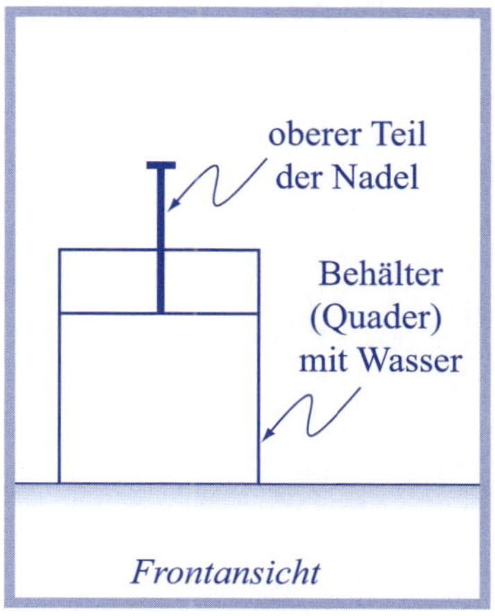

Zur Vereinfachung sollen bei der Beantwortung der folgenden Fragen die Wände des Behälters vernachlässigt werden (d. h. verwenden Sie die Näherung, dass das Licht direkt vom Wasser in die Luft übertritt).

- Bestimmen Sie mithilfe der von Ihnen gezeichneten Strahlengänge, wo sich Ihrer Vermutung nach das Bild des unteren Teils der Nadel befindet. Diskutieren Sie Ihre Überlegung in Ihrer Arbeitsgruppe.

- Ist die Entfernung des Bildes des unteren Teils der Nadel zum Beobachter *größer, kleiner* oder *gleich* der des oberen Teils? Begründen Sie.

b. Lassen Sie sich die benötigten Materialen geben und überprüfen Sie Ihre Antworten mithilfe der Parallaxenmethode. Modifizieren Sie Ihren Strahlengang, falls er nicht mit Ihren Beobachtungen vereinbar ist.

Der Ort, an dem die Nadel lokalisiert zu sein *scheint,* nennt man den Ort des Bildes der Nadel.

c. In Teil 1.1.a haben Sie die Näherung gemacht, dass das Licht von der Nadel direkt aus dem Wasser in die Luft übertritt. Entwickeln Sie ein Experiment, das Ihnen erlaubt zu überprüfen, ob diese Näherung angemessen ist. (*Hinweis:* Beeinflusst der Behälter *allein* die scheinbare Position der Nadel?)

Führen Sie dieses Experiment durch und überprüfen Sie Ihre Antwort.

1.2 Ein Stift wird senkrecht an die Rückwand eines zylindrischen Bechers mit Wasser gehalten, abgebildet. Der Teil des Stiftes unterhalb der Wasseroberfläche ist nicht dargestellt. *Hinweis:* Der Mittelpunkt des Bechers ist mit einem „×“ markiert.

Ist die Entfernung des unteren Teils des Bildes des Stifts zum Beobachter *größer, kleiner* oder *gleich* der des oberen Teils?

Skizzieren Sie qualitativ korrekt den Strahlengang, um Ihre Antwort zu begründen.

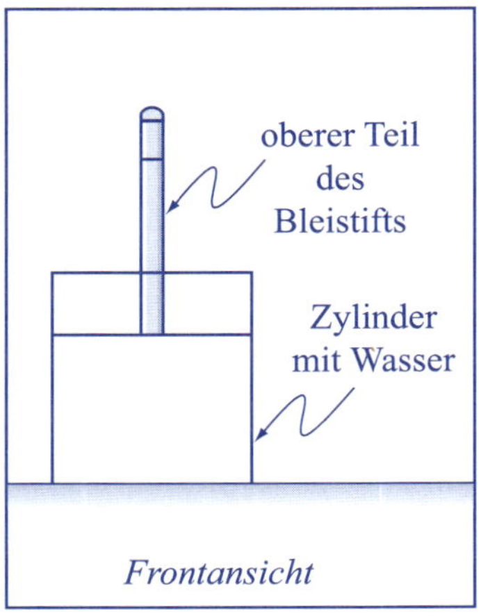

Frontansicht

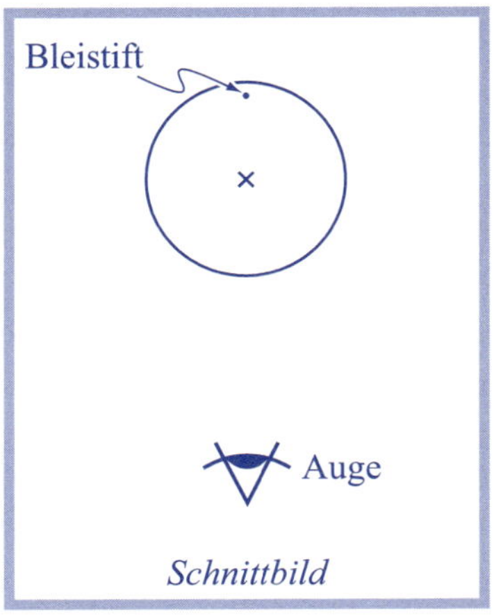

Schnittbild

Platzieren Sie mithilfe der Parallaxenmethode einen zweiten Stift an der Position des Bildes des unteren Teils des Stiftes. Überprüfen Sie Ihre Antworten und finden Sie gegebenenfalls Ihre Fehler und lösen Sie den Widerspruch auf.

1.3 Drei Studenten diskutieren Ihre Ergebnisse aus Teil 1.2.

Roger: *„Ich denke, dass das Bild sich näher bei mir befindet als der Stift. Je näher etwas ist, desto größer sieht man es. Da das Bild des Stiftes breiter erscheint als der Stift, muss sich das Bild näher bei mir befinden als der Stift.“*

Willebrord: *„Das klingt vernünftig, aber wenn ich die Parallaxenmethode verwende, um den Ort des Bildes des Stiftes zu bestimmen, finde ich, dass es weiter von mir entfernt ist als der Stift.“*

Abu Sad: *„Das ergibt aber keinen Sinn. Wenn sich das Bild hinter dem Stift befindet, wie kann ich da das Bild sehen? Der Stift würde doch meinen Blick blockieren.“*

Stimmen Sie mit einer der Aussagen überein? Diskutieren Sie Ihre Überlegungen in Ihrer Arbeitsgruppe.

2 Reelle und virtuelle Bilder

Jeder der beiden Strahlengänge unten stellt den Weg des Lichtes von einer Nadel durch einen Becher mit Wasser dar. In einem Fall befindet sich die Nadel dicht beim Becher mit Wasser, im anderen Fall befindet sie sich weit davon entfernt.

2.1 Bestimmen und kennzeichnen Sie den Ort des Bildes der Nadel in den beiden Fällen. Begründen Sie Ihre Antwort.

Fall 1

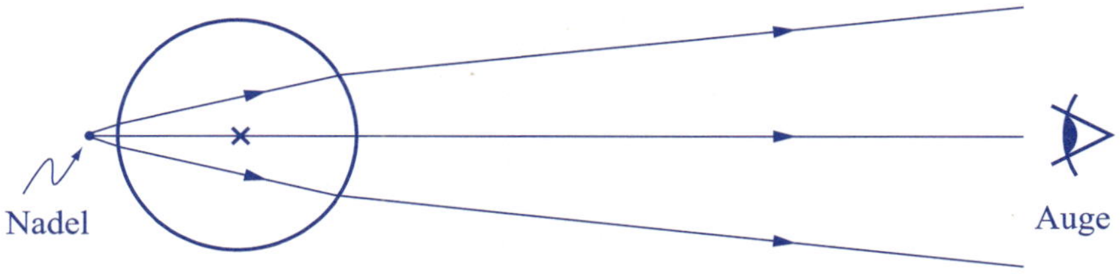

Fall 2

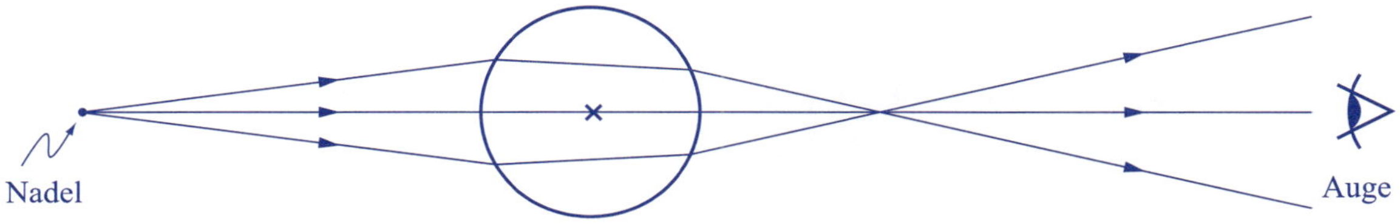

a. Beantworten Sie die folgenden Fragen anhand der Strahlengänge.

Ist die Entfernung des Bildes (unterhalb der Wasseroberfläche) vom Beobachter *größer, kleiner* oder *gleich* der des Gegenstands (oberhalb der Wasseroberfläche)?

- in Fall 1

- in Fall 2

Ist die Entfernung des Bildes (unterhalb der Wasseroberfläche) vom Beobachter *größer, kleiner* oder *gleich* der des Mittelpunktes des Bechers?

- in Fall 1

- in Fall 2

b. Überprüfen Sie Ihre Antworten für die beiden Fälle mithilfe der Parallaxenmethode. Lösen Sie eventuelle Widersprüche auf.

2.2 Was ist nach Ihrer Erwartung in den beiden vorangegangenen Fällen auf einem weißen Schirm zu sehen, wenn dieser jeweils am Ort des Bildes der Nadel aufgestellt wird? Der Raum ist verdunkelt und die Nadel selbst ist beleuchtet. (*Hinweis:* Trifft Licht, welches das Bild der Nadel erzeugt, jeweils auf den Ort des Bildes?)

Ersetzen Sie die Nadel durch eine Glühlampe mit lang gestreckter Glühwendel und überprüfen Sie Ihre Vermutung. Falls eine Ihrer Vermutungen nicht zutreffend war, lösen Sie den Widerspruch auf.

2.3 Eines der Bilder in Teil 2.1 ist *reell,* das andere ist *virtuell.* Erklären Sie, wie Sie entscheiden können, welches der Bilder reell und welches virtuell ist:

- anhand der Strahlengänge,
- anhand Ihrer Beobachtungen in Teil 2.2.

2.4 Erklären Sie, wie Sie den Ort eines Bildes mithilfe eines Schirms bestimmen können. Gibt es Fälle, in denen diese Methode versagt? Wenn ja, welche?

1 Sammellinsen

1.1 Betrachten Sie einen sehr weit entfernten Gegenstand durch eine Sammellinse. Halten Sie die Linse mit ausgestrecktem Arm, sodass Sie ein scharfes Bild des betrachteten Gegenstandes sehen können.

Befindet sich das von der Linse erzeugte Bild *vor, hinter* oder *auf* der Oberfläche der Linse? Bestimmen Sie mithilfe der Parallaxenmethode die ungefähre Entfernung zwischen dem Bild und der Linse.

1.2 Betrachten Sie nun einen Punkt auf dem Gegenstand, der auf der optischen Achse der Linse liegt.

Skizzieren Sie in der Abbildung mehrere Strahlen, die von diesem Punkt ausgehen und die Linse erreichen.

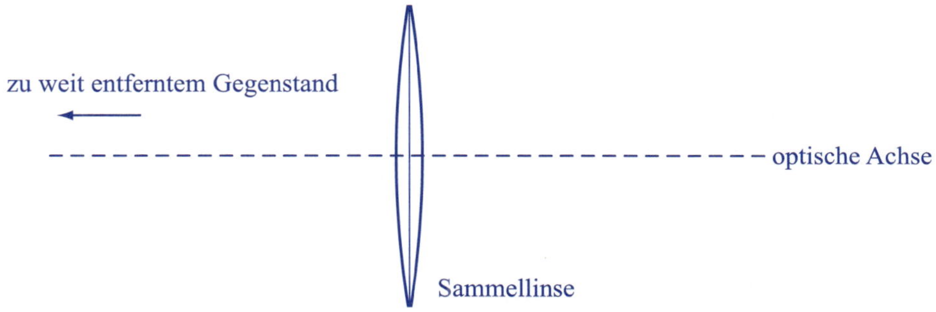

Welche Richtung haben diese Strahlen relativ zueinander und zur optischen Achse? Begründen Sie.

Zeichnen Sie ausgehend von Ihren Beobachtungen in Teil 1.1 die Fortsetzung der einzelnen Strahlen durch die Linse und auf der anderen Seite. Kennzeichnen Sie in dieser Abbildung, wo die Strahlen zusammenlaufen.

Hinweis: Brechung findet an beiden Oberflächen der Linse statt. Bei der Konstruktion des Strahlenganges für eine dünne Linse zeichnet man jedoch die Strahlen gewöhnlich so, als ob die gesamte Brechung in der Mittelebene der Linse stattfände.

1.3 Eine kleine Glühlampe wird am Ort *des Bildes* in Teil 1.2 platziert.

Welche Richtung haben die Strahlen, die von der Lampe ausgehen, nachdem Sie durch die Lampe hindurchgetreten sind? Erläutern Sie Ihre Antwort mit einer Skizze.

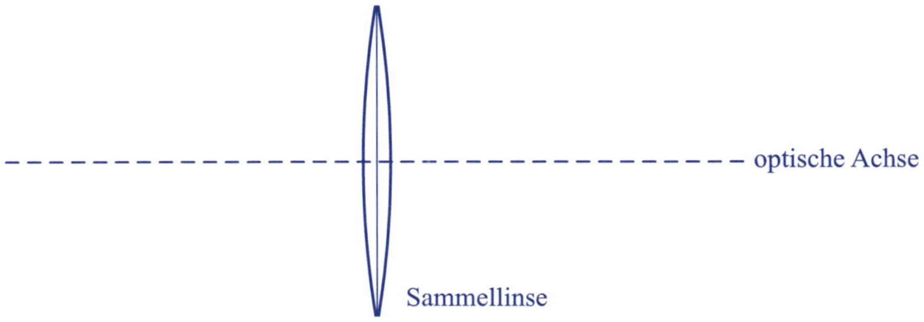

→ Diskutieren Sie Ihre Antworten mit einem Tutor.

Der Punkt, in dem das Bild eines weit entfernten Gegenstandes die optische Achse schneidet wird als *Brennpunkt (Fokus)* bezeichnet. Die Entfernung zwischen dem Brennpunkt und der Linsenmitte wird als Brennweite bezeichnet.

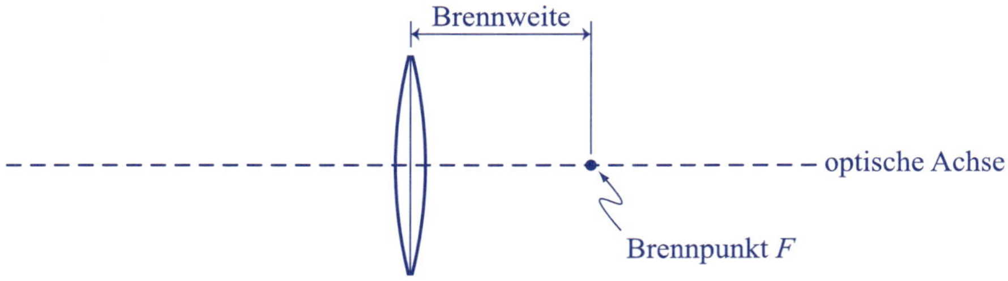

2 Strahlengänge bei Sammellinsen

Die nachfolgende Abbildung zeigt mehrere Strahlen, die vom Ende eines Bleistifts ausgehen und auf eine Sammellinse treffen.

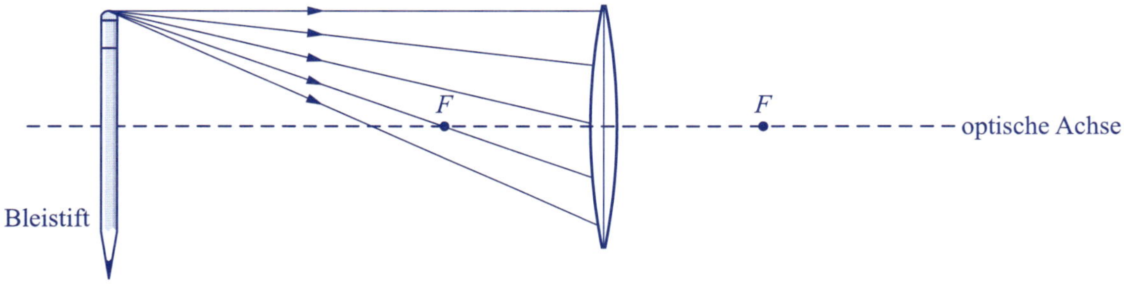

2.1 Betrachten Sie den Strahl, der parallel zur optischen Achse verläuft.

Erklären Sie, wie Sie mithilfe Ihrer Beobachtungen aus Abschnitt 1 die Fortsetzung dieses Strahls rechts von der Linse zeichnen können. Zeichnen Sie diesen Strahl ein.

2.2 Betrachten Sie nun den Strahl, der durch den Brennpunkt auf der linken Seite der Linse geht.

Erläutern Sie, wie Sie mithilfe Ihrer Antwort in Teil 1.3 die Fortsetzung dieses Strahls auf der rechten Seite der Linse einzeichnen können. Zeichnen Sie diesen Strahl in der Abbildung ein.

2.3 Wie können Sie mithilfe dieser beiden Strahlen den Ort des Bildes des Bleistiftendes bestimmen? Kennzeichnen Sie den Ort des Bildes in der Abbildung.

2.4 Betrachten Sie nun den Strahl, der vom Bleistiftende ausgeht und die Linse in der Nähe Ihres Mittelpunktes erreicht, wo die beiden Oberflächen der Linse nahezu parallel sind.

Verwenden Sie die bereits bekannte Lage des Bildpunktes, um die Verlängerung dieses Strahls durch die Linse und auf der anderen Seite einzuzeichnen.

Beschreiben Sie den Weg eines Strahls, der durch die Linsenmitte geht.

2.5 Zeichnen Sie nun die Fortsetzung der verbleibenden beiden Strahlen, durch die Linse und auf der anderen Seite.

Die Strahlen, die Sie in den Aufgabenteilen 2.1 bis 2.3 gezeichnet haben, werden als *Hauptstrahlen* bezeichnet und häufig zur Konstruktion des Bildes verwendet. Sie lassen sich besonders einfach zeichnen. In manchen Fällen mag es vorkommen, dass einer oder mehrere dieser Strahlen gar nicht durch die Linse treten kann/können; sie können aber dennoch für die Konstruktion des Bildes verwendet werden. Die Hauptstrahlen sind nur drei der unendlich vielen Strahlen, die man von einem Punkt auf dem Gegenstand ausgehend einzeichnen könnte.

2.6 Konstruieren Sie im Diagramm auf der vorigen Seite mithilfe der entsprechenden drei Hauptstrahlen das Bild der *Spitze* des Bleistifts. Verwenden Sie nach Möglichkeit eine andere Farbe für diese Konstruktion.

2.7 Das nachstehende Diagramm zeigt einen punktförmigen Gegenstand nahe bei einer Sammellinse. Zeichnen Sie die drei Hauptstrahlen und bestimmen Sie den Ort des Bildes.

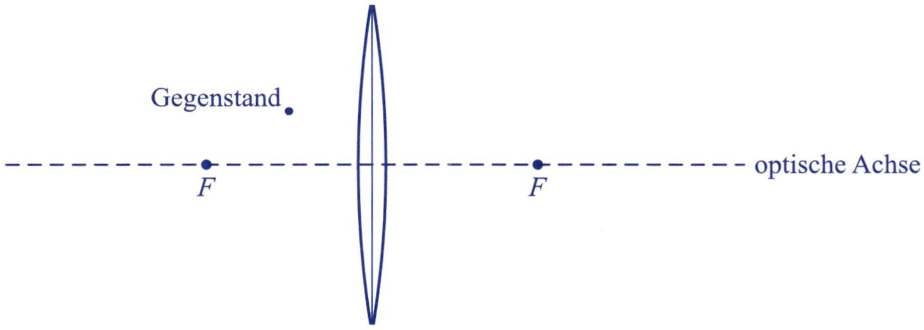

Beschreiben Sie, nach welchen Kriterien Sie die Strahlen gezeichnet haben.

3 Anwendungen

3.1 Eine Glühlampe, eine Sammellinse und ein Schirm sind wie in der nachstehenden Abbildung angeordnet. Ein scharfes, umgekehrtes Bild der Glühwendel (nicht eingezeichnet) erscheint auf dem Schirm, wenn sich dieser in der dargestellten Position befindet.

Welche Auswirkungen haben nach Ihrer Erwartung die folgenden Veränderungen darauf, was auf dem Schirm zu sehen ist? Begründen Sie Ihre Antworten mit Zeichnungen der entsprechenden Strahlengänge.

- Der Schirm wird *näher* an die Linse heran (oder *weiter* von ihr weg) bewegt.

- Die obere Hälfte der Linse wird durch ein Stück Karton abgedeckt.

  Hängt Ihre Antwort davon ab, auf welcher Seite der Linse sich der Karton befindet? Wenn ja, wie? Wenn nicht, warum nicht?

3.2 Lassen Sie sich die benötigten Materialien geben und überprüfen Sie Ihre Aussagen. Notieren Sie, worin sich gegebenenfalls Ihre Beobachtungen von Ihren Erwartungen unterscheiden und lösen Sie eventuelle Widersprüche auf.

3.3 Sind Sie immer noch in der Lage, ein Bild der Glühlampe zu sehen, wenn der Schirm entfernt wird? Hängt dies davon ab, wo sich Ihr Auge befindet?

Schalten Sie die Glühlampe aus (ohne ihre Lage zu verändern), entfernen Sie den Schirm und überprüfen Sie Ihre Vermutungen. Lösen Sie eventuelle Widersprüche auf. (*Hinweis:* War der Schirm in den früheren Situationen, z. B. Teil 1.1, notwendig, um ein Bild zu sehen?)

1 Scheinbare Größe

1.1 Die Abbildung rechts zeigt, was ein Beobachter sieht, der zwei Kisten auf einem großen Tisch betrachtet.

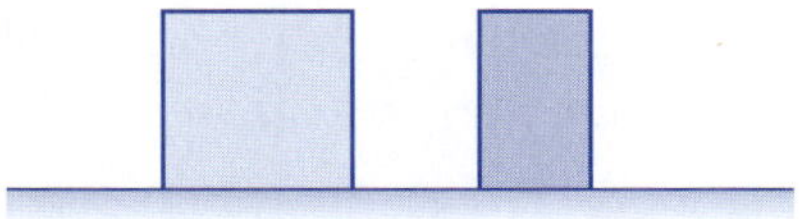

Beantworten Sie ausschließlich anhand der Abbildung:

- Ist es möglich zu entscheiden, welche Kiste sich näher am Beobachter befindet?
- Ist es möglich zu entscheiden, welche Kiste für den Beobachter breiter *erscheint?*
- Ist es möglich zu entscheiden, welche Kiste *tatsächlich breiter* ist?

Diskutieren Sie Ihre Überlegungen in Ihrer Arbeitsgruppe.

1.2 Lassen Sie sich zwei Dosen und eine Kartonrolle mit einem etwas kleineren Durchmesser als die Dosen geben.

a. Ordnen Sie die beiden Dosen so an, dass
   - diese gleich breit erscheinen,
   - eine der Dosen breiter erscheint als die andere.

   Skizzieren Sie die jeweilige Anordnung so, dass man damit die scheinbaren Breiten der Dosen vergleichen kann.

b. Ordnen Sie eine der Dosen und die Kartonrolle so an, dass
   - die beiden Objekte gleich breit erscheinen,
   - die Rolle breiter erscheint als die Dose.

   Skizzieren Sie die jeweilige Anordnung so, dass man damit die scheinbaren Breiten der Dosen vergleichen kann.

c. Welche Variablen beeinflussen die scheinbare Breite eines Gegenstandes? Beschreiben Sie, wie das Verändern jeder dieser Variablen die scheinbare Breite des Gegenstandes beeinflusst.

   Erklären Sie, wie Sie mithilfe einer Ansicht von oben herausfinden können, ob für einen Beobachter an einer bestimmten Position ein Gegenstand breiter oder schmaler erscheint als ein zweiter Gegenstand.

2 Das Bild eines ausgedehnten Objektes

Die Abbildung unten zeigt eine dünne Sammellinse, einen Bleistift, das Bild des Bleistiftes und fünf Beobachterpositionen (1 bis 5) von der Seite betrachtet. Der Strahlengang für zwei Strahlen von der Spitze des Bleistiftes durch die Linse ist eingezeichnet.

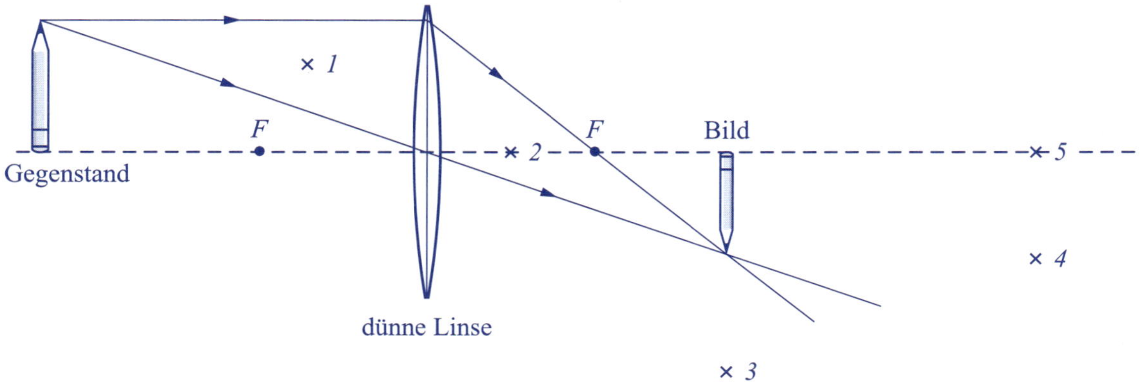

2.1 Kann ein Beobachter an den verschiedenen markierten Positionen ein scharfes Bild der Bleistiftspitze (abgesehen von der tatsächlichen Stiftspitze) sehen? Begründen Sie für jede der Positionen, ob oder ob nicht. Falls ein Beobachter in der Lage ist, ein Bild zu sehen, geben Sie außerdem die Richtung an, in die der Beobachter blicken muss, um das Bild zu sehen.

- Punkt 1

- Punkt 2

- Punkt 3

- Punkt 4

- Punkt 5

2.2 Beantworten Sie die folgenden Fragen mithilfe der Abbildung:

a. Von welchen der markierten Punkte kann ein Beobachter ein Bild des stumpfen Endes des Bleistiftes sehen? Begründen Sie Ihre Antwort und zeichnen Sie dazu den Strahlengang. (Benutzen Sie, falls möglich, eine andere Farbe für diese Zeichnung.)

Von welchen Punkten kann ein Beobachter das vollständige Bild des Bleistiftes sehen? Begründen Sie.

Was *erscheint* für einen Beobachter an einer solchen Position größer: das Bild des Bleistiftes (mit der Linse im Strahlengang) oder der Bleistift (ohne Linse)? Erklären Sie, wie Sie dies aus dem Strahlengang ersehen können.

b. Wenn Sie die Länge des Bleistiftes und die Länge seines Bildes mit einem Lineal messen, was ist größer? Erklären Sie, wie Sie dies aus dem Strahlengang ersehen können.

→ Überprüfen Sie Ihre Ergebnisse für den Abschnitt 2 mit einem Tutor.

3 Vergrößerungsglas (Lupe)

3.1 Lassen Sie sich eine Sammellinse geben. Benutzen Sie die Linse als *Vergrößerungsglas,* also um einen Gegenstand (z. B. einen Bleistift) größer erscheinen zu lassen. Halten Sie die Linse zunächst nah an den Gegenstand.

Was ist weiter von Ihnen entfernt: das Bild oder der Gegenstand?

Wo befindet sich der *Gegenstand* relativ zur Linse und ihren Brennpunkten? Ist die Gegenstandsweite *größer, kleiner* oder *gleich* der Brennweite der Linse?

3.2 Skizzieren Sie einen Strahlengang, mit dem man den Ort des Bildes, das Sie betrachtet haben, bestimmen kann. Ihre Skizze muss nicht exakt maßstäblich sein, aber sie sollte den Ort des Gegenstandes relativ zum Beobachter und zur Linse und deren Brennpunkten korrekt zeigen.

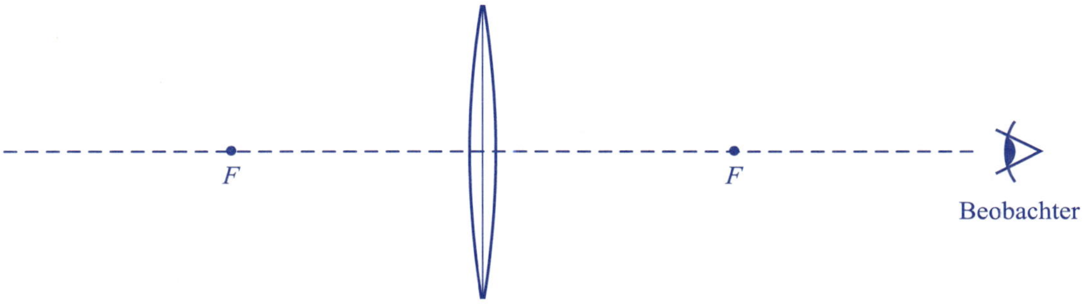

a. Beantworten Sie anhand des skizzierten Strahlenganges: Ist das Bild weiter vom Beobachter entfernt oder der Gegenstand?

Ist Ihre Antwort mit Ihren Beobachtungen in Teil 3.1 vereinbar? Falls nicht, so lösen Sie die Widersprüche auf.

b. Bewirkt ein Vergrößerungsglas einfach, dass ein Gegenstand *näher erscheint?* (Erzeugt es also ein Bild des Gegenstandes, das sich näher an Ihnen befindet als der Gegenstand selbst?) Wenn nicht, was bewirkt es dann?

c. Wie können Sie aus Ihrem Strahlengang erkennen, was größer erscheint: das Bild des Bleistiftes (mit der Linse an ihrem Platz) oder der Bleistift (mit entfernter Linse)?

4 Vergrößerung

4.1 Der *Abbildungsmaßstab* m ist definiert als $m = B/G$, wobei B und G die Höhe des Bildes bzw. die Höhe des Gegenstandes angeben. Nach Übereinkunft haben B und G entgegengesetzte Vorzeichen, wenn das Bild auf dem Kopf steht.

Ist der Wert des Abbildungsmaßstabes abhängig von der Position des Beobachters? Begründen Sie.

Betrachten Sie die beiden Beispiele in diesem Tutorial. Ist in diesen Fällen der Betrag des Abbildungsmaßstabes jeweils *größer, kleiner* oder *gleich* 1? (Falls Ihre Antwort von der Position des Beobachters abhängt, so wählen Sie einen Beobachter, der das vollständige Bild sehen kann.)

Können Sie am Abbildungsmaßstab erkennen, ob das Bild größer *erscheinen* wird als der Gegenstand ohne Linse? Begründen Sie, warum oder warum nicht.

4.2 Die *Vergrößerung* V ist definiert als $V = \theta'/\theta$, wobei θ' und θ den *Sehwinkel* des Bildes bzw. des Gegenstandes angeben. Nach Übereinkunft haben θ' und θ entgegengesetzte Vorzeichen, wenn das Bild auf dem Kopf steht.

Ist der Wert der Vergrößerung abhängig von der Position des Beobachters? Begründen Sie.

Betrachten Sie die beiden Beispiele in diesem Tutorial. Ist in diesen Fällen der absolute Wert der Vergrößerung jeweils *größer, kleiner* oder *gleich* 1? (Falls Ihre Antwort von der Position des Beobachters abhängt, wählen Sie einen Beobachter, der das vollständige Bild sehen kann.)

Können Sie an der Vergrößerung erkennen, ob das Bild größer *erscheinen* wird als der Gegenstand ohne Linse? Begründen Sie, warum oder warum nicht.

→ Überprüfen Sie Ihre Antworten für Abschnitt 4 gemeinsam mit einem Tutor.

1 Periodische Kreiswellen

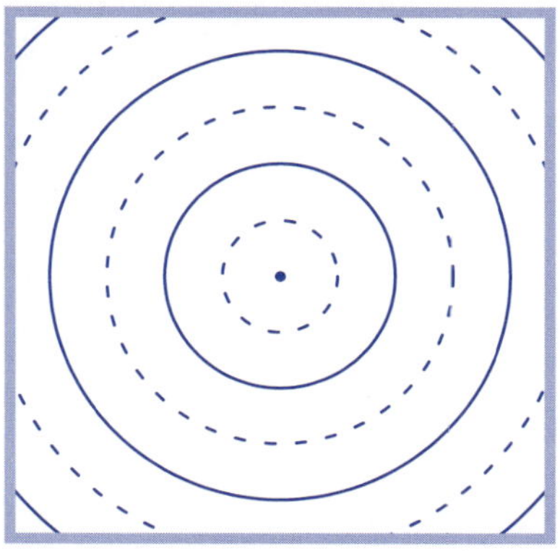

Die Abbildung rechts zeigt die Wellenfronten, einer periodischen Kreiswelle. Die durchgezogenen Kreise stellen Wellenberge dar, die gestrichelten Kreise Wellentäler. Die Abbildung zeigt die Lage der Wellenfronten zu einem bestimmten Zeitpunkt.

Welches Bild ergibt sich zu folgenden Zeitpunkten:

- eine Viertelperiode später? Begründen Sie.

- eine ganze Periode später? Begründen Sie.

2 Zwei Quellen mit festem Abstand

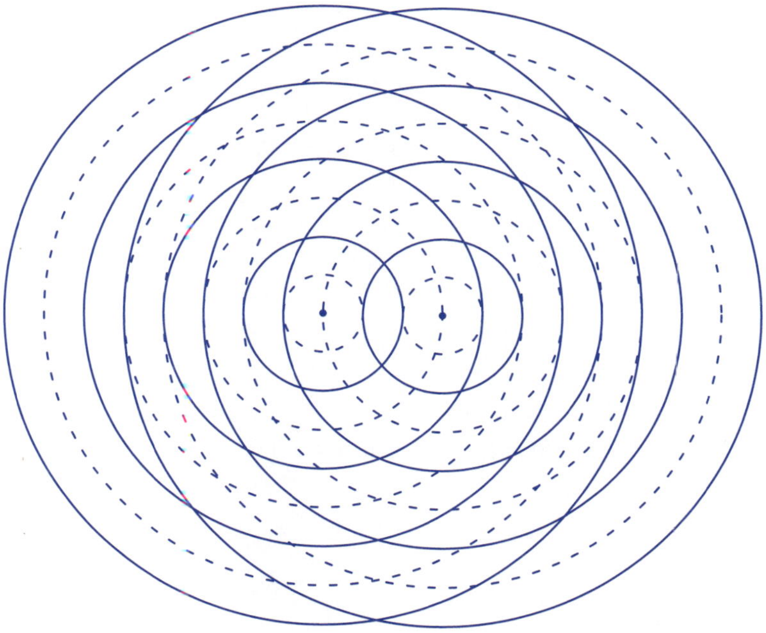

2.1 Die Abbildung rechts veranschaulicht Wellenfronten, die durch zwei Punktquellen erzeugt werden.

Vergleichen Sie die Frequenzen der beiden Quellen. Begründen Sie Ihre Antwort.

Bestimmen Sie die Phasenbeziehung zwischen den beiden Quellen. Begründen Sie Ihre Antwort.

Welchen Abstand haben die beiden Quellen voneinander? Drücken Sie Ihre Antwort als Vielfaches der Wellenlänge λ aus.

2.2 Beschreiben Sie die Bewegung der Wasseroberfläche an Punkten, an denen

- ein Wellenberg auf einen Wellenberg trifft,
- ein Wellental auf ein Wellental trifft,
- ein Wellenberg auf ein Wellental trifft.

Welche Auswirkung hat es in den drei Fällen jeweils, wenn die Amplituden der beiden Wellen *nicht* gleich sind? Begründen Sie Ihre Antwort.

Wenn Wellen von zwei gleichartigen Quellen unterschiedliche Entfernungen bis zu einem bestimmten Punkt zurücklegen, sind die Amplituden der beiden Wellen nicht genau gleich. Für Punkte, die weit genug von beiden Quellen entfernt sind, ist der Unterschied in den Amplituden jedoch sehr gering. Im weiteren Verlauf dieses Tutorials werden wir solche Unterschiede in den Amplituden *vernachlässigen.*

2.3 Lassen Sie sich eine vergrößerte Abbildung der Wellenfronten der beiden Quellen geben. Markieren Sie mithilfe unterschiedlicher Symbole (oder unterschiedlicher Farben) die Stellen im Bild, an denen zum *dargestellten Zeitpunkt:*

- die Auslenkung der Wasseroberfläche gleich Null ist (Gleichgewichtslage),
- die Auslenkung der Wasseroberfläche maximal oberhalb der Gleichgewichtslage ist,
- die Auslenkung der Wasseroberfläche maximal unterhalb der Gleichgewichtslage ist.

Welche Muster können Sie in den Punkten erkennen? Skizzieren Sie diese Muster in Ihrer Abbildung in Abschnitt 2.1.

2.4 Die Abbildung auf der vorigen Seite und die von Ihnen eingetragenen Markierungen beschreiben die Wasseroberfläche zu einem bestimmten Zeitpunkt.

Betrachten Sie einen Punkt, an dem ein Wellenberg auf einen Wellenberg trifft.

Wie wird sich die Auslenkung der Wasseroberfläche an diesem Punkt mit der Zeit verändern? (Welchen Wert hat die Auslenkung zum Beispiel eine Viertelperiode später? Welchen Wert eine halbe Periode später?)

Betrachten Sie nun einen Punkt, an dem ein Wellenberg auf ein Wellental trifft.

Wie wird sich die Auslenkung der Wasseroberfläche an diesem Punkt mit der Zeit verändern?

2.5 Ein Korkstückchen schwimmt auf der Wasseroberfläche. Entscheiden Sie mithilfe Ihrer Zeichnung, wo die Bewegung des Korkstückchens am größten bzw. am kleinsten ist.

2.6 Betrachten Sie einen Punkt, an dem die Wasseroberfläche in Ruhe bleibt.

a. Begründen Sie, warum dieser Punkt nicht die gleiche Entfernung zu den beiden Quellen haben kann.

Um welchen Wert unterscheiden sich die Entfernungen dieses Punktes von den beiden Quellen?

Gibt es mehr als einen möglichen Wert für die Differenz dieser beiden Entfernungen? Wenn ja, geben Sie für die betrachtete Anordnung der Quellen die anderen Werte an. Begründen Sie.

b. Wählen Sie eine Anzahl verschiedener Punkte aus, an denen die Wasseroberfläche in Ruhe bleibt.

Bestimmen Sie für jeden dieser Punkte die Differenz der Entfernungen des jeweiligen Punktes zu den beiden Quellen. Diese Differenz wird als *Gangunterschied* ΔD der von den beiden Quellen ausgehenden Wellen am betrachteten Punkt bezeichnet.

Fassen Sie die Punkte, an denen die Wasseroberfläche in Ruhe bleibt, nach dem zugehörigen Wert von ΔD zusammen und kennzeichnen Sie diese mit dem jeweiligen Wert von ΔD als Vielfaches der Wellenlänge λ.

Begründen Sie den Begriff *Knotenlinien* für die von den Quellen weit entfernten Teile der betrachteten Punktmengen.

2.7 Fassen Sie nun die Punkte, an denen maximale konstruktive Interferenz auftritt, nach Ihrem Wert von ΔD zusammen. Wir bezeichnen diese als *Linien maximaler konstruktiver Interferenz.*

Kennzeichnen Sie jede Gruppe mit dem zugehörigen Wert von ΔD als Vielfaches der Wellenlänge λ.

2.8 Kennzeichnen Sie alle Knotenlinien und Linien maximaler konstruktiver Interferenz mit dem zugehörigen Wert für $\Delta\varphi$, dem Phasenunterschied zwischen den von den beiden Quellen ausgehenden Wellen.

2.9 Stellen Sie sich vor, Sie betrachten die Wellen von oberhalb des Wasserbeckens. Ändern sich in diesem Fall die Knotenlinien und die Linien maximaler konstruktiver Interferenz mit der Zeit? Wenn ja, wie? Begründen Sie.

Welche Muster und Symmetrien können Sie in der Anordnung der Knotenlinien und Linien maximaler konstruktiver Interferenz erkennen?

→ Überprüfen Sie Ihre Antworten mit einem Tutor, bevor Sie Ihre Arbeit fortsetzen.

Wie Sie oben gesehen haben, können verschiedene Punkte in einem Wasserbecken mit zwei gleichphasigen Quellen verschiedene Werte für ΔD haben. An einem Punkt mit $\Delta D = 3\lambda/2$ beträgt die Phasendifferenz zwischen den beiden Quellen $\Delta\varphi = 3\pi$ (bzw. 540°) oder einfacher π (bzw. 180°). Normalerweise werden Phasenunterschiede im Bereich zwischen 0 und 2π (bzw. zwischen 0° und 360°) angegeben. Nach dieser Konvention beträgt der Phasenunterschied zwischen den beiden Wellen an einem Punkt auf jeder Knotenlinie immer π (bzw. 180°) und an einem Punkt maximaler konstruktiver Interferenz immer 0 (bzw. 0°).

3 Auswirkungen des Abstands und der Frequenz der Quellen

3.1 Lassen Sie sich ein Blatt Papier und eine Folie mit konzentrischen Kreisen geben. Die Kreise stellen die Wellenfronten der beiden Quellen dar.

Die beiden Quellen sind gleichphasig und am gleichen Ort. Legen Sie die Folie so auf das Papier, dass die Anordnung der beschriebenen Situation entspricht.

Erklären Sie, warum es in diesem Fall *keine* Knotenlinien gibt.

Vergrößern Sie langsam den Abstand der beiden Quellen, bis Sie Knotenlinien erkennen.

Bei welchem Quellenabstand tritt dies zum ersten Mal auf? Zeichnen Sie im Zeichenfeld rechts die Knotenlinien und die Linien maximaler konstruktiver Interferenz für diese Situation.

Warum kann es bei einem kleineren Quellenabstand keine Knotenlinien geben? Begründen Sie. (*Hinweis:* Wie groß ist der größte Wert für ΔD, der bei einem gegebenen Quellenabstand auftreten kann?)

Vergrößern Sie den Quellenabstand weiter und untersuchen Sie, wie der Abstand die Anzahl und Lage der Knotenlinien beeinflusst.

3.2 Die Abbildung rechts veranschaulicht die Wellenfronten zweier kleiner Quellen mit der Frequenz f_o. Der Abstand der Quellen beträgt d.

Die Frequenz der beiden Quellen wird nun verringert ($f < f_o$), während ihr Abstand konstant bleibt.

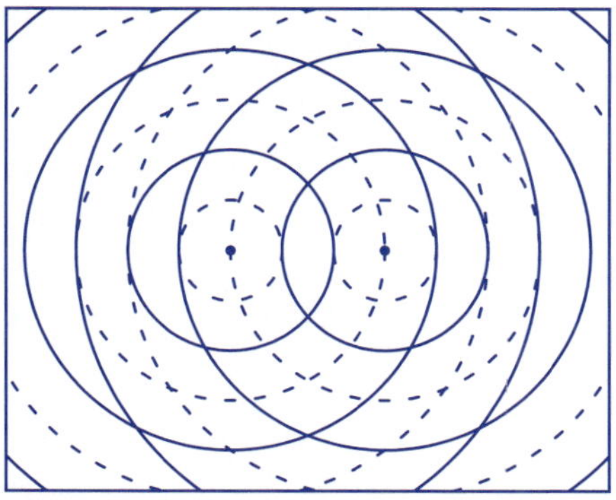

a. In den Abbildungen unten sind verschiedene Fälle dargestellt, welche die Wellenfronten von zwei Quellen darstellen. (Lassen Sie sich eine Vergrößerung dieser Abbildungen geben.) Wählen Sie die Fälle aus, die einer Verringerung der Frequenz entsprechen.

Fall A

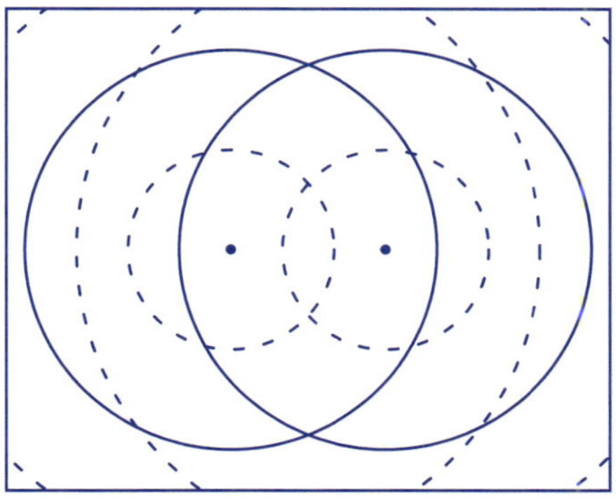

Fall B

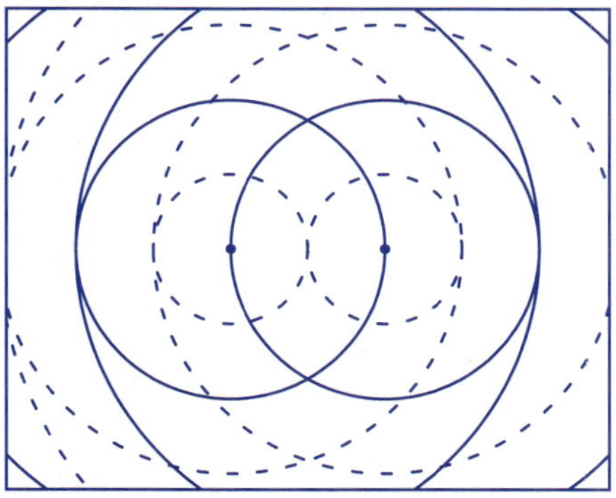

Fall C

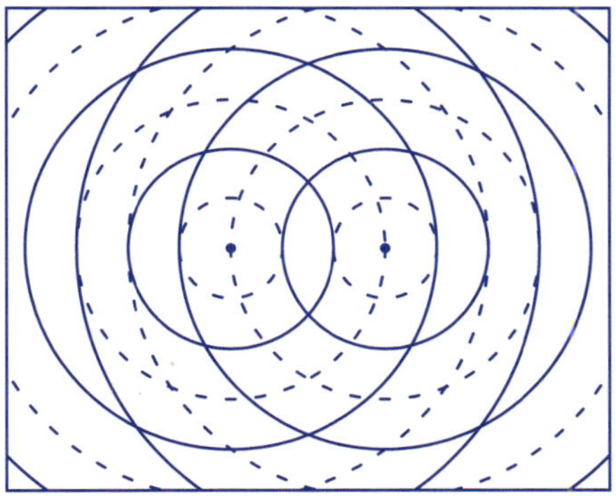

Fall D

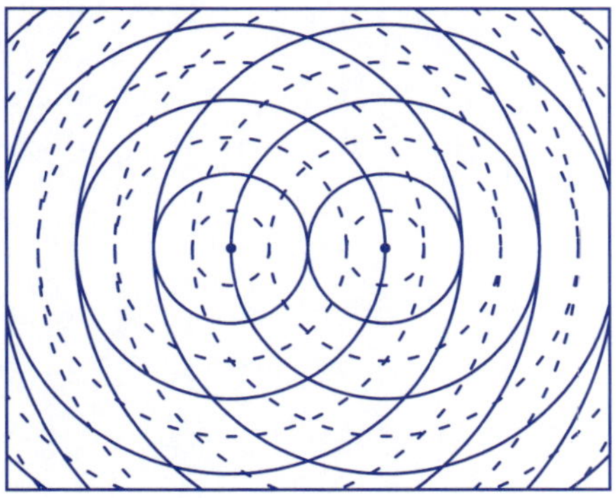

b. Bestimmen Sie für jeden der Fälle, die Sie ausgewählt haben, den Abstand d der Quellen als Vielfaches der Wellenlänge λ.

c. Beschreiben Sie, wie eine Verringerung der Frequenz die Anzahl und Lage der Knotenlinien beeinflusst.

3.3 Vergleichen Sie, wie die Änderung des Quellenabstandes d bzw. der Frequenz f die Anzahl und Lage der Knotenlinien beeinflusst. Begründen Sie.

1 Wasserwellen am Einzelspalt

1.1 Lassen Sie sich eine Wellenwanne geben und bauen Sie darin ein Hindernis auf, das in der Mitte einen breiten Spalt hat wie in der Abbildung. Erzeugen Sie durch Hin- und Herbewegen des Stabes Wellenfronten mit konstanter Frequenz.

Verringern Sie nach und nach die Breite des Spaltes, bis dieser vollständig geschlossen ist. Beobachten Sie dabei die Wellenfronten im Bereich II.

a. Beschreiben Sie, wie die Form der Wellenfronten im Bereich II beeinflusst wird, wenn die Breite des Spaltes verkleinert wird.

Ansicht von oben

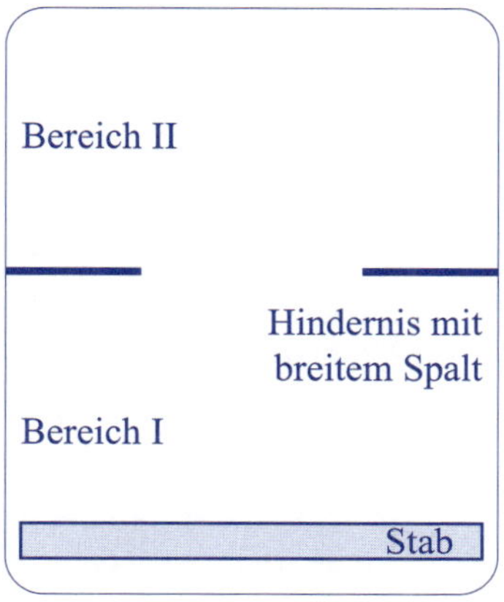

b. Vergleichen Sie den Abstand der Wellenfronten in den beiden Bereichen (I und II). Hängt der Abstand der Wellenfronten in Bereich II von der Breite des Spaltes ab?

Begründen Sie, inwiefern der beobachtete Abstand der Wellenfronten mit den Wellengeschwindigkeiten in den beiden Bereichen vereinbar ist.

c. Wie wird die Amplitude der Wellen in Bereich II beeinflusst, wenn der Spalt schmaler gemacht wird? Betrachten Sie insbesondere die folgenden Fälle:

- Der Spalt ist sehr breit und wird ein wenig schmaler gemacht.
- Der Spalt ist bereits sehr schmal und wird noch schmaler gemacht.

1.2 Mit den Ihnen zur Verfügung stehenden Materialien ist es schwierig, periodische Wellen zu erzeugen. Bitten Sie einen Tutor um Fotografien von periodischen Wellen, die auf Spalte unterschiedlicher Breite treffen.

a. Sind die Wellenfronten in den Fotografien mit Ihren Beobachtungen vereinbar?

b. Ermitteln Sie dasjenige Bild, in welchem das Verhalten des Spaltes am besten mit dem einer Punktquelle übereinstimmt. Begründen Sie.

Wie können Sie die Anordnung in dieser Fotografie so verändern, dass sich der Spalt noch mehr wie eine Punktquelle verhält?

c. Ermitteln Sie dasjenige Bild, in welchem der Spalt die Form der Wellenfronten möglichst wenig beeinflusst.

Wie können Sie die Anordnung in dieser Fotografie so verändern, dass der Spalt die Form der Wellenfronten noch weniger beeinflusst.

Sie haben beobachtet, dass das Verhalten von Wasserwellen, die durch einen Spalt gehen, von der Breite des Spaltes abhängt. Für den verbleibenden Teil dieses Tutorials werden wir Wellen betrachten, die durch zwei sehr schmale Spalte hindurchgehen.

2 Wasserwellen bei zwei sehr schmalen Spalten

In diesem Teil des Tutorials werden keine Experimente durchgeführt.

2.1 Eine periodische Wasserwelle trifft auf ein Hindernis mit zwei identischen Spalten. Jeder der Spalte ist so schmal, dass er als Punktquelle betrachtet werden kann.

Beschreiben Sie die Form der Wellenfronten, die von jedem der beiden Spalte ausgehen.

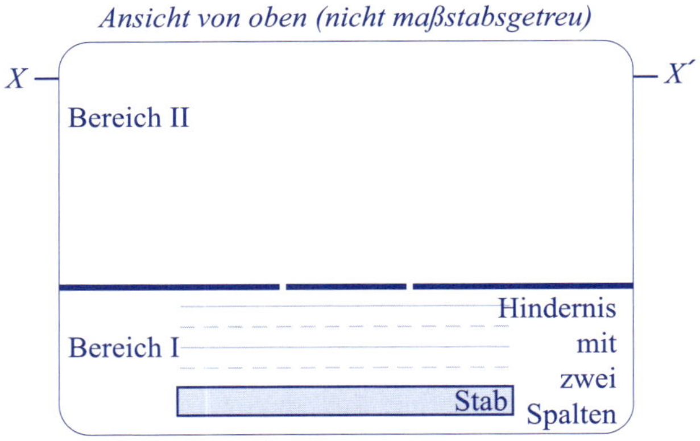

2.2 Lassen Sie sich eine Vergrößerung der obigen Abbildung geben. In Bereich I sind Wellenfronten eingezeichnet. Der Abstand der Spalte beträgt 3λ.

Welche Werte für ΔD (die Differenz der Abstände eines gegebenen Punktes zu den beiden Spalten) entsprechen in dieser Situation (1) Knotenlinien bzw. (2) Linien maximaler konstruktiver Interferenz? Begründen Sie.

An wie vielen Punkten auf der Strecke $X - X'$ gibt es (1) vollständige Auslöschung bzw. (2) maximale konstruktive Interferenz? Markieren Sie näherungsweise die Orte aller dieser Punkte im obigen Diagramm und kennzeichnen Sie jeden der Punkte mit dem zugehörigen Wert von ΔD. Gehen Sie davon aus, dass die Wanne sehr groß ist und dass sich die Strecke $X - X'$ in großer Entfernung von den Spalten befindet.

2.3 Die Breite eines der Spalte wird verringert (ohne dass dabei der Abstand der Spaltmitten verändert wird). Wie wirkt sich diese Veränderung auf die Bewegung der Wasseroberfläche an den von Ihnen markierten Punkten aus. Begründen Sie Ihre Antwort. (*Hinweis:* Wenden Sie Ihre Beobachtungen aus Teil 1.1.c an.)

Bisher haben wir das Verhalten von *Wasserwellen* beim Durchgang durch schmale Spalte beobachtet. Im Folgenden werden wir das Verhalten von *Licht* beim Durchgang durch zwei sehr schmale Spalte untersuchen.

3 Licht beim Durchgang durch zwei schmale Spalte

3.1 Rotes Licht fällt von einer weit entfernten Punktquelle auf eine Blende mit zwei identischen, schmalen, vertikalen Spalten. Die Fotografie rechts zeigt das Muster, das in der Mitte eines weit entfernten Schirmes zu sehen ist.

Welches Muster würden Sie aufgrund der Vorstellung erwarten, dass sich Licht geradlinig durch die Spalte ausbreitet.

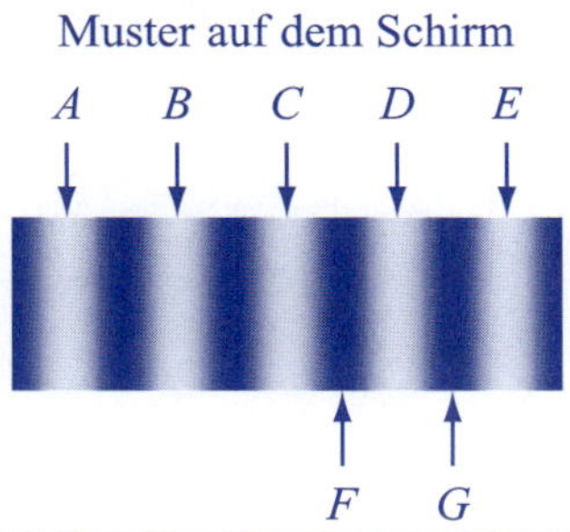

3.2 Vergleichen Sie die Situation in Abschnitt 2 (d. h. periodische Wasserwellen, die durch zwei identische schmale Spalte hindurchgehen) mit der Situation im oben beschriebenen Experiment mit Licht.

Welche der auf der Strecke $X - X'$ markierten Punkte in der Wellenwanne entsprechen:

- Punkten minimaler Lichtintensität auf dem Schirm (also Punkten F und G)? Begründen Sie;

- Punkten maximaler Lichtintensität (also Punkten A bis E)? Begründen Sie.

Geben Sie für einen der Punkte mit minimaler Intensität (z. B. Punkt F oder G) an, welche physikalischen Größen sich an dieser Stelle zu Null addieren. Begründen Sie Ihre Antwort.

3.3 Bestimmen Sie für jeden der bezeichneten Punkte den Gangunterschied ΔD (als Vielfaches von λ) und die Phasendifferenz $\Delta\varphi$ zwischen den Wellen von den beiden Spalten. Notieren Sie Ihre Antworten in der Tabelle. *Hinweis:* Punkt C befindet sich in der Schirmmitte.

	Punkt A	Punkt B	Punkt C	Punkt D	Punkt E	Punkt F	Punkt G
ΔD							
$\Delta\varphi$							

3.4 Einer der Spalte wird nun abgedeckt.

An welchen der Punkte A bis G nimmt die Helligkeit *zu?* Begründen Sie.

An welchen der Punkte A bis G nimmt die Helligkeit *ab?* Begründen Sie.

Zeichnen Sie rechts das Muster ein, das auf dem Schirm auftritt, wenn einer der beiden Spalte abgedeckt ist. Begründen Sie.

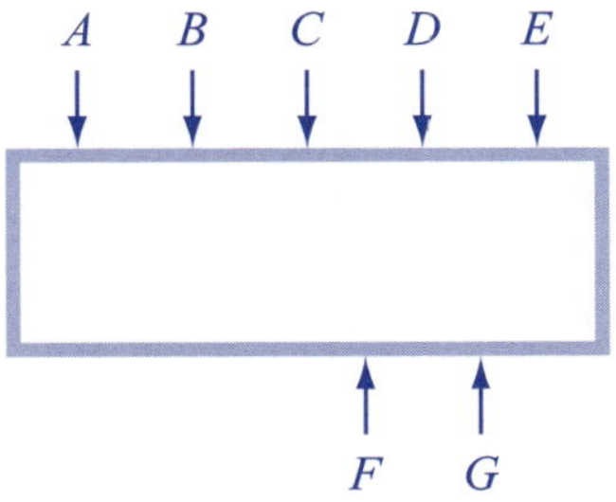

3.5 Rechts ist ein Ausschnitt aus dem Muster dargestellt, das auf einem weit entfernten Schirm entsteht, wenn rotes Licht durch zwei sehr schmale Spalte fällt.

In jeder Teilaufgabe unten wird *eine* Änderung an der ursprünglichen Anordnung vorgenommen. Bestimmen Sie jeweils, wie diese Änderung das Muster auf dem Schirm beeinflusst. Zeichnen Sie dazu jeweils das veränderte Muster in das Feld ein.

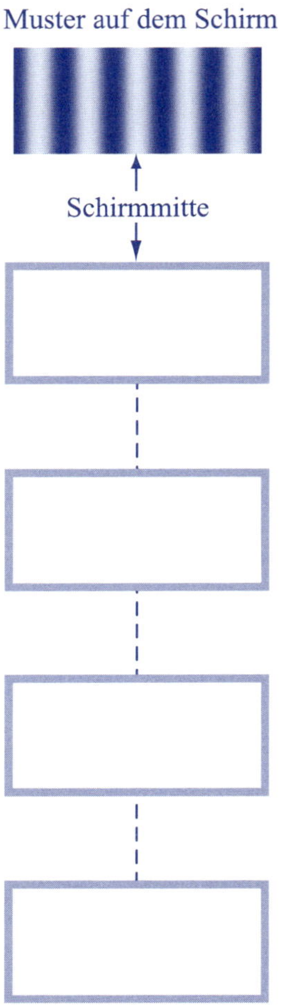

a. Der Abstand zwischen den Spalten wird verringert (ohne die Spaltbreiten zu ändern).

b. Der Schirm wird näher an die Spaltblende gebracht.

c. Die Wellenlänge des einfallenden Lichtes wird vergrößert.

d. Die Breite der Spalte wird verringert (ohne den Spaltabstand zu verändern).

3.6 Betrachten Sie das erste Maximum links der Schirmmitte (Punkt B).

Die beiden Spalte haben einen Abstand von 0,2 mm, der Schirm steht in 1,2 m Entfernung und der Abstand zwischen Schirmmitte (Punkt C) und Punkt B beträgt 3,6 mm.

Bestimmen Sie die Wellenlänge des Lichtes mithilfe dieser Angaben. Erläutern Sie die Näherungen, die Sie dabei machen.

1 Interferenz am Doppelspalt

1.1 Rotes Licht einer weit entfernten Punktquelle fällt auf zwei gleiche, sehr enge Spalte S_1 und S_2 mit Spaltabstand d. Die Fotografie zeigt einen Ausschnitt des auf einem weit entfernten Schirm sichtbaren Beugungsmusters.

Interferenzbild beim Doppelspalt

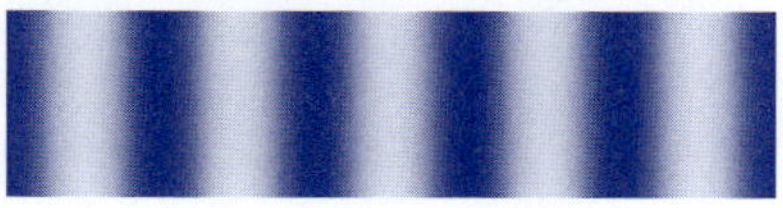

Die Abbildung rechts zeigt schematisch den Aufbau des Experiments. Der Ausschnitt darunter zeigt die beiden Spalte in Vergrößerung und gibt die Richtung an, in die sich das Licht ausbreiten muss, um von Spalt S_1 zu Punkt X auf dem Schirm zu gelangen.

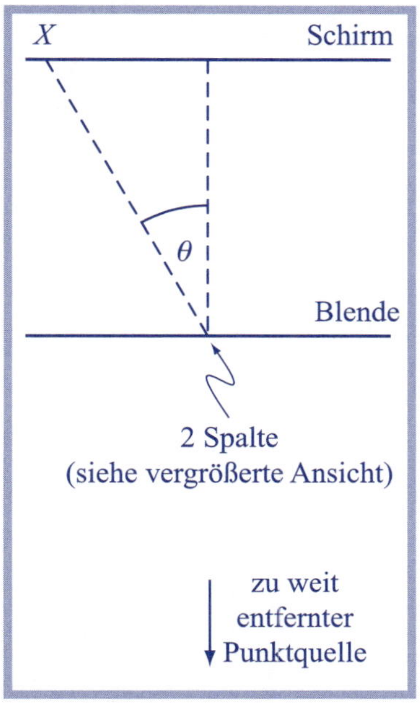

a. Geben Sie in der Ausschnittskizze mithilfe eines Pfeils die Richtung von Spalt S_2 zum Punkt X an. (*Hinweis:* Der Abstand zwischen Blende und Schirm ist sehr groß im Vergleich zum Abstand der beiden Spalte.)

b. Kennzeichnen Sie die Strecke ΔD, die das Licht von Spalt S_2 zusätzlich zurücklegen muss, um den Punkt X zu erreichen.

1.2 Geben Sie für Punkte, die weit von den beiden Spalten entfernt sind, ΔD in Abhängigkeit von d und θ an. (Siehe auch Aufgabe 3 in den Übungen zum Tutorial *Interferenz zweier Quellen.*)

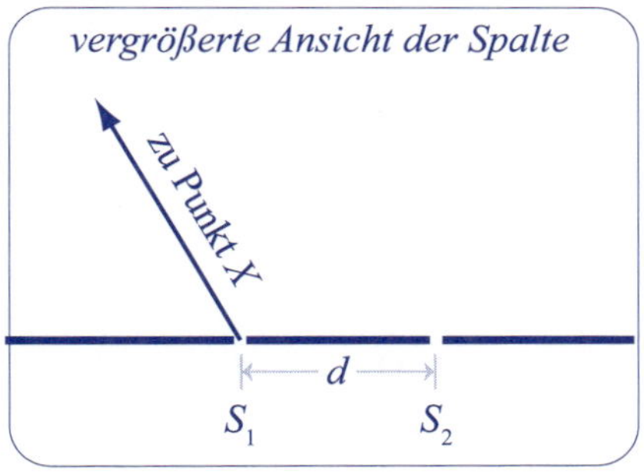

1.3 Stellen Sie eine Beziehung zwischen λ, θ und d her, mit der Sie die Winkel bestimmen können für:

- maximale konstruktive Interferenz *(Maximum)*,
- vollständig destruktive Interferenz *(Minimum)*.

1.4 Ein halbkreisförmiger Schirm wird um die Spalte angeordnet wie abgebildet.

Markieren Sie im Diagramm alle Stellen, an denen für den speziellen Fall $d = 2{,}4\lambda$ Minima und Maxima auftreten.

Kennzeichnen Sie jedes Maximum oder Minimum mit den zugehörigen Werten von:

- ΔD
- θ

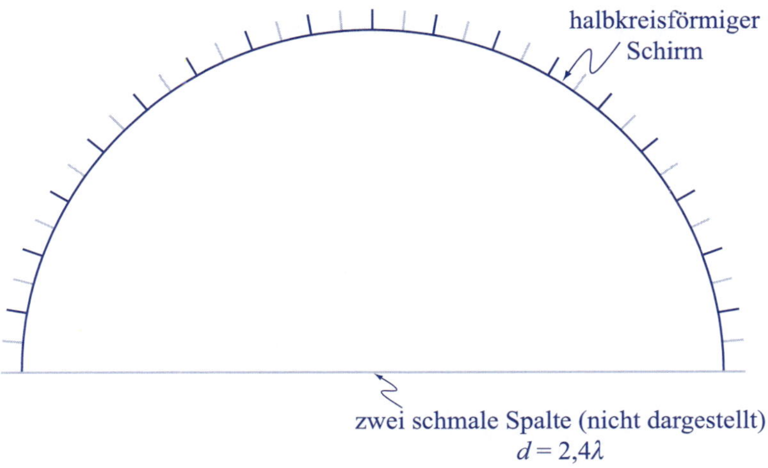

2 Interferenz an drei Spalten

2.1 Punkt M bezeichnet einen Punkt auf einem weit entfernten Schirm, an dem sich das Licht von den zwei Spalten S_1 und S_2 zu einem *Maximum* überlagert.

Ist Punkt M immer noch ein Punkt maximaler konstruktiver Interferenz, wenn ein dritter Spalt wie im Bild rechts hinzugefügt wird? Begründen Sie.

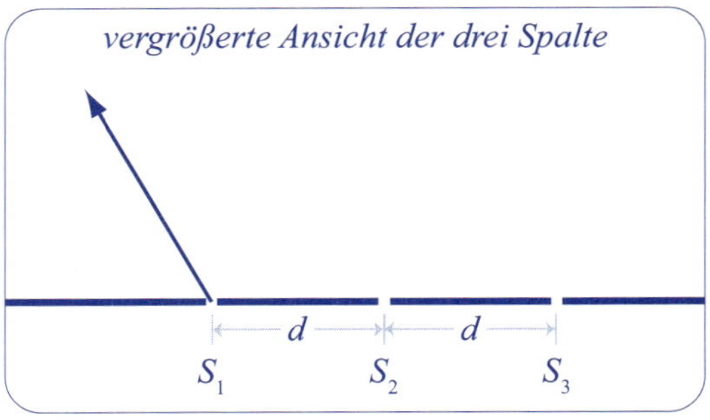

2.2 Weitere gleichartige Spalte werden nun in jeweils gleichen Abständen d hinzugefügt.

Ist Punkt M dann immer noch ein Punkt maximaler konstruktiver Interferenz? Begründen Sie.

Im Fall von zwei Spalten haben Sie festgestellt, dass ein beliebiger Punkt *maximaler konstruktiver Interferenz* ein ganzzahliges Vielfaches von Wellenlängen weiter von dem einen Spalt entfernt ist als von dem anderen (Es gilt also $\Delta D = 0,\ \lambda,\ 2\lambda,\ \ldots$).

Wie lautet die entsprechende Bedingung bei drei oder mehr im gleichen Abstand angeordneten Spalten? Formulieren Sie diese Bedingung als einen Ausdruck für den Gangunterschied $\Delta D_{i,i+1}$ des Lichtes von zwei *benachbarten* Spalten an einem Punkt auf dem Schirm.

Wir bezeichnen eine Stelle, an der Licht von *allen* Spalten in Phase ist, als *Hauptmaximum.*

2.3 Punkt N ist ein Punkt auf dem weit entfernten Schirm, an dem sich das Licht von den zwei Spalten S_1 und S_2 zu einem *Minimum* überlagert.

Bleibt der Schirm am Punkt N vollständig dunkel, wenn der dritte Spalt wie oben beschrieben hinzugefügt wird? Wenn nicht, wird Punkt N so hell wie ein Hauptmaximum sein? Begründen Sie Ihre Antwort.

2.4 Lassen Sie sich einen Satz Folien mit Sinuskurven geben. Jede Folie stellt das Licht eines einzelnen Spaltes dar.

Welche physikalische Größe stellen die Kurven dar?

Ordnen Sie drei Sinuskurven so an, dass sich ein Helligkeitsminimum für drei Spalte ergibt.

Welcher kleinstmögliche Wert für $\Delta D_{i,i+1}$ führt bei drei Spalten zu einem Minimum?

Ergibt der doppelte (dreifache, vierfache ...) Wert ebenfalls ein Minimum?

Geben Sie die ersten Werte von $\Delta D_{i,i+1}$ an, die einem Minimum für drei Spalte entsprechen. (Geben Sie so viele Werte an, dass eine Regelmäßigkeit deutlich wird.)

Wie viele Minima treten bei drei Spalten zwischen zwei benachbarten Hauptmaxima auf?

2.5 Markieren Sie im Diagramm rechts alle Stellen, an denen für den speziellen Fall von drei gleichen Spalten mit Abstand $d = 2{,}4\lambda$ Minima oder Hauptmaxima auftreten.

Kennzeichnen Sie jedes Minimum oder Hauptmaximum mit den zugehörigen Werten von $\Delta D_{i,i+1}$ und θ.

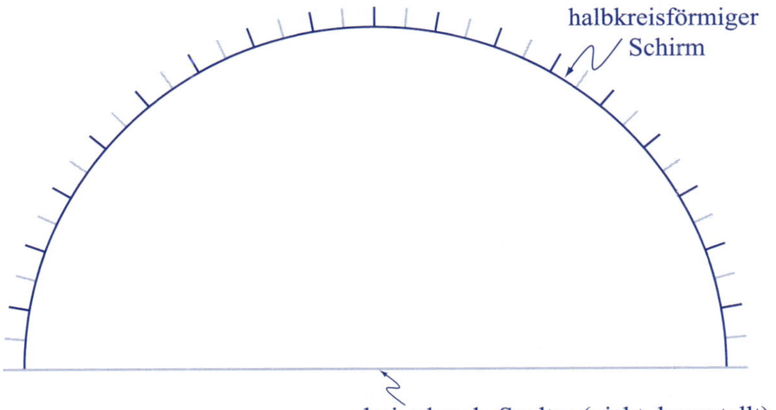

Vergleichen Sie Ihre Skizze mit der aus Teil 1.3 für den Fall von zwei Spalten im Abstand von $d = 2{,}4\lambda$. Stellen Sie die Ähnlichkeiten und Unterschiede dar.

3 Interferenz von mehr als drei Wellen

3.1 Kohärentes, rotes Licht fällt auf eine Blende mit vier engen Spalten. Die Mitten benachbarter Spalte haben jeweils den Abstand d.

Bestimmen Sie mithilfe der Sinuskurven (auf den Folien) den kleinstmöglichen Wert von $\Delta D_{i,i+1}$, bei dem sich in diesem Fall ein Minimum ergibt.

Welche ganzzahligen Vielfachen dieses Wertes von $\Delta D_{i,i+1}$ führen zu weiteren Minima? Welche nicht?

Welche Werte von $\Delta D_{i,i+1}$ entsprechen den Hauptmaxima?

Wieviele Minima treten zwischen zwei benachbarten Hauptmaxima auf?

3.2 Bestimmen Sie den kleinstmöglichen Wert für $\Delta D_{i,i+1}$, bei dem sich ein Minimum im Fall von N gleichen und regelmäßig angeordneten Spalten ergibt. Verallgemeinern Sie dazu Ihre Ergebnisse aus der Betrachtung des Doppel-, Dreifach- und Vierfachspaltes.

Welche ganzzahligen Vielfachen dieses Wertes von $\Delta D_{i,i+1}$ führen zu weiteren Minima? Welche nicht?

Wie viele Minima treten zwischen zwei benachbarten Hauptmaxima auf?

3.3 Kohärentes rotes Licht fällt auf eine Blende mit zwei sehr engen Spalten im Abstand d. Das Bild rechts zeigt einen Ausschnitt des Musters, das auf einem weit entfernten Schirm erscheint.

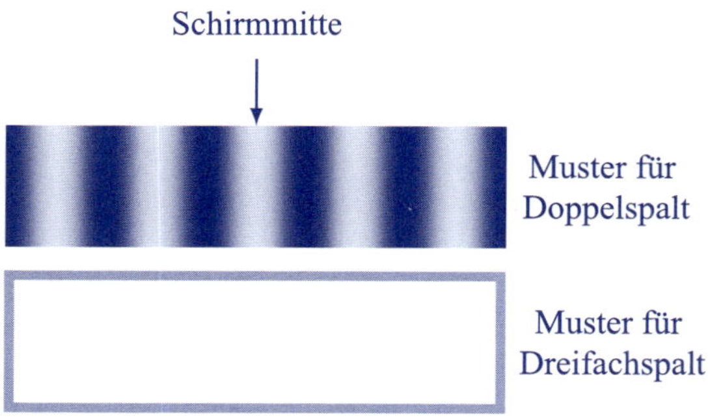

Kennzeichnen Sie auf der Fotografie (oben) jedes der Maxima und Minima mit dem zugehörigen Wert von $\Delta D_{i,i+1}$.

Nun wird ein *dritter* Spalt in der Blende geöffnet, sodass benachbarte Spalte wie zuvor den Abstand d haben.

Skizzieren Sie im Zeichenfeld unter der Fotografie das Muster, das Sie auf dem Schirm erwarten. Kennzeichnen Sie jedes Minimum oder Hauptmaximum mit dem zugehörigen Wert für $\Delta D_{i,i+1}$.

Bitten Sie Ihren Tutor um Bilder, welche die Beugungsmuster beim Doppelspalt und beim Dreifachspalt wiedergeben.

3.4 Wie ändert sich das Muster, wenn die Blende nun *vier* Spalte im gleichen Abstand enthält? Skizzieren Sie Ihre Vermutung im Zeichenfeld rechts. Begründen Sie Ihre Antwort.

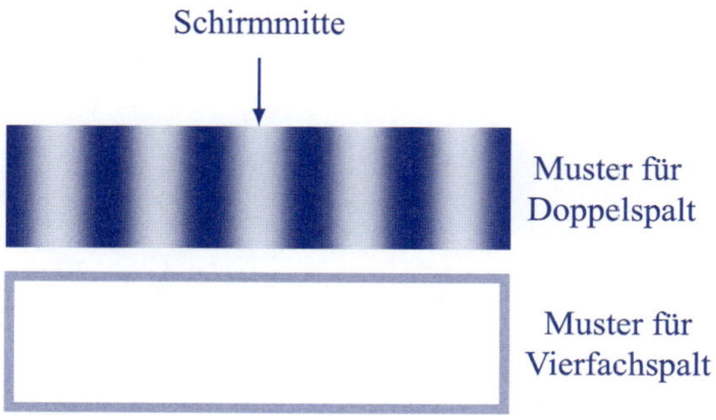

Wie ändert sich das Muster, wenn die Blende *fünf* Spalte im gleichen Abstand d wie zuvor enthält? Begründen Sie.

Bitten Sie einen Tutor um Fotografien, welche die Beugungsmuster bei unterschiedlich vielen Spalten wiedergeben.

1 Bestimmung der Lage des ersten Minimums beim Mehrfachspalt

1.1 Rotes Licht von einer weit entfernten Punktquelle trifft auf eine Blende mit zehn gleichen, regelmäßig angeordneten und sehr engen Spalten. (Siehe Abbildungen rechts und unten.)

Markieren Sie in der vergrößerten Ansicht unten den Gangunterschied $\Delta D_{i,i+1}$, der den zusätzlichen Weg angibt, den das Licht von Spalt 1 im Vergleich zum Licht von Spalt 2 zurücklegen muss, um Punkt X auf dem weit entfernten Schirm zu erreichen.

Welches ist der *kleinstmögliche* Wert von $\Delta D_{i,i+1}$, der bei 10 Spalten einem Minimum entspricht? (Transparentfolien mit Sinuskurven stehen bei Bedarf zur Verfügung.)

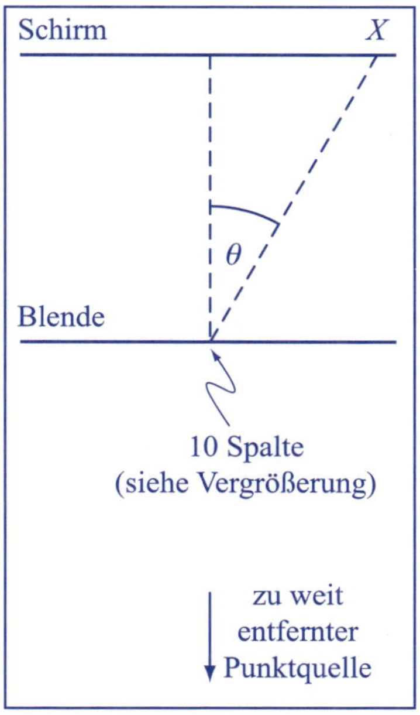

Das Minimum, das diesem kleinsten Wert von $\Delta D_{i,i+1}$ entspricht, wird als *erstes Minimum* bezeichnet.

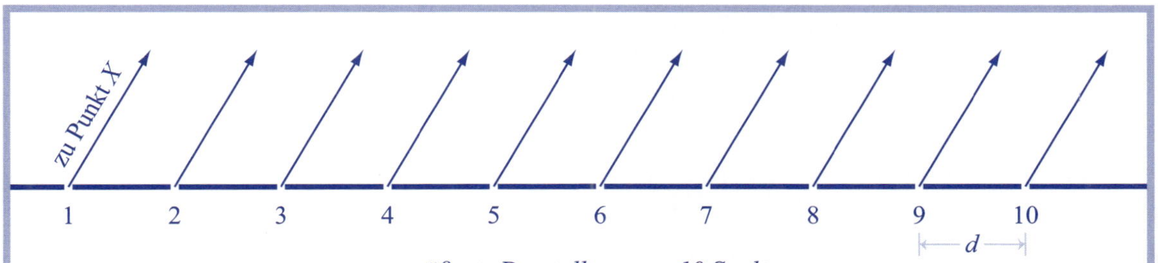

vergrößerte Darstellung von 10 Spalten

1.2 Der Ort des ersten Minimums auf dem Schirm wird im Folgenden Punkt X genannt.

Welche zusätzliche Strecke (als Vielfaches von λ) legt das Licht von Spalt 1 im Vergleich zum Licht von Spalt 3 zurück, um Punkt X zu erreichen? Begründen Sie Ihre Antwort.

1.3 Nur Spalt 1 ist geöffnet und alle anderen Spalte 2 bis 10 sind zunächst verdeckt. Welchen anderen Spalt können Sie zusätzlich aufdecken, sodass das Licht an Punkt X auf dem Schirm völlig ausgelöscht wird? Begründen Sie.

Der eben betrachtete Spalt wird nun zusätzlich zu Spalt 1 geöffnet und der Schirm ist an Punkt X völlig dunkel. Bleibt der Schirm an Punkt X vollständig dunkel, wenn nun zusätzlich Spalt 2 geöffnet wird? Wenn nicht, welcher andere Spalt muss zusätzlich geöffnet werden, damit der Schirm an Punkt X wieder völlig dunkel ist? Begründen Sie.

1.4 Zeigen Sie, dass es möglich ist, alle zehn Spalte so in fünf Paare einzuteilen, dass sich das Licht von jedem Paar am Punkt X zu Null addiert.

1.5 Die Anzahl der Spalte wird nun verdoppelt und der Abstand zwischen zwei benachbarten Spalten dabei halbiert. (Siehe Abbildung unten.) Die zusätzlichen Spalte sind mit den Nummern *1a* bis *10a* bezeichnet. (Die nachstehende Abbildung verwendet den gleichen Maßstab wie die vorherige.)

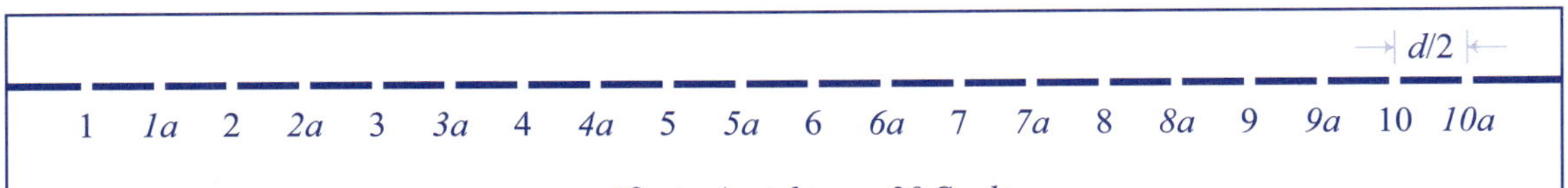

vergrößerte Ansicht von 20 Spalten

Tritt das erste Minimum in diesem Fall beim gleichen Winkel θ auf wie in Abschnitt 1.2? Begründen Sie Ihre Antwort.

1.6 Wenn man weitere Spalte auf die gleiche Weise hinzufügt (d. h. durch Verdoppeln der Anzahl der Spalte bei gleichzeitiger Halbierung des Abstands zwischen benachbarten Spalten), ändert sich dann der Winkel zum ersten Minimum? Begründen Sie.

Wenn die Anzahl der Spalte, wie in der folgenden Abbildung angedeutet, sehr groß ist, wie kann man die Spalte dann paarweise gruppieren, um den Winkel zum ersten Minimum zu bestimmen?

vergrößerte Ansicht von sehr vielen Spalten

2 Motivierung der Modellvorstellung für die Beugung am Spalt

Die Fotografie zeigt das Beugungsmuster, das auf einem weit entfernten Schirm zu sehen ist, wenn Licht von einer weit entfernten Punktquelle durch einen einzelnen schmalen vertikalen Spalt tritt. Dieses Bild ist ein Beispiel für ein *Beugungsmuster am Einzelspalt.*

2.1 Wie unterscheidet sich dieses Muster von dem Bild, das Sie aufgrund der Modellvorstellung der geometrischen Optik (also der Annahme, dass sich Licht geradlinig ausbreitet) erwarten würden?

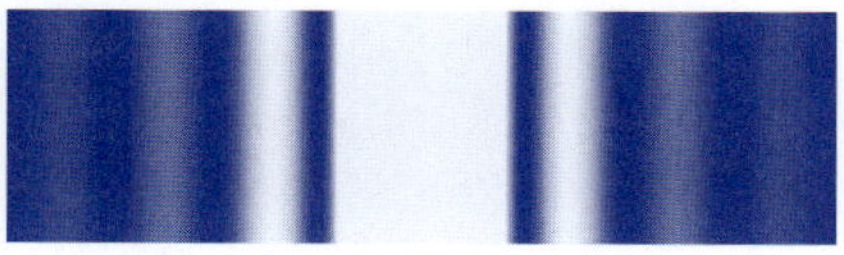

Das Auftreten von Minima in einem Beugungsmuster legt nahe, dass es sich dabei um ein Interferenzphänomen handelt. Wir können das Beugungsmuster mit dem folgenden Modell erklären: Betrachten Sie den Spalt als zusammengesetzt aus vielen gleichartigen, sehr schmalen und im gleichen Abstand angeordneten „Spalten", die sich so nahe beieinander befinden, dass sich ihre Ränder gerade berühren. Das Interferenzmuster, das dadurch erzeugt wird, entspricht näherungsweise dem Beugungsmuster am Einzelspalt.

2.2 Betrachten Sie die folgende Diskussion zwischen zwei Studierenden:

Augustin-Jean: ***„Ich kann nicht verstehen, warum bei nur einem Spalt überhaupt Minima auftreten. Ich dachte, man bräuchte zwei Wellen, um destruktive Interferenz zu erzeugen."***

Katherine: ***„Man kann sich den Einzelspalt als aus vielen gleichartigen, schmaleren ‚Spalten' zusammengesetzt denken, die sich jeweils wie eine Punktquelle verhalten und miteinander interferieren. Das erste Minimum tritt dort auf, wo der Gangunterschied von den zwei ‚Spalten' an den Rändern des Einzelspaltes gerade $\lambda/2$ beträgt."***

Stimmen Sie einer der Antworten zu? Diskutieren Sie Ihre Antworten in Ihrer Arbeitsgruppe.

OPTIK
Wellenoptik

3 Anwendung der Modellvorstellung

3.1 Die Fotografie rechts zeigt einen Ausschnitt des Beugungsmusters, das auf einem weit entfernten Schirm erzeugt wird, wenn grünes Licht auf einen schmalen Spalt trifft.

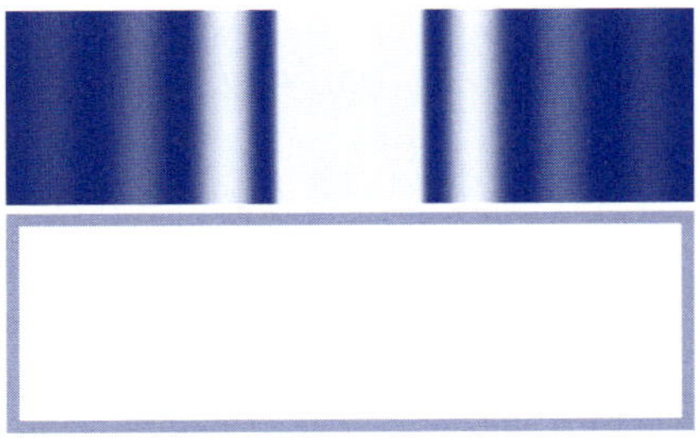

Markieren Sie mit einem Kreuz (×) die Stellen, die den ersten Minima entsprechen.

Welche Stellen gehören zu Minima höherer Ordnung?

Statt des grünen Lichts trifft nun rotes Licht auf den unveränderten Spalt.

Ist der Winkel zum ersten Minimum für rotes Licht *größer, kleiner* oder *gleich* dem entsprechenden Winkel für grünes Licht? Begründen Sie Ihre Vermutung mithilfe von Skizzen für die beiden Situationen.

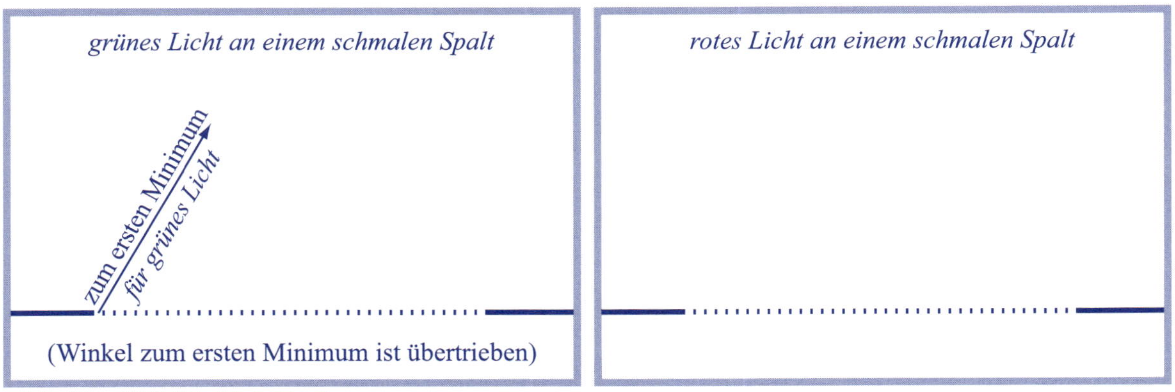

Erwarten Sie, dass sich die Orte der Minima höherer Ordnung ändern? Wenn ja, wie?

Zeichnen Sie nun in das Feld unter dem Bild ganz oben auf der Seite, wie das Beugungsbild aussieht, wenn rotes anstatt grünes Licht auf den schmalen Spalt trifft.

Bitten Sie einen Tutor um die Farbfotografien der Beugungsbilder eines schmalen Spaltes mit rotem und mit grünem Licht und überprüfen Sie Ihre Vermutung.

→ Diskutieren Sie Ihre Antworten mit einem Tutor.

3.2 Die Fotografie rechts zeigt das Beugungsmuster von Laserlicht, das auf einen schmalen Spalt trifft.

Geben Sie mithilfe der erarbeiteten Modellvorstellung an, wie sich das Muster ändert, wenn der Spalt *noch schmaler* gemacht wird.

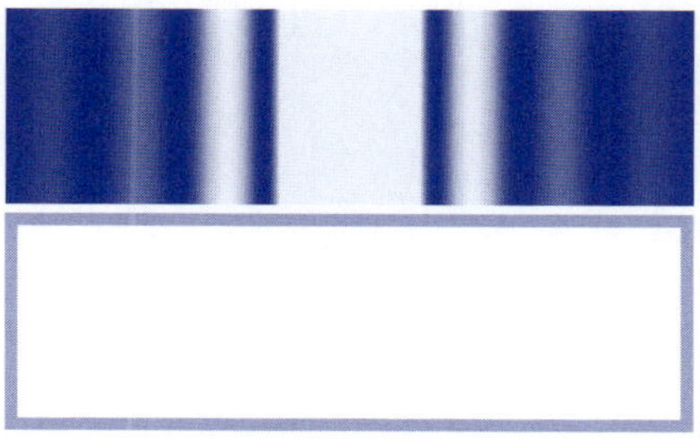

Muster für schmalen Spalt

Muster für noch schmaleren Spalt

Skizzieren Sie Ihre Vermutung im Kasten unter dem Bild und begründen Sie Ihre Antwort.

Bitten Sie einen Tutor um die Fotografien der Beugungsbilder, die durch zwei Spalte unterschiedlicher Breite erzeugt werden, und überprüfen Sie damit Ihre Vermutung.

3.3 Beschreiben Sie, was Sie auf dem Schirm sehen, wenn die Spaltbreite schrittweise bis auf Null verringert wird. Diskutieren Sie Ihre Vermutung in Ihrer Arbeitsgruppe.

3.4 Ist die Spaltbreite *größer, kleiner* oder *gleich* λ, wenn in einem Beugungsmuster (wie in den hier gezeigten Beispielen) mehrere Minima sichtbar sind. Begründen Sie Ihre Antwort.

3.5 In Abschnitt 3.1 haben Sie eine Skizze gezeichnet, um den Winkel für das erste Minimum von grünem Licht beim Auftreffen auf einen schmalen Spalt zu bestimmen. Geben Sie anhand dieser Skizze an, ob die Spaltbreite im betrachteten Fall *größer, kleiner* oder *gleich* der Wellenlänge des einfallenden Lichtes ist.

Ist Ihr Ergebnis mit Ihrer Antwort in Abschnitt 3.4 vereinbar? Wenn nicht, lösen Sie den Widerspruch auf.

3.6 Formulieren Sie mithilfe der erarbeiteten Modellvorstellung eine Gleichung für den Winkel zum ersten Minimum bei der Beugung an einem Einzelspalt der Breite a.

Wie lässt sich erklären, dass die obige Gleichung für die Lage eines *Minimums* bei der Beugung am Einzelspalt eine ähnliche Gestalt hat wie die Gleichung für die Lage eines *Maximums* bei der Interferenz von zwei Quellen?

1 Beugung am Einzelspalt

Monochromatisches Licht von einer weit entfernten Punktquelle fällt auf eine Blende mit einem schmalen vertikalen Spalt. Eine Fotografie des Beugungsbildes auf einem weit entfernten halbkreisförmigen Schirm ist im unteren Bild rechts zu sehen. Darüber befindet sich der dazugehörige Graph der *relativen Intensität* (d. h. der Intensität als Funktion des Winkels geteilt durch die Intensität bei $\theta = 0$, also $I(\theta)/I_{\max}$).

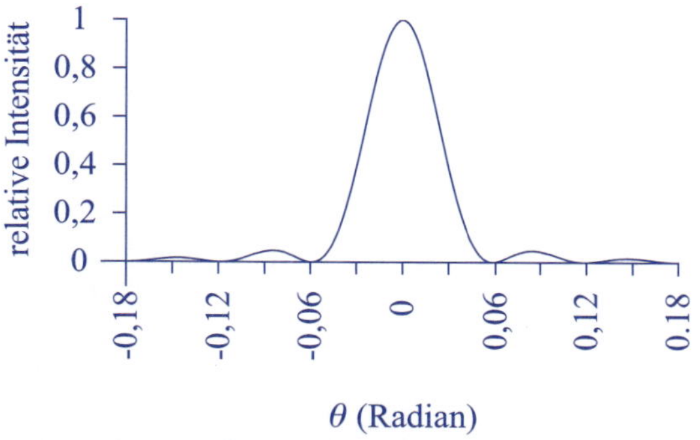

Interferenzmuster für *Einzel*spalt

1.1 Die Minima, die beim Einzelspalt auftreten, heißen *Beugungsminima*. Kennzeichnen Sie auf der Fotografie und auf dem Graph die Lage der Beugungsminima.

1.2 Betrachten Sie die folgende Diskussion zwischen zwei Physikstudenten:

Joseph: ***„Im Praktikum habe ich die Breite eines der Spalte bestimmt, die wir beim Beugungsexperiment benutzen und den Wert 0,1 mm erhalten. Das ist sicherlich größer als die Wellenlänge λ.“***

Francesco: ***„Du musst etwas falsch gemacht haben. Im Beugungsmuster treten Minima nur auf, wenn die Spaltbreite kleiner als λ ist.“***

Stimmen Sie einer der beiden Aussagen zu? Begründen Sie Ihre Antwort.

2 Zusammenwirken von Beugung und Interferenz

2.1 In der Blende befindet sich noch ein zweiter gleichartiger Spalt, der bisher abgedeckt war. Der Abstand d zwischen den Spaltmitten beträgt 50λ.

Was beobachten Sie auf dem Schirm, wenn der ursprüngliche Spalt abgedeckt und gleichzeitig der zweite Spalt geöffnet wird?

2.2 Nun werden beide Spalte geöffnet.

Bei welchen Winkeln beträgt der Phasenunterschied für das Licht, das von entsprechenden Punkten der beiden Spalte ausgeht, gerade 180°? (*Hinweis:* Für kleine Winkel gilt $\sin\theta \approx \theta$, wenn θ im Bogenmaß ausgedrückt wird.)

Kennzeichnen Sie diese Winkel im Intensitätsdiagramm oben.

Nimmt die Intensität an den Beugungsminima *zu*, *ab* oder bleibt sie *gleich*, wenn der zweite Spalt geöffnet wird? Begründen Sie Ihre Antwort.

Wie wird sich das Muster auf dem Schirm verändern, wenn der zweite Spalt geöffnet wird? Skizzieren Sie das dabei entstehende veränderte Muster möglichst deutlich im Zeichenfeld unter der Fotografie.

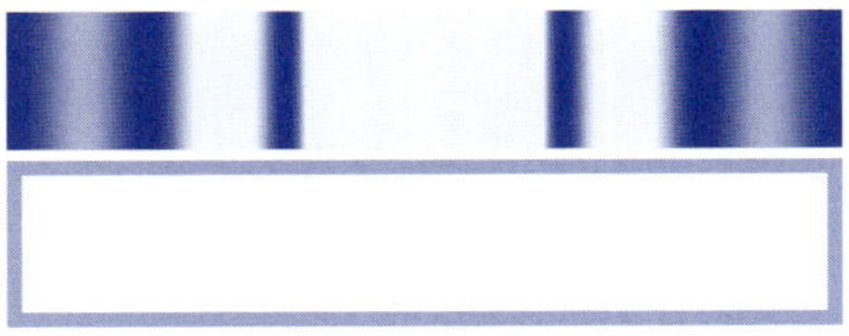

Interferenzmuster für *Einzel*spalt

Interferenzmuster für *Doppel*spalt

→ Überprüfen Sie Ihre Antworten in Teil 2.2 mit einem Tutor, bevor Sie die Arbeit fortsetzen.

2.3 Die Breite a der beiden Spalte wird nun langsam verringert (wobei der Abstand d zwischen den Spaltmitten konstant gehalten wird).

Welche Minima verschieben sich, wenn a verkleinert wird?

Wählen Sie zwei (oder mehr) Intensitätsdiagramme aus, die einer solchen Änderung entsprechen. (Vergrößerungen der Diagramme stehen zur Verfügung.)

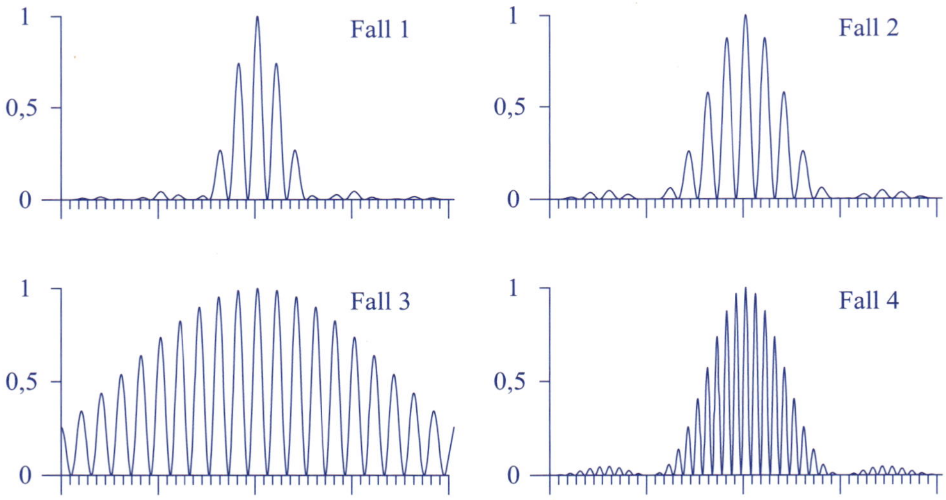

2.4 Nun wird der Abstand d zwischen den Spaltmitten schrittweise verkleinert (wobei die Spaltbreiten a konstant gehalten werden).

Welche Minima verschieben sich, wenn d verkleinert wird?

Wählen Sie aus den Intensitätsdiagrammen in Abschnitt 2.3 zwei (oder mehr) aus, die einer solchen Änderung entsprechen.

Die Minima, die auftreten, wenn nur ein Spalt geöffnet ist, hatten wir als Beugungsminima bezeichnet. Diejenigen Minima, die dadurch auftreten, dass der Phasenunterschied zwischen entsprechenden Punkten in den beiden Spalten gerade 180° beträgt, heißen dagegen *Interferenzminima.*

2.5 Die vier Diagramme aus Teil 2.3, welche die relative Intensität als Funktion des Winkels bei verschiedenen Doppelspaltversuchen darstellen, sind hier erneut zu sehen.

- Kennzeichnen Sie in jedem der Diagramme die (1) Interferenzminima und (2) Beugungsminima niedrigster Ordnung, (d. h., mit dem kleinsten Abstand zur Mitte des Musters).
- Skizzieren Sie in jedem Diagramm den Graph der relativen Intensität, der sich ergibt, wenn einer der beiden Spalte verdeckt wird.

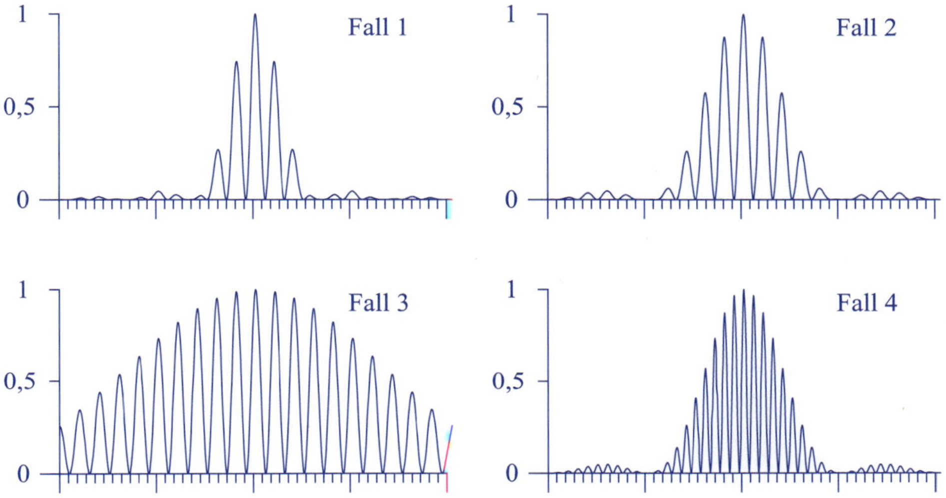

Sind die Graphen, die Sie eingezeichnet haben, jeweils mit den von Ihnen gekennzeichneten Beugungsminima vereinbar? Wenn nicht, lösen Sie den Widerspruch auf.

→ Überprüfen Sie Ihre Antworten in den Abschnitten 2.3 bis 2.5 mit einem Tutor.

2.6 Betrachten Sie den rechts abgebildeten Intensitätsgraphen zu einem Doppelspaltversuch.

Die Breite der beiden Spalte wird verringert (ohne den Abstand zwischen den Spaltmitten zu verändern).

Zeichnen Sie in dem oberen Diagramm ein, wie sich dabei die relative Intensität ändert. Begründen Sie.

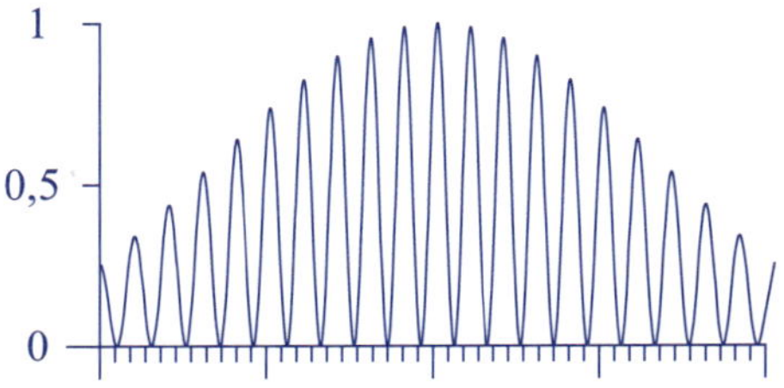

Nach der Verringerung der Spaltbreiten wird nun einer der beiden Spalte abgedeckt. Skizzieren Sie im Diagramm rechts den Graph der relativen Intensität für diesen Fall (d. h. für schmalere Spalte als oben).

Vergleichen Sie Ihr Ergebnis mit dem, was Sie für eine Punktquelle erwarten. Wenn Ihr Ergebnis abweicht: Wie können Sie den Aufbau des Experiments abändern, damit der Graph besser mit dem einer *Punktquelle* übereinstimmt?

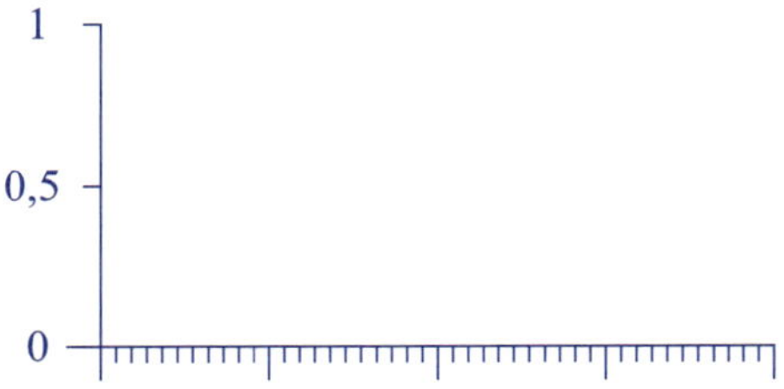

Wie muss die Breite des Spaltes (im Vergleich zu λ) gewählt werden, um den Intensitätsverlauf für eine Punktquelle möglichst gut anzunähern? Begründen Sie.

3 Quantitative Betrachtung

Betrachten Sie den folgenden Graph der relativen Intensität für einen Doppelspaltversuch. Die Wellenlänge des verwendeten Lichts beträgt $\lambda = 633\,\text{nm}$.

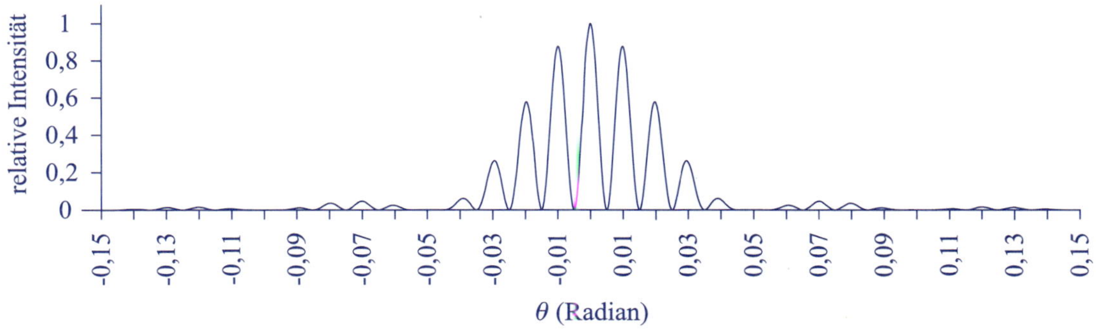

3.1 Bestimmen Sie die Breite der Spalte und deren Abstand. Geben Sie jeweils an, welche Eigenschaften des Graphs Sie verwenden.

Vergleichen Sie die Ergebnisse in Ihrer Arbeitsgruppe. Lösen Sie die Widersprüche auf, falls Ihre Ergebnisse nicht übereinstimmen.

3.2 Betrachten Sie die folgende Aussage eines Studenten:

***„Um die Spaltbreite zu bestimmen, habe ich das Minimum erster Ordnung bei** $\theta = 0{,}005$ Radian **verwendet und für den Spaltabstand das Maximum erster Ordnung bei** $\theta = 0{,}01$ Radian.“*

Wo liegt der Fehler in den Überlegungen des Studenten? Begründen Sie.

3.3 Möglicherweise ist Ihnen bereits aufgefallen, dass die Maxima im Abstand von etwa 0,01 Radian auftreten, dass jedoch die Maxima bei $\theta = 0{,}05$ Radian und $\theta = 0{,}10$ Radian fehlen.

Wie können Sie das Fehlen dieser Maxima erklären? (*Hinweis:* Überlegen Sie, wie sich der Graph der relativen Intensität ändert, wenn die Spaltbreite verkleinert wird.)

Sind Ihre Ergebnisse in Teil 3.1 mit Ihrer Antwort hier vereinbar? Wenn nicht, lösen Sie den Widerspruch auf.

OPTIK
Wellenoptik

1 Wiederholung des Modells der geometrischen Optik

Eine Blende mit einem kreisförmigen Loch (Durchmesser 1 cm) befindet sich zwischen einem Schirm und zwei sehr kleinen Glühlampen. Die Abbildung rechts zeigt, was auf dem Schirm zu sehen ist.

Frontansicht des Schirms

Ansicht von oben (nicht maßstabsgetreu)

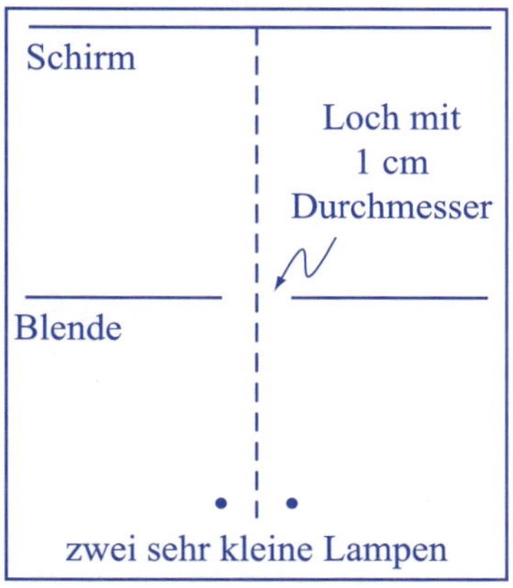

1.1 Erklären Sie die Form des beleuchteten Bereiches auf dem Schirm. Begründen Sie insbesondere mithilfe der Vorstellung, dass Licht sich geradlinig ausbreitet.

1.2 Angenommen, der Durchmesser des Loches wird vergrößert. Wie werden dadurch die Größe und die Form des beleuchteten Bereiches auf dem Schirm beeinflusst? Begründen Sie.

Stattdessen wird der Lochdurchmesser nun von seinem ursprünglichen Wert ausgehend nach und nach verkleinert.
Bei kleinem Durchmesser des Loches wird beobachtet, dass die beleuchteten Bereiche (Kreise) des Schirmes nicht überlappen. Wie können Sie diese Beobachtung erklären?

Nun wird der Durchmesser des Loches immer weiter verkleinert.

Erwarten Sie, dass das von den beiden Punktquellen erzeugte Schirmbild dabei immer getrennt bleibt (d. h. die beiden Kreise überlappen nicht)? Begründen Sie, warum bzw. warum nicht.

1.3 Eine Blende mit *einem* Loch wird zwischen einer Leuchtschrift und einem Schirm aufgestellt. Lassen Sie sich eine Abbildung geben, welche den beleuchteten Bereich des Schirmes für verschiedene Lochdurchmesser zeigt.

a. Bestimmen Sie den Lochdurchmesser, der das *schärfste* Bild auf dem Schirm erzeugt.

Beschreiben Sie, ausgehend von diesem Wert für den Lochdurchmesser, wie die Vergrößerung des Lochdurchmessers das Bild beeinflusst (z. B. das Bild des „L“ in „LUZ“).

Wie können Sie Ihre Beobachtung mithilfe der Vorstellung geradliniger Lichtausbreitung erklären? (*Hinweis:* Vergleichen Sie die Situation mit der in Teil 1.2.)

b. Ist es immer zutreffend, dass das Verkleinern des Lochdurchmessers die Bildgröße *reduziert?* Wenn nicht, wie können Sie die Beobachtung erklären, dass eine Verkleinerung des Lochdurchmessers zu einer Vergrößerung des Bildes führen kann?

c. Bestimmen Sie diejenigen Fotografien, bei denen man *Beugungseffekte* berücksichtigen muss, um erklären zu können, wie sich das Bild ändert, wenn das Loch verkleinert wird.

Was ist in diesen Situationen größer: das tatsächlich auf dem Schirm sichtbare Bild oder das Bild, das auf dem Schirm zu sehen *wäre, wenn* sich Licht geradlinig ausbreiten würde? Begründen Sie.

d. Sind die Fotografien mit Ihren Antworten in Teil 1.3 vereinbar? Wenn nicht, lösen Sie die Widersprüche auf.

2 Wiederholung des Modells für die Beugung am Einzelspalt.

Die Fotografie rechts zeigt das Muster, das auf einem weit entfernten Schirm zu sehen ist, wenn rotes Licht durch einen schmalen Einzelspalt fällt.

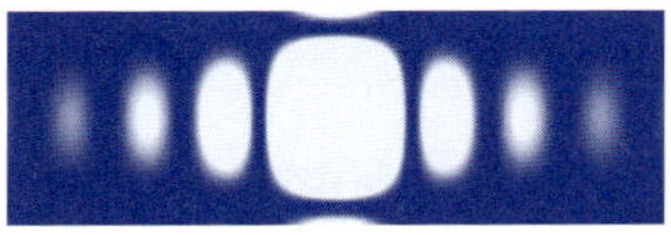

2.1 Inwiefern unterscheidet sich dieses Muster von dem, das sich aus den Regeln der geometrischen Optik ergibt?

In einem vorangegangenen Tutorial haben wir ein Modell für die Beugung am Einzelspalt entwickelt. Darin haben wir den Spalt in Gedanken in immer kleinere Teilspalte geteilt, wie in der vergrößerten Abbildung unten dargestellt.

2.2 Die Welle von welchem der Teilspalte löscht sich am ersten Minimum mit der Teilwelle vom ersten Teilspalt an der linken Kante aus?

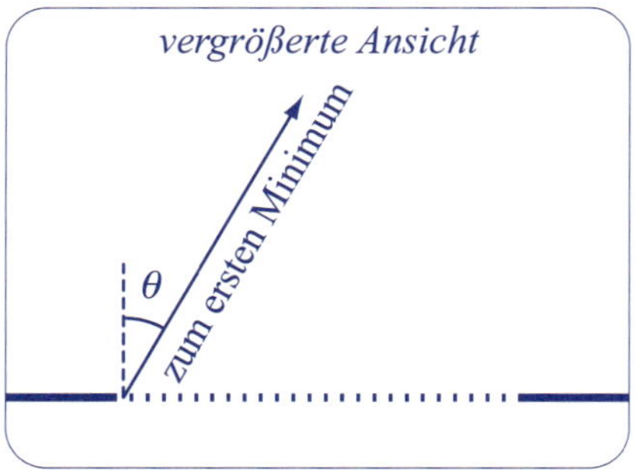

Begründen Sie mithilfe Ihrer Antwort, dass sich das Licht von allen Teilspalten am ersten Minimum zu vollständiger Auslöschung überlagert.

Zeichnen und kennzeichnen Sie die Strecke, welche den Gangunterschied für die beiden oben betrachteten Teilspalte darstellt. Geben Sie den Gangunterschied als Vielfaches von λ an.

3 Licht an Spalten unterschiedlicher Breite: quantitative Ergebnisse

3.1 Licht mit der Wellenlänge λ von einer weit entfernten Punktquelle fällt auf eine Blende mit einem schmalen senkrechten Spalt der Breite a. Ein Schirm befindet sich im Abstand L von der Blende.

a. Formulieren Sie auf der Grundlage der *geometrischen Optik* (d. h. der Vorstellung, dass Licht sich geradlinig ausbreitet) einen Ausdruck für die Breite des beleuchteten Bereichs auf dem Schirm.

b. Formulieren Sie auf der Grundlage des Modells *der Beugung am Einzelspalt* einen Ausdruck für den Winkel θ zum ersten Minimum des Beugungsbildes. Begründen Sie.

Geben Sie einen Ausdruck (abhängig von L und dem Winkel θ zum ersten Minimum) für die Breite des zentralen Beugungsmaximums (d. h. den Bereich zwischen den beiden Minima erster Ordnung) an. Begründen Sie.

c. Das Licht hat die Wellenlänge $\lambda = 500\,\text{nm}$ und der Schirm befindet sich im Abstand 1,0 m vom Spalt.

Für jede der in der Tabelle angegebene Spaltbreite kann man das Muster auf dem Schirm sowohl anhand der geometrischen Optik als auch mithilfe des Modells für die Beugung am Einzelspalt bestimmen. Bearbeiten Sie die Aufgaben in der Tabelle:

	Spaltbreite		
	10 mm	0,10 mm	0,0010 mm
Bestimmen Sie a/θ.			
Bestimmen Sie die Breite des beleuchteten Bereichs mithilfe der geometrischen Optik.			
Bestimmen Sie die Breite des zentralen Beugungsmaximums mithilfe des Einzelspaltmodells. (*Hinweis:* Für kleine Winkel θ gilt: $\sin\theta \approx \tan\theta \approx \theta$.)			
Was ist größer: die Breite des geometrischen Bildes oder die Breite des zentralen Beugungsmaximums?			

d. Diskutieren Sie für jeden der Fälle in der Tabelle, welches Modell (geometrische Optik oder Beugung am Einzelspalt) besser geeignet ist, um das Schirmbild zu beschreiben.

3.2 Betrachten Sie den allgemeinen Fall, in dem Licht der Wellenlänge λ auf einen Spalt der Breite a fällt und auf einem (weit entfernten) Schirm im Abstand L vom Spalt ein Muster erzeugt.

Beschreiben Sie, wie Sie entscheiden können, ob das Modell der geometrischen Optik eine korrekte Beschreibung des Musters auf dem Schirm liefert oder nicht. Begründen Sie Ihre Antwort.

→ Überprüfen Sie Ihre Antworten mit einem Tutor.

4 Ergänzung: Anwendungen der geometrischen und Wellenoptik

Kohärentes monochromatisches Licht fällt auf einen rechteckigen Spalt mit der Breite a und der Höhe h und erzeugt das rechts abgebildete Beugungsmuster.

Muster auf weit entferntem Schirm

4.1 Ist die Breite des zentralen Beugungsmaximums *größer*, *kleiner* oder *gleich* der Spaltbreite? Begründen Sie mithilfe Ihrer Antworten aus Abschnitt 3.

4.2 Es wird beobachtet, dass die Höhe des zentralen Beugungsmaximums näherungsweise gleich der Höhe des Spaltes (h) ist. Wie können Sie diese Beobachtung erklären?

4.3 Wie ändert sich das Muster auf dem Schirm gegenüber dem oben abgebildeten, wenn die ursprüngliche Spaltblende durch einen Spalt ersetzt wird,

- mit der Breite h und der Höhe h? Begründen Sie;

- mit der Breite h und der Höhe a? Begründen Sie;

- mit der Breite a und der Höhe a? Begründen Sie.

1 Transmission und Reflexion beim Übergang zwischen zwei Medien

Die folgenden beiden Zeichnungen zeigen jeweils eine Störung, die auf die Grenze zwischen zwei gespannten Federn zuläuft. Im ersten Fall (links) nähert sich die Störung der Grenze von links; im zweiten von rechts. In beiden Fällen handelt es sich um dieselben beiden Federn. Die lineare Massendichte (Masse pro Länge) ist für das rechte Seil größer als für das linke.

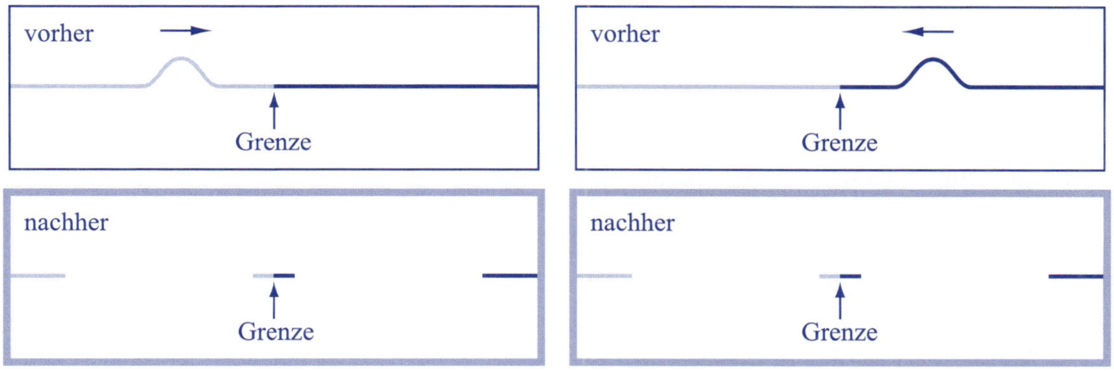

Vervollständigen Sie die unteren beiden Zeichnungen: Skizzieren Sie die Form der Federn zu einem Zeitpunkt, kurz nachdem die hintere Flanke der Störung die Grenze erreicht hat. Achten Sie darauf, sowohl (1) die Breite der Störungen als auch (2) die Auslenkungsrichtung (aufrecht oder invertiert) qualitativ richtig darzustellen. (Die Amplituden brauchen nicht berücksichtigt zu werden.)

Vergleichen Sie die Skizzen in Ihrer Arbeitsgruppe und lösen Sie eventuelle Widersprüche auf.

2 Interferenz an Dünnen Schichten

Vielleicht haben Sie schon einmal beobachtet, dass ein Lichtstrahl beim Auftreffen auf Glas teilweise reflektiert und teilweise transmittiert (d. h. durchgelassen) wird, vergleichbar mit dem Verhalten einer Störung auf einer gespannten Feder, wenn diese auf die Grenze zwischen zwei miteinander verbundenen Federn trifft.

In diesem Tutorial betrachten wir Licht, das aus der Luft ($n = 1$) auf einen Seifenfilm ($n = 4/3$) trifft. Wir betrachten diese Situation analog zu einer Störung, die auf die Grenze zwischen zwei Federn unterschiedlicher linearer Massendichte trifft.

2.1 Entspricht in dieser Analogie der Seifenfilm derjenigen Feder mit der *größeren* oder der mit der *kleineren* Massendichte? Begründen Sie Ihre Antwort.

Vergleichen Sie Ihre Begründungen in Ihrer Arbeitsgruppe.

2.2 Beim Vergleich von Stoffen mit unterschiedlichem Brechungsindex wird der Stoff mit dem größeren Brechungsindex auch als *optisch dichter* bezeichnet. Ist diese Bezeichnungsweise mit der analogen Situation in Abschnitt 1 vereinbar?

2.3 Die Abbildung rechts zeigt Licht, das auf einen *dünnen* Seifenfilm trifft.

Der Seifenfilm wird durch eine vertikal ausgerichtete Drahtschleife gehalten (nicht gezeigt). Nur ein kleiner Ausschnitt aus dem Seifenfilm ist dargestellt.

Verwenden Sie bei der Beantwortung der folgenden Fragen die oben hergestellte Analogie zwischen dieser Situation und den verbundenen Federn in Abschnitt 1.

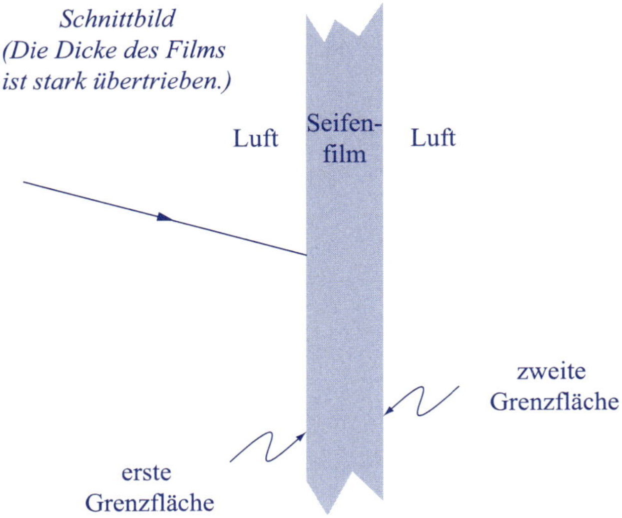

a. Reflexion und Transmission an der *ersten* Grenzfläche

- Zeichnen Sie in die Abbildung Strahlen ein, die dem an der ersten (linken) Grenzfläche reflektierten und transmittierten Licht entsprechen.
- Ist die Frequenz der transmittierten Welle (im Seifenfilm) *größer, kleiner* oder *gleich* der Frequenz der einfallenden Welle (in der Luft)?

- Ist die Wellenlänge der transmittierten Welle *größer, kleiner* oder *gleich* der Wellenlänge der einfallenden Welle?

- Entspricht die Reflexion beim Auftreffen auf die erste Grenzfläche mehr einer Reflexion am *festen* Ende oder am *losen* Ende? Begründen Sie Ihre Antwort.

- Beantworten Sie die folgenden Fragen anhand Ihrer obigen Antworten.

  Ist die an der ersten Grenzfläche reflektierte Welle zu der einfallenden Welle *in Phase* oder *um 180° phasenverschoben* (d. h. tritt bei der Reflexion ein Phasensprung auf)?

  Ist die an der ersten Grenzfläche transmittierte Welle mit der einfallenden Welle *in Phase* oder *um 180° phasenverschoben* (d. h. tritt bei der Transmission ein Phasensprung auf)?

b. Reflexion an der *zweiten* Grenzfläche:

- Setzen Sie den transmittierten Strahl (aus Teil a) durch den Seifenfilm bis zur zweiten Grenzfläche fort. Zeichnen Sie dann Strahlen ein, die das Licht darstellen, das *dort* transmittiert bzw. reflektiert wird.
- Entspricht die Reflexion an der zweiten Grenzfläche eher einer Reflexion am *festen* Ende oder am *losen* Ende? Begründen Sie Ihre Antwort.

Ist die an der zweiten Grenzfläche reflektierte Welle mit der einfallenden Welle (im Seifenfilm) *in Phase* oder *um 180° phasenverschoben* (d. h. tritt bei der Reflexion ein Phasensprung auf)?

c. Erneute Transmission an der *ersten* Grenzfläche:

Setzen Sie den an der zweiten Grenzfläche reflektierten Strahl (aus Teil b) zurück durch den Seifenfilm bis zur ersten Grenzfläche fort. Zeichnen Sie dann Strahlen ein, die jeweils dem *dort* reflektierten und transmittierten Licht entsprechen.

Tritt bei der Transmission an dieser Grenzfläche ein Phasensprung auf?

2.4 Licht der Frequenz $f = 7{,}5 \cdot 10^{14}$ Hz trifft von links auf den Seifenfilm.

Bestimmen Sie Zahlenwerte für:

- die Frequenz der Welle im Seifenfilm (in Hz),
- die Wellenlänge in Luft (in nm),
- die Wellenlänge im Seifenfilm (in nm).

2.5 Ein Beobachter blickt von links auf den Seifenfilm aus Teil 2.3.

Welche der verschiedenen von Ihnen eingezeichneten Strahlen können diesen Betrachter erreichen?

Was ändert sich an diesen Strahlen, wenn das Licht nahezu senkrecht einfällt (statt in dem bisher betrachteten Winkel)?

3 Dünne Schichten mit variabler Dicke

Ein Seifenfilm, der von einer senkrechten Drahtschleife gehalten wird, hat sich stabilisiert und ist nun oben dünner als unten. Licht der Frequenz $f = 7{,}5 \cdot 10^{14}$ Hz fällt nahezu senkrecht von links auf den Seifenfilm ($n = 4/3$).

3.1 Beobachter A betrachtet einen Teil des Seifenfilms, der 75 nm dick ist.

Betrachten Sie nun je einen an der Vorder- bzw. Rückseite des Films reflektierten Strahl, die beide (ähnlich wie in Teil 2.5) Beobachter A erreichen.

a. Welche Strecke (in nm) legt das Licht des an der Rückseite reflektierten Strahls im Vergleich zum an der Vorderseite reflektierten zusätzlich zurück, bevor es Beobachter A erreicht?

Schnittbild (nicht maßstabsgetreu)

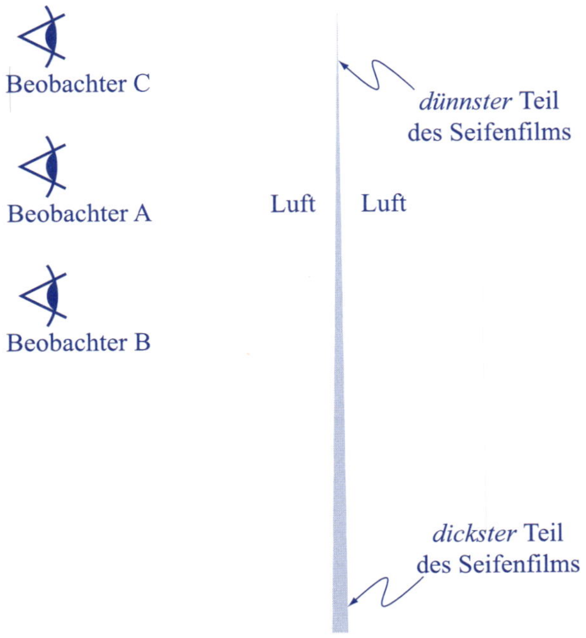

b. Welche Phasenverschiebung tritt zwischen diesen beiden Strahlen auf? (Berücksichtigen Sie dabei sowohl Phasenunterschiede aufgrund der zurückgelegten Wegstrecke als auch solche bei der Reflexion an Grenzflächen wie in Teil 2.3.)

c. Sieht Beobachter A einen Bereich *maximaler* Helligkeit, *minimaler* Helligkeit, oder *keines von beiden?* Begründen Sie Ihre Antwort.

3.2 Beobachter B betrachtet einen Teil des Seifenfilms, der eine Dicke von 150 nm hat.

Sieht Beobachter B einen Bereich *maximaler* Helligkeit, *minimaler* Helligkeit, oder *keines von beiden?* Begründen Sie Ihre Antwort.

3.3 Beobachter C betrachtet die dünnste Stelle im Seifenfilm mit einer Dicke von *nahezu Null.* Sieht Beobachter C diesen Bereich *hell* oder *dunkel?* Begründen Sie Ihre Antwort.

3.4 Beschreiben Sie das Erscheinungsbild des gesamten Seifenfilmes.

→ Überprüfen Sie Ihre Antworten zu den Teilen 3.1 bis 3.4 mit einem Tutor.

3.5 Bestimmen Sie die drei kleinsten Werte für die Schichtdicke, bei denen sich *maximale konstruktive* Interferenz ergibt.

Bestimmen Sie die drei kleinsten Werte für die Schichtdicke, bei denen sich *maximale destruktive* Interferenz ergibt.

3.6 Die Dicke des Seifenfilms beträgt am unteren Ende 1650 nm.

a. Erscheint der Seifenfilm an dieser Stelle *(maximal) hell, dunkel* oder mit *mittlerer Helligkeit?* Begründen Sie Ihre Antwort.

b. Die Frequenz des einfallenden Lichtes wird nun erhöht.

Ändert sich die Helligkeit an der dünnsten Stelle des Seifenfilms? Wenn ja, wie?

Nimmt die Anzahl der hellen und dunklen Bereiche auf dem Film *zu, ab* oder bleibt sie *gleich?* Begründen Sie Ihre Antwort.

1 Polarisation von Licht

1.1 Schauen Sie durch einen der bereitgestellten Polarisationsfilter in das Licht der Raumbeleuchtung.

Macht es dabei einen Unterschied, wenn Sie den Filter drehen?

1.2 Halten Sie nun einen zweiten Polarisationsfilter vor den ersten und schauen Sie wieder ins Licht.

Beschreiben Sie, wie der zweite Filter das Licht, das Sie sehen, beeinflusst. Inwieweit wird das, was Sie sehen, durch Verdrehen der Filter gegeneinander beeinflusst?

Erläutern Sie anhand Ihrer Beobachtungen, warum die Verwendung des Begriffs *Filter* angemessen ist, um solche Instrumente zu beschreiben.

Inwiefern *unterscheidet* sich das Verhalten eines Polarisationsfilters von dem eines Farbfilters?

Wie Sie gelernt haben, kann Licht als ein Wellenphänomen oszillierender elektrischer und magnetischer Felder veranschaulicht werden. Wenn das elektrische Feld überall entlang eines Lichtstrahls in Richtung derselben Achse oszilliert, spricht man von *linear polarisiertem* oder einfach: *polarisiertem Licht.*

Das Diagramm (rechts) zeigt beispielhaft eine polarisierte Lichtwelle, welche sich in x-Richtung bewegt, während das elektrische Feld ausschließlich in Richtung der y-Achse oszilliert. Definitionsgemäß spricht man bei der Richtung, in die das elektrische Feld oszilliert (hier die y-Richtung), von der *Polarisationsrichtung* eines Lichtstrahls. Oszilliert das elektrische Feld hingegen in verschiedene, zufällige Richtungen, spricht man von *unpolarisiertem* Licht.

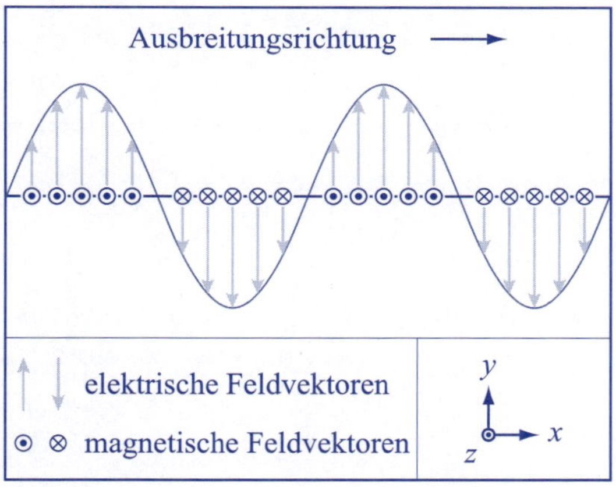

2 Polarisationsfilter

Das von einem Polarisationsfilter (oder *Polarisator*) transmittierte (d. h. durchgelassene) Licht hängt von der relativen Ausrichtung des Polarisators zum elektrischen Feld in der Lichtwelle ab. Jeder Polarisator hat eine *Polarisationsrichtung,* welche oft durch eine Linie auf dem Filter markiert ist. Das elektrische Feld der transmittierten Lichtwelle ist gleich der Komponente des elektrischen Feldes der einfallenden Welle, die zur Polarisationsrichtung des Polarisators *parallel* ist.

2.1 Ist das Licht der Raumbeleuchtung polarisiert? Begründen Sie Ihre Aussage anhand Ihrer Beobachtungen.

2.2 Wie müssen Sie zwei mit ihren Polarisationsrichtungen gekennzeichnete Polarisatoren zueinander ausrichten, damit das durch beide Filter hindurchgehende Licht ein (1) Helligkeitsmaximum bzw. (2) Helligkeitsminimum aufweist. Diskutieren Sie Ihre Begründung in Ihrer Arbeitsgruppe und überprüfen Sie anschließend Ihre Vermutungen.

Wenn Polarisatoren so zueinander ausgerichtet sind, dass das transmittierte Licht ein Helligkeitsminimum aufweist, spricht man von *gekreuzten* Polarisatoren.

2.3 Wie können Sie mithilfe eines gekennzeichneten Polarisators möglichst genau die Polarisationsrichtung eines zweiten (nicht gekennzeichneten) Polarisators bestimmen? Begründen Sie.

2.4 Die Abbildung unten links zeigt (in Seitenansicht) einen polarisierten Lichtstrahl, der auf einen Polarisator trifft. Die Polarisationsrichtung des Lichtes bildet mit der Polarisationsrichtung des Polarisators den Winkel θ (siehe Frontansicht). Die Amplitude des elektrischen Feldes des einfallenden Lichtstrahls ist E_o. Das (nicht dargestellte) magnetische Feld hat die Amplitude B_o. Die Intensität des einfallenden Lichtes beträgt I_o.

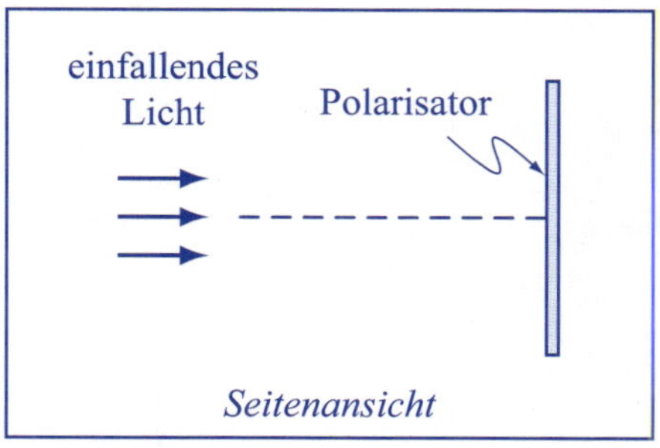

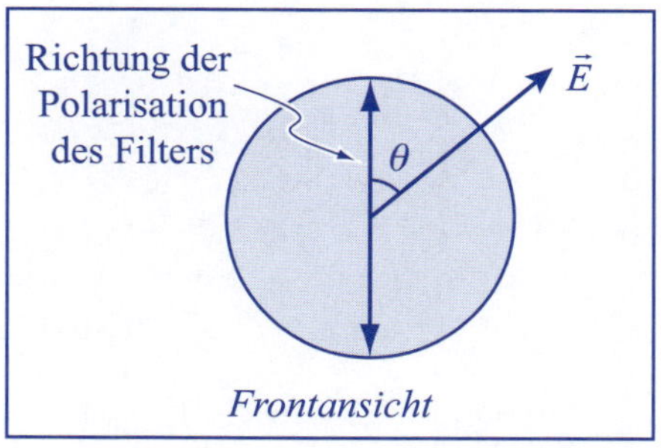

Der Vektor $\vec{E}$ beschreibt das elektrische Feld des einfallenden Lichts auf der Vorderseite des Polarisators zu einem bestimmten Zeitpunkt. Zerlegen Sie $\vec{E}$ in zwei Komponenten: eine, die vom Polarisator *durchgelassen* wird, und eine, die *absorbiert* wird.

Welche *Richtung* hat das elektrische Feld des transmittierten Lichts? Inwiefern, wenn überhaupt, unterscheidet sich diese Richtung von der des elektrischen Feldes des einfallenden Lichts? Begründen Sie.

Geben Sie einen mathematischen Ausdruck für die *Amplitude* des *elektrischen* Feldes des transmittierten Lichts in Abhängigkeit von E_o und θ an.

Geben Sie einen mathematischen Ausdruck für die *Amplitude* des *magnetischen* Feldes des transmittierten Lichts in Abhängigkeit von B_o and θ an. Erläutern Sie Ihr Vorgehen.

Geben Sie einen mathematischen Ausdruck für die *Intensität* des transmittierten Lichts in Abhängigkeit von I_o und θ an. Geben Sie Ihren Lösungsweg an. (*Hinweis:* Wenn die Amplitude des elektrischen Feldes einer Lichtwelle halbiert wird, um welchen Faktor ändert sich die Intensität?)

→ Überprüfen Sie Ihre Ergebnisse aus Teil 2.4 mit einem Tutor.

2.5 Ein Strahl unpolarisierten Lichts trifft auf einen Polarisator. Wie groß ist die Intensität des durchgehenden Lichts in Abhängigkeit von I_o, der Intensität des einfallenden Lichts? (*Hinweis:* Man kann sich unpolarisiertes Licht als eine Mischung von Licht vorstellen, das zu gleichen Teilen parallel und senkrecht zur Polarisationsrichtung des Filters polarisiert ist.)

2.6 Ein Beobachter schaut durch zwei Polarisatoren hindurch in eine Lichtquelle, wie in der Abbildung rechts. Die Polarisatoren sind gekreuzt, also so ausgerichtet, dass die Intensität des durchgelassenen Lichts *minimal* ist.

a. Nun wird ein dritter Polarisator an der Stelle X (siehe Abbildung) eingesetzt.

Ändert sich dadurch die Intensität des Lichts, das den Beobachter erreicht? Wenn ja, ist die Veränderung abhängig von der Ausrichtung des dritten Polarisators?

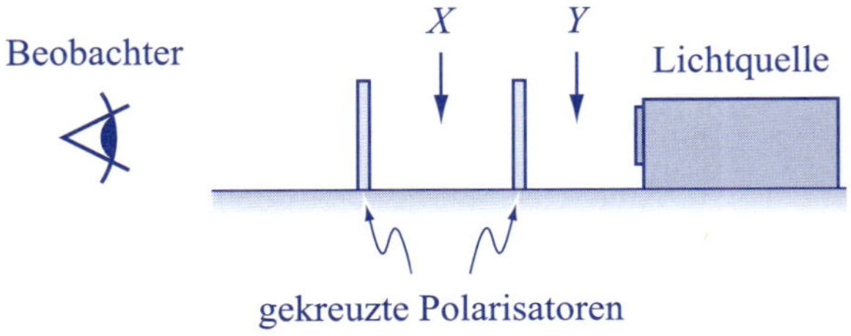

Diskutieren Sie Ihre Antwort in Ihrer Arbeitsgruppe.

Überprüfen Sie Ihre Vermutungen experimentell. (Bitten Sie einen Tutor um die Hilfsmittel, die Sie dafür benötigen.) Sollte Ihre Vermutung falsch gewesen sein, finden Sie die Fehler in Ihren Überlegungen.

Wie können Sie Ihre Beobachtungen mithilfe der Ergebnisse aus Abschnitt 2.4 erklären? Begründen Sie Ihre Antwort mithilfe einer oder mehrerer Skizzen.

b. Der dritte Polarisator wird nun an der Stelle Y (siehe Abbildung) eingesetzt.

Ändert sich dadurch die Intensität des Lichts, welches den Beobachter erreicht? Ist die Veränderung abhängig von der Ausrichtung des dritten Polarisators? Diskutieren Sie Ihre Antwort in Ihrer Arbeitsgruppe.

TEIL VI

Ausgewählte Themen der modernen Physik

ÜBERBLICK

1 Bezugssysteme

Die Abbildung rechts zeigt einen Physikstudenten namens Arthur und eine Klingel, die gelegentlich kurze Tonsignale abgibt. Arthur möchte den genauen Zeitpunkt bestimmen, wann dies passiert, befindet sich jedoch weit von der Klingel entfernt und ist nicht in der Lage, sich selbst dorthin zu begeben.

Abbildung nicht maßstabsgetreu

1.1 Arthur hat Meterstäbe und Uhren zur Verfügung. Mehrere andere Physikstudierende sind bereit, ihm zu helfen. Arthurs Helfer können an jedem beliebigen Ort, also auch unmittelbar neben der Klingel, postiert werden.

a. Beschreiben Sie ein Verfahren, mit dem Arthur den Zeitpunkt, zu dem das Signal abgegeben wird, bestimmen kann, indem er seine Kenntnis der Schallgeschwindigkeit verwendet.

b. Beschreiben Sie ein Verfahren, mit dem Arthur den Zeitpunkt, zu dem das Signal abgegeben wird, bestimmen kann, *ohne* die Schallgeschwindigkeit zu kennen oder sie im Verlauf des Experiments zu bestimmen.

1.2 Ein Krimineller auf der Flucht hält sich in Hamburg auf. Seine Identität und sein genauer Aufenthaltsort sind unbekannt. Eine Journalistin geht davon aus, dass er sich bald stellen und ein Geständnis ablegen wird, und möchte Ort und Zeitpunkt des Geständnisses möglichst genau bestimmen. Sie hat eine unbegrenzte Anzahl an Helfern zur Verfügung.

a. Beschreiben Sie eine Anordnung von Beobachtern und Ausrüstungsgegenständen, mit deren Hilfe die Journalistin den gesuchten Ort und Zeitpunkt bestimmen kann.

Das *Bezugssystem* eines Beobachters bezeichnet eine Anordnung von Helfern und Ausrüstungsgegenständen, mit denen der Beobachter in der Lage ist, Ort und Zeit beliebiger Vorkommnisse aufzuzeichnen.

b. Vergleichen Sie anhand der Definition des Bezugssystems die Orte und die Zeitpunkte, welche die verschiedenen Helferinnen und Helfer dem Geständnis zuordnen.

1.3 Eine Hupe befindet sich zwischen Arthur und der Klingel. Die Klingel klingelt einmal und die Hupe hupt einmal. Arthur hört beide Geräusche zum selben Zeitpunkt.

Abbildung nicht maßstabsgetreu

a. Beschreiben Sie ein Verfahren, mit dem Arthur den zeitlichen Abstand zwischen der Erzeugung des Klingeltons und der des Huptons in *seinem Bezugssystem* messen kann, *ohne* die Schallgeschwindigkeit zu kennen oder sie im Verlauf des Experiments zu bestimmen.

b. Wird in Arthurs Bezugssystem der Klingelton *vor, nach* oder *gleichzeitig* mit dem Hupton ausgesendet? Begründen Sie.

Ein *Beobachter* im Sinne der Relativitätstheorie besitzt ein umfassendes Messinstrumentarium und ist damit in der Lage, richtige und präzise Messungen davon zu machen, wo und wann sich Dinge ereignen.

2 Ereignisse

2.1 Bei der Beschäftigung mit der Relativitätstheorie beziehen wir uns auf (materielle) *Objekte,* (räumliche) *Orte, Zeitpunkte* und *Ereignisse.* Ein *Ereignis* (genauer: *Punktereignis*) ist mit *einem Ort* und *einem Zeitpunkt* verbunden.

Geben Sie für jeden der folgenden Punkte an, ob es sich um *ein Objekt, einen Ort, einen Zeitpunkt, ein Ereignis* oder *keines von diesen* handelt:

- die Klingel aus Abschnitt I
- die Klingel sendet einen Klingelton aus
- Arthur hört den Klingelton
- die Zeit, zu der die Klingel klingelt
- eine Schallwelle breitet sich von der Klingel zu Arthur aus
- zwei Klingeln klingeln zur gleichen Zeit

2.2 Erinnern Sie sich an die Situation in Teil 1.3. Fertigen Sie eine Skizze an, welche Arthur, die Klingel, die Hupe sowie ggf. weitere relevante Objekte zu dem Zeitpunkt zeigt, wenn die Klingel klingelt (Skizze 1). Kennzeichnen Sie den Ort des Ereignisses „Die Klingel klingelt" in Skizze 1.

Fertigen Sie dann direkt darunter eine weitere Skizze an, welche die Gegenstände zu dem Zeitpunkt zeigt, wenn die Hupe hupt (Skizze 2). Kennzeichnen Sie den Ort des Ereignisses „Die Hupe hupt" in Skizze 2.

Fertigen Sie darunter eine oder mehrere weitere Skizzen an, welche die Gegenstände zum Zeitpunkt des übrigen Ereignisses (bzw. zu den Zeitpunkten der übrigen Ereignisse) zeigen. Falls es mehr als ein weiteres relevantes Ereignis gibt, skizzieren Sie für jeden Zeitpunkt ein separates Bild. Kennzeichnen Sie den Ort jedes relevanten Ereignisses in der jeweiligen Skizze.

Ereignisdiagramm für Arthurs Bezugssystem

Skizze 1

Skizze 2

weitere Skizzen

Das aus den einzelnen Skizzen bestehende Bild, welches Sie oben gezeichnet haben, wird als *Ereignisdiagramm* bezeichnet. Ein Ereignisdiagramm hat die folgenden Eigenschaften:

- Alle Objekte sind zu den Zeitpunkten dargestellt, die den betrachteten Ereignissen entsprechen.
- Aufeinander folgende Zeitpunkte sind untereinander dargestellt.
- Der Ort des jeweils betrachteten Ereignisses ist im entsprechenden Bild markiert.

2.3 Bearbeiten Sie die folgenden Fragen und Aufgaben anhand Ihres Ereignisdiagramms und der obigen Definition:

a. Stellt Skizze 1 in Ihrem Ereignisdiagramm *einen Gegenstand, einen Ort, einen Zeitpunkt, ein Ereignis* oder *keines von diesen* dar?

b. Kann *ein* Ereignis in mehr als einer Skizze in einem Ereignisdiagramm auftreten? Begründen Sie, warum oder warum nicht.

c. Beschreiben Sie die Umstände, unter denen mehr als ein Ereignis in *einer* Skizze eines Ereignisdiagramms auftreten kann.

d. Welcher Zusammenhang besteht zwischen zwei Ereignisdiagrammen, die von zwei Beobachtern im gleichen Bezugssystem gezeichnet werden? Begründen Sie.

3 Synchronisieren von Uhren

Arthur und Birgit befinden sich relativ zum Erdboden in Ruhe und sind genau 10^{-8} Lichtsekunden voneinander entfernt. (Eine Lichtsekunde ist die Entfernung, die das Licht in einer Sekunde zurücklegt.) Beide tragen Uhren, die äußerst genau und gleich schnell gehen. Birgits und Arthurs Uhr zeigen jedoch nicht die gleiche Zeit an.

Abbildung nicht maßstabsgetreu

3.1 Geben Sie die Zeitdauer an, die das Licht benötigt, um von Arthur zu Birgit zu gelangen.

3.2 Birgit und Arthur vereinbaren, dass Arthur genau dann mit seinem Laserpointer einen Lichtpuls in Richtung auf Birgit aussendet, wenn seine Uhr die Zeit „50 s“ anzeigt.

Welche Zeit zeigt Arthurs Uhr an, wenn Birgit seinen Lichtpuls empfängt?

3.3 Beschreiben Sie ein Verfahren, mit dem Birgit ihre Uhr mit der von Arthur synchronisieren kann (d. h. sie so einstellen kann, dass sie fortan immer die gleiche Zeit anzeigt).

3.4 Claudia, eine weitere Physikstudentin, befindet sich relativ zu Arthur und Birgit in Ruhe, ist aber von beiden sehr weit entfernt. Claudia betrachtet Arthurs Uhr durch ein Teleskop und stellt fest, dass die Anzeige, die sie auf Arthurs Uhr sieht, immer mit der ihrer eigenen Uhr übereinstimmt.

Ist Claudias Uhr mit Arthurs Uhr synchronisiert? Begründen Sie, warum oder warum nicht.

In diesem Tutorial betrachten wir Messungen von Entfernungen und Längen. Die hierbei auftretenden Geschwindigkeiten sollen als *nicht relativistisch* betrachtet werden. In den dazugehörigen Übungsaufgaben werden wir die entwickelten Verfahren auch auf Situationen anwenden, in denen Geschwindigkeiten auftreten, die nicht immer deutlich kleiner als die Lichtgeschwindigkeit sind.

1 Räumliche Messungen

1.1 Ein Zug fährt mit konstanter Geschwindigkeit auf einem geraden Streckenabschnitt. Die Länge des Zuges beträgt zwölf Meter.

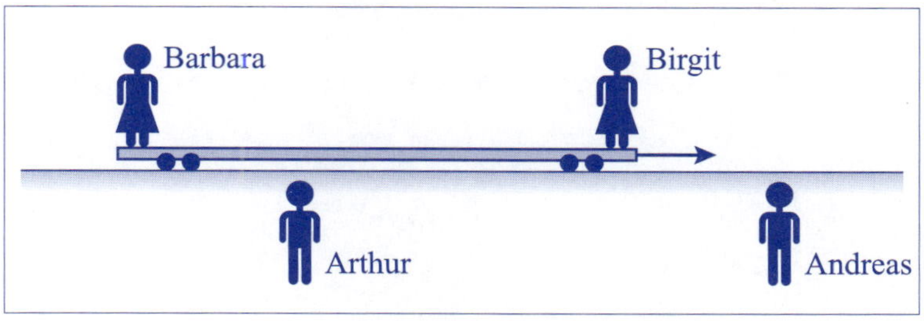

Arthur und Andreas stehen zwölf Meter voneinander entfernt am Gleis (siehe Abbildung). Birgit and Barbara stehen an der Spitze bzw. am Ende des Zuges.

Die Ereignisse 1, 2 und 3 werden wie folgt definiert:

Ereignis 1: Arthur und Birgit bewegen sich aneinander vorbei.

Ereignis 2: Andreas und Birgit bewegen sich aneinander vorbei.

Ereignis 3: Arthur und Barbara bewegen sich aneinander vorbei.

a. Skizzieren Sie auf einem großen Blatt Papier ein Ereignisdiagramm, das Arthur, Andreas, Birgit und Barbara zu den Zeitpunkten der Ereignisse 1, 2 und 3 in Arthurs Bezugssystem zeigt. (Skizzieren Sie also getrennte Bilder für unterschiedliche Zeitpunkte und ordnen Sie diese in chronologischer Reihenfolge untereinander an. Markieren Sie jedes der drei Ereignisse im jeweils zutreffenden Bild.)

Übertragen Sie hier das Ereignisdiagramm für Arthurs Bezugssystem nach der Diskussion in Ihrer Arbeitsgruppe

i. Welche Aspekte Ihres Ereignisdiagramms zeigen, dass es sich um ein Diagramm für Arthurs Bezugssystem handelt?

ii. Würde sich ein Ereignisdiagramm für Andreas' Bezugssystem von dem, das Sie gezeichnet haben, unterscheiden? Wenn ja, wie? Begründen Sie.

iii. Beschreiben Sie ein Verfahren, mithilfe dessen Arthur (oder Andreas) die Entfernung zwischen den Orten der Ereignisse 1 und 2 messen kann.

iv. Wie weit sind die Orte der folgenden Ereignisse jeweils räumlich voneinander entfernt?

- Ereignisse 1 und 2
- Ereignisse 2 und 3
- Ereignisse 1 und 3

b. Skizzieren Sie ein Ereignisdiagramm, welches die Ereignisse 1, 2 und 3 *in Birgits Bezugssystem* zeigt. Achten Sie darauf, dass Ihr Diagramm den Bewegungszustand des Zuges in diesem Bezugssystem richtig wiedergibt.

Wie weit sind die Orte der folgenden Ereignisse in Birgits Bezugssystem jeweils räumlich voneinander entfernt?

- Ereignisse 1 und 2
- Ereignisse 2 und 3
- Ereignisse 1 und 3

Übertragen Sie hier das Ereignisdiagramm für Birgits Bezugssystem nach der Diskussion in Ihrer Arbeitsgruppe

c. Unterscheidet sich Birgits Verfahren für die Messung der Entfernung zwischen den Orten zweier Ereignisse von Arthurs Verfahren? Wenn ja, wie?

d. Geben Sie anhand Ihrer obigen Antworten ein allgemeines Verfahren an, wie sich mithilfe eines Ereignisdiagramms der Abstand der Orte von zwei Ereignissen in einem bestimmten Bezugssystem bestimmen lässt.

In den Tutorials verwenden wir das Symbol $\delta x_{12}^{(\text{Arthur})}$ für die räumliche Entfernung zwischen den Ereignissen 1 und 2 in Arthurs Bezugssystem, d. h. $\delta x_{12}^{(\text{Arthur})} = x_2^{(\text{Arthur})} - x_1^{(\text{Arthur})}$, wobei $x_1^{(\text{Arthur})}$ und $x_2^{(\text{Arthur})}$ die Orte der Ereignisse 1 und 2 in Arthurs Bezugssystem sind. (Beachten Sie, dass die räumliche Entfernung zwischen Ereignissen eine mit Vorzeichen behaftete Größe ist, d. h. sie kann positiv oder negativ sein.)

1.2 Geben Sie jeweils eine *Interpretation* für den Betrag der folgenden Größen an; d. h. beschreiben Sie die Bedeutung des entsprechenden Wertes in seinem physikalischen Zusammenhang. Für die erste Größe ist dies als Beispiel bereits angegeben. Manche Größen können mehr als eine Interpretation haben.

• $\delta x_{12}^{(\text{Arthur})}$ **Die Ortsänderung von Birgit oder des Zuges nach der Messung von Arthur (oder Andreas)**	• $\delta x_{12}^{(\text{Birgit})}$
• $\delta x_{13}^{(\text{Arthur})}$	• $\delta x_{13}^{(\text{Birgit})}$
• $\delta x_{23}^{(\text{Arthur})}$	• $\delta x_{23}^{(\text{Birgit})}$

1.3 Ein Zug unbekannter Länge bewegt sich mit konstanter Geschwindigkeit auf dem gleichen Gleis. Arthur und seine Helfer stehen dicht nebeneinander an der Strecke.

a. Beschreiben Sie ein Verfahren, mithilfe dessen Arthur die Länge des Zuges in seinem Bezugssystem bestimmen kann, sofern er die Geschwindigkeit des Zuges in seinem Bezugssystem kennt. Geben Sie zwei Ereignisse an, die mit diesem Messverfahren in Zusammenhang stehen.

Ereignis I:

Ereignis II:

b. Beschreiben Sie ein Verfahren, mithilfe dessen Arthur die Länge des Zuges in seinem Bezugssystem bestimmen kann, ohne dessen Geschwindigkeit zu kennen oder im Verlauf des Experiments zu messen. Geben Sie zwei Ereignisse an, die mit diesem Messverfahren in Zusammenhang stehen.

Ereignis III:

Ereignis IV:

1.4 Angenommen, Ereignis 4 findet am vorderen Ende eines langen Schiffes statt. Ereignis 5 findet am hinteren Ende desselben Schiffes statt. Unter welchen Bedingungen ist der Absolutbetrag von δx_{45} gleich der Länge des Schiffes:

- in einem Bezugssystem, in dem das Schiff in Ruhe ist,

- in einem Bezugssystem, in dem sich das Schiff bewegt.

Skizzieren Sie in den Zeichenfeldern rechts Ereignisdiagramme zur Begründung Ihrer Antworten.

Ereignisdiagramm für Bezugssystem des Schiffes

Ereignisdiagramm für Bezugssystem, in dem sich das Schiff bewegt

2 Anwendungen

Ein Stadtbus bewegt sich (relativ zur Straße) von links nach rechts.

Es finden drei Ereignisse statt:

Ereignis 1: Die Mütze des Busfahrers fällt vorne aus dem Bus auf die Straße.

Ereignis 2: Ein Fahrgast im Bus klebt seinen Kaugummi an die Innenwand des Busses.

Ereignis 3: Ein Tropfen Öl fällt vom Ende des Busses auf die Straße.

Die Ereignisse 1, 2 und 3 finden in numerischer Reihenfolge nacheinander statt. Anschließend befindet sich die Mütze rechts von dem durch den Tropfen hervorgerufenen Ölfleck auf der Straße. (Vertikale Entfernungen sollen nicht betrachtet werden.)

2.1 Ein Student skizziert das unten links dargestellte Ereignisdiagramm für das Bezugssystem der Straße. Das Diagramm ist fehlerhaft.

Identifizieren Sie die Fehler im Diagramm.

Zeichnen Sie ein korrektes Diagramm für das Bezugssystem der Straße.

nicht richtiges Ereignisdiagramm (Bezugssystem Straße)

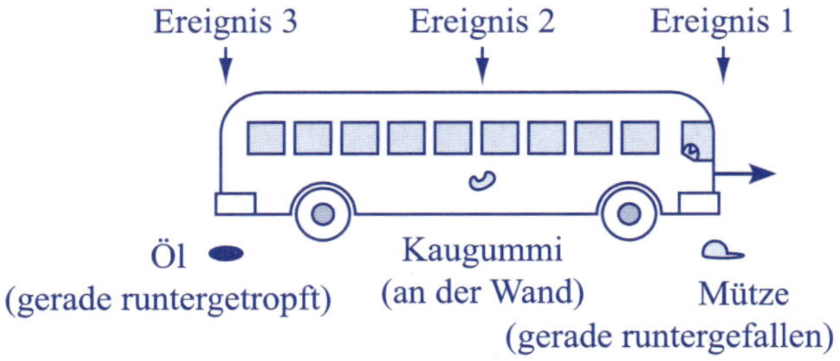

Ereignisdiagramm für Bezugssystem der Straße

2.2 Ein weiterer Student skizziert das nebenstehende Ereignisdiagramm für das Bezugssystem des Busses. Auch dieses Diagramm ist fehlerhaft.

Identifizieren Sie den oder die Fehler und korrigieren Sie das Diagramm entsprechend.

nicht richtiges Ereignisdiagramm (Bezugssystem Bus)

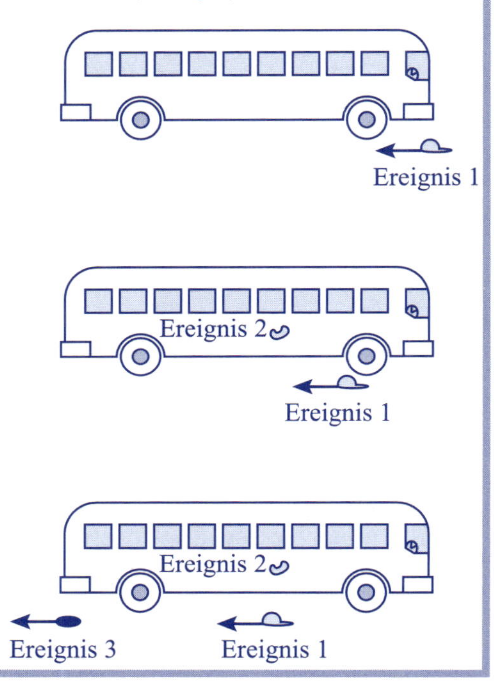

2.3 Betrachten Sie kritisch die folgenden Aussagen:

a. *„Die Mütze fällt vorn aus dem Bus und das Öl tropft hinten am Bus. Die räumliche Entfernung zwischen Ereignis 1 (‚Die Mütze fällt') und Ereignis 3 (‚Das Öl tropft') ist im Bezugssystem der Straße gleich der Länge des Busses."*

b. *„Die Entfernung zwischen dem Ort von Ereignis 1 und dem Ort von Ereignis 3 im Bezugssystem des Busses ist definitiv kleiner als die Länge des Busses, weil sich der Hut in der Zeit zwischen den beiden Ereignissen auf das hintere Ende des Busses zubewegt."*

1 Kugelförmige Wellenfronten

Zwei Studierende, Arthur und Birgit, bewegen sich aneinander vorbei. Zu dem Zeitpunkt, wenn sie sich genau nebeneinander befinden, springt ein Funke zwischen ihnen über. Der Funke sendet einen Lichtblitz aus, dessen Wellenfronten sich kugelförmig ausbreiten.

1.1 Die linke der beiden nebenstehenden Abbildungen stellt die Wellenfront des Lichtblitzes in Arthurs Bezugssystem eine kurze Zeit nach Überspringen des Funken dar.

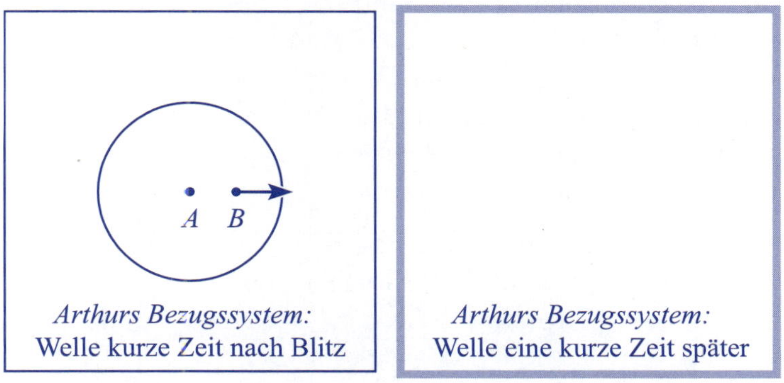

Arthurs Bezugssystem: Welle kurze Zeit nach Blitz

Arthurs Bezugssystem: Welle eine kurze Zeit später

a. Geben Sie an, wie in dieser Abbildung zum Ausdruck kommt, dass Arthur die gleiche Ausbreitungsgeschwindigkeit des Lichtes in alle Richtungen beobachtet.

b. Skizzieren Sie im Zeichenfeld rechts oben die Wellenfront zu einem späteren Zeitpunkt in Arthurs Bezugssystem. Markieren Sie Arthurs und Birgits Positionen in Ihrer Skizze.

c. Gibt es einen Zeitpunkt, zu dem der Abstand zwischen Arthur und Birgit größer ist als der zwischen Arthur und der Wellenfront? Begründen Sie.

1.2 Skizzieren Sie in den nebenstehenden Zeichenfeldern jeweils Arthur, Birgit und die Wellenfront in Birgits Bezugssystem. Skizzieren Sie das erste Bild für einen Zeitpunkt, kurz nachdem der Funke überspringt, das zweite für einen späteren Zeitpunkt.

Birgits Bezugssystem: Welle kurze Zeit nach Blitz

Birgits Bezugssystem: Welle eine kurze Zeit später

Sind Ihre Skizzen damit vereinbar, dass Birgit die gleiche Ausbreitungsgeschwindigkeit des Lichtes in alle Richtungen beobachtet? Wenn nicht, ändern Sie sie so, dass sie mit dieser Beobachtung vereinbar sind.

2 Relativität der Gleichzeitigkeit

Zwischen den Enden eines Zuges und dem Gleis springen zwei Funken über: Funke V am vorderen Ende, Funke H am hinteren. Dabei wird jeweils ein Lichtblitz ausgesendet (mit den Wellenfronten V und H). Zudem hinterlassen die Funken Markierungen am Zug und auf dem Gleis.

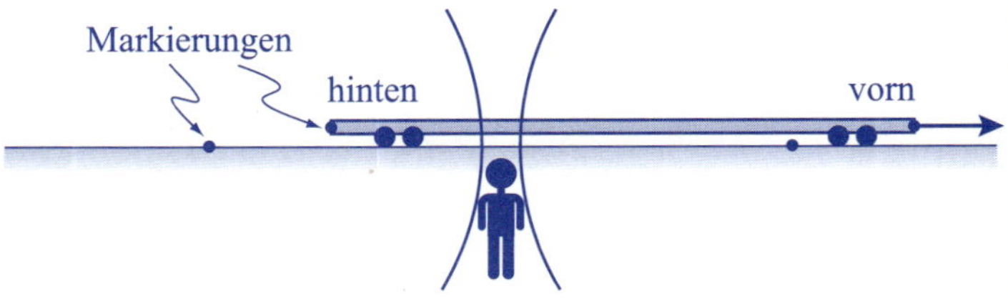

Arthurs Bezugssystem: Die Wellenfronten erreichen Arthur.

2.1 Arthur ist von beiden Markierungen auf dem Gleis gleich weit entfernt und die Wellenfronten V und H erreichen ihn zum gleichen Zeitpunkt. Die Abbildung oben stellt diesen Zeitpunkt in Arthurs Bezugssystem dar.

a. Springt Funke V in Arthurs Bezugssystem *vor, nach* oder *zum gleichen Zeitpunkt wie* Funke H über? Begründen Sie.

b. Astrid (in der Abbildung nicht zu sehen) steht in der Nähe der vorderen Markierung am Gleis und befindet sich relativ zu diesem in Ruhe.

Springt Funke V in Astrids Bezugssystem *vor, nach* oder *zum gleichen Zeitpunkt wie* Funke H über? Begründen Sie.

c. Die nebenstehende Abbildung stellt das Geschehen in Arthurs Bezugssystem zu einem Zeitpunkt dar, kurz nachdem der Funke zwischen dem vorderen Ende des Zuges und dem Gleis überspringt (also bevor ihn die Wellenfronten erreichen).

Vervollständigen Sie die Abbildung, indem Sie die Wellenfronten zu diesem Zeitpunkt einzeichnen. Begründen Sie.

Arthurs Bezugssystem:
Die Wellenfronten haben Arthur noch nicht erreicht.

d. Wo befinden sich die Mittelpunkte der Wellenfronten V und H in Arthurs Bezugssystem? Begründen Sie.

e. Birgit steht genau in der Mitte des Zuges und befindet sich relativ zu ihm in Ruhe. Das Überspringen des vorderen Funkens soll als Ereignis V bezeichnet werden, das Passieren von Arthur und Birgit als Ereignis P und das Überspringen des hinteren Funkens als Ereignis H.

i. Geschieht in Arthurs Bezugssystem Ereignis P *vor, nach* oder *zum gleichen Zeitpunkt wie* Ereignis V? Begründen Sie.

ii. Erreicht in Arthurs Bezugssystem Wellenfront V Birgit *vor, nach* oder *zum gleichen Zeitpunkt wie* Wellenfront H? Begründen Sie.

→ Diskutieren Sie Ihre Antworten mit einem Tutor, bevor Sie die Arbeit fortsetzen.

2.2 Die nachfolgenden Fragen beziehen sich auf Birgits Bezugssystem.

a. Vervollständigen Sie die nebenstehende Abbildung, indem Sie die Wellenfronten V und H für einen Zeitpunkt in Birgits Bezugssystem einzeichnen, zu dem noch keine der beiden Wellenfronten Birgit erreicht hat.

Birgits Bezugssystem:
Die Wellenfronten haben Birgit noch nicht erreicht.

b. Geschieht Ereignis V in Birgits Bezugssystem *vor, nach* oder *zum gleichen Zeitpunkt wie* Ereignis H? Begründen Sie.

c. Wo befinden sich die Mittelpunkte der Wellenfronten V und H in Birgits Bezugssystem? Begründen Sie.

d. Erreicht Wellenfront V Birgit in ihrem Bezugssystem *vor, nach* oder *zum gleichen Zeitpunkt wie* Wellenfront H? Begründen Sie.

2.3 Ein Mechanismus, der neben Lichtsensoren auch zwei Feuerwerkskörper enthält, liegt vor Birgit auf dem Boden des Zuges. Wenn beide Wellenfronten das Gerät zum gleichen Zeitpunkt erreichen, explodieren beide Feuerwerkskörper. Wenn die Wellenfront V das Gerät zuerst erreicht, explodiert nur der Feuerwerkskörper 1. Wenn die Wellenfront H das Gerät zuerst erreicht, explodiert nur der Feuerwerkskörper 2.

Welche Feuerwerkskörper explodieren in Arthurs Bezugssystem? Begründen Sie.

Welche Feuerwerkskörper explodieren in Birgits Bezugssystem? Begründen Sie.

2.4 Betrachten Sie die folgende Diskussion zwischen zwei Studierenden:

Hendrik: *„Die spezielle Relativitätstheorie ist sehr seltsam: Feuerwerkskörper 2 explodiert oder explodiert nicht, je nachdem, in welchem Bezugssystem man sich befindet."*

Henri: *„Ich glaube nicht, dass es sein kann, dass der Feuerwerkskörper im einen Bezugssystem explodiert und im anderen nicht. Wir müssen hier einen Fehler gemacht haben. Was passiert, wenn der Zug anhält und Arthur einsteigt. Würde er dann den Feuerwerkskörper 2 noch in einem Stück sehen, so wie er das erwartet hat?"*

Hendrik: *„Nein, der Feuerwerkskörper befindet sich in Birgits Bezugssystem und in diesem Bezugssystem explodiert er auch. Wenn Arthur dann einsteigt, sieht er, dass der Feuerwerkskörper in Wirklichkeit explodiert ist. Aber bis er einsteigt, würde er annehmen, dass Feuerwerkskörper 2 nicht explodiert ist."*

Stimmen Sie einer dieser Aussagen zu? Begründen Sie.

AUSGEWÄHLTE THEMEN DER MODERNEN PHYSIK
Spezielle Relativitätstheorie

2.5 Wir nehmen an, Arthurs Schlussfolgerung, dass Feuerwerkskörper 1 explodiert und Feuerwerkskörper 2 nicht explodiert, gilt auch in Birgits Bezugssystem.

a. Erreicht Wellenfront V unter dieser Annahme Birgit in ihrem Bezugssystem *vor, nach* oder *zum gleichen Zeitpunkt wie* Wellenfront H? Begründen Sie.

b. Vervollständigen Sie die Abbildung rechts auf der Grundlage Ihrer Antwort oben, indem Sie die Wellenfronten V und H für den Zeitpunkt in Birgits Bezugssystem einzeichnen, wenn Wellenfront V Birgit erreicht.

Birgits Bezugssystem: Wellenfront V passiert Birgit

Begründen Sie, warum Sie das Bild in dieser Weise gezeichnet haben.

c. Geschieht in Birgits Bezugssystem Ereignis V (Überspringen des vorderen Funkens) *vor, nach* oder *zum gleichen Zeitpunkt wie* Ereignis H (Überspringen des hinteren Funkens)? Begründen Sie anhand des Bildes, das Sie gezeichnet haben.

Ist Ihre Antwort hier mit Ihrer Antwort in Teil 2.2.b vereinbar? Wenn nicht, soll Ihnen die folgende Diskussion zwischen zwei Studierenden helfen, den Widerspruch aufzulösen.

Betrachten Sie die folgende Diskussion zwischen zwei Studierenden:

Francis: *„Ereignis V geschieht einerseits vor Ereignis H und andererseits zur gleichen Zeit wie Ereignis H, abhängig davon, in welchem Bezugssystem man sich befindet."*

Edward: *„Ich glaube nicht, dass Dinge sowohl gleichzeitig als auch zu verschiedenen Zeiten passieren können. Wir müssen irgendwo einen Fehler gemacht haben."*

Francis: *„Nun, wir müssen uns hier entscheiden: Die eine Möglichkeit ist, dass die Ereignisse V und R zum gleichen Zeitpunkt oder zu verschiedenen Zeitpunkten geschehen, je nachdem in welchem Bezugssystem man sich befindet. Die andere Möglichkeit ist, dass das Ereignis ‚Der Feuerwerkskörper explodiert' eintritt oder nicht eintritt, je nachdem, in welchem Bezugssystem man sich befindet."*

Welche der beiden von Francis dargestellten Möglichkeiten erscheint Ihnen plausibler? Begründen Sie Ihre Meinung.

1 Rückblick: Interferenz am Doppelspalt

Licht der Wellenlänge λ fällt von einer weit entfernten Punktquelle auf zwei sehr schmale Spalte S_1 und S_2, mit dem Abstand d (siehe Abbildungen). In der Abbildung oben rechts ist ein Ausschnitt des Musters dargestellt, das auf einem weit entfernten Schirm zu sehen ist.

Muster auf weit entferntem Schirm

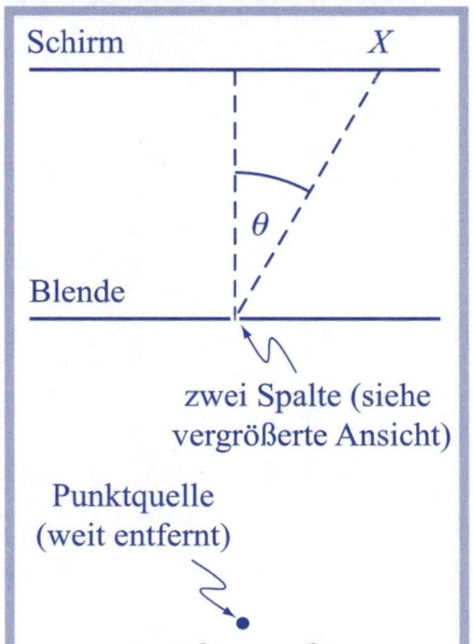

Ansicht von oben (nicht maßstabsgetreu)

1.1 In der vergrößerten Ansicht der Spalte zeigt ein Pfeil die Richtung von Spalt S_1 zu einem beliebig gewählten Punkt X auf dem Schirm.

- Zeichnen Sie einen zweiten Pfeil ein, welcher die Richtung von Spalt S_2 zum *weit entfernten* Punkt X angibt.
- Kennzeichnen Sie die Strecke, die den Gangunterschied der beiden Spalte zu Punkt X darstellt.

Bestimmen Sie näherungsweise den Gangunterschied unter der Voraussetzung, dass θ (gemessen in Radian) klein ist.

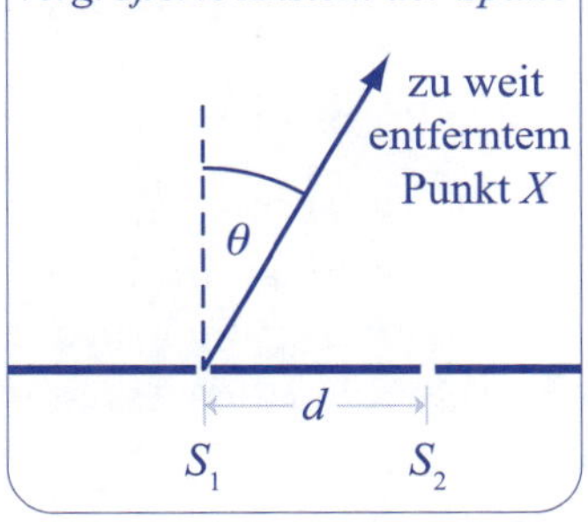

1.2 Für welche Werte des Gangunterschiedes (als Vielfaches von λ) ergibt sich:

a. maximale konstruktive Interferenz (d. h. ein *Maximum*),

b. vollständige destruktive Interferenz (d. h. ein *Minimum*)?

1.3 An der Apparatur wird nun *eine* Änderung vorgenommen, sodass sich das abgebildete neue Muster ergibt. (Der Abstand von Spaltblende und Schirm bleibt konstant.)

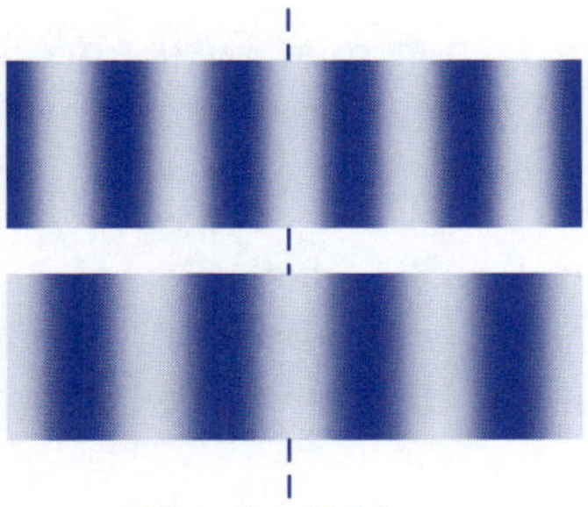

a. Sind die Winkel zu den Interferenzmaxima in dem neuen Muster *größer*, *kleiner* oder *gleich* denen im ursprünglichen Muster? Erklären Sie, wie Sie dies den Abbildungen entnehmen können.

b. Falls *nur* die Wellenlänge λ des Lichts verändert wurde, bestimmen Sie,

- ob λ *vergrößert, verkleinert* oder *gleich geblieben* ist und
- ob λ um einen Faktor verändert wurde, der *größer, kleiner* oder *gleich* 2 ist.

Begründen Sie Ihre Antwort anhand Ihrer Ergebnisse aus Teil 1.1 und 1.2.

c. Falls *nur* der Spaltabstand d verändert wurde, bestimmen Sie,

- ob d *vergrößert, verkleinert* oder *gleich geblieben* ist und
- ob d um einen Faktor verändert wurde, der *größer, kleiner* oder *gleich* 2 ist.

Begründen Sie Ihre Antwort anhand Ihrer Ergebnisse aus Teil 1.1 und 1.2.

→ Überprüfen Sie Ihre Antworten gemeinsam mit einem Tutor.

2 Interferenz von Elektronen am Doppelspalt

Ein Elektronenstrahl wird durch eine Spannung U beschleunigt. Der Strahl trifft auf zwei enge Spalte. Die Abbildung zeigt das Muster, das dabei auf einem weit entfernten Leuchtschirm zu sehen ist. (Wenn ein Elektron einen Punkt des Schirms trifft, so leuchtet die Stelle kurz auf.)

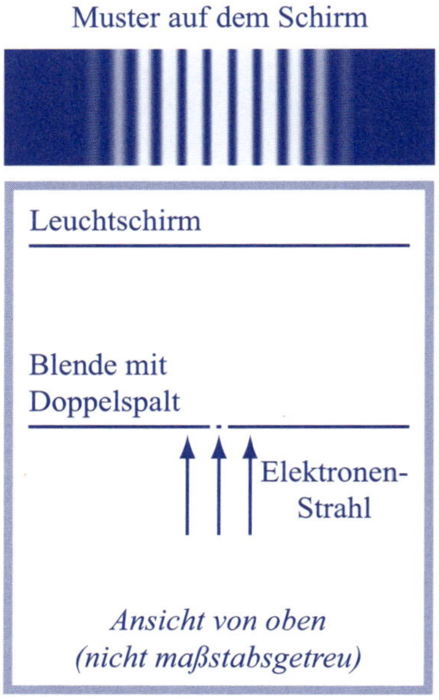

2.1 Was ist das bessere Modell für das Verhalten der Elektronen in diesem Fall: die Vorstellung, dass sich die Elektronen in geraden Bahnen durch die Spalte bewegen oder dass sie sich ausbreiten wie Wellen? Begründen Sie Ihre Antwort.

2.2 Das obige Experiment wird mit Elektronen wiederholt, die mit einer Spannung von $U/2$ (statt U) beschleunigt werden.

a. Erwarten Sie, dass die hellen Bereiche auf dem Schirm dann *dichter zusammen, weiter auseinander* oder *an den gleichen Stellen* liegen? Diskutieren Sie Ihre Überlegungen in Ihrer Arbeitsgruppe.

Lassen Sie sich eine Abbildung geben, die das Interferenzmuster bei halbierter Beschleunigungsspannung zeigt und überprüfen Sie Ihre Vermutung.

b. Würden Sie anhand dieser Abbildung schließen, dass sich beim Halbieren der Beschleunigungsspannung auch die Wellenlänge der Elektronen ändert?

Wenn ja: *Vergrößert* oder *verkleinert* sich die Wellenlänge?
Ändert sich die Wellenlänge um einen Faktor *größer, kleiner* oder *gleich* 2? Erklären Sie, wie Sie das den Abbildungen entnehmen können.

Wenn nicht: Erklären Sie, wie Sie das den Abbildungen entnehmen können.

c. Wie würde die *Halbierung* der Beschleunigungsspannung die unten aufgeführten Größen beeinflussen? Bestimmen Sie jeweils, (i) ob die Größe *zunimmt* oder *abnimmt* und (ii) ob sich die Größen um einen Faktor *größer, kleiner* oder *gleich* 2 ändern. Begründen Sie jeweils Ihre Antwort:

- die kinetische Energie eines Elektrons, welches die Spalte erreicht,
- der Impuls eines Elektrons, welches die Spalte erreicht,
- die de-Broglie-Wellenlänge eines Elektrons, welches die Spalte erreicht.

d. Sind Ihre Antworten in Teil 2.2 und 2.3 in Bezug auf die de-Broglie-Wellenlänge vereinbar? Wenn nicht, lösen Sie die Widersprüche auf.

Nachdem Sie nun die Teile 2.2 und 2.3 durchgearbeitet haben, überprüfen Sie Ihre Antwort in Teil 2.1. Stimmen Sie immer noch mit Ihrer Antwort überein? Wenn nicht, korrigieren Sie diese.

2.3 Beschreiben Sie zwei unabhängige Verfahren, mithilfe derer sich die de-Broglie-Wellenlänge der Elektronen aus dem Experiment in Teil 1.1 bestimmen lässt. Geben Sie an, welche Messungen Sie durchführen müssen und stellen Sie das Verfahren Schritt für Schritt dar.

3 Anwendung: Davisson-Germer-Experiment

Monoenergetische Elektronen treffen auf einen Nickelkristall. Bei bestimmten Winkeln θ, welche die Bragg-Bedingung $2d \sin\theta = n\lambda$ erfüllen, wird starke Streuung beobachtet (siehe Abbildung).

3.1 Zeigen Sie mithilfe trigonometrischer Überlegungen, dass der Gangunterschied zwischen den beiden gezeigten gestreuten Strahlen gerade gleich $2d \sin\theta$ beträgt. Geben Sie Ihren Lösungsweg an.

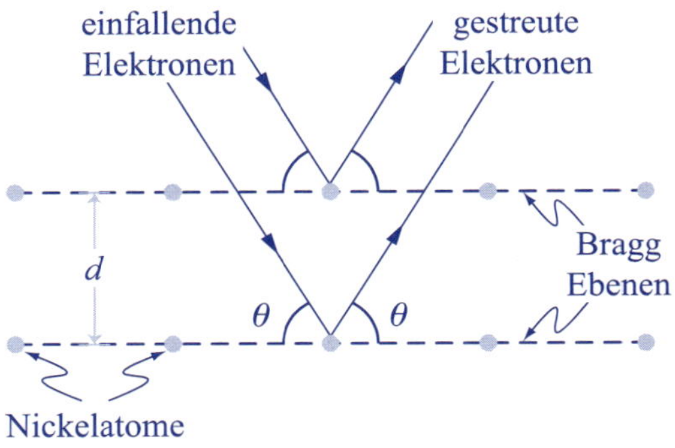

3.2 Dieses Experiment wird wiederholt, wobei jedes Mal *eine* Änderung an der Versuchsapparatur vorgenommen wird. Bestimmen Sie für jede der unten angegebenen Änderungen, ob der Bragg-Winkel θ, bei dem die intensive Rückstreuung auftritt, sich *vergrößert*, *verkleinert* oder *gleich* bleibt. Begründen Sie Ihre Antworten.

a. Die kinetische Energie der eintreffenden Elektronen wird verringert.

b. Die Elektronen werden durch Neutronen ersetzt, wobei die Neutronen die gleiche Geschwindigkeit haben wie zuvor die Elektronen.

1 Experimenteller Aufbau

Der nachfolgend dargestellte experimentelle Aufbau zum photoelektrischen Effekt besteht aus zwei metallischen Elektroden, A und B, in einer evakuierten Röhre. Ein Draht verbindet die beiden Elektroden, wie in der Abbildung dargestellt. Die Elektroden sind identisch und zu Beginn des Experiments ungeladen.

Elektrode B wird mit monochromatischem Laserlicht bestrahlt. In diesem Tutorial betrachten wir den photoelektrischen Effekt anhand der folgenden Modellannahmen: Licht besteht aus Teilchen, so genannten Photonen. Jedes ankommende Photon wechselwirkt nur mit einem Elektron im Metall. In diesem Prozess gibt es seine Energie an das Elektron ab.

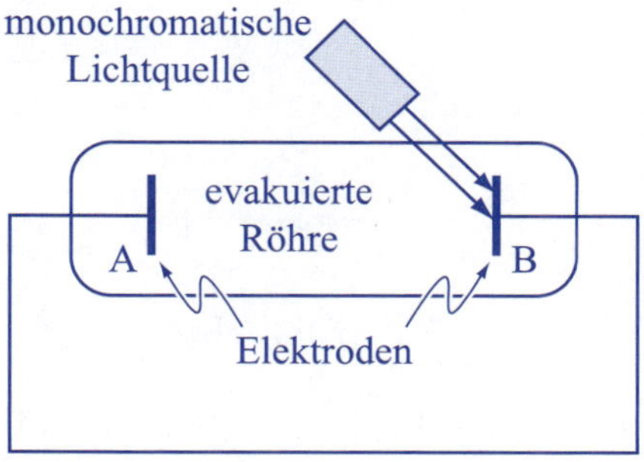

1.1 Mithilfe eines Ampèremeters wird der Strom im Schaltkreis gemessen.

a. Bei dem gezeigten Ampèremeter führt ein positiver Strom (d. h. eine Bewegung positiver Ladungen) von links nach rechts zu einer positiven Anzeige. Führt eine Bewegung von Elektronen von rechts nach links zu einer *positiven* oder einer *negativen* Anzeige? Begründen Sie.

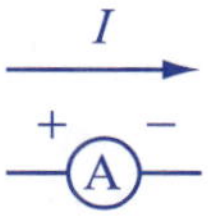

b. Zeichnen Sie in die Schaltung ein Ampèremeter ein. Ordnen Sie das Ampèremeter so an, dass ein Strom im Uhrzeigersinn zu einer positiven Anzeige führt.

c. Ist der Strom *gleich* oder *ungleich Null*, wenn die Lichtquelle *ausgeschaltet* ist? Begründen Sie.

1.2 Die Lichtquelle wird nun *eingeschaltet:* Es wird beobachtet, dass ein *konstanter* Strom fließt ($I \neq 0$).

a. Durch welche Teilchen wird im Zwischenraum zwischen Elektroden Ladung übertragen? Begründen Sie.

b. Sofern Elektronen diesen Zwischenraum durchqueren, bewegen sich diese dann in der Röhre *von A nach B* oder *von B nach A?*

c. Bewegen sich die Elektronen in der Schaltung *im Uhrzeigersinn* oder *entgegen dem Uhrzeigersinn?* Begründen Sie.

d. Bewirkt der Elektronenfluss in diese Richtung eine *positive* oder eine *negative* Anzeige des Ampèremeters? Begründen Sie.

e. Mit welcher Änderung am Experiment lässt sich der Strom durch das Ampèremeter vergrößern? Begründen Sie.

→ Diskutieren Sie Ihre Antworten mit einem Tutor, bevor Sie die Arbeit fortsetzen.

2 Der Einfluss der Elektroden

Die nachfolgende Abbildung zeigt zwei Sätze von Elektroden. Die Elektroden sind nicht Teil eines Stromkreises. Zwei identische monochromatische Lichtquellen werden *eingeschaltet* und jeweils auf Elektrode B gerichtet. Gehen Sie davon aus, dass in beiden Fällen die Anzahl der austretenden Elektronen klein gegenüber der Gesamtzahl an Elektronen im Metall ist.

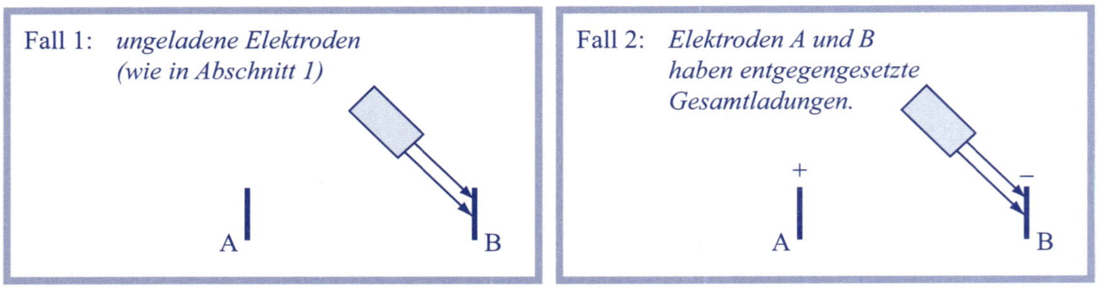

2.1 Skizzieren Sie für die beiden obigen Fälle jeweils mehrere mögliche Wege, auf denen einzelne Elektronen die bestrahlte Elektrode verlassen können. Vernachlässigen Sie dabei Gravitationskräfte.

a. Kennzeichnen Sie deutlich, ob die jeweiligen Elektronen Elektrode A erreichen.

b. Gibt es Kräfte, die die Bewegung der Elektronen beeinflussen? Wenn ja, welche? Begründen Sie.

2.2 Ist die Anzahl der Elektronen, die Elektrode B verlassen, in Fall 2 *größer, kleiner* oder *gleich* der entsprechenden Anzahl in Fall 1? Begründen Sie.

2.3 Ist die Anzahl der Elektronen, die Elektrode A erreichen, in Fall 2 *größer, kleiner* oder *gleich* der entsprechenden Anzahl in Fall 1? Begründen Sie Ihre Antwort.

2.4 Geben Sie für die beiden Fälle an, ob die kinetische Energie eines Elektrons beim Eintreffen bei Elektrode B *größer, kleiner* oder *gleich* der beim Verlassen von Elektrode A ist. Begründen Sie.

2.5 Wie könnte man die Elektroden in Fall 2 ändern, um die Anzahl der Elektronen, die Elektrode A pro Sekunde erreichen, zu erhöhen? Gibt es eine maximale Anzahl, die Elektrode A pro Sekunde erreichen kann? Begründen Sie.

3 Hinzufügen einer Batterie

3.1 Eine 1,5-Volt-Batterie wird in den Schaltkreis eingefügt (siehe Schaltbild).

a. Kennzeichnen Sie die Elektroden A und B gemäß dem Ladungstyp (+ oder −), der dort angehäuft wird.

b. Gibt es einen *konstanten von Null verschiedenen* Strom durch das Ampèremeter, wenn die Lichtquelle *ausgeschaltet ist*? Begründen Sie.

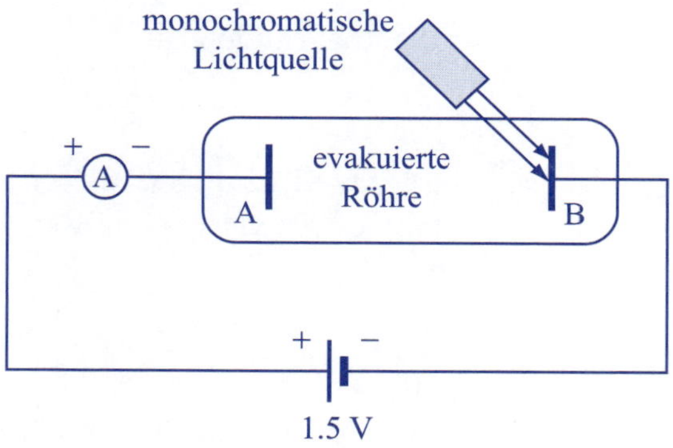

3.2 Angenommen, die Lichtquelle ist *eingeschaltet.*

a. Ist die Anzahl der Elektronen, die aus Elektrode B jede Sekunde austreten, nach Hinzufügen der Batterie *größer, kleiner* oder *gleich* der entsprechenden Anzahl ohne Batterie? Begründen Sie.

b. Geben Sie die Spannung zwischen den beiden Elektroden an (d. h. die Potentialdifferenz $U = \Delta V = V_A - V_B$).

c. Was folgt aus Ihrer Antwort in Teil 3.1.b bezüglich der Frage, ob sich die Gesamtladung jeder der beiden Elektroden mit der Zeit ändert? Begründen Sie.

d. Geben Sie einen Ausdruck an, welcher die Potentialdifferenz ΔV mit der Änderung der kinetischen Energie eines einzelnen Elektrons in Beziehung setzt, während sich dieses von Elektrode B zu Elektrode A bewegt. (*Hinweis:* Betrachten Sie die Arbeit, die vom elektrischen Feld verrichtet wird, oder die potentielle Energie des Elektrons im Feld.)

→ Diskutieren Sie Ihre Antworten mit einem Tutor, bevor Sie die Arbeit fortsetzen.

4 Ändern der Elektrodenspannung

4.1 Gehen Sie im weiteren Verlauf des Tutorials davon aus, dass die Lichtquelle eingeschaltet ist. Wenn keine Batterie in der Schaltung ist, zeigt das Ampèremeter den Strom I_o an.

a. Ist der Strom I_1, der auftritt, wenn die Schaltung eine Batterie enthält, *größer, kleiner* oder *gleich* I_o? Begründen Sie. (*Hinweis:* Beziehen Sie sich auf Teil 2.3.)

b. Eine zweite, gleiche Batterie wird (mit gleicher Polarität) mit der ersten in Reihe geschaltet. Ordnen Sie die Ströme I_o, I_1 und I_2 (bei zwei Batterien) nach dem Betrag. Begründen Sie.

c. Führt das Hinzufügen weiterer Batterien zu einem Anstieg des Stroms? Wenn ja, gibt es einen Maximalwert für den Strom, der hierbei erreicht werden kann? Begründen Sie.

d. Ist es möglich, mithilfe von Batterien den Strom zu *verringern?* Wenn ja, zeigen Sie, wie die Batterien geschaltet werden müssen und skizzieren Sie mögliche Wege der Elektronen.

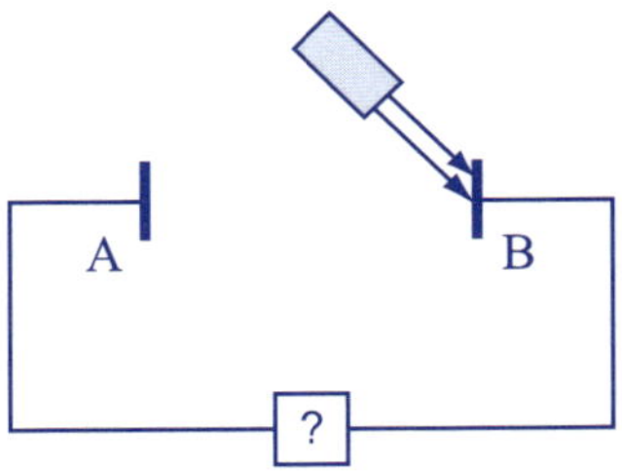

e. Ist es möglich, mithilfe von Batterien einen konstanten Elektronenfluss im Uhrzeigersinn (also eine negative Anzeige des Ampèremeters) zu erzeugen? Begründen Sie Ihre Antwort.

4.2 Skizzieren Sie im Diagramm rechts den I,U-Graphen für ein Experiment zum Photoelektrischen Effekt. Die relativen Ströme bei verschiedenen Spannungen sollten mit Ihren Antworten in Teil 4.1 vereinbar sein (z. B. $I = I_o$, wenn $U = 0$). Ansonsten soll Ihr Graph nur qualitativ korrekt sein. Nehmen Sie beim Vervollständigen des Diagramms an, dass die Spannung mithilfe eines Netzteils kontinuierlich verändert werden kann.

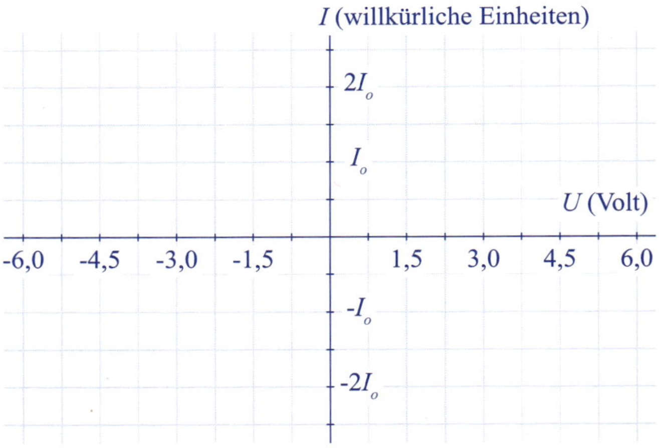

Gibt es einen bestimmten Punkt des Graphen, an dem der Strom Null wird? Begründen Sie.

→ Diskutieren Sie Ihre Antworten mit einem Tutor, bevor Sie die Arbeit fortsetzen.

4.3 Die Spannung, bei welcher der Strom Null wird, heißt *maximale Gegenspannung* U_{max}.

a. Wie kann man erklären, dass der Strom bei der maximalen Gegenspannung Null wird? Begründen Sie.

(*Hinweis:* Skizzieren Sie dazu mögliche Wege von Elektronen nach dem Verlassen von Elektrode B und geben Sie an, welche von diesen Elektrode A erreichen.)

b. Betrachten Sie ein bestimmtes Elektron, das von Elektrode B mit der maximal möglichen kinetischen Energie emittiert wird und sich auf einer geraden Linie nach links bewegt. Wie können Sie die kinetische Energie des emittierten Elektrons mithilfe der maximalen Gegenspannung bestimmen? Begründen Sie.

5 Austrittsarbeit

5.1 Ein Experiment mit dem oben untersuchten Aufbau wird mit Licht der Wellenlänge 175 nm betrieben. Die maximale Gegenspannung wird zu −2,8 V bestimmt.

a. Mit welcher maximal möglichen kinetischen Energie werden Elektronen von Elektrode B emittiert?

b. Berechnen Sie die Energie eines eingestrahlten Photons. (Verwenden Sie dazu $h = 4{,}14 \cdot 10^{-15}\,\mathrm{eVs}$.)

c. Sind Ihre Antworten in Teil a und b mit dem Energieerhaltungssatz vereinbar? Begründen Sie.

d. Berechnen Sie die Differenz zwischen der Photonenenergie und der kinetischen Energie des Elektrons beim Verlassen von Elektrode B. Diese Differenz wird als *Austrittsarbeit* bezeichnet. Inwiefern hilft der Begriff „Arbeit" bei der Erklärung der Energiedifferenz?

5.2 Bitten Sie einen Tutor um eine Tabelle von Austrittsarbeiten für verschiedene Metalle. Verwenden Sie diese, um das Material zu bestimmen, aus dem die Elektroden in diesem Experiment hergestellt sein könnten.

1 Beugung und Interferenz von Licht an schmalen Spalten

1.1 Licht fällt auf zwei schmale Spalte in einer Blende. Auf einem von der Blende weit entfernten Schirm ist das rechts abgebildete Muster zu sehen.

Wie wird sich nach Ihrer Erwartung das Muster auf dem Schirm ändern, wenn die Intensität des Lichts folgendermaßen verändert wird?

- Die Intensität wird ein wenig verringert.

- Die Intensität wird nahezu auf Null reduziert und der Schirm durch einen fotografischen Film ersetzt. (*Hinweis:* Fragen Sie Ihren Großvater, was das ist.)

Skizzieren Sie das Muster, das Sie nach kurzer Belichtungszeit auf dem Film erwarten.

Muster auf dem Film

1.2 Die Abbildung rechts zeigt Wasserwellen, die auf zwei schmale Öffnungen fallen. An den Punkten A bis G werden kleine Korkstückchen auf die Wasseroberfläche gesetzt.

Beschreiben Sie die Bewegung der Korkstückchen an den Punkten A, B und C.

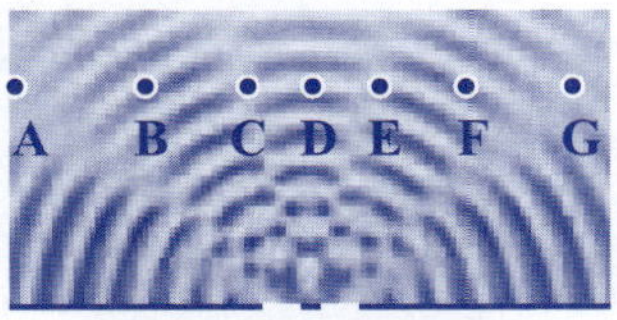

Wasserwellen hinter zwei engen Spalten

1.3 Mit den Korkstückchen können die durch die Wasserwellen hervorgerufenen Schwingungen an verschiedenen Stellen sichtbar gemacht werden. Welche physikalischen Größen zeigen bei *Lichtwellen* oszillatorisches Verhalten?

Welche Punkte im Wellentank entsprechen:

- den hellen Streifen auf dem Schirm in Teil 1.1? Begründen Sie,

- den dunklen Streifen auf dem Schirm in Teil 1.1? Begründen Sie.

Erwarten Sie, dass sich die Bewegung der Korkstückchen verändert, wenn die Intensität der Wasserwellen folgendermaßen verringert wird? Wenn ja, wie? (In beiden Fällen wird die Intensität der Wasserwellen verringert, indem die Amplitude der Wellen reduziert wird.)

- Die Intensität der Wasserwellen wird geringfügig reduziert.

- Die Intensität der Wasserwellen wird nahezu auf Null reduziert.

2 Vergleich von Elektronen und Licht beim Doppelspaltexperiment

2.1 Ein Elektronenstrahl mit großer Intensität trifft auf zwei sehr enge Spalte. Ein fotografischer Film wird in großer Entfernung von den Spalten aufgestellt. (Wenn ein Elektron den Film trifft, wird dieser an der entsprechenden Stelle dauerhaft belichtet.)

Muster auf dem Film

Skizzieren Sie das Muster, das Sie auf dem Film nach einer langen Zeit erwarten.

2.2 Das Experiment wird nun (mit einem unbelichteten Film) wiederholt, aber diesmal treffen die Elektronen mit deutlich geringerer Häufigkeit auf die beiden Spalte (etwa ein Elektron alle zehn Sekunden). Die Abbildung rechts zeigt, wie sich das Bild auf dem Film im Verlauf einiger Minuten ändert.

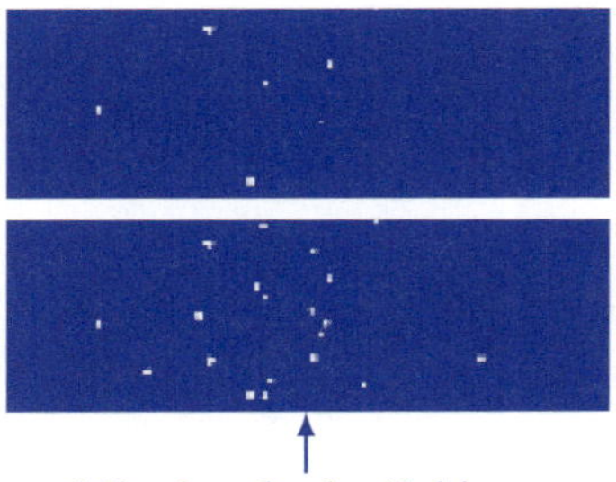

Was stellen die hellen Punkte auf dem Film dar?

Skizzieren Sie das Muster, das Sie auf dem Film nach einer langen Zeit erwarten. Begründen Sie.

Muster auf dem Film

2.3 Bitten Sie einen Tutor um Kopien der Aufnahmen beim Experiment mit Licht bzw. mit Elektronen. Überprüfen Sie Ihre Antworten auf die obigen Fragen (bezüglich der Versuchsergebnisse bei Licht bzw. einem Elektronenstrahl geringer Intensität) und korrigieren Sie sie gegebenenfalls.

Betrachten Sie Ähnlichkeiten und Unterschiede

- zwischen den Ergebnissen der Experimente mit Wasserwellen sehr geringer Intensität und mit Licht sehr geringer Intensität. Begründen Sie;

- zwischen den Ergebnissen der Experimente mit einem Elektronenstrahl sehr geringer Intensität und mit Licht sehr geringer Intensität. Begründen Sie.

→ Diskutieren Sie Ihre Antworten mit einem Tutor, bevor Sie die Arbeit fortsetzen.

3 Eigenschaften von Licht und Elektronen

3.1 Welche Beobachtungen in den vorigen Abschnitten können damit erklärt werden, dass *Elektronen* als

- Teilchen betrachtet werden? Begründen Sie;

- Wellen betrachtet werden? Begründen Sie.

3.2 Welche Beobachtungen in den vorigen Abschnitten können damit erklärt werden, dass *Licht* als

- Teilchen betrachtet wird? Begründen Sie;

- Wellen betrachtet wird? Begründen Sie.

Im weiteren Verlauf des Tutorials betrachten wir noch einmal das Experiment, in dem etwa alle zehn Sekunden ein Elektron auf die schmalen Spalte trifft.

3.3 Betrachten Sie ein einzelnes Elektron. Auf welche Bereiche auf dem Film trifft das Elektron mit hoher Wahrscheinlichkeit? Auf welche mit geringer Wahrscheinlichkeit?

3.4 Skizzieren Sie einen Graphen für die Anzahl N der hellen Punkte in einem Bereich auf dem Film mit der Länge dx (nach einer hinreichend langen Zeit) als Funktion des Ortes x auf dem Film. ($x = 0$ bezeichnet dabei den Mittelpunkt des Films.) Erklären Sie, inwiefern der Graph mit den experimentellen Ergebnissen vereinbar ist.

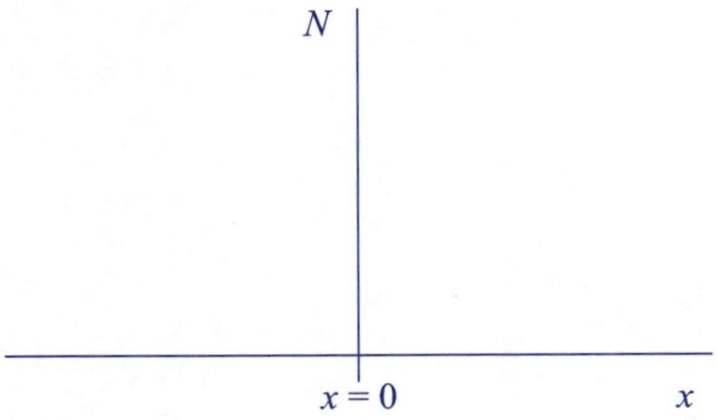

1. Auflage, 2009

4 Wahrscheinlichkeitsverteilung der Elektronen auf dem Film

Die Abbilung rechts zeigt das Muster auf dem Film nach einer langen Laufzeit des Experiments. Punkte P und Q markieren Stellen maximaler Intensität bzw. der Intensität Null.

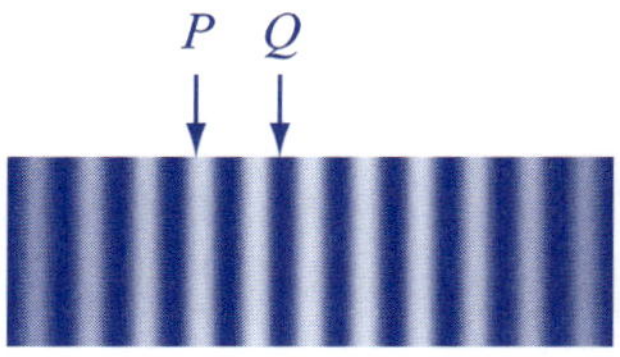

Muster auf dem Film

Muster auf dem Film

4.1 Skizzieren Sie im Zeichenfeld das Muster, das Sie erwarten, wenn der *linke* Spalt abgedeckt wird.

Ändert sich Ihre Antwort, wenn stattdessen der *rechte* Spalt abgedeckt wird? Begründen Sie.

4.2 Skizzieren Sie im Diagramm rechts jeweils einen Graph für die Anzahl der hellen Punkte in einem Bereich auf dem Film mit der Länge dx (nach einer hinreichend langen Zeit) als Funktion des Ortes x, wenn (a) der linke Spalt abgedeckt wird bzw. (b) der rechte Spalt abgedeckt wird.

Ist der Graph, den Sie in Teil 3.4 gezeichnet haben, qualitativ gleich dem Graph, den man durch Addition der beiden Kurven im Diagramm rechts erhalten würde?

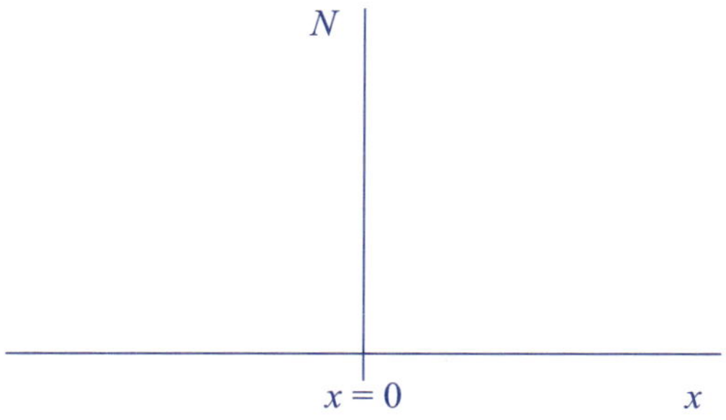

4.3 Bitten Sie einen Tutor um Bilder, die das Versuchsergebnis zeigen, wenn (a) der linke Spalt abgedeckt wird bzw. (b) der rechte Spalt abgedeckt wird. Erklären Sie, inwiefern diese Bilder mit Ihren Skizzen in Teil 4.1 vereinbar sind.

5 Ortsmessungen bei einem Elektron

Ein Sensor wird neben dem Spalt in einem Einzelspaltexperiment angebracht. Der Sensor gibt ein Tonsignal ab, wenn ein Elektron durch den Spalt tritt. Es wird beobachtet, dass das Vorhandensein des Sensors das Muster auf dem Film beim Einzelspaltexperiment nicht beeinflusst.

Der Sensor wird nun am linken Spalt eines Doppelspaltexperiments angebracht.

Beide Spalte sind geöffnet und das Experiment wird nun wiederholt. (Wie in dem früheren Experiment trifft etwa alle zehn Sekunden ein Elektron auf die Spalte.) Wenn das Experiment eine hinreichend lange Zeit in Betrieb ist, beobachtet man, dass der Sensor in 50 % aller Fälle, wenn ein Elektron am Spalt eintrifft, ein Signal abgibt.

5.1 Betrachten Sie einen Zeitpunkt, unmittelbar nachdem der Sensor am linken Spalt ein Signal abgibt.

Wie groß ist die Wahrscheinlichkeit, dass gerade ein Elektron durch den *rechten Spalt* hindurchgetreten ist? Begründen Sie.

5.2 Geben Sie Ihre Vermutung darüber an, ob ein Elektron, das am linken Spalt beobachtet wurde, eher am Punkt P oder am Punkt Q auf den Film trifft. (Punkte P und Q sind die gleichen Stellen wie in Abschnitt 4 angegeben.)

5.3 Welches Muster erwarten Sie auf dem Film nach einer langen Zeit, wenn sich ein Sensor am linken Spalt eines Doppelspaltexperiments befindet? Begründen Sie Ihre Antwort.

5.4 Bitten Sie einen Tutor um Bilder, die zeigen, wie sich das Muster auf dem Film im Verlauf des Doppelspaltexperiments verändert. Sind Ihre Vermutungen mit den Bildern vereinbar?

5.5 Welche der nachfolgend aufgeführten Situationen kommen den Ergebnissen dieses Experiments am nächsten?

- Elektronen treffen auf eine Blende, in der zwei Spalte geöffnet sind, oder
- Elektronen treffen auf eine Blende, in der einer von zwei Spalten abgedeckt ist.

Begründen Sie.

In welchen der drei Experimente ist bekannt, welchen der Spalte jedes Elektron passiert hat?

TEIL VII

Übungen zu Mechanik

1. Das nebenstehende Ort-Zeit-Diagramm stellt die Bewegung eines Körpers dar, der sich geradlinig bewegt.

1.1 Beschreiben Sie den Ablauf der Bewegung.

Gibt es Zeitabschnitte, in denen die Geschwindigkeit konstant ist? Wenn ja, welche? Begründen Sie.

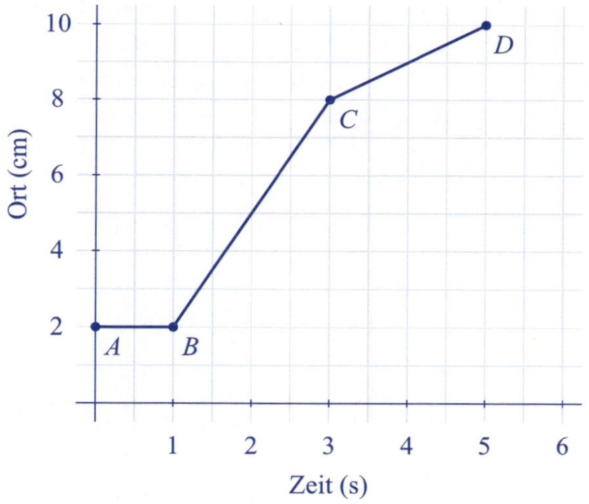

1.2 Bestimmen Sie die Momentangeschwindigkeit des Körpers zu den folgenden Zeitpunkten. Erklären Sie, wie Sie zu Ihren Ergebnissen gekommen sind.

- $t = 0{,}5\,\mathrm{s}$
- $t = 2{,}0\,\mathrm{s}$
- $t = 4{,}0\,\mathrm{s}$

Welcher Zusammenhang besteht zwischen der Methode, die Sie bei der Bestimmung der Momentangeschwindigkeiten angewendet haben, und Ihrer Antwort in Aufgabe 1.1?

1.3 Bestimmen Sie die mittlere Geschwindigkeit des Körpers für die folgenden Zeitintervalle:

- zwischen A und C
- zwischen A und D
- zwischen B und D

Skizzieren und kennzeichnen Sie im obigen Diagramm Kurven, die eine Bewegung mit konstanter Geschwindigkeit zwischen den jeweiligen Punkten (in Aufgabe 1.3) darstellen.

Vergleichen Sie jeweils die Steigung der Geraden mit der mittlere Geschwindigkeit, die Sie für das entsprechende Intervall berechnet haben.

1.4 Ist die mittlere Geschwindigkeit in einem Zeitintervall immer gleich dem Mittelwert aus den Geschwindigkeiten, die in diesem Intervall auftreten? (Ist z. B. die mittlere Geschwindigkeit zwischen A und C, $\bar{v}_{AC}$, gleich $\frac{1}{2}(\bar{v}_{AB} + \bar{v}_{BC})$?)

2. Gegeben ist ein Ort-Zeit-Diagramm für die geradlinige Bewegung eines Körpers mit veränderlicher Geschwindigkeit. Im Folgenden soll die Kurve in der Nähe des Punktes $t = 2\,\text{s}$ und $x = 2\,\text{cm}$ genauer untersucht werden.

2.1 Bewegt sich der Körper im Intervall von $t = 0\,\text{s}$ bis $t = 6\,\text{s}$ mit nahezu konstanter Geschwindigkeit oder ändert sich seine Geschwindigkeit deutlich? Begründen Sie.

Ort-Zeit-Diagramm für Körper auf geradliniger Bahn

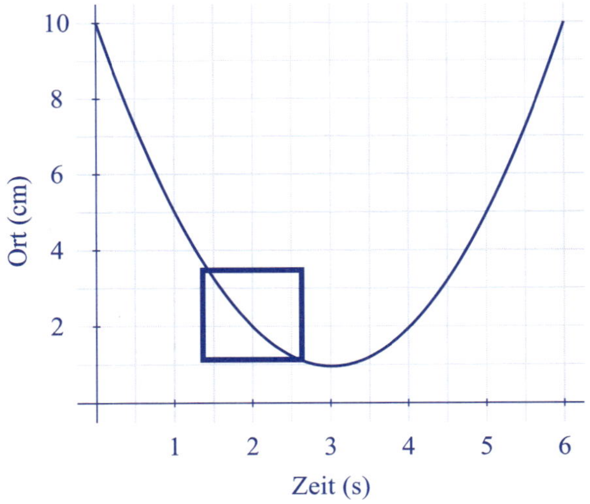

2.2 Der Kurvenabschnitt für das Teilintervall von $t = 1{,}5\,\text{s}$ bis $t = 2{,}5\,\text{s}$ ist im obigen Diagramm umrandet.

In der nachfolgenden Tabelle sind die Orts- und Zeitkoordinaten einiger Punkte in diesem Intervall angegeben. Tragen Sie diese Punkte in das Diagramm unten ein, um eine Vergrößerung des Kurvenabschnittes für dieses Intervall zu erhalten.

Tabelle der Werte von x und t zwischen $t = 1{,}5\,\text{s}$ und $t = 2{,}5\,\text{s}$ (für nebenstehendes Diagramm)	
t (s)	x (cm)
1,5	3,25
1,6	2,96
1,7	2,69
1,8	2,44
1,9	2,21
2,0	2,00
2,1	1,81
2,2	1,64
2,3	1,49
2,4	1,36
2,5	1,25

Vergrößerter Ausschnitt aus dem Ort-Zeit-Diagramm für Körper auf geradliniger Bahn

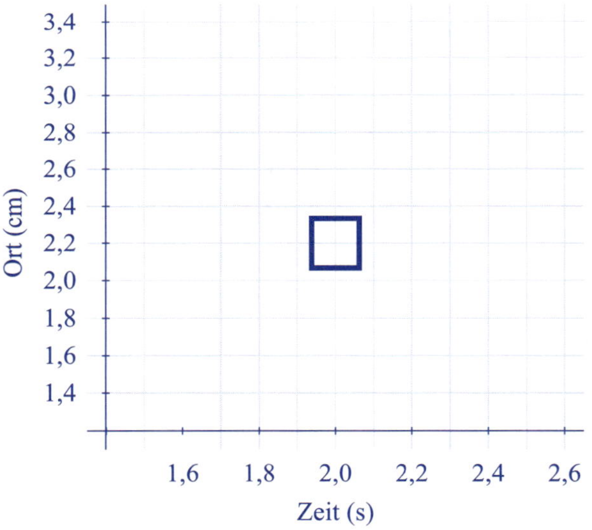

2.3 Nun soll der im vorigen Diagramm markierte Kurvenabschnitt in der Umgebung der Stelle $t = 2{,}0\,\text{s}$ vergrößert werden.

In der nachfolgenden Tabelle sind die Orts- und Zeitkoordinaten einiger Punkte im Intervall von $t = 1{,}95\,\text{s}$ bis $t = 2{,}05\,\text{s}$ angegeben. Tragen Sie diese Punkte in das Diagramm unten ein.

Tabelle der Werte von x und t zwischen $t = 1{,}95\,\text{s}$ und $t = 2{,}05\,\text{s}$ (für nebenstehendes Diagramm)	
t (s)	x (cm)
1,95	2,103
1,96	2,082
1,97	2,061
1,98	2,040
1,99	2,020
2,00	2,000
2,01	1,980
2,02	1,960
2,03	1,941
2,04	1,922
2,05	1,903

Vergrößerter Ausschnitt aus dem Ort-Zeit-Diagramm für Körper auf geradliniger Bahn

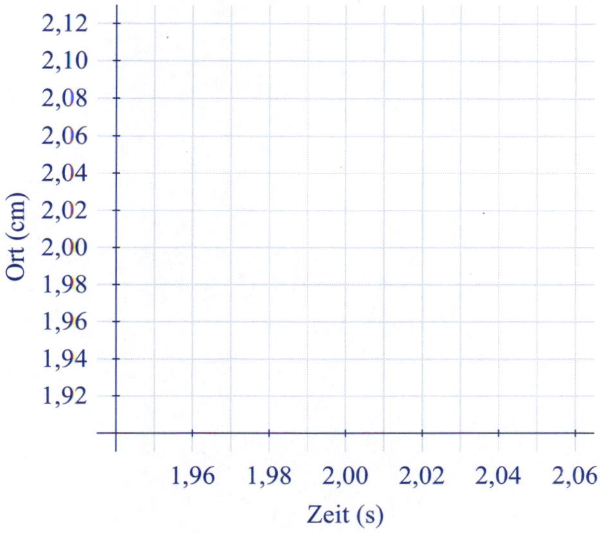

2.4 Alle drei Kurven beschreiben die gleiche Bewegung.

a. Wie lässt sich erklären, dass die letzte Kurve einer Geraden ähnlicher ist als die erste?

b. Kann man aufgrund eines kleinen Ausschnittes entscheiden, ob die Bewegung im gesamten Zeitintervall mit konstanter Geschwindigkeit erfolgt?

c. Bestimmen Sie die mittlere Geschwindigkeit im Zeitintervall von $t = 1{,}95\,\text{s}$ bis $t = 2{,}05\,\text{s}$. Geben Sie Ihren Lösungsweg an.

Welcher Zusammenhang besteht zwischen dieser mittleren Geschwindigkeit und der Momentangeschwindigkeit bei $t = 2{,}00\,\text{s}$? Begründen Sie Ihre Antwort.

3. Ein Körper bewegt sich entlang der Linie von Punkt 1 zu Punkt 2 in der Zeit Δt.

3.1 Nehmen Sie an, der Körper werde dabei *schneller*. Welcher der gekennzeichneten Punkte A, B oder C könnte dem Ort des Körpers zum Zeitpunkt $\Delta t/2$ entsprechen? (Punkt B liegt in der Mitte zwischen den Punkten 1 und 2.) Begründen Sie.

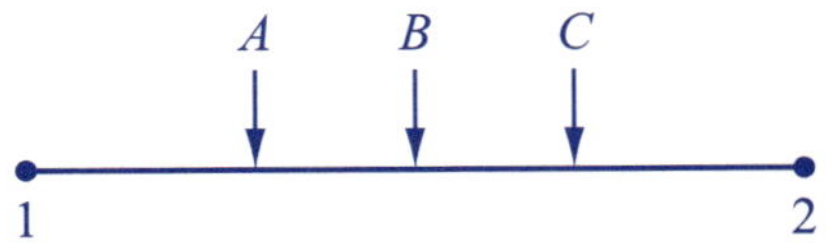

3.2 Nehmen Sie an, der Körper werde *langsamer*. Welcher der gekennzeichneten Punkte A, B oder C könnte dem Ort des Körpers zum Zeitpunkt $\Delta t/2$ entsprechen? Begründen Sie.

4. Autos sind in der Regel mit einem Tachometer, einem Kilometerzähler und einer Uhr ausgestattet.

4.1 Beschreiben Sie, wie Sie mithilfe dieser Instrumente die Momentangeschwindigkeit des Fahrzeuges bestimmen können.

4.2 Beschreiben Sie, wie Sie mithilfe dieser Instrumente die Durchschnittsgeschwindigkeit (d. h. mittlere Geschwindigkeit) des Fahrzeuges bestimmen können.

1. In den folgenden Situationen ist die Bewegung eines Körpers mithilfe der Größen *Ort*, *Geschwindigkeit* oder *Beschleunigung* charakterisiert. Bearbeiten Sie für jeden der Fälle die Aufgaben 1.1 bis 1.3.

   1.1 Beschreiben Sie in möglichst einfachen Worten, wie Sie sich bewegen müssten, um die vorgegebene Bewegung mit Ihrem Körper nachzuvollziehen. Wenn dies nicht möglich ist, geben Sie an, warum nicht.

   1.2 Skizzieren Sie Kurven für x gegen t, v gegen t, und a gegen t für die jeweilige Bewegung.

   1.3 Zeichnen Sie eine Fahrbahn, auf der sich eine rollende Kugel in der beschriebenen Weise bewegen würde. Kennzeichnen Sie:

   - den Ort und die Bewegungsrichtung zu Beginn der Bewegung,
   - den Ursprung ($x = 0$) und die positive x-Richtung Ihres Koordinatensystems.

Die erste Aufgabe ist bereits als Beispiel gelöst worden.

Konstante positive Geschwindigkeit

Beschreibung der Bewegung:

Entfernen Sie sich mit konstanter Geschwindigkeit vom Koordinatenursprung.

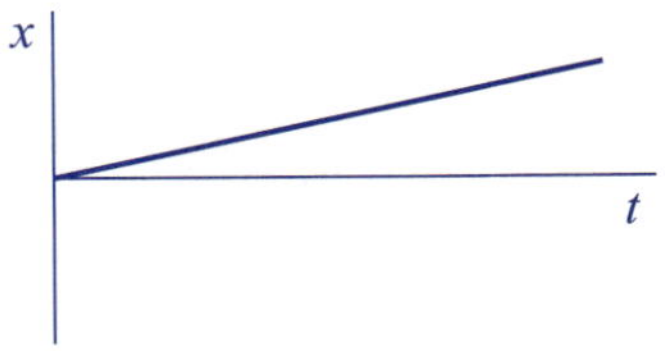

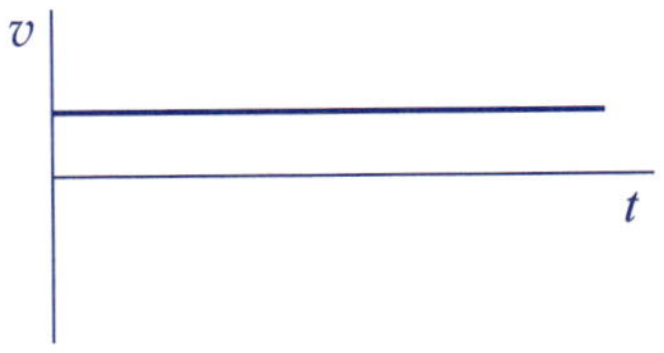

Bahn:

$x = 0$ positive x-Richtung

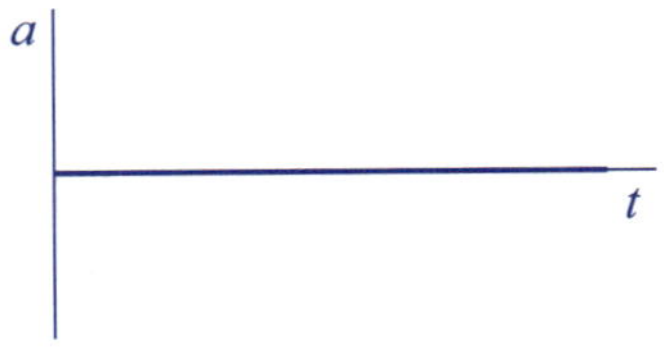

Konstante Geschwindigkeit vom Betrag Null

Beschreibung der Bewegung:

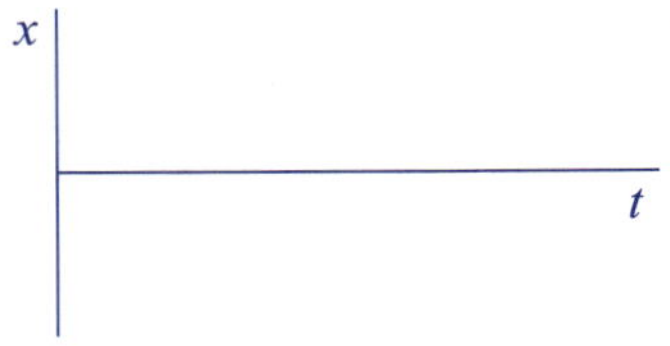

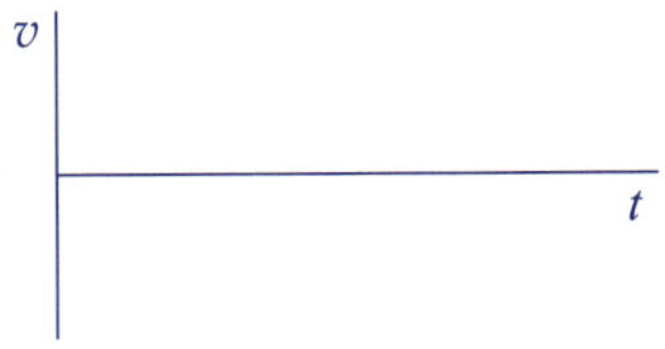

Bahn:

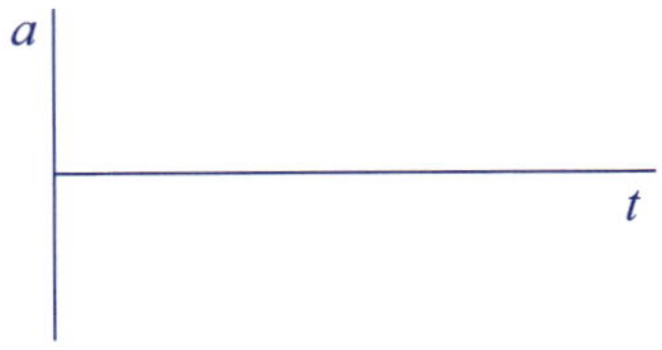

Konstante negative Geschwindigkeit

Beschreibung der Bewegung:

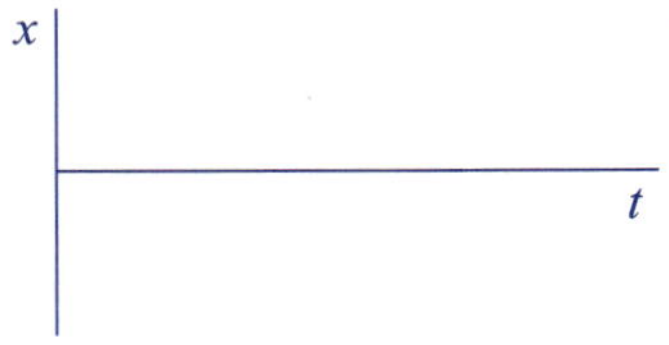

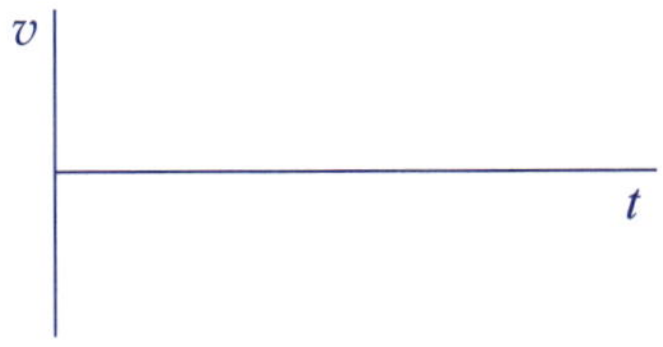

Bahn:

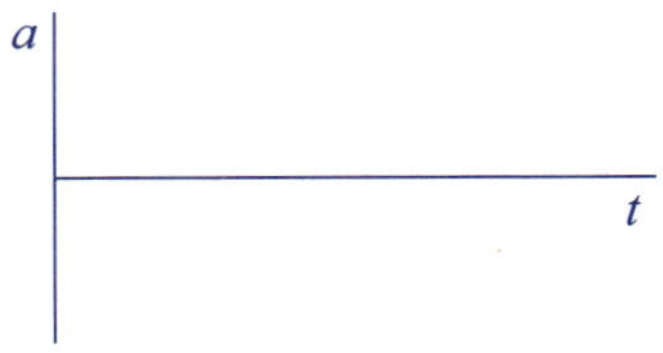

Konstanter positiver Ort

Beschreibung der Bewegung:

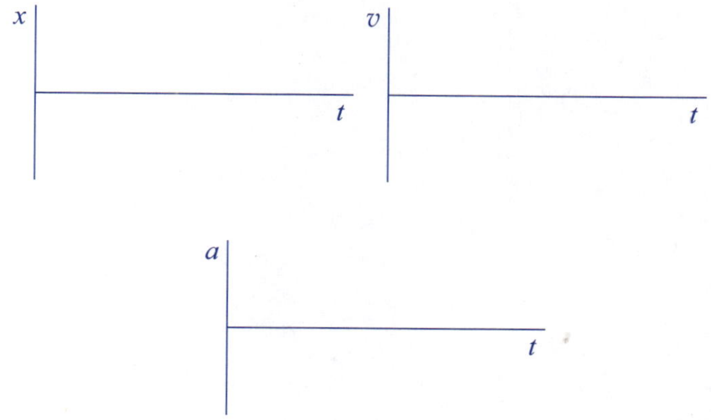

Bahn:

Konstanter Ort vom Betrag Null

Beschreibung der Bewegung:

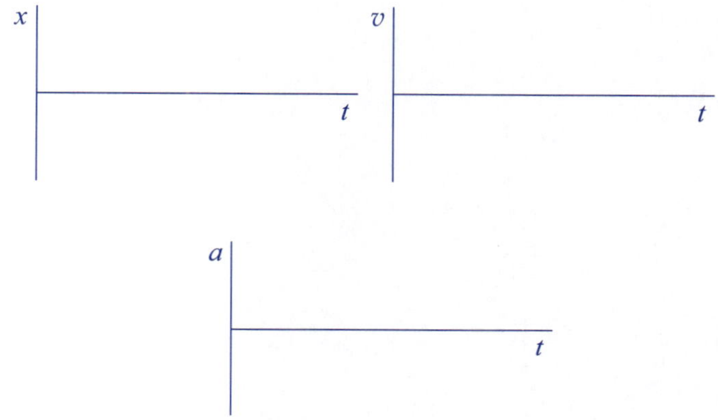

Bahn:

Konstanter negativer Ort

Beschreibung der Bewegung:

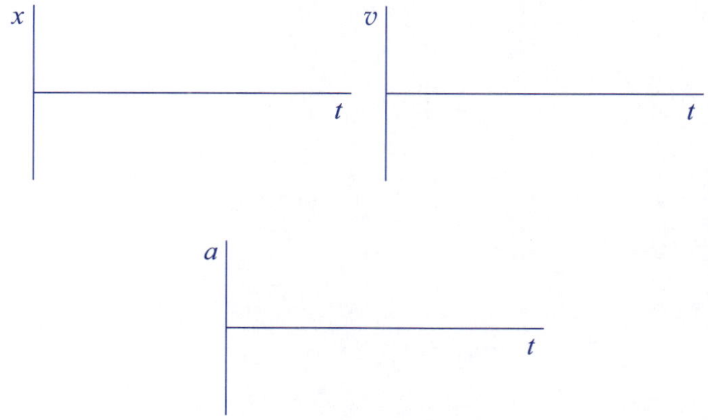

Bahn:

Konstante positive Beschleunigung

Beschreibung der Bewegung:

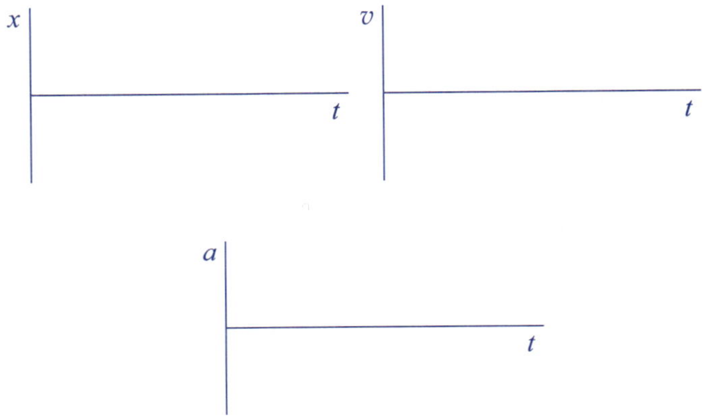

Bahn:

Konstante Beschleunigung vom Betrag Null

Beschreibung der Bewegung:

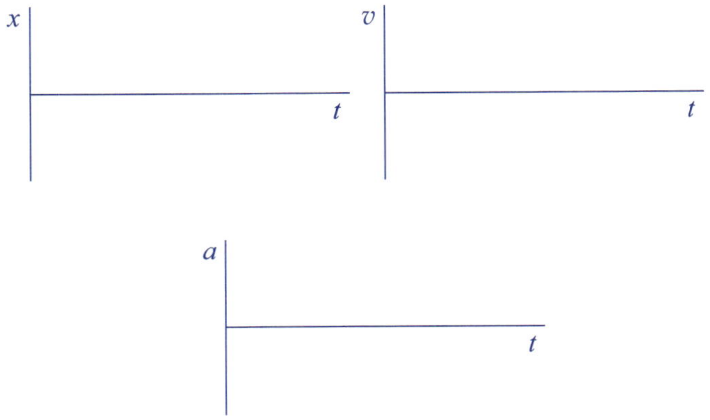

Bahn:

Konstante negative Beschleunigung

Beschreibung der Bewegung:

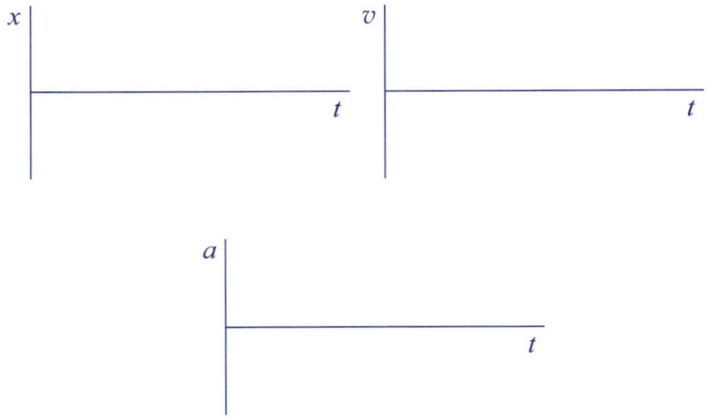

Bahn:

2. Für die meisten Fälle in der vorherigen Aufgabe gibt es mehrere richtige Lösungen. Geben Sie jeweils *mindestens eine* weitere Lösung für die unten wiederholten drei Fälle an.

Konstante positive Beschleunigung

Beschreibung der Bewegung:

Bahn:

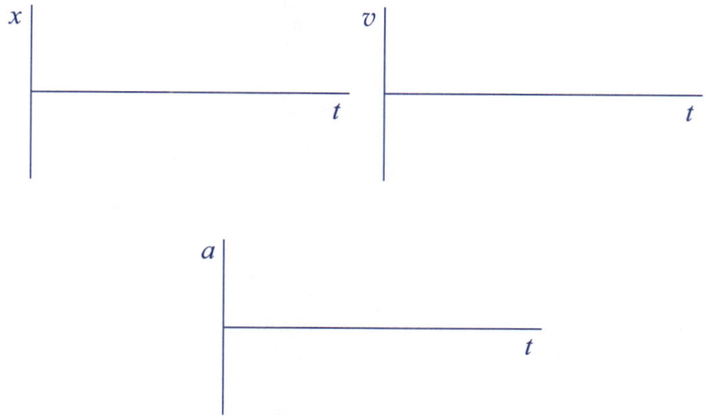

Konstante Beschleunigung vom Betrag Null

Beschreibung der Bewegung:

Bahn:

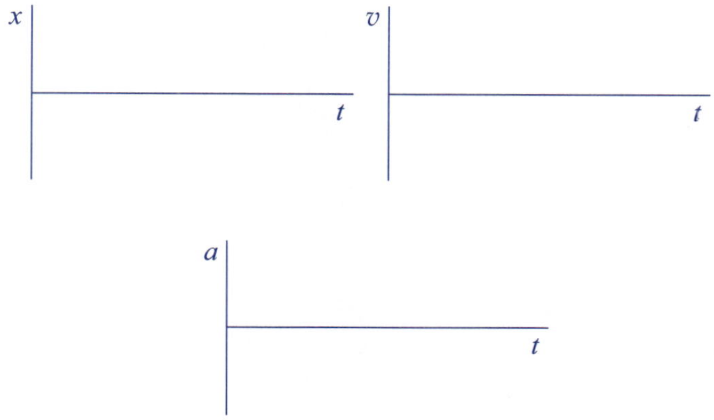

Konstante negative Beschleunigung

Beschreibung der Bewegung:

Bahn:

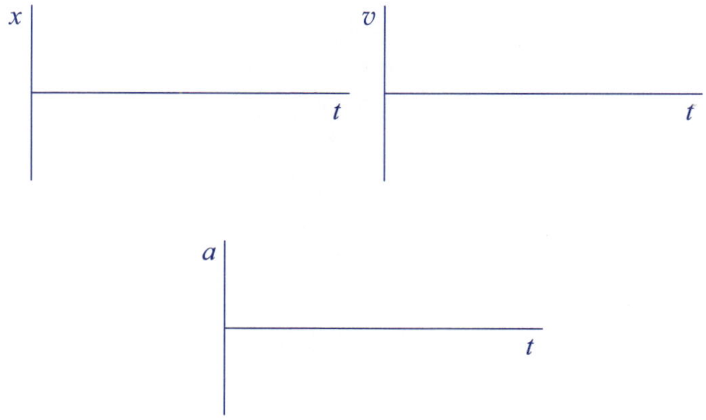

1. Eine Kugel rollt auf einer geneigten Schiene erst aufwärts, dann abwärts. Zeichnen Sie in der nachstehenden Stroboskopaufnahme die *Beschleunigungsvektoren* der Kugel am jeweiligen Ort ein. Falls die Beschleunigung an einem der Punkte gleich Null ist, geben Sie dies ausdrücklich an.

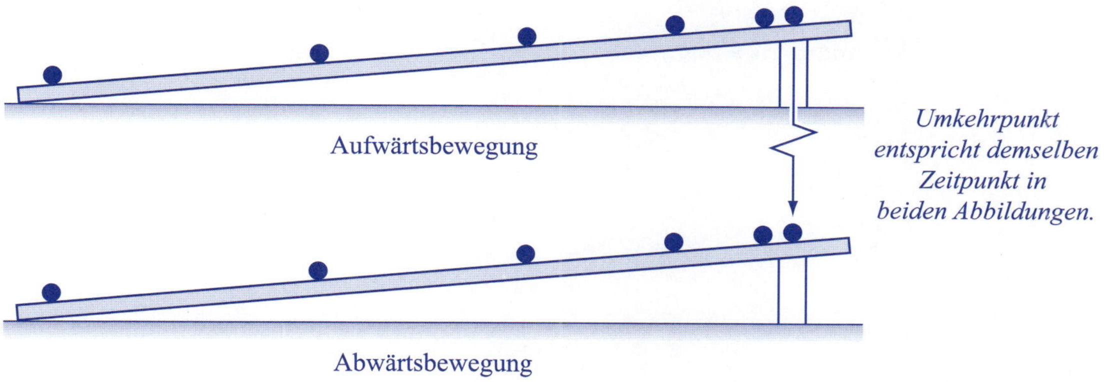

2. Skizzieren Sie Kurven für x gegen t, v gegen t, und a gegen t für die Aufwärts- und Abwärtsbewegung der Kugel in Aufgabe 1.

   2.1 Verwenden Sie ein Koordinatensystem, in dem die positive x-Richtung entlang der Bahn *abwärts* zeigt.

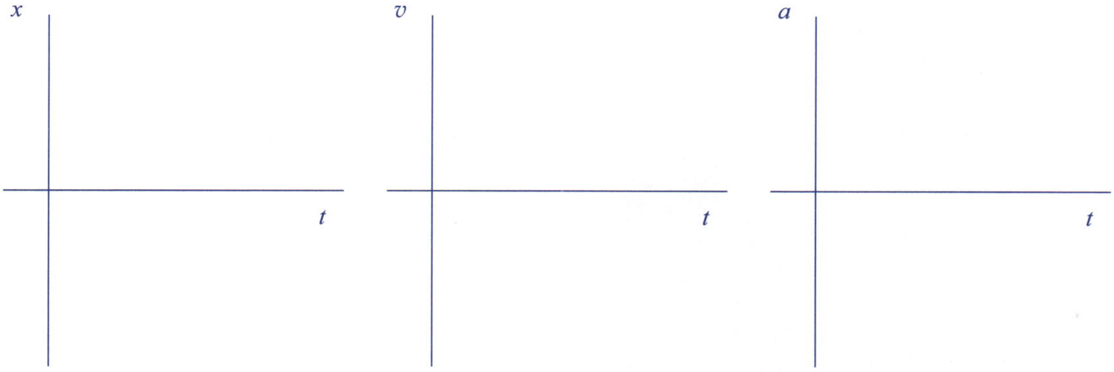

   2.2 Verwenden Sie ein Koordinatensystem, in dem die positive x-Richtung entlang der Bahn *aufwärts* zeigt.

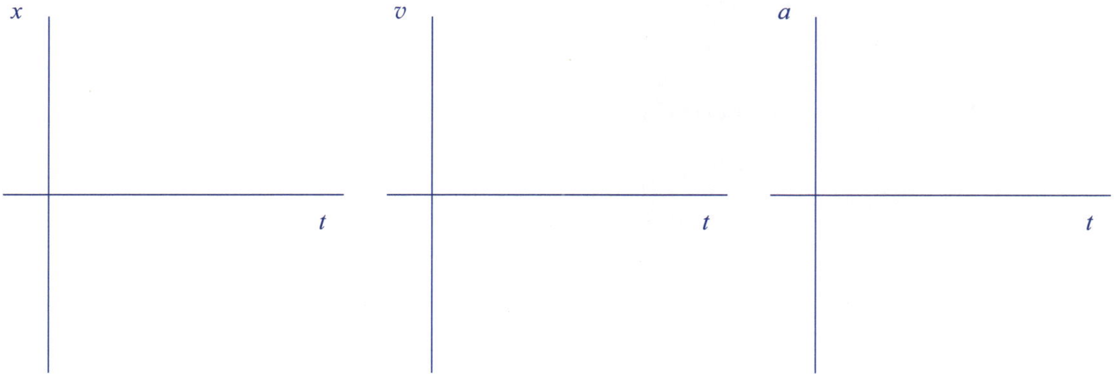

   2.3 Kann ein Körper eine negative Beschleunigung haben und dabei schneller werden? Falls ja, beschreiben Sie eine mögliche physikalische Situation und ein entsprechendes Koordinatensystem. Wenn nicht, begründen Sie, warum nicht.

3. Beschreiben Sie die Bewegung eines Körpers, dessen

   - Beschleunigung die *gleiche* Richtung hat wie seine Geschwindigkeit,

   - Beschleunigung die *entgegengesetzte* Richtung hat wie seine Geschwindigkeit,

   - Geschwindigkeitsänderung gleich Null ist,

   - Anfangsgeschwindigkeit gleich Null ist, aber dessen Beschleunigung ungleich Null ist.

4. Zwei Wagen rollen auf einem waagerechten Tisch aufeinander zu. Die eingezeichneten Vektoren stellen die Geschwindigkeiten der Wagen kurz vor bzw. kurz nach dem Zusammenstoßen dar.

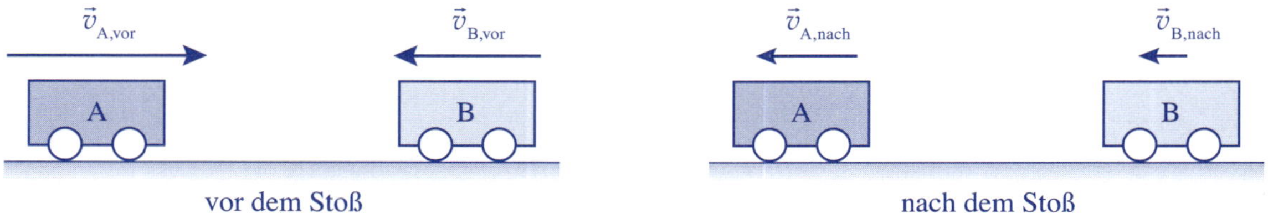

4.1 Zeichnen Sie für jeden Wagen den *Vektor der Geschwindigkeitsänderung* im betrachteten Zeitintervall ein. Achten Sie darauf, dass Betrag und Richtung Ihrer Vektoren mit den oben eingezeichneten Vektoren vereinbar sind.

4.2 Vergleichen Sie die Richtung der mittleren Beschleunigung von Wagen A mit der von Wagen B im betrachteten Zeitintervall. Begründen Sie Ihre Antwort.

4.3 Ist der Betrag der mittleren Beschleunigung von Wagen A im betrachteten Zeitintervall *größer, kleiner* oder *gleich* dem Betrag der mittleren Beschleunigung von Wagen B? Begründen Sie.

5. Ein Wagen führt auf einer waagerechten Bahn verschiedene Bewegungen aus. Für jede Bewegung ist eine von fünf verschiedenen Darstellungen angegeben: Eine Stroboskopaufnahme, ein Geschwindigkeit-Zeit-Diagramm, Geschwindigkeitsvektoren für vier aufeinanderfolgende Zeitpunkte, eine Beschreibung in Worten, oder ein Pfeilepaar, das die Richtungen von Geschwindigkeit und Beschleunigung wiedergibt. (Das Koordinatensystem ist jeweils so gewählt, dass die positive x-Richtung nach rechts zeigt.)

Geben Sie jeweils die fehlenden vier Beschreibungen für jede Bewegung an. (Die erste Teilaufgabe ist als Beispiel gelöst worden.)

Beispiel. ***Gegeben:*** (vektorielle) Geschwindigkeiten

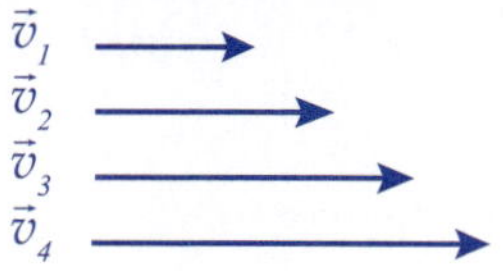

v,t-Diagramm	stroboskopische Darstellung	verbale Beschreibung	Vektorrichtungen
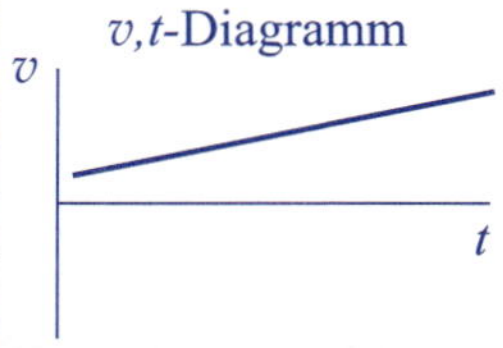	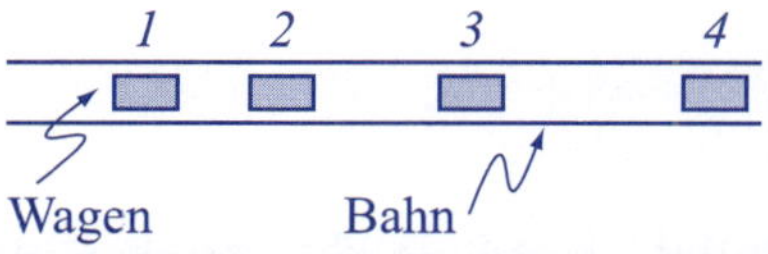	*Der Wagen bewegt sich in positiver Richtung und wird schneller.*	Richtung von $\vec{v}$: → Richtung von $\vec{a}$: →

a. ***Gegeben:*** Der Wagen bewegt sich mit konstanter Geschwindigkeit in negativer Richtung.

Geschwindigkeiten	stroboskopische Darstellung	v,t-Diagramm	Vektorrichtungen
$\vec{v}_1$ $\vec{v}_2$ $\vec{v}_3$ $\vec{v}_4$		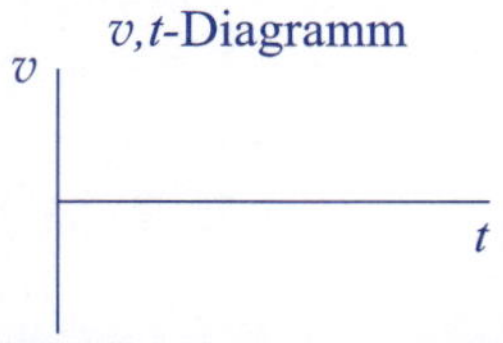	Richtung von $\vec{v}$: Richtung von $\vec{a}$:

b. ***Gegeben:*** stroboskopische Darstellung

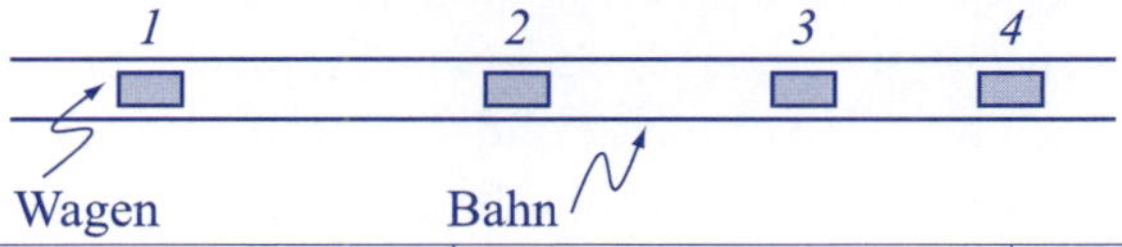

Geschwindigkeiten	verbale Beschreibung	v,t-Diagramm	Vektorrichtungen
$\vec{v}_1$ $\vec{v}_2$ $\vec{v}_3$ $\vec{v}_4$		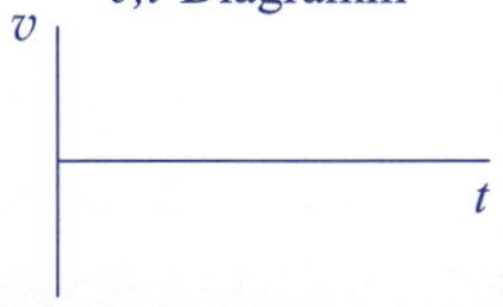	Richtung von $\vec{v}$: Richtung von $\vec{a}$:

c. ***Gegeben:*** v,t-Diagramm

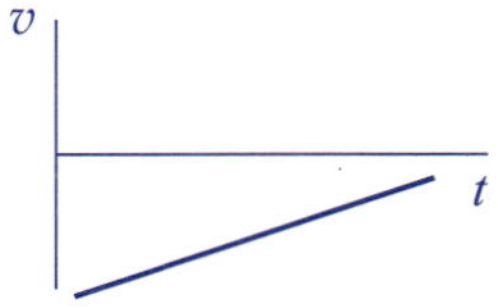

Geschwindigkeiten	stroboskopische Darstellung	verbale Beschreibung	Vektorrichtungen
$\vec{v}_1$ $\vec{v}_2$ $\vec{v}_3$ $\vec{v}_4$			Richtung von $\vec{v}$: Richtung von $\vec{a}$:

6. Zwei Wagen, A und B, bewegen sich entlang einer waagerechten Bahn. Die Stroboskopaufnahme zeigt die Aufenthaltsorte der Wagen zu den Zeitpunkten 1 bis 5 nach jeweils gleichen Zeitintervallen.

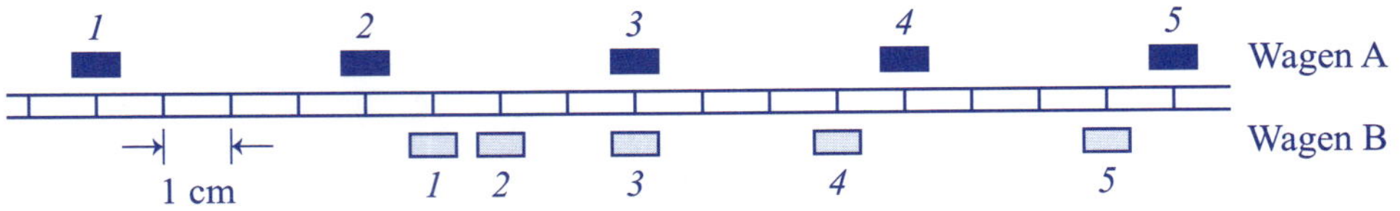

6.1 Beschreiben Sie die Bewegungen der Wagen zum Zeitpunkt 3:

- Wird Wagen A *schneller, langsamer* oder bewegt er sich mit *konstanter Geschwindigkeit*? Begründen Sie.

- Wird Wagen B *schneller, langsamer* oder bewegt er sich mit *konstanter Geschwindigkeit*? Begründen Sie.

6.2 Ist der Betrag der Geschwindigkeit von Wagen B zu den folgenden Zeitpunkten *größer, kleiner* oder *gleich* dem Betrag der Geschwindigkeit von Wagen A?

- Zum Zeitpunkt 2? Begründen Sie.

- Zum Zeitpunkt 3? Begründen Sie.

6.3 Betrachten Sie ein kleines Zeitintervall Δt, das kurz vor Zeitpunkt 2 beginnt und kurz nach Zeitpunkt 2 endet. Nimmt der Abstand zwischen Wagen A und Wagen B während dieses Intervalls *zu*, nimmt er *ab* oder *bleibt er gleich*? Begründen Sie.

Betrachten Sie die folgende Antwort auf diese Frage:

„In dem kleinen Zeitintervall um Zeitpunkt 2 befindet sich Wagen B vor Wagen A und wird schneller. Deshalb muss der Abstand zwischen den Wagen größer werden."

Stimmen Sie dieser Antwort zu? Begründen Sie.

6.4 Gibt es ein Zeitintervall, während dessen Wagen A und Wagen B die gleiche Durchschnittsgeschwindigkeit haben? Wenn ja, geben Sie dieses Intervall an und begründen Sie Ihre Entscheidung. Wenn nicht, begründen Sie, warum kein solches Intervall existiert.

Haben Wagen A und Wagen B zu irgendeinem Zeitpunkt die gleiche Momentangeschwindigkeit? Wenn ja, geben Sie diese(n) Zeitpunkt(e) an (z. B. „zum Zeitpunkt 1" oder „zu einem Zeitpunkt zwischen 2 und 3") und begründen Sie Ihre Entscheidung. Wenn nicht, begründen Sie, warum kein solcher Zeitpunkt existiert.

7. Zwei Fahrzeuge, C und D, bewegen sich auf einer langen, geraden Straße in gleicher Richtung. Während eines bestimmten Zeitintervalls Δt_o befindet sich Fahrzeug D vor Fahrzeug C und wird schneller, während Fahrzeug C langsamer wird.

   Es wird beobachtet, dass Fahrzeug C während des Intervalls Δt_o gegenüber Fahrzeug D *aufholt* (d. h. der Abstand zwischen den beiden Fahrzeugen verringert sich). Erklären Sie, wie dies möglich ist, und geben Sie ein Beispiel aus dem Straßenverkehr an.

8. Zwei Fahrzeuge, P und Q, bewegen sich auf einer langen, geraden Straße in gleicher Richtung. Fahrzeug P überholt Fahrzeug Q und befindet sich zum Zeitpunkt t_o genau neben Fahrzeug Q.

   8.1 Nehmen Sie an, dass sich beide Fahrzeuge mit jeweils konstanter Geschwindigkeit bewegen. Ist der Betrag der Momentangeschwindigkeit von Fahrzeug P zum Zeitpunkt t_o *größer, kleiner* oder *gleich* dem Betrag der Momentangeschwindigkeit von Fahrzeug Q? Begründen Sie.

   8.2 Nehmen Sie jetzt an, Fahrzeug P fahre mit konstanter Geschwindigkeit, Fahrzeug Q dagegen mit zunehmendem Geschwindigkeitsbetrag. Ist der Betrag der Momentangeschwindigkeit von Fahrzeug P zum Zeitpunkt t_o in diesem Fall *größer, kleiner* oder *gleich* dem Betrag der Momentangeschwindigkeit von Fahrzeug Q? Begründen Sie.

1. Ein Körper bewege sich mit *abnehmendem Geschwindigkeitsbetrag* im Uhrzeigersinn auf einer ovalen Bahn. Die Geschwindigkeitsvektoren an den Punkten G und H sind in der nachfolgenden Abbildung eingezeichnet.

Ansicht von oben

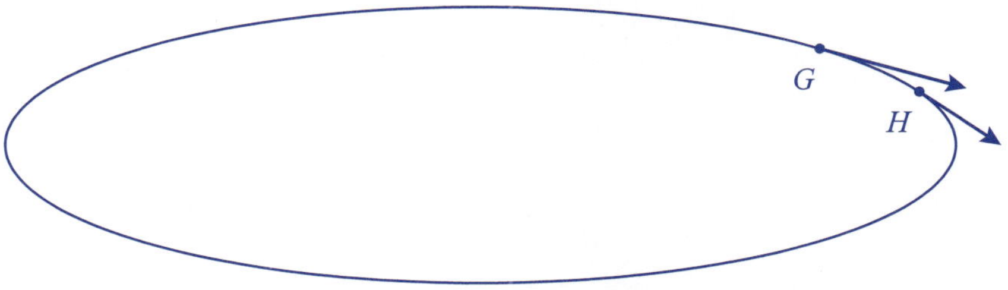

1.1 Übertragen Sie die Geschwindigkeitsvektoren $\vec{v}_G$ und $\vec{v}_H$ in das nebenstehende Diagramm und bestimmen Sie damit den Vektor der Geschwindigkeitsänderung $\Delta\vec{v}$.

$\vec{v}_G$, $\vec{v}_H$ und $\Delta\vec{v}$

1.2 Beschreiben Sie, wie sich $\Delta\vec{v}$ (in Bezug auf Betrag und Richtung) ändert, wenn Sie Punkt H näher an Punkt G wählen.

Richtung der Beschleunigung am Punkt G

1.3 Beschreiben Sie, wie Sie die Beschleunigung (Betrag und Richtung) am Punkt G bestimmen können. Geben Sie mithilfe eines Pfeils *qualitativ* die Richtung der Beschleunigung des Körpers am Punkt G an.

$\vec{v}_G$ und $\vec{a}_G$

1.4 Zeichnen Sie im nebenstehenden Diagramm $\vec{v}_G$ und $\vec{a}_G$ vom gleichen Punkt ausgehend ein. Ist der Winkel zwischen dem Beschleunigungsvektor und dem Geschwindigkeitsvektor *größer*, *kleiner* oder *gleich* 90°?

1.5 Verallgemeinern Sie Ihre obigen Ergebnisse (sowie Ihre Ergebnisse im Tutorial) bei der Beantwortung der folgenden Frage:

Ist der Winkel zwischen Beschleunigungsvektor und Geschwindigkeitsvektor jeweils *größer* 90°, *kleiner* 90° oder *gleich* 90°, wenn der Geschwindigkeitsbetrag des betrachteten Körpers

- konstant bleibt,
- zunimmt,
- abnimmt?

2. Gegeben sind jeweils zwei Vektoren, die Geschwindigkeit und Beschleunigung eines Körper zu einem bestimmten Zeitpunkt darstellen.

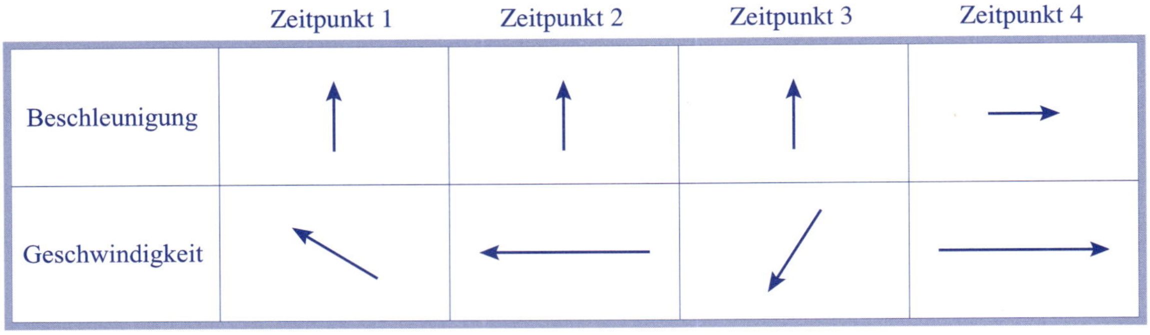

2.1 Geben Sie für jeden der vier Zeitpunkte an, ob der Geschwindigkeitsbetrag des Körpers *zunimmt, abnimmt* oder *gleich bleibt*. Begründen Sie mithilfe Ihrer Antwort in Aufgabe 1.5.

2.2 Das Diagramm rechts zeigt, wie der Beschleunigungsvektor zum Zeitpunkt 1 in zwei Komponenten zerlegt werden kann: eine Komponente parallel zur Geschwindigkeit und eine senkrecht zu ihr.

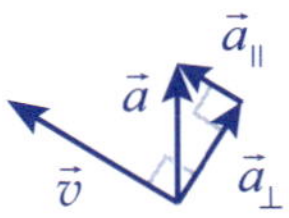

Zeichnen Sie für die anderen Zeitpunkte entsprechende Diagramme. Kennzeichnen Sie die (zur Geschwindigkeit) parallelen und senkrechten Komponenten der Beschleunigung. Falls eine der beiden Komponenten gleich Null ist, geben Sie dies ausdrücklich an.

Zeitpunkt 2	Zeitpunkt 3	Zeitpunkt 4

2.3 Vergleichen Sie für jeden der Punkte 1 bis 4 Ihre Beschreibung der Bewegung in Aufgabe 2.1 mit den Komponenten der Beschleunigung, die Sie in Aufgabe 2.2 gezeichnet haben. Verallgemeinern Sie dann wie folgt:

a. Geben Sie eine allgemeine Regel dafür an, wie die Beschleunigungskomponente parallel zur Geschwindigkeit die Bewegung eines Körpers beeinflusst.

b. Geben Sie eine allgemeine Regel dafür an, wie die Beschleunigungskomponente senkrecht zur Geschwindigkeit die Bewegung eines Körpers beeinflusst.

3. Ein Körper bewegt sich im Uhrzeigersinn auf der nachfolgend dargestellten ovalen Bahn. Die Beschleunigung des Körpers ist nicht konstant, aber immer auf Punkt K gerichtet.

   3.1 Zeichnen Sie an den Punkten A bis G in der Abbildung Pfeile ein, um die Richtung der Beschleunigung am jeweiligen Punkt darzustellen.

Ansicht von oben

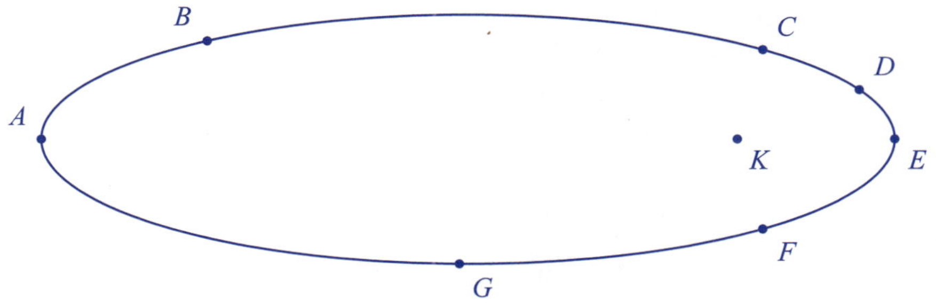

   3.2 Notieren Sie neben jedem der gekennzeichneten Bahnpunkte, ob der Körper dort *schneller* oder *langsamer* wird oder *gleich schnell* bleibt.

   3.3 Zeichnen Sie an den Punkten A bis G in der nachfolgenden Abbildung Geschwindigkeitsvektoren ein. Geben Sie die relativen Beträge der Vektoren qualitativ richtig wieder.

Ansicht von oben

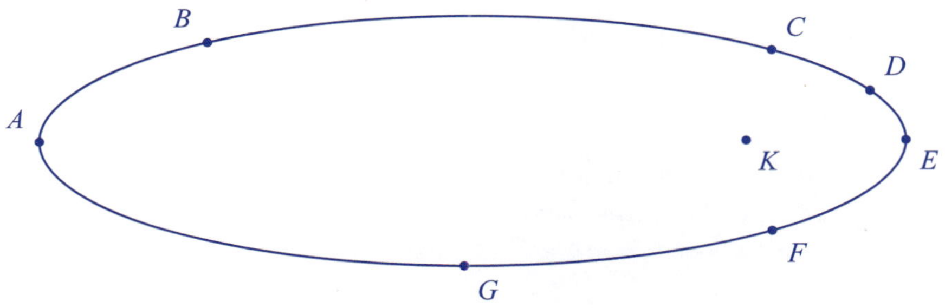

4. Ein Körper bewegt sich mit konstantem Geschwindigkeitsbetrag auf einer S-förmigen Bahn (wie nebenstehend dargestellt). Die S-förmige Bahn setzt sich aus zwei Halbkreisen und einem geraden Abschnitt zusammen.

   Zeichnen Sie an jedem der markierten Punkte einen Vektor ein, um die Beschleunigung des Körpers darzustellen. Falls der Betrag der Beschleunigung an einem oder mehreren Punkten gleich Null ist, geben Sie dies ausdrücklich an.

Ansicht von oben

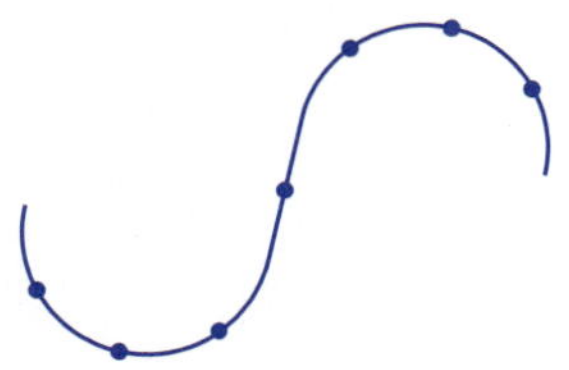

Beschleunigungsvektoren bei konstantem Geschwindigkeitsbetrag

5. Ein Fadenpendel schwingt in einer Ebene und befindet sich zum dargestellten Zeitpunkt am linken Umkehrpunkt (Punkt A). Der andere Umkehrpunkt (Punkt C) und die Bahnkurve des Pendels sind ebenfalls dargestellt.

5.1 Wählen Sie einen Punkt kurz nach Punkt A und kennzeichnen Sie ihn als Punkt B. Zeichnen Sie einen Vektor, der die Geschwindigkeit am Punkt B darstellt.

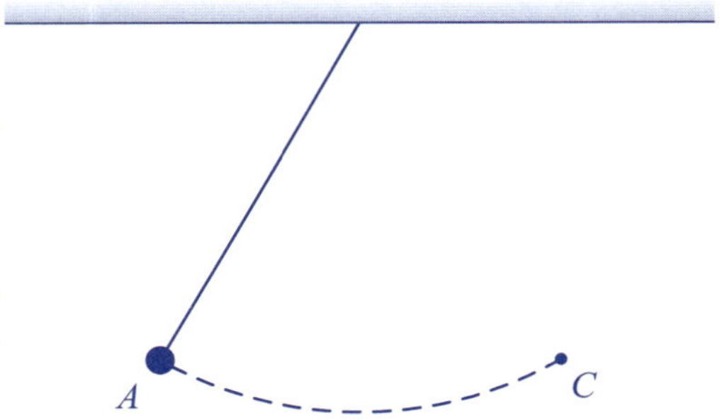

5.2 Bestimmen Sie den Vektor der Geschwindigkeitsänderung $\Delta\vec{v}$ zwischen den Punkten A und B.

5.3 Wie lässt sich die Richtung von $\Delta\vec{v}$ beschreiben, wenn Sie Punkt B immer näher an Punkt A rücken lassen?

5.4 Beide nachfolgenden Aussagen sind *nicht richtig*. Beschreiben Sie jeweils den Fehler in der Argumentation.

- *„Die Beschleunigung am Punkt A ist Null. Wenn Punkt B immer näher an Punkt A heranrückt, wird der Vektor der Geschwindigkeitsänderung immer kleiner. Irgendwann ist er dann Null."*

- *„Am Punkt A ist der Winkel zwischen der Beschleunigung und der Tangente an die Bahnkurve zwischen 0° und 90°, da sich der Pendelkörper auf einer gekrümmten Bahn bewegt und dabei schneller wird."*

5.5 Stellen Sie an den Punkten A und C in der nebenstehenden Abbildung die Richtung der Beschleunigung am jeweiligen Punkt mithilfe eines Pfeils dar. (*Hinweis:* Achten Sie auf die Vereinbarkeit Ihrer Pfeile mit Ihren Antworten in Aufgabe 5.3 und 5.4.) Begründen Sie.

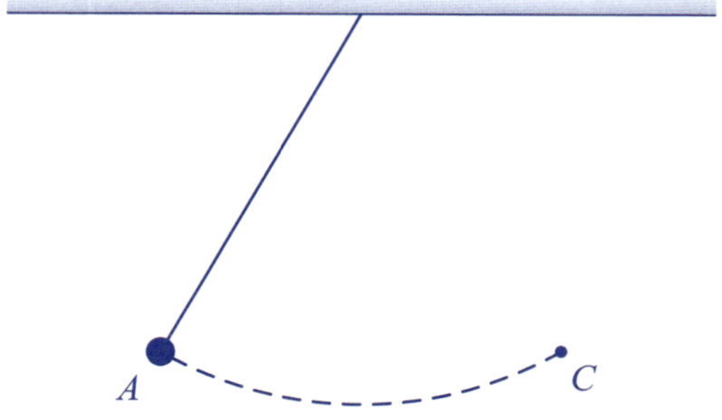

6. Ein Wagen fährt eine Runde im Uhrzeigersinn auf der abgebildeten Bahn. Der Wagen startet im Punkt A aus der Ruhe, wird dann bis kurz hinter Punkt C gleichförmig schneller und fährt anschließend mit konstantem Geschwindigkeitsbetrag an den Punkten D bis G vorbei.

   6.1 Zeichnen Sie an den Punkten A bis G jeweils die Richtung der Beschleunigung ein. Markieren Sie hierbei die Fälle, in denen sich die Richtung der Beschleunigung exakt angeben lässt, mit einem Stern (*). Geben Sie in allen anderen Fällen die ungefähre Richtung der Beschleunigung an. Falls der Betrag der Beschleunigung an einem der Punkte gleich Null ist, geben Sie dies ausdrücklich an.

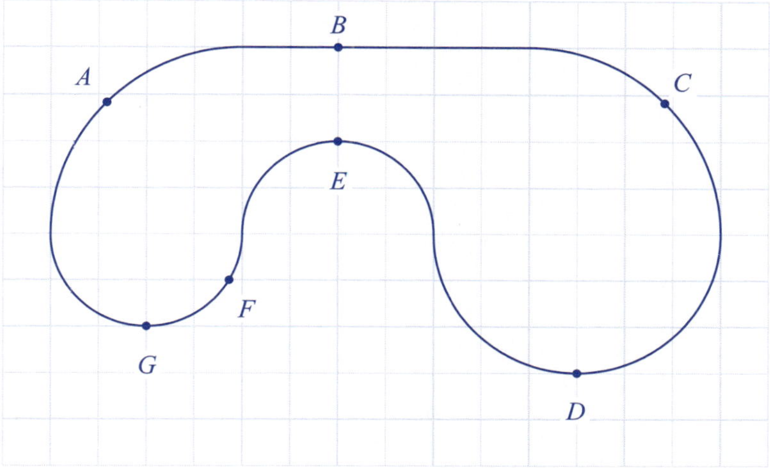

   6.2 Ist der Betrag der Beschleunigung am Punkt G *größer, kleiner* oder *gleich* dem Betrag der Beschleunigung am Punkt D? Begründen Sie.

7. Geben Sie eine Vektorgleichung der Form $\vec{D} + \vec{E} = \vec{F}$ an, welche die Vektoren $\vec{A}$, $\vec{B}$ und $\vec{C}$ mit einander verknüpft.

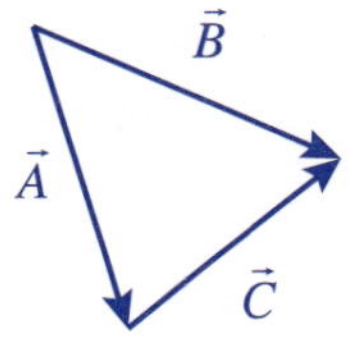

8. Gesucht ist der Vektor $\vec{h}$, der zu Vektor $\vec{g}$ addiert werden muss, um Vektor $\vec{i}$ zu erhalten. Skizzieren Sie im nebenstehenden Zeichenfeld, wie sich dieser Vektor bestimmen lässt, und kennzeichnen Sie ihn.

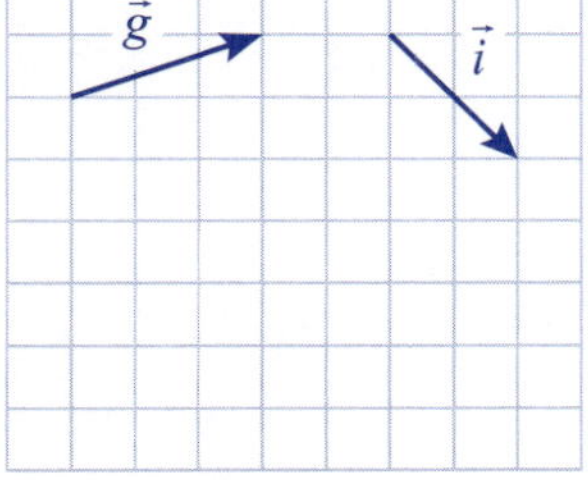

9. Drei Körper bewegen sich mit jeweils konstantem Geschwindigkeitsbetrag auf den unten dargestellten Kreisbahnen. In den Fällen A und B hat die Bahn jeweils den Radius R, im Fall C den Radius $2R$. Die Geschwindigkeit beträgt im Fall A $2v_0$, in den Fällen B und C jeweils v_0.

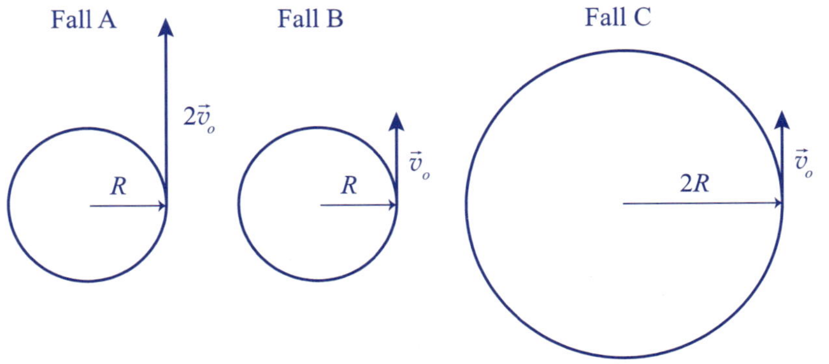

9.1 Ordnen Sie die drei Fälle nach dem Betrag der Beschleunigung. Falls der Betrag der Beschleunigung in zwei Fällen gleich ist, geben Sie dies ausdrücklich an. *Begründen Sie Ihre Antwort mithilfe der allgemeinen Regeln, die Sie im Tutorial aufgestellt haben (d. h. verwenden Sie keine Formel für die Beschleunigung).*

9.2 Zeigen Sie, dass die von Ihnen gewählte Reihenfolge mit dem algebraischen Ergebnis für den Betrag der Beschleunigung bei der gleichförmigen Kreisbewegung vereinbar ist: $a = v^2/r$, wobei v den Betrag der Geschwindigkeit des Körpers und r den Radius der kreisförmigen Bahn angibt.

10. Ein Wagen startet auf einer kreisförmigen Bahn im Punkt A aus der Ruhe und bewegt sich entgegen dem Uhrzeigersinn. Der Betrag seiner Geschwindigkeit nimmt gleichförmig zu.

10.1 Zeichnen Sie in der Abbildung rechts an jedem der markierten Punkte einen *Beschleunigungsvektor* ein.

10.2 Erklären Sie, wie Ihr Beschleunigungsvektor am Punkt A mit Ihrer Antwort in Aufgabe 5 vereinbar ist.

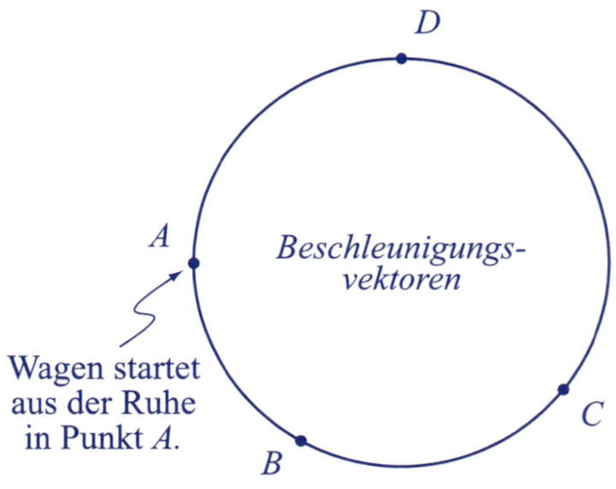

10.3 Erklären Sie, wie sich die Tatsache, dass die Geschwindigkeit gleichförmig zunimmt, in den von Ihnen eingezeichneten Beschleunigungsvektoren widerspiegelt. (*Hinweis:* Betrachten Sie die Beschleunigungskomponente parallel zur Geschwindigkeit.)

1. Zwei Schiffe fahren auf einem geraden Flussabschnitt stromabwärts. Zum Zeitpunkt t_1 überholt Schiff A ein Ruderboot. Schiff B überholt das Ruderboot zum Zeitpunkt t_2.

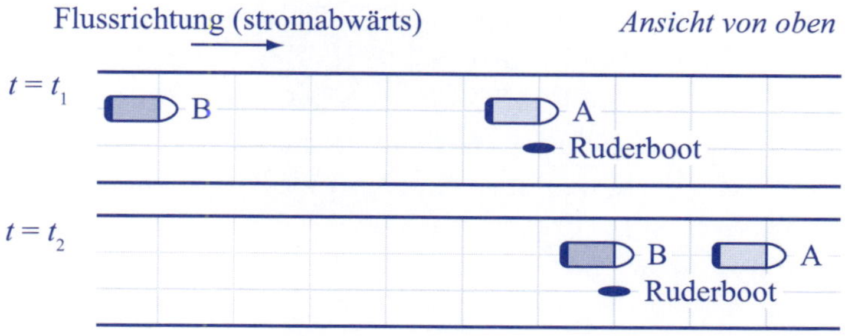

1.1 Im Bezugssystem von Schiff B:

Zeichnen Sie die Schiffe A und B sowie das Ruderboot an ihrem jeweiligen Ort zum Zeitpunkt t_2 *im Bezugssystem von Schiff B* in das nebenstehende Diagramm unten ein.

Zeichnen Sie den Verschiebungsvektor des Ruderbootes zwischen den Zeitpunkten t_1 und t_2 im Bezugssystem von Schiff B.

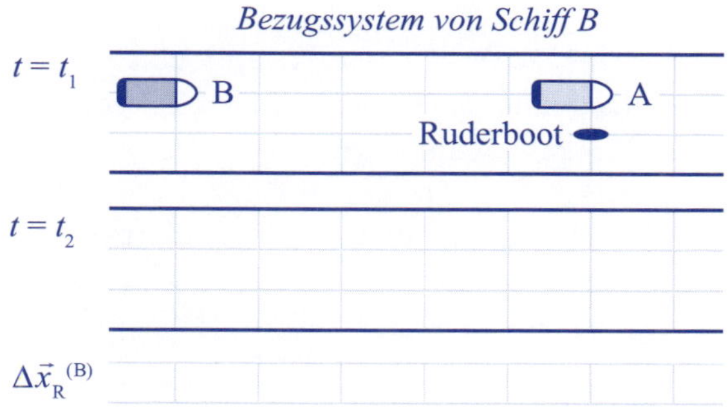

Ist im Bezugssystem von Schiff B der Betrag der Geschwindigkeit des Ruderbootes *größer*, *kleiner* oder *gleich* dem Betrag der Geschwindigkeit von Schiff A? Begründen Sie.

1.2 Im Bezugssystem von Schiff A:

Zeichnen Sie die Schiffe A und B sowie das Ruderboot an ihrem jeweiligen Ort zum Zeitpunkt t_2 *im Bezugssystem von Schiff A* in das nebenstehende Diagramm unten ein.

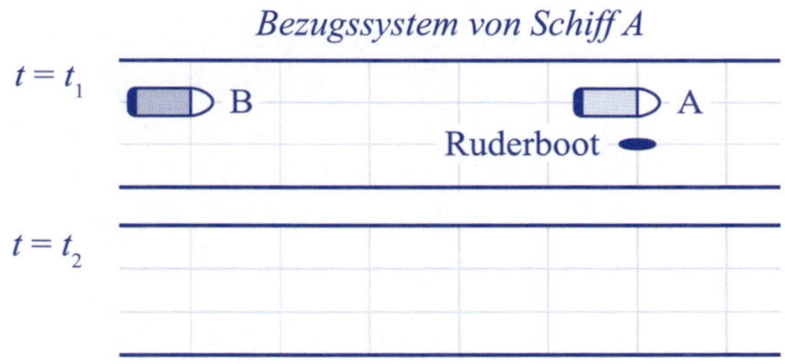

1.3 Ist der Betrag der Geschwindigkeit des Ruderbootes im Bezugssystem von Schiff A *größer*, *kleiner* oder *gleich* dem Betrag der Geschwindigkeit des Ruderbootes im Bezugssystem von Schiff B? Begründen Sie.

1.4 Ordnen Sie die folgenden Größen nach dem Betrag: (a) den Verschiebungsvektor des Ruderbootes im Bezugssystem von Schiff A, (b) den Verschiebungsvektor des Ruderbootes im Bezugssystem von Schiff B, (c) den Abstand zwischen Schiff A und Schiff B zum Zeitpunkt t_1 und (d) den Abstand zwischen Schiff A und Schiff B zum Zeitpunkt t_2. Begründen Sie Ihre Antwort.

1.5 Ein drittes Schiff (Schiff C) fährt ebenfalls stromabwärts mit gleich bleibendem Abstand hinter Schiff B. Der Verschiebungsvektor des Ruderbootes zwischen den Zeitpunkten t_1 und t_2 wird dabei im Bezugssystem von Schiff A, im Bezugssystem von Schiff B und im Bezugssystem von Schiff C gemessen. Ordnen Sie die drei Verschiebungsvektoren in der Reihenfolge abnehmender Beträge. Begründen Sie.

2. Ein PKW, ein LKW und eine Verkehrsinsel befinden sich auf einer geraden Straße. Gegeben sind jeweils ihre Positionen zu den Zeitpunkten 1 bis 3, zwischen denen gleiche Zeitintervalle liegen.

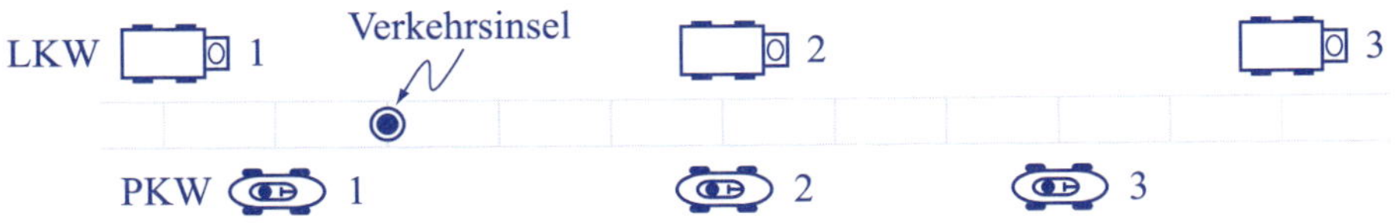

2.1 Zeichnen Sie an den vorgesehenen Stellen rechts:

- Verschiebungsvektoren für den PKW *im Bezugssystem der Verkehrsinsel* und *im Bezugssystem des LKWs* für das Zeitintervall von 1 bis 3,
- Verschiebungsvektoren für den LKW *im Bezugssystem der Verkehrsinsel* für das Zeitintervall von 1 bis 3.

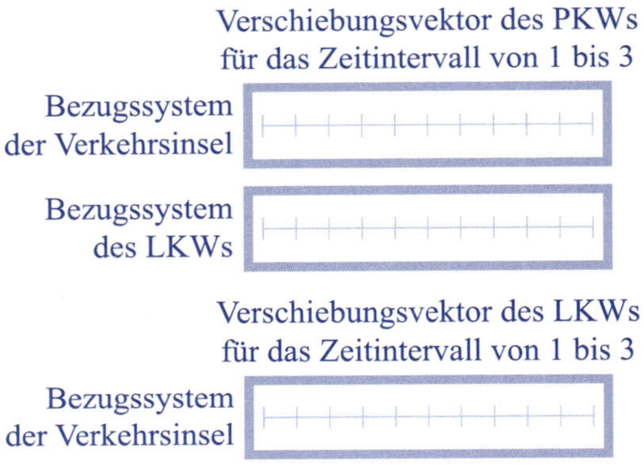

2.2 Stellen Sie in einem Vektordiagramm dar, welcher dieser drei Verschiebungsvektoren gleich der Summe der beiden anderen ist.

Drücken Sie die Beziehung zwischen den drei Vektoren als Gleichung aus. Bezeichnen Sie den Verschiebungsvektor des PKWs im Bezugssystem der Verkehrsinsel mit $\Delta\vec{x}_{\mathrm{P}}^{(\mathrm{V})}$, den Verschiebungsvektor des PKWs im Bezugssystem des LKWs mit $\Delta\vec{x}_{\mathrm{P}}^{(\mathrm{L})}$ usw.

2.3 Die Beziehung $\vec{v}_{\mathrm{P}}^{(\mathrm{V})} = \vec{v}_{\mathrm{P}}^{(\mathrm{L})} + \vec{v}_{\mathrm{L}}^{(\mathrm{V})}$ wird als *Galilei-Transformation* der Geschwindigkeiten bezeichnet. Zeigen Sie, dass diese Beziehung mit Ihrer Antwort für die Verschiebungsvektoren vereinbar ist.

Gilt die Galilei-Transformation auch für die *Momentangeschwindigkeiten* zum Zeitpunkt 2 (bzw. Zeitpunkt 3)? Begründen Sie.

3. Wagen P fährt auf einer geraden Straße mit konstanter Geschwindigkeit v_o nach Westen. Wagen Q setzt sich zum Zeitpunkt 1 in Bewegung und fährt, immer schneller werdend, ebenfalls nach Westen. Zum Zeitpunkt 5 hat die Geschwindigkeit von Wagen Q den Betrag w_o relativ zur Straße S, wobei $w_o < v_o$ gilt. Die Zeitintervalle zwischen aufeinander folgenden Zeitpunkten sind jeweils *gleich groß.*

Zum Zeitpunkt 3 sind Wagen P und Q direkt nebeneinander (d. h. sie befinden sich im Sinne dieser Aufgabe am gleichen Ort).

3.1 Ist im Bezugssystem der Straße die Geschwindigkeit von Wagen Q zum Zeitpunkt 3 *größer*, *kleiner* oder *gleich* der von Wagen P? Begründen Sie.

3.2 Zeichnen Sie in der nebenstehenden Skizze einen (qualitativ richtigen) Geschwindigkeitsvektor für Wagen Q im Bezugsystem der Straße zum Zeitpunkt 3. Achten Sie darauf, dass der Vektor mit Ihrer Antwort in Teil 3.1 vereinbar ist.

Welcher Wagen überholt in dieser Situation welchen? Begründen Sie.

Wagen P und Q zum Zeitpunkt 3

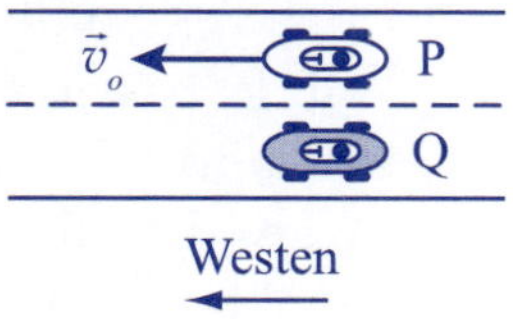

3.3 Skizzieren und beschriften Sie im Zeichenfeld rechts ein Vektordiagramm, das die Galilei-Transformation der Geschwindigkeiten für die Größen $\vec{v}_{\mathrm{P}}^{(\mathrm{S})}$, $\vec{v}_{\mathrm{Q}}^{(\mathrm{S})}$ und $\vec{v}_{\mathrm{Q}}^{(\mathrm{P})}$ zum Zeitpunkt 3 darstellt.

$\vec{v}_{\mathrm{P}}^{(\mathrm{S})}$, $\vec{v}_{\mathrm{Q}}^{(\mathrm{S})}$ und $\vec{v}_{\mathrm{Q}}^{(\mathrm{P})}$ zum Zeitpunkt 3

Bewegt sich Wagen Q im Bezugssytem von Wagen P zum Zeitpunkt 3 *nach Westen*, *nach Osten* oder ist er *in Ruhe*? Begründen Sie.

3.4 Wenden Sie die Galilei-Transformation erneut an und skizzieren Sie die Geschwindigkeitsvektoren von Wagen Q im Bezugssystem von Wagen P zu den Zeitpunkten 2, 3 und 4.

Wird Wagen Q im Bezugssystem von Wagen P *schneller*, *langsamer* oder bleibt er *gleich schnell*? Begründen Sie.

Geschwindigkeit von Q im Bezugssystem von P

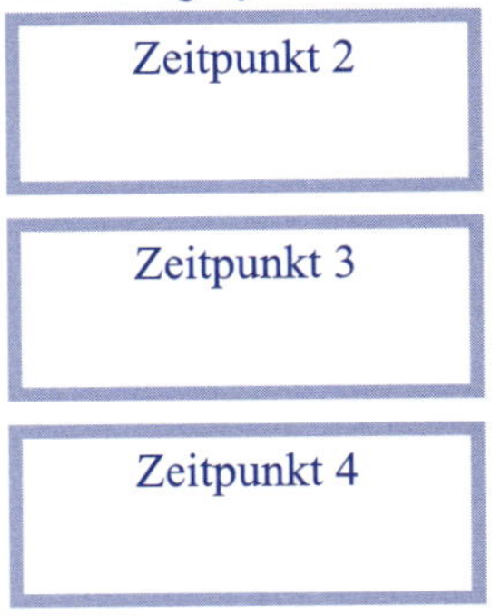

3.5 Zeichnen Sie Wagen Q für die Zeitpunkte 1 bis 5 jeweils an dem Ort ein, der sich bei einer *Messung im Bezugssystem von Wagen P* ergibt.

Zeigen Sie, dass Ihre Antworten mit den Geschwindigkeitsvektoren in Teil 3.4 vereinbar sind.

Darstellung im Bezugssystem von Wagen P

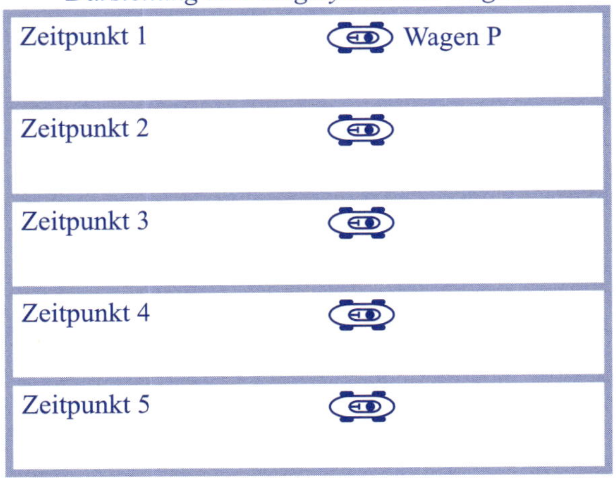

4. Ein Radfahrer rollt einen Hügel hinauf, während ein PKW den Hügel mit konstanter Geschwindigkeit hinauffährt. Die Stroboskopaufnahme zeigt ihre Positionen zu den Zeitpunkten 1 bis 4, zwischen denen jeweils gleiche Intervalle liegen. Der Radfahrer bleibt (relativ zur Straße) zum Zeitpunkt 4 stehen.

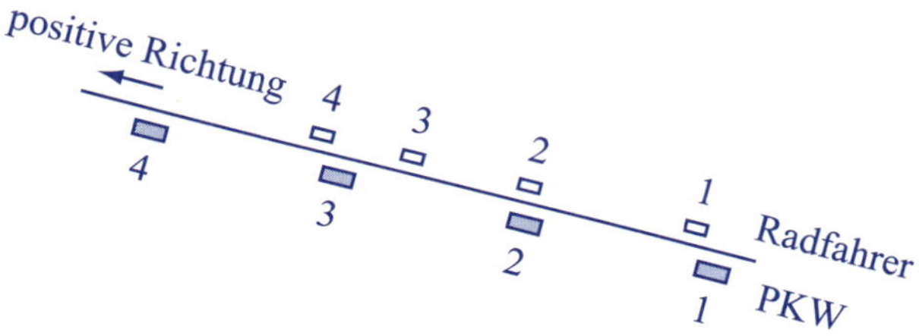

4.1 Beantworten Sie die folgenden Fragen für das Bezugssystem der Straße.

- Zeigt die Beschleunigung des Radfahrers *in positive Richtung*, *in negative Richtung* oder ist sie *gleich Null*? Begründen Sie.

- Haben die Geschwindigkeit und die Beschleunigung des Radfahrers *die gleiche* oder *entgegen gesetzte* Richtungen?

4.2 Skizzieren Sie die Geschwindigkeitsvektoren des Radfahrers *im Bezugssystem des PKWs* zu den Zeitpunkten 2 und 3. Begründen Sie.

Geschwindigkeit des Radfahrers im Bezugssystem des PKWs

Zeitpunkt 2

Zeitpunkt 3

4.3 Bewegt sich der Radfahrer im Bezugssystem des PKWs *in positiver Richtung*, *in negativer Richtung* oder befindet er sich *in Ruhe*:

- zum Zeitpunkt 2,

- zum Zeitpunkt 3?

4.4 Wird der Radfahrer im Bezugssystem des PKWs *schneller*, *langsamer* oder bewegt er sich *mit konstanter Geschwindigkeit*:

- zum Zeitpunkt 2,

- zum Zeitpunkt 3?

4.5 Zeigt die Beschleunigung des Radfahrers im Bezugssystem des PKWs *in die positive Richtung*, *in die negative Richtung* oder ist sie *gleich Null*? Zeigen Sie, dass Ihre Antwort mit den von Ihnen eingezeichneten Geschwindigkeitsvektoren in Teil 4.2 vereinbar ist.

Haben die Geschwindigkeit und die Beschleunigung des Radfahrers im Bezugssystem des PKWs *die gleiche* oder *entgegen gesetzte* Richtungen? Zeigen Sie, dass Ihre Antwort hier mit denen in Teil 4.3 und 4.4 vereinbar ist.

Das Bezugssystem der Straße und das Bezugssystem des PKWs sind Beispiele für *Inertialsysteme*. Richtung und Betrag der Beschleunigung eines Körpers sind in allen Inertialsystemen gleich.

4.6 Betrachten Sie die folgende Aussage:

„Die Beschleunigung des Radfahrers muss in allen Bezugssystemen gleich sein. Da der Radfahrer im Bezugssystem der Straße langsamer wird, muss er auch im Bezugssystem des PKWs langsamer werden."

Stimmen Sie dieser Aussage zu oder sind Sie anderer Meinung? Begründen Sie.

1. Ein Buch befindet sich in Ruhe auf einem waagerechten Tisch.

1.1 Betrachten Sie die folgende Aussage eines Studenten über die Kräfte, die auf das Buch wirken:

„Die beiden Kräfte, die auf das Buch wirken, sind die Normalkraft nach oben und das Gewicht des Buches nach unten. Die beiden Kräfte sind gleich groß und haben entgegen gesetzte Richtungen. Nach dem dritten Newton'schen Gesetz sind sie ein Newton'sches Kräftepaar. Also ist die Normalkraft immer gleich der Gewichtskraft."

Stimmen Sie dieser Aussage zu? Begründen Sie Ihre Entscheidung.

1.2 Das Buch auf dem Tisch wird nun von einer Hand senkrecht nach unten gedrückt.

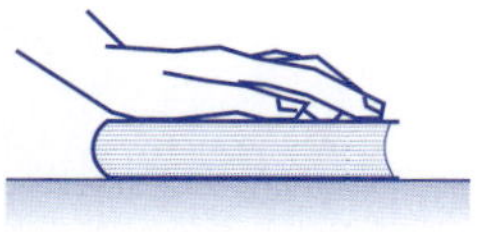

a. Zeichnen Sie ein Freikörperbild für das Buch. Kennzeichnen Sie alle auf das Buch wirkenden Kräfte und verwenden Sie dabei die im Tutorial *Kräfte* eingeführte Notation.

b. Vergleichen Sie die auf das Buch wirkenden Kräfte in diesem Fall mit den Kräften, wenn die Hand nicht drückt. Geben Sie an, welche Kräfte in beiden Fällen gleich sind (d. h. gleiche Art von Kraft, gleiche Richtung und gleicher Betrag) und welche Kräfte sich ändern oder in einem der Fälle fehlen.

Freikörperbild für Buch

c. Ist der Betrag der Gewichtskraft gleich dem Betrag der Normalkraft, die vom Tisch auf das Buch ausgeübt wird? Begründen Sie Ihre Antwort.

1.3 An dem Buch wird nun ein Faden befestigt und daran gezogen. Das Buch bleibt jedoch mit dem Tisch in Berührung und bewegt sich nicht.

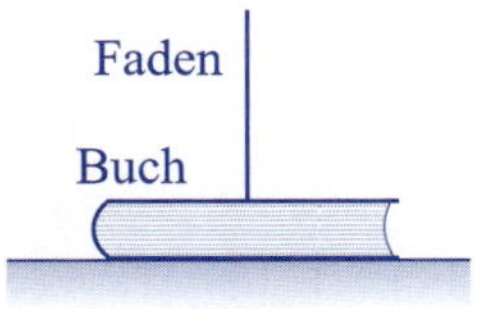

a. Zeichnen Sie ein Freikörperbild für das Buch. Kennzeichnen Sie die Kräfte mithilfe der im Tutorial *Kräfte* eingeführten Notation.

b. Vergleichen Sie die in diesem Fall auf das Buch ausgeübten Kräfte mit den Kräften, wenn der Faden nicht am Buch zieht. Geben Sie an, welche Kräfte in beiden Fällen gleich sind und welche Kräfte sich ändern oder in einem der Fälle fehlen.

Freikörperbild für Buch

c. Ist der Betrag der Gewichtskraft gleich dem Betrag der Normalkraft, die vom Tisch auf das Buch ausgeübt wird? Begründen Sie Ihre Antwort.

1.4 Überdenken Sie noch einmal Ihre Antwort in Aufgabe 2.1. Lesen Sie außerdem den Abschnitt in Ihrem Lehrbuch, der sich mit dem dritten Newton'schen Gesetz befasst. Betrachten Sie dann ein Buch auf einem ebenen Tisch.

a. Welche Kraft bildet zusammen mit der Normalkraft, die vom Tisch auf das Buch ausgeübt wird, ein Newton'sches *(actio-reactio)* Kräftepaar?

b. Welche Kraft bildet zusammen mit der Gewichtskraft auf das Buch ein Newton'sches *(actio-reactio)* Kräftepaar?

2. Eine Kette wird von einem Seil gehalten. Die Kette besteht aus vier gleichen Gliedern und bewegt sich nicht.

2.1 Zeichnen Sie für jedes der vier Kettenglieder an der vorgesehenen Stelle ein Freikörperbild. Kennzeichnen Sie alle Kräfte mithilfe der im Tutorial *Kräfte* eingeführten Notation.

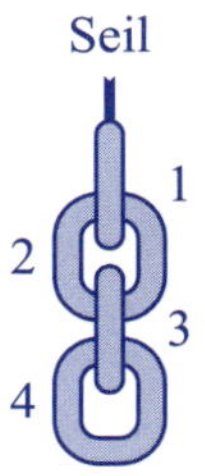

Freikörperbild für Kettenglied 1	Freikörperbild für Kettenglied 2	Freikörperbild für Kettenglied 3	Freikörperbild für Kettenglied 4

2.2 Kennzeichnen Sie alle Newton'schen *(actio-reactio)* Kräftepaare in Ihren Freikörperbildern mit einem oder mehreren Kreuzen „×") durch jeden der beiden Kräftepfeile eines Paares. (Markieren Sie also beide Vektoren des ersten Paares durch —×→, beide Vektoren des zweiten Paares durch —××→ usw.)

2.3 Ordnen Sie alle Kräfte in den Freikörperbildern nach ihrem Betrag. Begründen Sie Ihre Antwort und geben Sie an, wie Sie dabei die Newton'schen Gesetze angewendet haben.

3. Betrachten Sie jetzt die Glieder 1 und 2 der in Aufgabe 2 behandelten Kette als ein System (d. h. als einen Körper) und bezeichnen Sie dieses mit S_{12}.

   3.1 Zeichnen und beschriften Sie ein Freikörperbild für das System S_{12}.

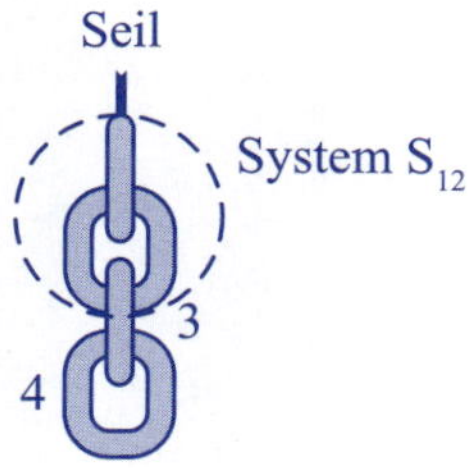

Freikörperbild für System S_{12}

   3.2 Vergleichen Sie die Kräfte, die in Ihrem Freikörperbild für das System S_{12} auftreten, mit denen, die in den Freikörperbildern für die Glieder 1 und 2 in Aufgabe 2 auftreten.

      a. Geben Sie für jede Kraft, die in Ihrem Freikörperbild für System S_{12} auftritt, die zugehörige Kraft (oder die zugehörigen Kräfte) in den Freikörperbildern für Kettenglieder 1 und 2 an.

      b. Gibt es Kräfte in Ihren Freikörperbildern für Kettenglieder 1 und 2, die in dieser Zuordnung nicht auftreten? Wenn ja, was unterscheidet diese Kräfte von den anderen Kräften in den Freikörperbildern für Kettenglieder 1 und 2?

   3.3 Bezeichnen Sie mit C das System, das aus der ganzen Kette besteht. Zeichnen und beschriften Sie ein Freikörperbild für C. Achten Sie darauf, dass Ihr Freikörperbild mit Ihren Überlegungen in Teil 2.2 vereinbar ist.

Freikörperbild für System C

4. Ein Holzklotz befindet sich in Ruhe auf einer schiefen Ebene. Eine Hand drückt den Klotz mit einer konstanten Kraft senkrecht nach unten (siehe Pfeil). Der Klotz bleibt dabei in Ruhe.

Freikörperbild für Klotz

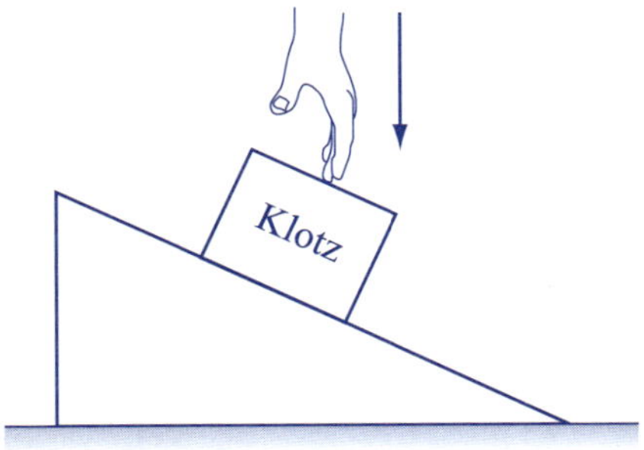

4.1 Zeichnen Sie oben ein Freikörperbild für den Klotz ein. Kennzeichnen Sie die einzelnen Kräfte wie im Tutorial *Kräfte*.

4.2 Geben Sie für jede Kraft, die in Ihrem Freikörperbild auftritt, die entsprechende Kraft an, die zusammen mit der ersten ein Newton'sches *(actio-reactio)* Kräftepaar bildet.

4.3 Nehmen Sie an, die Hand drücke nun mit einer gleich großen Kraft wie zuvor senkrecht zur schiefen Ebene (also in die Richtung des Pfeiles im nachfolgenden Bild). Der Klotz bleibt dabei weiterhin in Ruhe.

a. Ist der Betrag der auf den Klotz wirkenden resultierenden Kraft *größer*, *kleiner* oder *gleich* dem Betrag der resultierenden Kraft auf den Klotz in Teil 4.1? Begründen Sie Ihre Antwort.

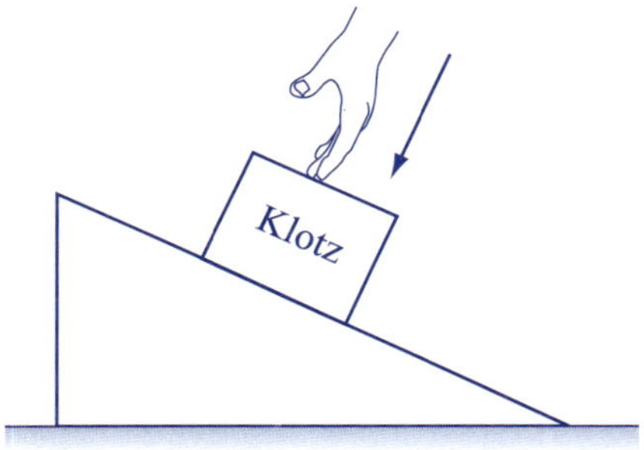

b. Ist der Betrag der von der schiefen Ebene auf den Klotz ausgeübten Reibungskraft *größer*, *kleiner* oder *gleich* dem Betrag der entsprechenden Kraft in Teil 4.1? Begründen Sie Ihre Antwort.

5. Eine Person drückt ein Buch so gegen eine Wand, dass sich das Buch nicht bewegt.

5.1 Zeichnen Sie ein Freikörperbild für das Buch. Kennzeichnen Sie die einzelnen Kräfte wie im Tutorial *Kräfte*.

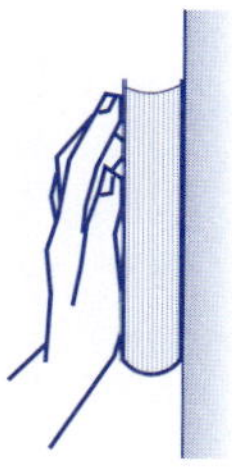

5.2 Geben Sie für jede Kraft, die in Ihrem Freikörperbild auftritt, die entsprechende Kraft an, die zusammen mit der ersten ein Newton'sches *(actio-reactio)* Kräftepaar bildet.

1. Ein Holzklotz, der sich anfänglich in Ruhe befindet, bekommt durch eine Hand einen kurzen Stoß. Der Klotz rutscht auf dem Boden entlang, wobei er nach und nach langsamer wird und dann zum Stillstand kommt.

   1.1 Zeichnen Sie für den Klotz für jeden der drei dargestellten Zeitpunkte jeweils ein Freikörperbild unter dem entsprechenden Bild.

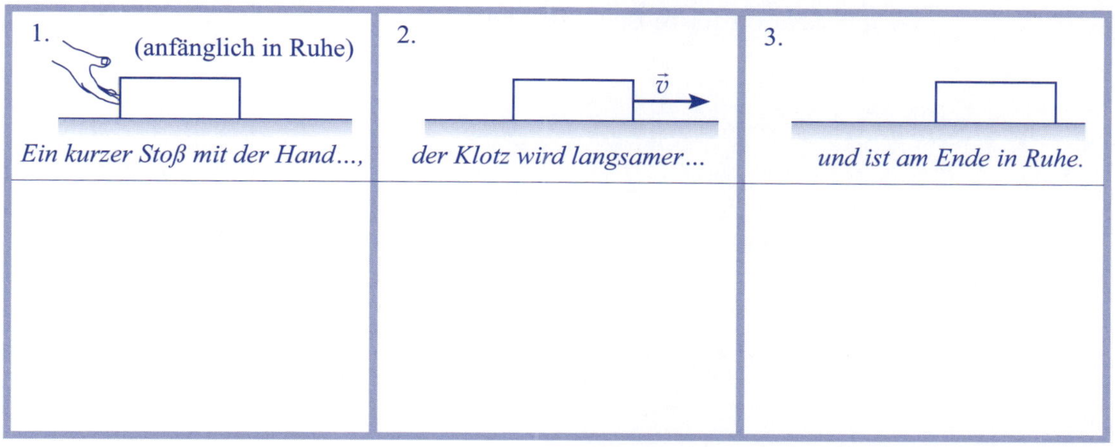

   1.2 Ordnen Sie die *horizontalen* Kräfte im Freikörperbild für Zeitpunkt 1 nach ihrem Betrag. Begründen Sie.

   1.3 Gibt es in Ihrem Freikörperbild für Zeitpunkt 1 Kräfte, die in Ihrem Freikörperbild für Zeitpunkt 2 nicht auftreten? Falls ja, geben Sie für jede dieser Kräfte an, warum Sie diese zwar in Freikörperbild 1, nicht aber in Freikörperbild 2 eingezeichnet haben.

   1.4 Gibt es in Ihrem Freikörperbild für Zeitpunkt 1 Kräfte, die in Ihrem Freikörperbild für Zeitpunkt 3 nicht auftreten? Falls ja, geben Sie für jede dieser Kräfte an, warum Sie diese zwar in Freikörperbild 1, nicht aber in Freikörperbild 3 eingezeichnet haben.

2. Zwei Kisten befinden sich in einem Aufzug wie in der Abbildung unten gezeigt. Die Masse von Kiste A ist *größer* als die von Kiste B.

2.1 Der Aufzug bewegt sich mit *konstanter Geschwindigkeit* nach unten.

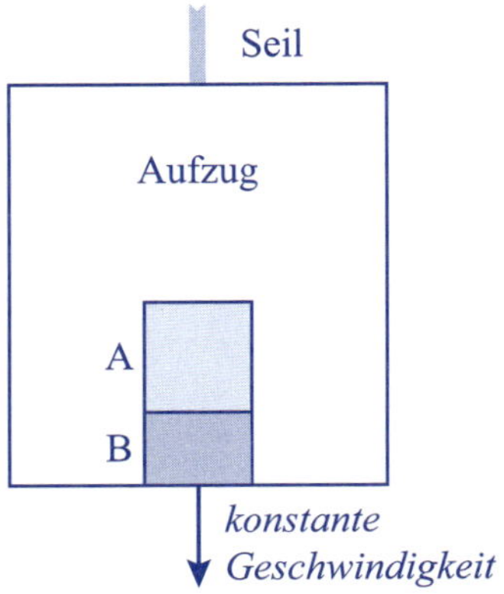

a. Vergleichen Sie die Beschleunigung von Kiste A mit der von Kiste B. Begründen Sie.

b. Zeichnen Sie für die beiden Kisten jeweils ein Freikörperbild.

Freikörperbild für Kiste A	Freikörperbild für Kiste B

c. Ordnen Sie die auf die Kisten wirkenden Kräfte nach ihrem Betrag. Begründen Sie Ihre Antwort und geben Sie an, wie Sie das zweite und dritte Newton'sche Gesetz verwendet haben.

d. Zeichnen Sie in die Zeichenfelder rechts jeweils einen Pfeil ein, welcher die Richtung der resultierenden Kraft auf die Kiste angibt. Falls die resultierende Kraft auf eine der beiden Kisten gleich Null ist, geben Sie dies ausdrücklich an. Begründen Sie.

Richtung der resultierenden Kraft

Kiste A	Kiste B

Ist der Betrag der resultierenden Kraft auf Kiste A *größer, kleiner* oder *gleich* dem Betrag der resultierenden Kraft auf Kiste B? Begründen Sie.

2.2 Kurz bevor der Aufzug sein Ziel erreicht, verringert er seine Geschwindigkeit. (Er bewegt sich zu diesem Zeitpunkt jedoch weiterhin abwärts.)

a. Vergleichen Sie die Beschleunigung von Kiste A mit der von Kiste B. Begründen Sie.

b. Zeichnen Sie für die beiden Kisten jeweils ein Freikörperbild.

Freikörperbild für Kiste A	Freikörperbild für Kiste B

c. Ordnen Sie die auf die Kisten wirkenden Kräfte nach ihrem Betrag. Begründen Sie Ihre Antwort und geben Sie an, wie Sie das zweite und dritte Newton'sche Gesetz verwendet haben.

d. Zeichnen Sie in die Zeichenfelder rechts jeweils einen Pfeil, der die Richtung der resultierenden Kraft auf die Kiste angibt. Falls die resultierende Kraft auf eine der beiden Kisten gleich Null ist, geben Sie dies ausdrücklich an. Begründen Sie Ihre Antwort.

Richtung der resultierenden Kraft

Kiste A	Kiste B

Ist der Betrag der resultierenden Kraft auf Kiste A *größer*, *kleiner* oder *gleich* dem Betrag der resultierenden Kraft auf Kiste B? Begründen Sie Ihre Antwort.

3. Eine Hand schiebt drei gleiche Ziegelsteine (siehe Skizze rechts). Die Steine bewegen sich nach links und werden dabei schneller. System A besteht aus zwei aufeinander liegenden Steinen. System B besteht aus einem einzelnen Stein. System C besteht aus allen drei Steinen. *Zwischen den Ziegelsteinen und dem Tisch tritt Reibung auf.*

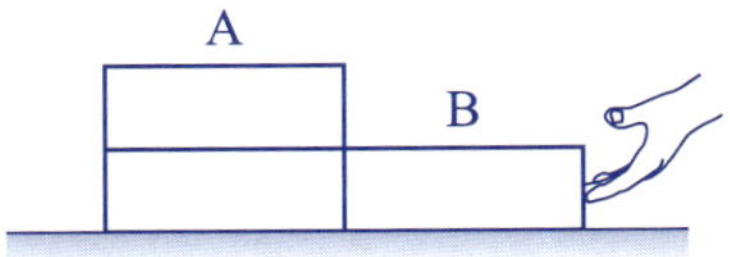

3.1 Zeichnen Sie für die Systeme A und B jeweils ein Freikörperbild.

Freikörperbild für System A	Freikörperbild für System B

3.2 Der Beschleunigungsvektor von System A ist nebenstehend eingezeichnet. Zeichnen Sie die Beschleunigungsvektoren für die Systeme B und C im gleichen Maßstab. Begründen Sie Ihre Antwort.

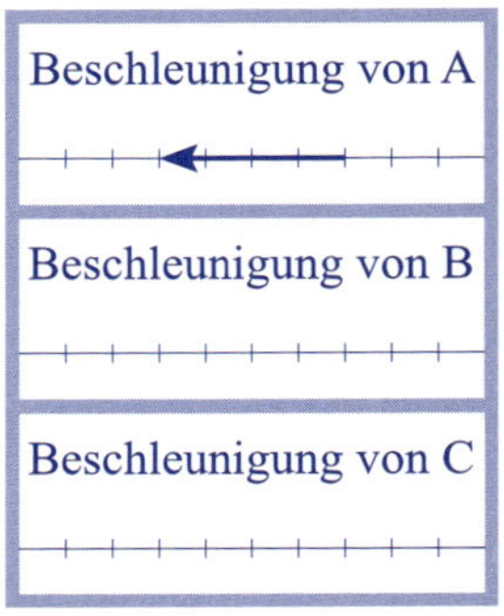

3.3 Der Vektor der auf System A wirkenden Gesamtkraft ist nebenstehend eingezeichnet. Zeichnen Sie die Vektoren der auf die Systeme B und C wirkenden Gesamtkräfte im gleichen Maßstab. Begründen Sie.

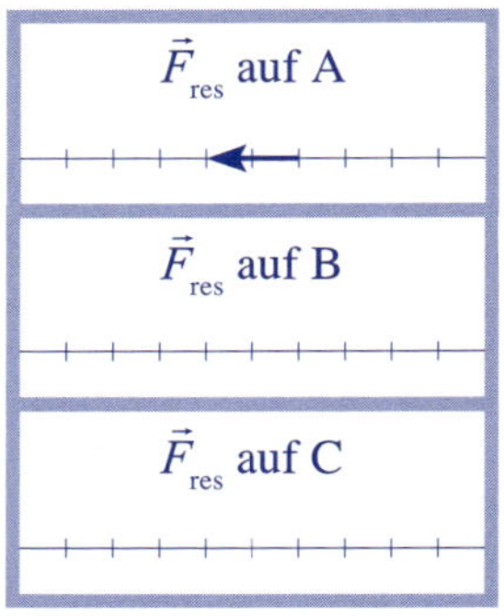

3.4 Der Vektor der auf System A wirkenden Reibungskraft ist unten eingezeichnet. Zeichnen Sie die übrigen Kraftvektoren im gleichen Maßstab.

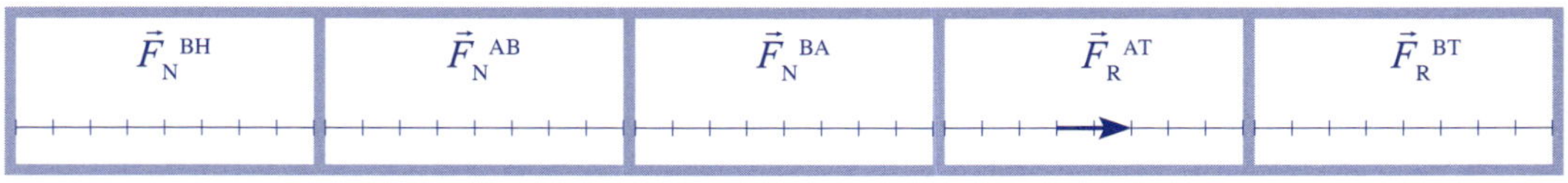

Erläutern Sie, wie Sie die Kraftvektoren bestimmt haben.

4. Die nachfolgende Tabelle enthält Informationen über die Bewegung einer Kiste in vier verschiedenen Situationen. In jedem der Fälle liegt die Information in einer der folgenden Formen vor: (1) als algebraischer Ausdruck des zweiten Newton'schen Gesetzes, (2) als Freikörperbild, oder (3) als Beschreibung in Worten mit einem Bild der Problemstellung. Vervollständigen Sie die Tabelle, indem Sie in jedem der Fälle die jeweils fehlenden Darstellungen ergänzen. Fall 1 wurde als Beispiel gelöst.

   Beachten Sie, dass alle Symbole in den Gleichungen positive Größen darstellen. Verwenden Sie jeweils ein Koordinatensystem, in dem die positive x-Richtung nach rechts und die positive y-Richtung nach oben gerichtet sind.

Notation: K-Kiste, D-Dose, H-Hand, O-Oberfläche, E-Erde, S, S_1, S_2-masselose Seile

	(1) algebraischer Ausdruck für zweites Newton'sches Gesetz $\vec{F}_{res} = m\vec{a}$	(2) Freikörperbild für Kiste	(3) Beschreibung und Bild zur Problemstellung
a. Beispiel	horizontale Bewegung: $F_N^{KH} - F_R^{KD} = m_K a$ vertikale Bewegung: $F_N^{KO} - F_G^{KE} - F_N^{KD} = 0$	resultierende Kraft nach rechts 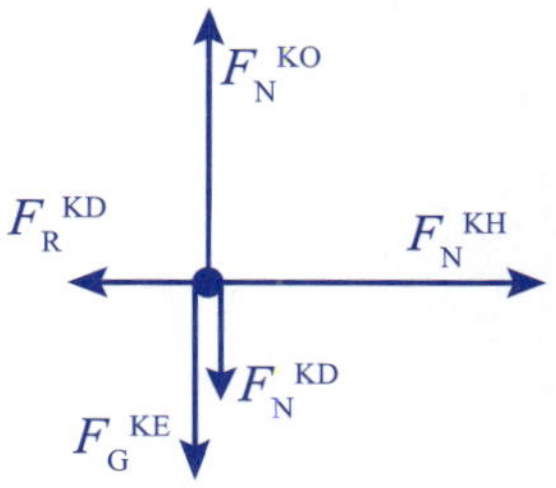	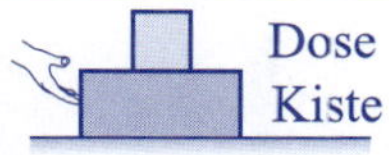 Eine Dose befindet sich auf einer Kiste, die von einer Hand in die positive x-Richtung geschoben wird. Zwischen der Dose und der Kiste tritt Reibung auf. Die Kiste wird auf einer reibungsfreien Oberfläche nach rechts beschleunigt.
b.	horizontale Bewegung: $F_S^{KS} \cos\theta - F_N^{KH} = -m_K a$ vertikale Bewegung: $F_S^{KS} \sin\theta + F_N^{KO} - F_G^{KE} = 0$	resultierende Kraft nach __________	
c.		resultierende Kraft nach __________	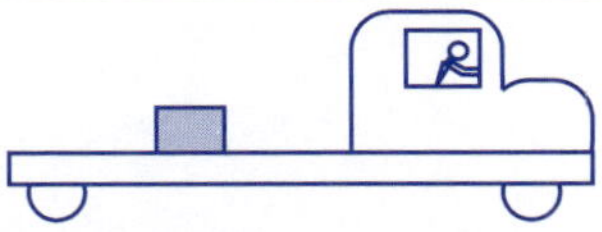 Eine Kiste befindet sich auf der Ladefläche eines LKWs. Der LKW beschleunigt auf gerader Straße in die positive x-Richtung. Die Kiste bleibt relativ zum LKW in Ruhe.
d.		resultierende Kraft nach unten 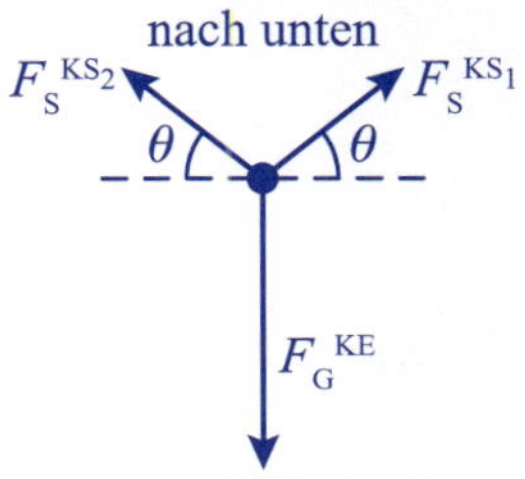	

5. Zwei Klötze werden so nach rechts geschoben, dass sie sich gemeinsam mit zunehmender Geschwindigkeit bewegen. Klotz B bleibt dabei in gleicher Höhe. Vernachlässigen Sie die Reibung zwischen dem Tisch und Klotz A, jedoch nicht zwischen Klotz A und Klotz B. Die Masse von Klotz A beträgt 10 kg, die von Klotz B 2 kg. C bezeichne das System bestehend aus Klotz A und B. (Verwenden Sie $g = 10\,\mathrm{m/s^2}$.)

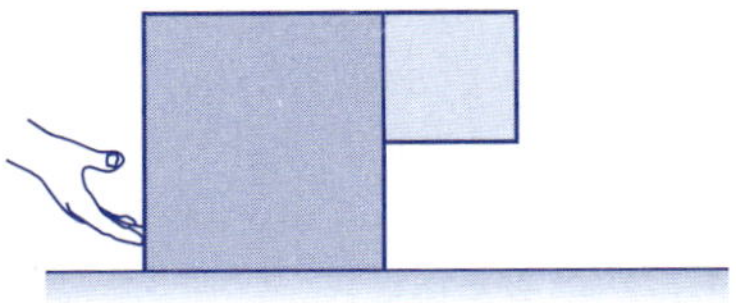

5.1 Führen Sie folgende Aufgaben jeweils für Klotz A, Klotz B und System C aus: (1) Zeichnen Sie ein Freikörperbild, (2) markieren Sie alle Newton'schen Kräftepaare und (3) stellen Sie das zweite Newton'sche Gesetz in algebraischer Form dar.

		Klotz A	Klotz B	System C
Freikörperbilder				
algebraischer Ausdruck für zweites Newton'sches Gesetz	*x*:			
	y:			

5.2 Berechnen Sie den Betrag der vom Tisch auf System C ausgeübten Kraft (F_N^{CT}), indem Sie nur die Kräfte in Ihrem Freikörperbild für System C verwenden.

5.3 Berechnen Sie den Betrag der vom Tisch auf Klotz A ausgeübten Kraft (F_N^{AT}), indem Sie *nur* die Kräfte in Ihren Freikörperbildern für die Klötze A und B verwenden.

Welchen Zusammenhang erwarten Sie zwischen den Werten von F_N^{CT} und F_N^{AT}?

5.4 Nehmen Sie an, die Reibung zwischen den beiden Klötzen werde verringert, sodass Klotz B nach unten rutscht, während sich die beiden Klötze nach rechts bewegen. Die abwärtsgerichtete Komponente der Beschleunigung von Klotz B beträgt $1\,\mathrm{m/s^2}$.

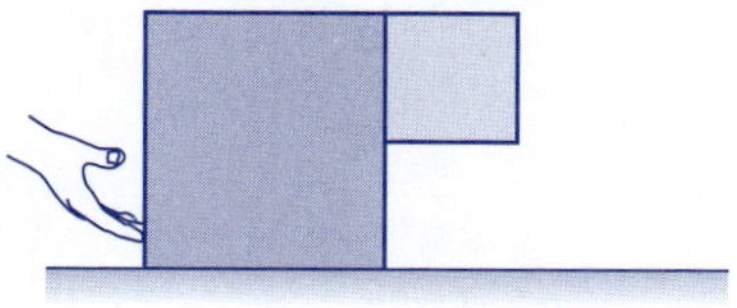

a. Führen Sie folgende Aufgaben jeweils für die Klötze A und B erneut aus: (1) Zeichnen Sie ein Freikörperbild und (2) stellen Sie das zweite Newton'sche Gesetz in algebraischer Form dar.

<table>
<tr><th colspan="2"></th><th>Klotz A</th><th>Klotz B</th></tr>
<tr><td colspan="2">Freikörperbilder</td><td></td><td></td></tr>
<tr><td rowspan="2">algebraischer Ausdruck für zweites Newton'sches Gesetz</td><td>x:</td><td></td><td></td></tr>
<tr><td>y:</td><td></td><td></td></tr>
</table>

b. Ist der Betrag der in diesem Fall vom Tisch auf Klotz A ausgeübten Kraft *größer*, *kleiner* oder *gleich* der entsprechenden Kraft in Teil 5.3? Begründen Sie.

c. Berechnen Sie den Betrag der vom Tisch auf Klotz A ausgeübten Kraft. Verdeutlichen Sie Ihren Lösungsweg.

1. Eine Person zieht gleich stark an zwei masselosen Schnüren, die an einem Klotz befestigt sind. (Siehe Abbildung rechts.) Die beiden Schnüre bleiben straff gespannt und symmetrisch. Der Winkel, den sie mit der Horizontalen einschließen, ist konstant.

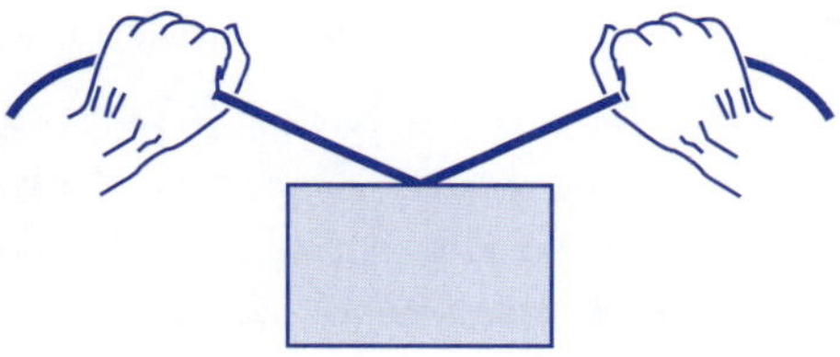

1.1 Zeichnen Sie für jede der unten beschriebenen vier Bewegungen einen Pfeil, um die Richtung der Beschleunigung des Klotzes anzugeben.

Klotz bewegt sich nach unten und wird schneller.	Klotz bewegt sich nach unten und wird langsamer.	Klotz bewegt sich nach oben und wird schneller.	Klotz bewegt sich nach oben und wird langsamer.

1.2 Zeichnen Sie für jede der vier Bewegungen einen Pfeil, um die Richtung der auf den Klotz wirkenden Gesamtkraft anzugeben.

Klotz bewegt sich nach unten und wird schneller.	Klotz bewegt sich nach unten und wird langsamer.	Klotz bewegt sich nach oben und wird schneller.	Klotz bewegt sich nach oben und wird langsamer.

Geben Sie an, wie Sie die Richtung der Gesamtkraft in den vier Fällen bestimmt haben.

1.3 Zeichnen und beschriften Sie ein Freikörperbild für den Klotz in jedem der vier Fälle. Geben Sie die relativen Beträge der Kräfte durch die Länge der Kraftvektoren wieder. *Zeichnen Sie alle Diagramme im gleichen Maßstab.*

Klotz bewegt sich nach unten und wird schneller.	Klotz bewegt sich nach unten und wird langsamer.	Klotz bewegt sich nach oben und wird schneller.	Klotz bewegt sich nach oben und wird langsamer.

2. Ein Student macht folgende Aussage über die vier Bewegungen in Aufgabe 1.

„Der Betrag der Kraft, die der Klotz auf eine Schnur ausübt, ist gleich dem Betrag der Kraft, welche die entsprechende Schnur auf den Klotz ausübt, denn die beiden Kräfte bilden ein Newton'sches Kräftepaar. Wenn das zutrifft, dann verstehe ich nicht, warum sich der Klotz nicht mit konstanter Geschwindigkeit bewegt."

Der Student hat das Newton'sche (*„actio-reactio"*) Kräftepaar richtig erkannt. Erklären Sie, warum daraus jedoch *nicht* folgt, dass sich der Klotz mit konstanter Geschwindigkeit bewegen muss.

3. Fünf gleiche Klötze, jeder mit der Masse m, werden wie gezeigt über eine ebene Oberfläche gezogen. Nehmen Sie an, die Schnüre seien masselos und es trete keine Reibung auf.

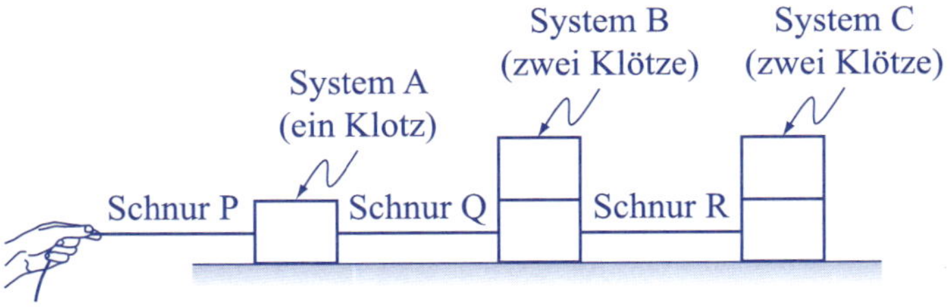

3.1 Beschreiben Sie die jeweilige Bewegung der Systeme A, B und C.

3.2 Zeichnen Sie Vektoren, um die Beschleunigungen der drei Systeme darzustellen.

Beschleunigung von System A	Beschleunigung von System B	Beschleunigung von System C

3.3 Zeichnen und beschriften Sie Freikörperbilder für die Systeme A, B und C.

Freiköperbild für System A	Freikörperbild für System B	Freikörperbild für System C

3.4 Ordnen Sie die auf die drei Systeme wirkenden Gesamtkräfte nach ihrem Betrag. Begründen Sie Ihre Antwort.

3.5 Drücken Sie die Beträge der Zugkräfte in den Schnüren P und R durch F_Q, die Zugkraft in Schnur Q aus. Machen Sie Ihren Lösungsweg deutlich.

1. Die nebenstehende Abbildung zeigt eine Hand, die einen Klotz schiebt. Der Klotz erfährt dabei eine Verschiebung $\Delta\vec{s}$.

   1.1 Angenommen, die Kraft, die von der Hand ausgeübt wird, wäre nun schräg nach unten gerichtet, wie im unteren Bild dargestellt. Sowohl die Verschiebung des Klotzes als auch der Betrag der Kraft seien die gleichen wie zuvor.

   Wäre die von der geänderten Kraft verrichtete Arbeit *größer, kleiner* oder *gleich* der von der ursprünglichen Kraft verrichteten Arbeit? Begründen Sie.

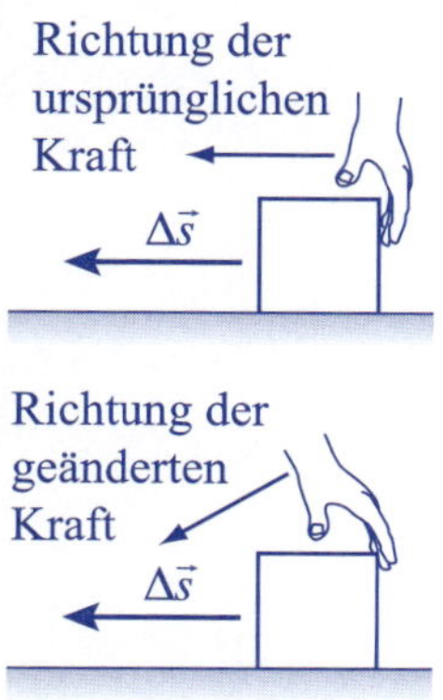

   1.2 Angenommen, die Hand übt eine Kraft gleichen Betrages aus, ohne dabei Arbeit zu verrichten. Die Verschiebung des Klotzes ist die gleiche wie zuvor. Zeichnen Sie an der vorgegebenen Stelle rechts einen Pfeil, der die Richtung der Kraft angibt.

Verschiebung des Klotzes	Kraft der Hand auf den Klotz
⟵	

2. Ein Klotz befindet sich in einer Kiste. Die Innenflächen der Kiste sind reibungsfrei. Die Kiste wird mithilfe eines Seils auf einer reibungsfreien, waagerechten Fläche eine Strecke d nach links gezogen. Das Seil übt dabei eine konstante Kraft vom Betrag F_o aus.

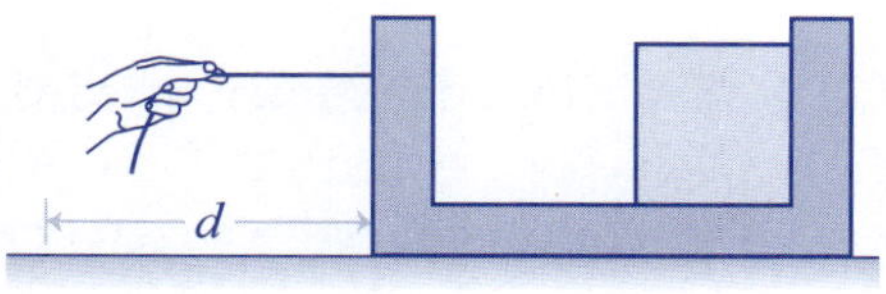

   2.1 Zeichnen und beschriften Sie je ein Freikörperbild für die Kiste und den Klotz.

Freikörperbild für Kiste	Freikörperbild für Klotz

   2.2 Kennzeichnen Sie sämtliche auftretenden *Newton'schen („actio-reactio") Kräftepaare* in Ihren Freikörperbildern mithilfe eines oder mehrerer Kreuze („×") an jedem der beiden Kräftepfeile eines Paares.

   2.3 Geben Sie für jede der in Ihren Freikörperbildern auftretenden Kräfte an, ob die jeweilige Kraft *positive, negative* oder *keine* Arbeit verrichtet. Begründen Sie.

2.4 Betrachten Sie die folgende Aussage:

„Die Kiste verrichtet keine Arbeit am Klotz. Da der Klotz nicht rutscht, ist seine Verschiebung in der Kiste gleich Null."

Stimmen Sie dieser Aussage zu? Begründen Sie Ihre Antwort.

2.5 Bestimmen Sie das Vorzeichen der Gesamtarbeit (1.) am Klotz und (2.) an der Kiste. Begründen Sie.

2.6 Ist der Absolutbetrag der *Gesamtarbeit* an der Kiste *größer, kleiner* oder *gleich* der Größe $F_o \cdot d$? Begründen Sie Ihre Antwort.

2.7 Ändert sich Ihre Antwort in Teil 2.6, wenn der Klotz aus der Kiste entfernt wird? (Nehmen Sie an, das Seil übt weiterhin eine Kraft vom Betrag F_o bei einer Verschiebung d aus.) Begründen Sie.

3. Ein Klotz der Masse m wird auf einer reibungsfreien Rampe mit der Anfangsgeschwindigkeit v_o gestartet (siehe Abbildung). Der Klotz gleitet die Rampe hinauf und bewegt sich anschließend waagerecht weiter.

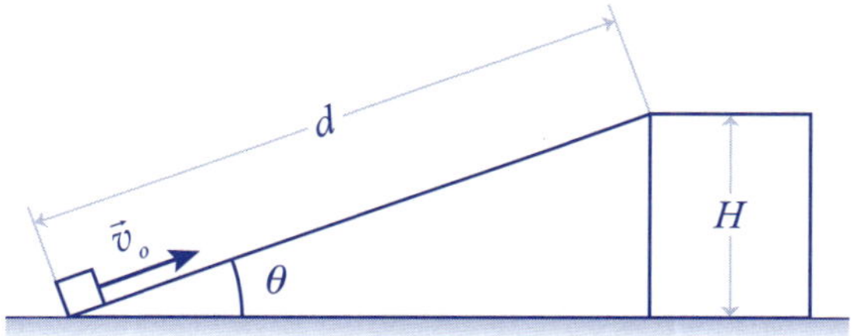

3.1 Zeichnen und beschriften Sie ein Freikörperbild für den Klotz für einen Zeitpunkt, während er sich (nach dem Start) die Rampe hinauf bewegt.

3.2 Bestimmen Sie für jede Kraft auf den Klotz den Winkel zwischen der Verschiebung des Klotzes und der Kraft (während sich der Klotz die Rampe hinauf bewegt).

Geben Sie zu jeder Kraft einen mathematischen Ausdruck für die Arbeit an, die diese Kraft am Klotz verrichtet, während er sich die Rampe hinauf bewegt. Verwenden Sie für Ihre Antwort mehrere oder alle der folgenden Größen: $\sin\theta$, $\cos\theta$, m, g und d. Falls eine Kraft keine Arbeit verrichtet, geben Sie dies bitte ausdrücklich an. Verdeutlichen Sie Ihren Lösungsweg. Möglicherweise benötigen Sie das folgende Additionstheorem: $\cos(\alpha + \beta) = \cos\alpha \cos\beta - \sin\alpha \sin\beta$.

Geben Sie einen mathematischen Ausdruck für die Gesamtarbeit am Klotz an, während dieser sich vom unteren zum oberen Ende der Rampe bewegt. Verwenden Sie dabei die folgenden Größen: den Betrag der Gewichtskraft mg auf den Klotz und die Höhe H der Rampe. Verdeutlichen Sie Ihren Lösungsweg.

4. Das nebenstehende Diagramm zeigt die *Kraft* in Abhängigkeit vom *Ort* für einen Klotz, der an einer Feder befestigt ist. Betrachten Sie das Zeitintervall, in dem der Klotz sich von $x = 0{,}5\,\text{m}$ nach $x = 0{,}1\,\text{m}$ bewegt.

   4.1 Welches Vorzeichen und welchen Betrag hat die Arbeit, die während dieses Zeitintervalls von der Feder am Klotz verrichtet wird? Begründen Sie.

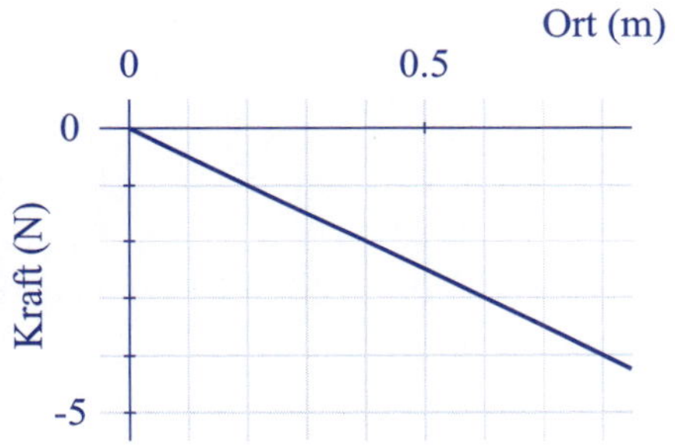

   4.2 Die Feder wird nun durch ein Seil ersetzt, das mit einer konstanten Kraft vom Betrag F_o zieht. Welchen Wert muss F_o haben, damit die vom Seil verrichtete Arbeit gleich der von der Feder verrichteten Arbeit ist (während sich der Klotz jeweils von $x = 0{,}5\,\text{m}$ nach $x = 0{,}1\,\text{m}$ bewegt)? Begründen Sie.

;leiche Klötze, A und B, befinden sich auf einer reibungsfreien Oberfläche und sind eine masselose Feder verbunden. Die Feder ist zu Beginn entspannt. Während ɜitintervalls von t_1 bis t_2 wird Klotz A um eine Strecke d_A verschoben. Die in der lung dargestellte Hand übt dabei eine Kraft vom Betrag F_A aus. Klotz B ist an 'and befestigt. Die Wand übt dabei auf Klotz B eine Kraft aus, die sich mit der ndert, aber immer nach links gerichtet ist.

)ie nachfolgenden Fragen beziehen sich auf das Zeitintervall von t_1 bis t_2.

a. Ist die Arbeit, die von der Hand an Klotz A verrichtet wird, *positiv, negativ* oder *gleich Null*? Begründen Sie.

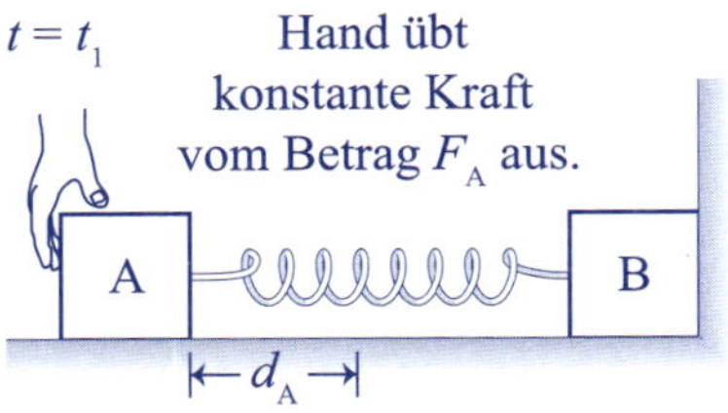

b. Ist die Arbeit, die von der Hand an Klotz B verrichtet wird, *positiv, negativ* oder *gleich Null*? Begründen Sie.

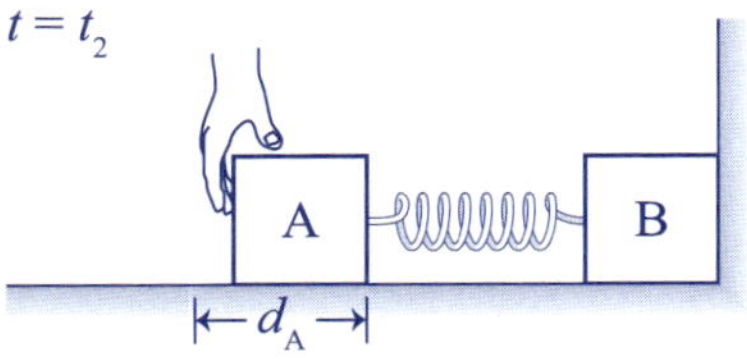

c. System X besteht aus Klotz A, Klotz B und der Feder. Geben Sie einen mathematischen Ausdruck für die Gesamtarbeit der äußeren Kräfte an diesem System in Abhängigkeit von den gegebenen Größen an. Begründen Sie.

(lotz B wird nun entfernt und das rechte Ende der Feder direkt an der Wand ›efestigt (siehe Abbildung). Während des Zeitintervalls von t_3 bis t_4 wird Klotz A ·rneut um die Strecke d_A verschoben, indem die Hand eine Kraft vom Betrag F_A ɩusübt. Die Wand übt auf die Feder eine Kraft aus, die sich mit der Zeit ändert, ɩber immer nach links gerichtet ist.

3etrachten Sie das Zeitintervall von t_3 bis t_4.

a. System Y bestehe aus Klotz A und der Feder. Erwarten Sie, dass die Gesamtarbeit der äußeren Kräfte an System Y während dieses Intervalls *größer, kleiner* oder *gleich* der Gesamtarbeit der äußeren Kräfte an System X im Intervall von t_1 bis t_2 ist? Begründen Sie.

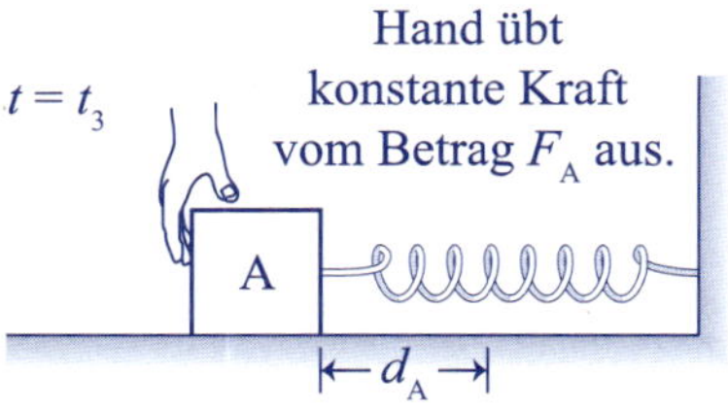

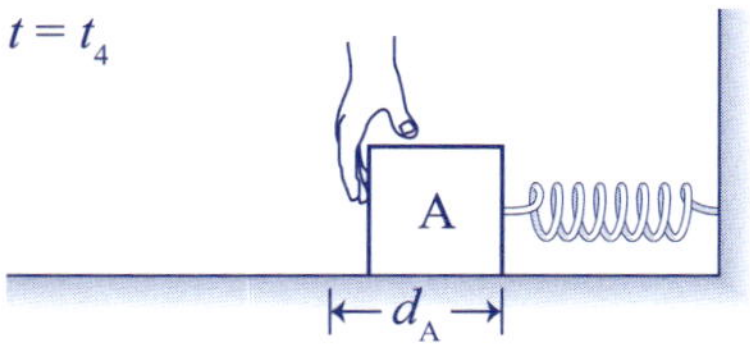

b. Geben Sie einen mathematischen Ausdruck an, der die Arbeit der Hand an Klotz A in Abhängigkeit von den gegebenen Größen beschreibt. Begründen Sie.

c. Welchen Wert hat die Verschiebung des linken Endes der Feder während dieses Intervalls?

Welchen Wert hat die Verschiebung des rechten Endes der Feder während dieses Intervalls?

Welche dieser Verschiebungen sollte verwendet werden, um die Arbeit der Wand an der Feder zu berechnen? Begründen Sie. Ist die Arbeit der Wand an der Feder *positiv, negativ* oder *gleich Null*?

d. Geben Sie einen mathematischen Ausdruck an, der die Gesamtarbeit der äußeren Kräfte an System Y in Abhängigkeit von den gegebenen Größen beschreibt. Begründen Sie.

5.3 Ist Ihre Antwort in Teil 5.2.d mit Ihren Antworten auf die Fragen in 5.2.a und 5.1.c vereinbar? Wenn ja, geben Sie an wie. Wenn nicht, lösen Sie den Widerspruch auf.

1. Eine Kugel der Masse m fällt nahe der Erdoberfläche aus der Höhe h_1 und hat beim Passieren der Höhe h_2 eine Geschwindigkeit vom Betrag v_2. Vernachlässigen Sie die Luftreibung.

 1.1 Betrachten Sie das System S, das aus der Kugel und der Erde besteht.

  a. Nimmt die Gesamtenergie des Systems S *zu*, nimmt sie *ab* oder bleibt sie *gleich*, während die Kugel von der Höhe h_1 auf die Höhe h_2 hinabfällt? Betrachten Sie hierzu die *Gesamtarbeit der äußeren Kräfte* am System S.

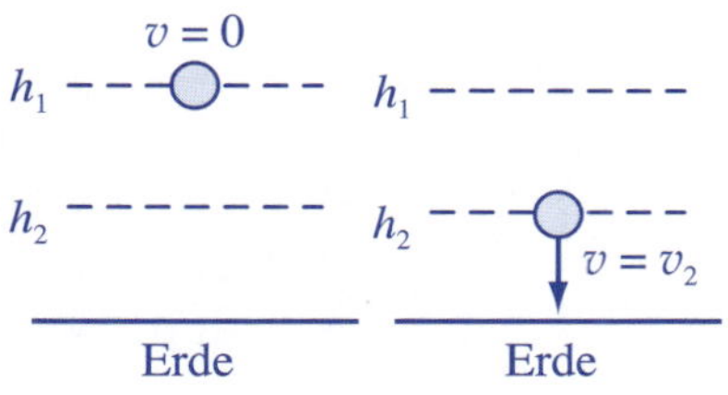

  b. Betrachten Sie die folgende Diskussion zwischen zwei Studierenden:

  Maria: *„Alle Vorgänge finden im Inneren von System S statt. Deshalb ändert sich seine potentielle Energie nicht. Da die kinetische Energie der Kugel aber zunimmt, muss auch die Gesamtenergie von System S zunehmen."*

  Hermann: *„Ich glaube, dass die Änderung der potentiellen Energie des Systems deshalb Null ist, weil die Strecke, um die sich die Kugel bewegt, im Vergleich zur Größe der Erde sehr klein ist. Die Änderung der Gesamtenergie von System S ist deshalb gleich der Änderung der kinetischen Energie der Kugel."*

  Stimmen Sie einer der beiden Aussagen zu? Wenn ja, welcher? Begründen Sie Ihre Antwort.

  c. Geben Sie für jede der folgenden Größen einen mathematischen Ausdruck an. Verwenden Sie dabei die in der Aufgabenstellung gegebenen Größen sowie ggf. physikalische Konstanten. Falls eine oder mehrere der gesuchten Größen gleich Null sind, geben Sie dies bitte ausdrücklich an.

  - die Änderung der kinetischen Energie von System S
  - die Änderung der potentiellen Energie von System S
  - die Gesamtarbeit der äußeren Kräfte an System S

  d. Geben Sie eine Gleichung an, welche die obigen Ausdrücke miteinander in Beziehung setzt.

  e. Lösen Sie die Gleichung aus Teil d nach der Geschwindigkeit v_2 auf. Ist Ihr Ergebnis mit dem vereinbar, was Sie durch Anwendung kinematischer Zusammenhänge (bei gegebener Erdbeschleunigung g nahe der Erdoberfläche) erhalten würden? Wenn nicht, lösen Sie den Widerspruch auf.

1.2 Betrachten Sie nun System T, das nur aus der Kugel besteht.

a. Nimmt die Gesamtenergie des Systems T *zu*, nimmt sie *ab* oder bleibt sie *gleich*, während die Kugel von der Höhe h_1 auf die Höhe h_2 hinabfällt? Betrachten Sie hierzu die *Gesamtarbeit der äußeren Kräfte* am System T.

b. Geben Sie für jede der folgenden Größen einen mathematischen Ausdruck an. Verwenden Sie dabei die in der Aufgabenstellung gegebenen Größen sowie ggf. physikalische Konstanten. Falls eine oder mehrere der gesuchten Größen gleich Null sind, geben Sie dies bitte ausdrücklich an.

- Die Gesamtarbeit am System T
- Die Änderung der kinetischen Energie von System T
- Die Änderung der potentiellen Energie von System T

c. Betrachten Sie die folgende richtige Aussage zur potentiellen Energie:

„Änderungen der potentiellen Energie sind verbunden mit Änderungen der Form oder der Anordnung von Bestandteilen des Systems. Ein System, das aus einem einzelnen Körper besteht, dessen Form und innerer Aufbau sich nicht ändern, erfährt keine Änderung der potentiellen Energie."

Ist Ihre Antwort im dritten Punkt von Teil b mit dieser Aussage vereinbar? Wenn ja, geben Sie an, wie. Wenn nicht, wie können Sie Ihre Antwort oben ändern, um den Widerspruch aufzulösen?

d. Geben Sie eine Gleichung an, welche die drei Ausdrücke in Teil b miteinander in Beziehung setzt.

e. Lösen Sie die Gleichung aus Teil d nach der Geschwindigkeit v_2 auf.

1.3 Überprüfen Sie, ob Ihre Antwort in Teil 1.2.e mit der in Teil 1.1.e vereinbar ist. Wenn nicht, lösen Sie den Widerspruch auf.

1.4 Fassen Sie Ihre Ergebnisse zu Arbeit und Energie im Folgenden zusammen:

a. Beschreiben Sie den Einfluss, den die Erde auf die Energie des Systems S hat (also wenn die Erde Teil des Systems ist).

b. Beschreiben Sie den Einfluss, den die Erde auf die Energie des Systems T hat (also wenn die Erde nicht Teil des Systems ist).

2. Ein Student beobachtet, wie ein Apfel von einem Baum herab fällt und macht die folgende Aussage:

„Die Erde übt eine Kraft, die Gravitationskraft, auf den Apfel aus. Die Erde verrichtet dabei Arbeit an dem Apfel. Man kann diese Wechselwirkung also mit der folgenden Gleichung beschreiben:

$$W_{Apfel,Erde} = \Delta E_{kin} + \Delta E_{pot}.$$

Die Arbeit, die von der Erde verrichtet wird, erhöht also die kinetische Energie des Apfels und verringert seine potentielle Energie."

Welchen Fehler macht der Student? Wie können Sie die Aussage des Studenten bzw. die angegebene Gleichung korrigieren?

3. Eine Feder wird dazu verwendet, einen Klotz auf einer reibungsfreien Rampe in Bewegung zu versetzen. Die Abbildung unten zeigt den Klotz unmittelbar vor dem Zeitpunkt t_1, zu dem er bei gestauchter Feder mit der rechten Kante am Punkt A losgelassen wird. Der Klotz beginnt sich die Rampe hinaufzubewegen und löst sich am Punkt B von der Feder. Beim Passieren von Punkt C bewegt er sich aufwärts mit der Geschwindigkeit v_C.

Betrachten Sie im Folgenden verschiedene Systeme, die jeweils den Klotz sowie gegebenenfalls einen oder mehrere weitere Körper enthalten.

3.1 Ist es möglich, ein System zu wählen, dessen Gesamtenergie während des Zeitintervalls von t_1 bis t_2 konstant bleibt? Wenn ja, geben Sie an, welche Körper im System enthalten sein müssen. Begründen Sie.

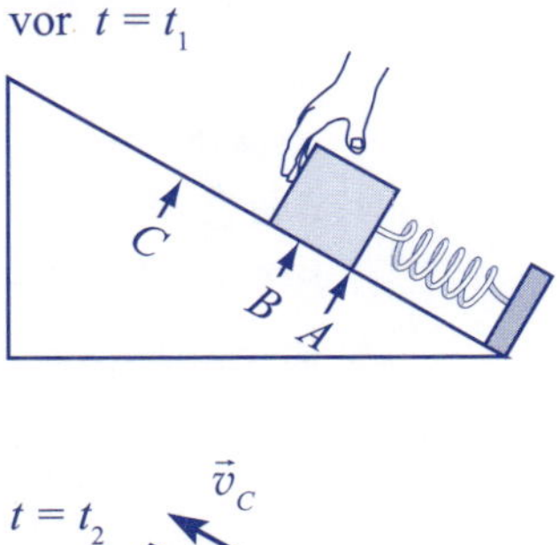

3.2 Ist es möglich, ein System zu wählen, dessen Gesamtenergie während des Zeitintervalls von t_1 bis t_2 nicht konstant bleibt? Wenn ja, welches ist das System mit der geringsten Anzahl von enthaltenen Körpern, dessen Energie während dieses Intervalls nicht konstant ist? Begründen Sie.

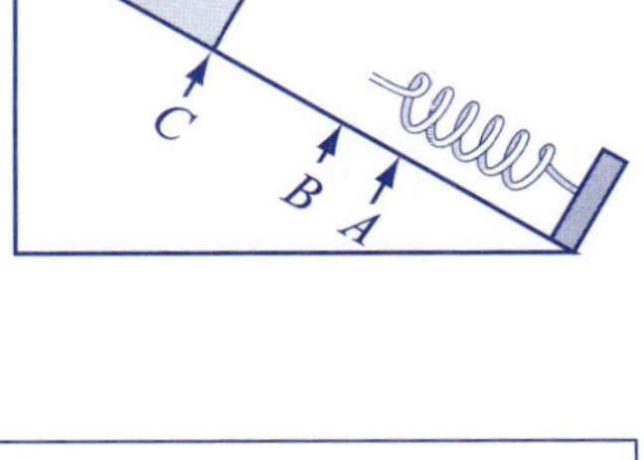

4. Zwei gleichartige Klötze sind mit einer idealen Feder verbunden. Die Klötze werden auf einer reibungsfreien, horizontalen Oberfläche aufeinander zu geschoben. Die beiden Hände üben dabei jeweils konstante horizontale Kräfte vom Betrag F_o aus. Zum Zeitpunkt t_1 ist die Feder entspannt und die Klötze haben jeweils Geschwindigkeiten vom Betrag v_1. Zum Zeitpunkt t_2, der das Ende des Experiments markiert, haben sich beide Klötze um eine Strecke d_o bewegt. Die Geschwindigkeiten der beiden Klötze zum Zeitpunkt t_2 haben jeweils den Betrag v_2 (mit $v_2 < v_1$).

4.1 Geben Sie jeweils an, ob die nachfolgenden Größen für das Zeitintervall von t_1 bis t_2 *positiv, negativ* oder *gleich Null* sind. Begründen Sie.

a. Die Arbeit der linken Hand an Klotz A

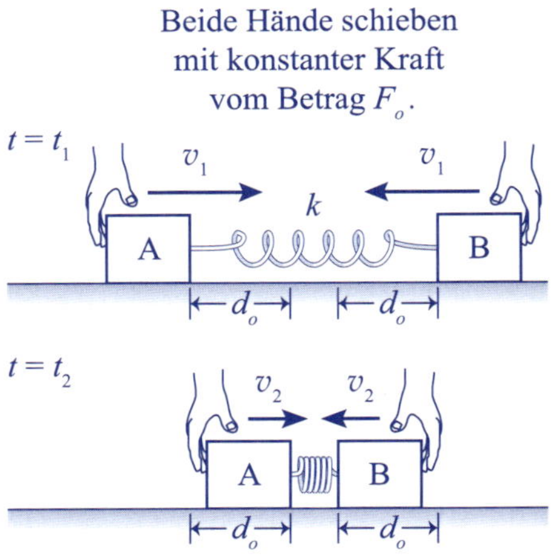

b. Die Arbeit der rechten Hand an Klotz B

c. Die Gesamtarbeit der äußeren Kräfte am System S, das aus Klotz A, Klotz B und der Feder besteht

4.2 Nimmt die Gesamtenergie von System S im Intervall von t_1 bis t_2 *zu*, nimmt sie *ab* oder bleibt sie *gleich*? Begründen Sie.

4.3 Betrachten Sie die folgende Aussage:

„Die kinetische Energie des Systems nimmt ab, da die Geschwindigkeit der Klötze am Ende geringer ist als am Anfang des Experimentes. Gleichzeitig nimmt die potentielle Energie des Systems zu, da die Feder zusammengedrückt wird. Da die Gesamtenergie gleich der kinetischen plus der potentiellen Energie ist, gleichen sich die beiden Änderungen aus und die Gesamtenergie bleibt konstant."

Stimmen Sie dieser Aussage zu? Begründen Sie Ihre Antwort.

1. Kugel A rollt mit der Geschwindigkeit $\vec{v}_{A,0}$ über die Kante einer waagerechten Tischplatte und fällt anschließend zu Boden. Im gleichen Moment, in dem Kugel A die Tischkante verlässt, wird eine zweite gleichartige Kugel B aus der Ruhe in gleicher Höhe wie Kugel A fallen gelassen. Es wird beobachtet, dass beide Kugeln zur gleichen Zeit auf dem Boden auftreffen.

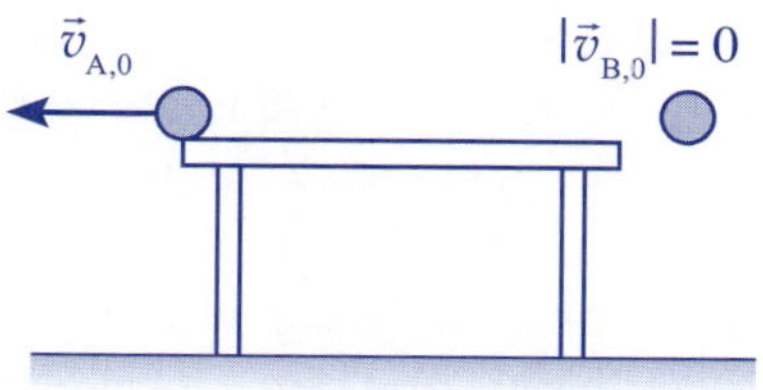

1.1 Die nachfolgenden Fragen beziehen sich auf das Intervall von dem Zeitpunkt, in dem die beiden Kugeln zu fallen beginnen, bis zu einem Zeitpunkt, kurz bevor sie zum ersten Mal den Boden berühren.

a. Ist der Betrag des Kraftstoßes, den Kugel B erfährt, *größer, kleiner* oder *gleich* dem Betrag des Kraftstoßes, den Kugel A erfährt? Begründen Sie Ihre Antwort.

b. Zeichnen Sie in den dafür vorgesehenen Feldern rechts Pfeile ein, welche die Richtung des Kraftstoßes für jede der beiden Kugeln darstellen. Begründen Sie Ihre Antwort.

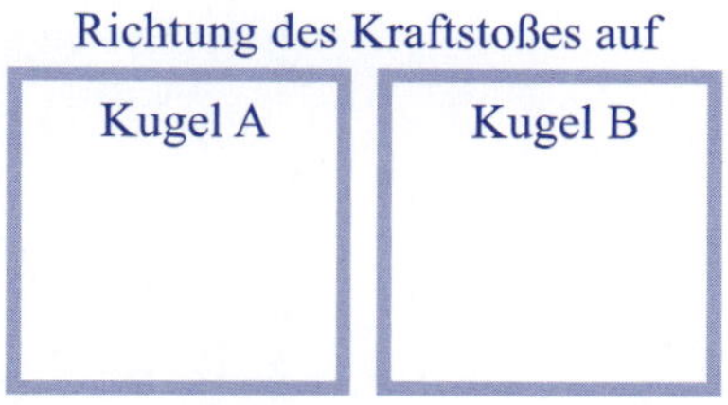

c. Ist die an Kugel B verrichtete Arbeit *größer, kleiner* oder *gleich* der an Kugel A verrichteten Arbeit? Begründen Sie Ihre Antwort.

1.2 Die nachfolgenden Fragen beziehen sich auf einen Zeitpunkt, kurz bevor die Kugeln zum ersten Mal den Boden berühren.

a. Ist der Betrag des Impulses von Kugel B *größer, kleiner* oder *gleich* dem Betrag des Impulses von Kugel A? Begründen Sie Ihre Antwort.

b. Ist die kinetische Energie von Kugel B *größer, kleiner* oder *gleich* der kinetischen Energie von Kugel A? Begründen Sie Ihre Antwort.

2. Zwei gleichartige Scheiben gleiten über eine horizontale, reibungsfreie Tischplatte. Die Geschwindigkeiten der beiden Scheiben haben anfänglich den gleichen Betrag; ihre Richtungen sind jedoch senkrecht zu einander wie im Bild rechts zu sehen.

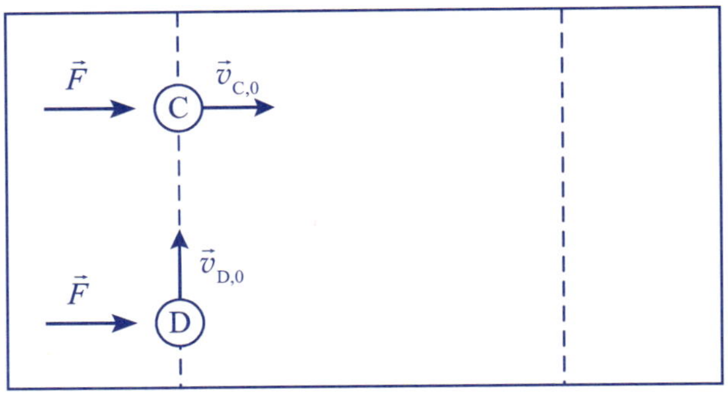

Auf beide Scheiben wird *im selben Zeitintervall* die gleiche konstante Kraft $\vec{F}$ ausgeübt. Die Kraft wirkt auf beide Scheiben von dem im Bild dargestellten Zeitpunkt bis zu dem Moment, in dem *Scheibe C die rechte gestrichelte Linie überquert.* Beide Scheiben bleiben während dieses Zeitintervalls auf dem Tisch und stoßen nicht miteinander zusammen.

2.1 Befindet sich in dem Moment, in dem Scheibe C die rechte Linie überquert, Scheibe D *links von, rechts von* oder *genau auf* dieser Linie? Begründen Sie Ihre Antwort.

Zeichnen Sie im Bild oben die Bahnkurven der beiden Scheiben ein. Begründen Sie, warum Sie die Bahnkurven in der von Ihnen gewählten Form eingezeichnet haben.

2.2 Ist in dem Moment, in dem Scheibe C die rechte Linie überquert, der Betrag ihres Impulses *größer, kleiner* oder *gleich* dem Betrag des Impulses von Scheibe D zum gleichen Zeitpunkt? Begründen Sie Ihre Antwort.

2.3 Ist in dem Moment, in dem Scheibe C die rechte Linie überquert, ihre kinetische Energie *größer, kleiner* oder *gleich* der kinetischen Energie von Scheibe D zum gleichen Zeitpunkt? Begründen Sie Ihre Antwort.

1. Für den nachfolgend dargestellten Stoßversuch werden zwei Gleiter verwendet, die sich reibungsfrei auf einer ebenen Fahrbahn bewegen können.

   Die Masse von Gleiter A ist geringer als die Masse von Gleiter B ($m_A < m_B$). *Nach dem Stoß* ist die Geschwindigkeit von Gleiter A vom Betrag größer als die Geschwindigkeit von Gleiter B ($v_{A,nach} > v_{B,nach}$).

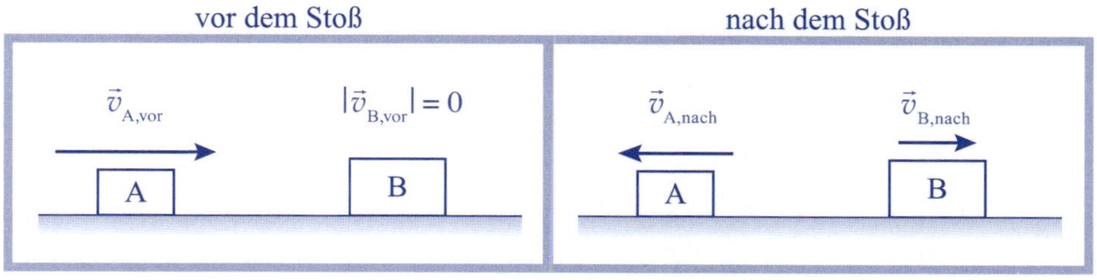

   Ist nach dem Stoß der Betrag des Impulses von Gleiter A, $|\vec{p}_{A,nach}|$, *größer, kleiner* oder *gleich* dem Betrag des Impulses von Gleiter B, $|\vec{p}_{B,nach}|$? Erläutern Sie Ihre Antwort mithilfe eines *Impulsvektordiagramms.* (Ein Beispiel für ein *Impulsvektordiagramm* befindet sich in Teil 2.1 des Tutorials *Impulserhaltung.*)

2. Für den nachfolgend dargestellten Stoßversuch werden zwei Gleiter verwendet, die sich reibungsfrei auf einer ebenen Fahrbahn bewegen können.

   Die Masse von Gleiter C ist geringer als die Masse von Gleiter D (also $m_C < m_D$). Vor dem Stoß ist die Geschwindigkeit von Gleiter C vom Betrag größer als die Geschwindigkeit von Gleiter D (also $v_{C,vor} > v_{D,vor}$). Nach dem Stoß bewegen sich die beiden Gleiter mit gleichen Geschwindigkeitsbeträgen (v_{nach}) in entgegengesetzte Richtungen.

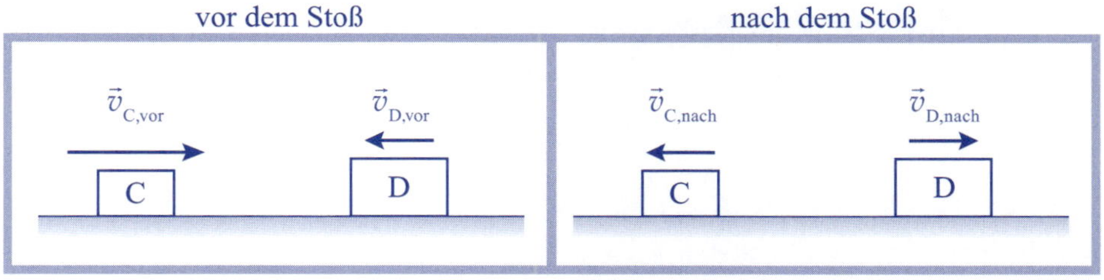

   Ist vor dem Stoß der Betrag des Impulses von Gleiter C, $|\vec{p}_{C,vor}|$, *größer, kleiner* oder *gleich* dem Betrag des Impulses von Gleiter D, $|\vec{p}_{D,vor}|$? Erläutern Sie Ihre Antwort mithilfe eines *Impulsvektordiagramms.*

3. Zwei Astronauten führen in einer schwerelosen und reibungsfreien Umgebung nacheinander drei Stoßexperimente durch. Zu Beginn jedes Experiments hat Astronaut A den Impuls $|\vec{p}_{A,vor}| = 20\,\text{kg} \cdot \text{m/s}$ nach rechts und Astronaut B ist in Ruhe. (Alle Geschwindigkeiten der Astronauten werden im Bezugssystem einer sich in der Nähe befindlichen Raumstation gemessen.)

Die Astronauten üben auf verschiedene Weise Kräfte aufeinander aus, so dass Astronaut A am Ende jedes Experiments einen unterschiedlichen Impuls hat.

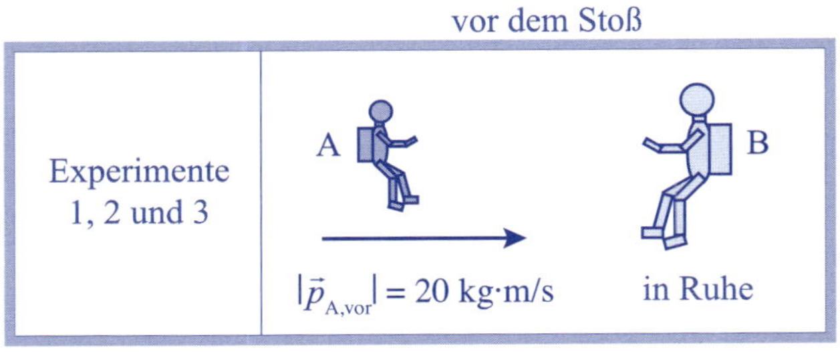

3.1 Bestimmen Sie den Betrag des Impulses von Astronaut B nach dem Stoß für jedes der drei Experimente. Begründen Sie.

3.2 Ordnen Sie die drei Experimente nach der kinetischen Energie von Astronaut B nach dem Stoß. Begründen Sie.

3.3 Ist die *gesamte kinetische Energie* nach dem Stoß in Experiment 2 *größer*, *kleiner* oder *gleich* der *gesamten* kinetischen Energie nach dem Stoß in Experiment 3? (Die *gesamte kinetische Energie* bezeichnet hier die Summe der kinetischen Energien der beiden Astronauten.) Begründen Sie.

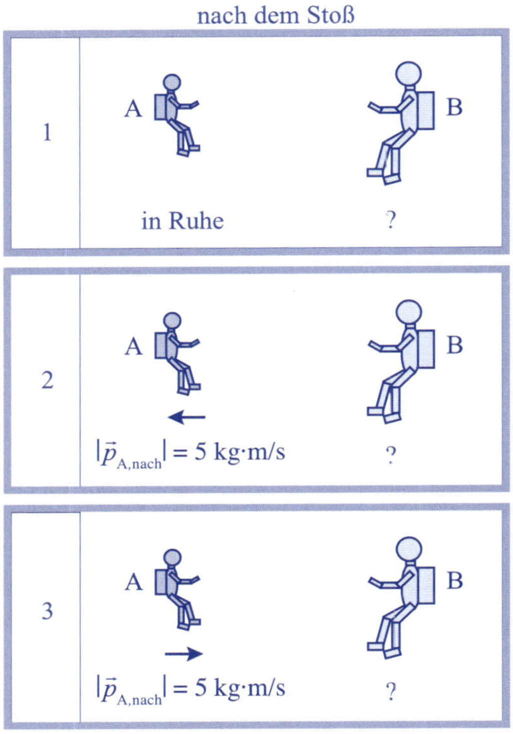

3.4 Betrachten Sie die folgende Aussage:

„Der Impuls des Systems bleibt in jedem der drei Experimente erhalten, da auf das System keine äußere resultierende Kraft wirkt. Wenn der Impuls erhalten bleibt, muss auch die kinetische Energie erhalten bleiben, denn sowohl Impuls als auch kinetische Energie setzen sich aus Masse und Geschwindigkeit zusammen."

Einer der Sätze in der obigen Aussage ist vollständig richtig. Beschreiben Sie die gedanklichen Fehler in dem anderen Satz.

3.5 Zeichnen Sie in den Feldern unten für jedes der drei Experimente und beide Astronauten Vektoren für den *Impuls vor dem Stoß*, die *Impulsänderung* und den *Impuls nach dem Stoß*. Der Impuls von Astronaut A vor dem Stoß ist bereits eingetragen. Zeichnen Sie die anderen Vektoren im gleichen Maßstab.

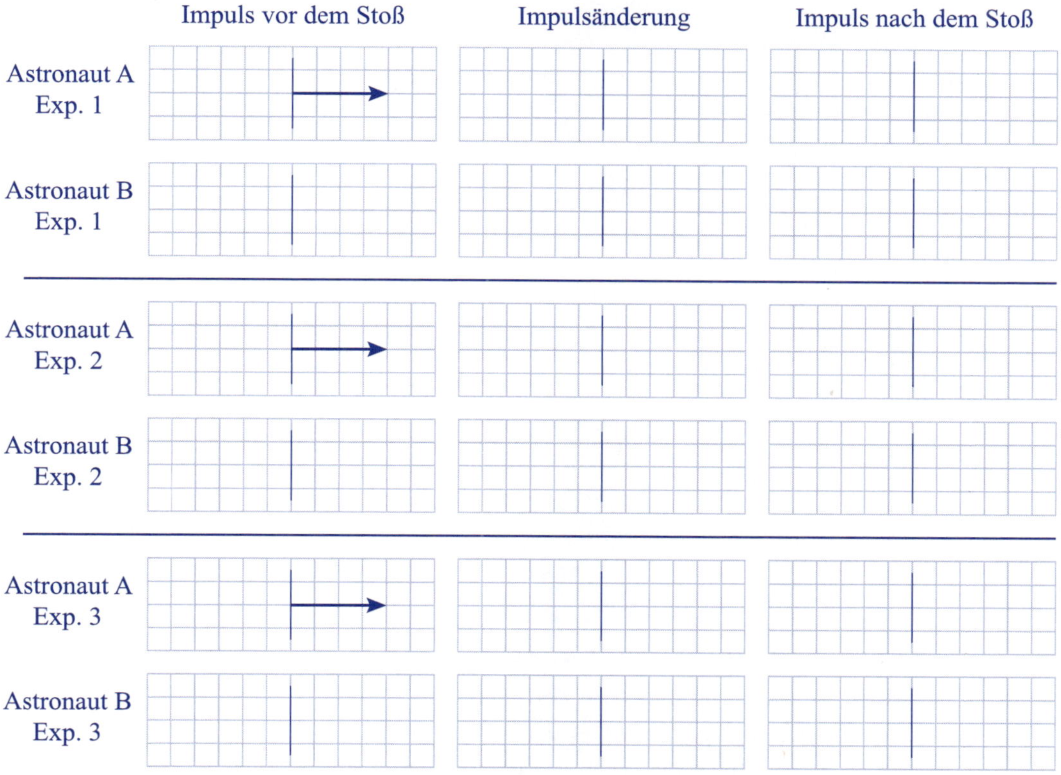

3.6 Verallgemeinern Sie Ihre Ergebnisse, indem Sie die folgenden Fragen beantworten:

Welcher Zusammenhang besteht zwischen den Impulsänderungen zweier Körper in einem Stoßexperiment, wenn die *resultierende* Kraft auf das System (bestehend aus den beiden Körpern) Null ist?

- Hinsichtlich ihrer Beträge

- Hinsichtlich ihrer Richtungen

3.7 Erklären Sie, inwiefern Ihre Antworten in Teil 3.6 mit dem dritten Newton'schen Gesetz und der Impulsbilanz ($\vec{F}_{\text{res}}\Delta t = \Delta\vec{p}$) vereinbar sind, wenn Sie die folgenden Körper oder Systeme betrachten:

- jeden der beiden Astronauten einzeln,

- das System, das aus beiden Astronauten besteht.

4. Ein Pyrotechniker lässt einen 3 kg schweren Feuerwerkskörper aus der Ruhe fallen. Zum Zeitpunkt $t = 0{,}4\,\text{s}$ bewegt sich der Feuerwerkskörper mit einer Geschwindigkeit von $4\,\text{m/s}$ senkrecht nach unten. Zum gleichen Zeitpunkt beginnt der Feuerwerkskörper zu explodieren und zerbricht dabei in einen oberen Teil ($m_{\text{o}} = 1\,\text{kg}$) und einen unteren Teil ($m_{\text{u}} = 2\,\text{kg}$). Am Ende des Explosionsvorganges ($t = 0{,}6\,\text{s}$) bewegt sich der obere Teil mit einer Geschwindigkeit von $|\vec{v}_{\text{o}}| = 6\,\text{m/s}$ nach oben.

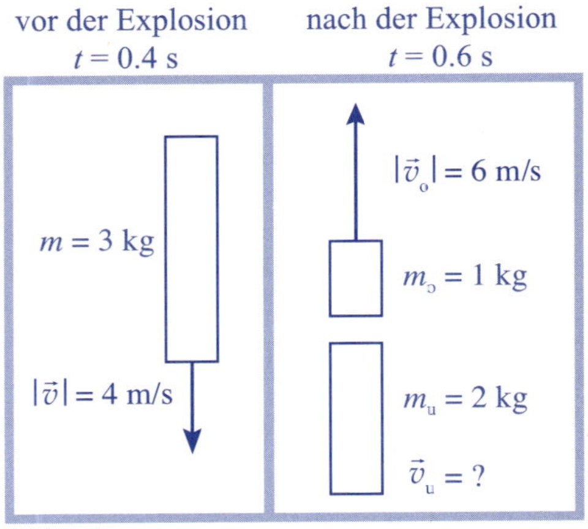

Die nachfolgenden Fragen sollen als Hilfe beim Vervollständigen des nebenstehenden Impulsvektordiagramms dienen:

4.1 Bestimmen Sie den Betrag der resultierenden Kraft, die *vor* der Explosion auf den Feuerwerkskörper wirkt. (Verwenden Sie $g = 10\,\text{m/s}^2$.) Begründen Sie.

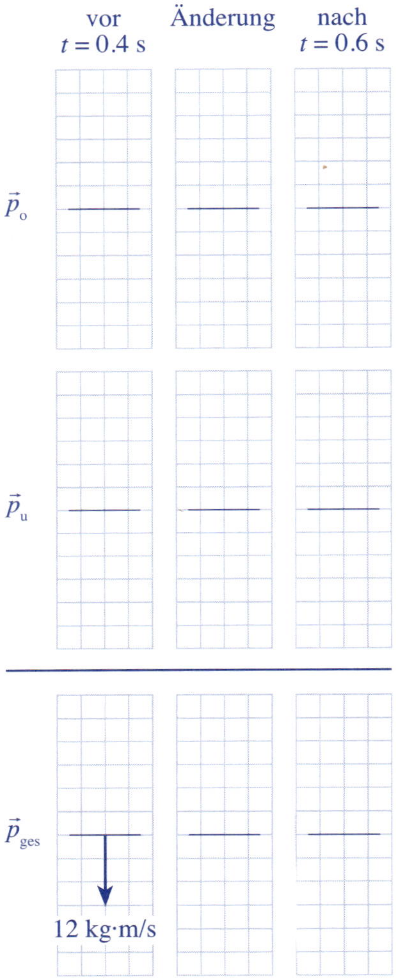

4.2 Bestimmen Sie den Betrag der resultierenden Kraft, die zu einem Zeitpunkt *während* der Explosion auf das System beider Teilmassen wirkt. (*Hinweis:* Hängt die resultierende Kraft auf ein System von den inneren Kräften im System ab?)

4.3 Bestimmen Sie den Betrag und die Richtung des resultierenden Kraftstoßes ($\vec{F}_{\text{res}}\Delta t$) auf das System beider Teilmassen im Verlauf der Explosion (d. h. im Zeitintervall von $t = 0{,}4\,\text{s}$ bis $t = 0{,}6\,\text{s}$). Begründen Sie.

4.4 Bestimmen Sie mithilfe der Impulsbilanz den Betrag und die Richtung der *Impulsänderung* des Systems beider Teilmassen während der Explosion. Tragen Sie diesen Vektor in der Tabelle ein. Verwenden Sie dabei den gleichen Maßstab, wie für den Impuls des Systems vor der Explosion.

4.5 Bestimmen Sie den Impuls beider Teilmassen *nach* der Explosion und tragen Sie ihn in der Tabelle ein. (*Hinweis:* Ist dieser Impuls gleich dem *vor* der Explosion?)

4.6 Ergänzen Sie die noch fehlenden Vektoren in Ihrem Impulsvektordiagramm.

1. Das Vorderrad eines Fahrrads ist auf eine feste und *reibungsfreie* Achse montiert. Ein dünner Faden wird um die Felge des Rades gewickelt und ein Gewicht an seinem freien Ende befestigt. Die Abbildung unten zeigt das Rad zu drei unterschiedlichen Zeitpunkten:

   Bei $t = t_0$ wird das Gewicht aus der Ruhe losgelassen.

   Bei $t = t_1$ fällt das Gewicht und der Faden ist noch teilweise um die Felge gewickelt.

   Bei $t = t_2$ hat das Gewicht den Boden erreicht und der Faden hat sich vom Rad gelöst.

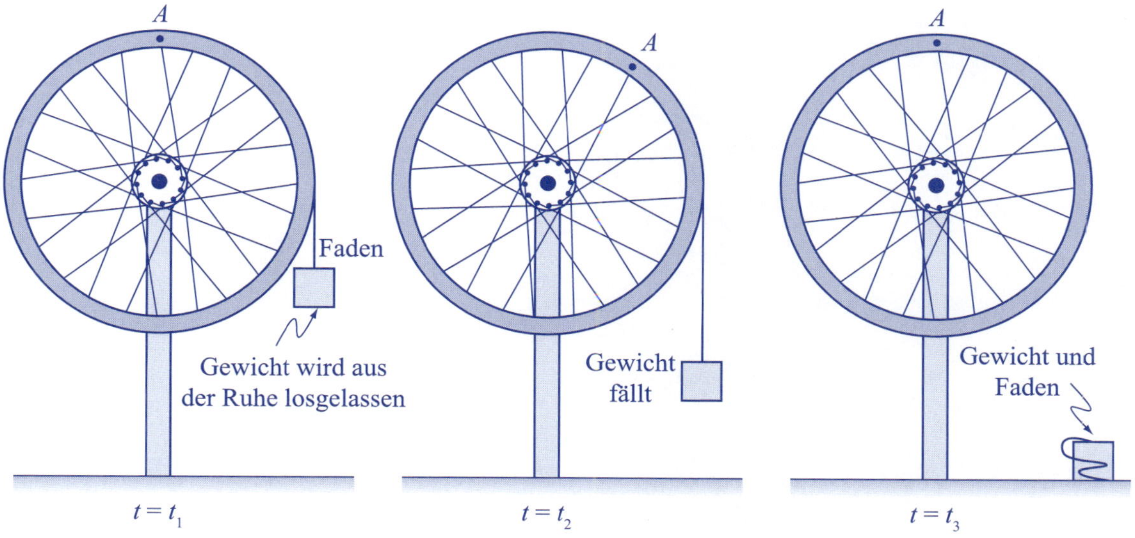

Hinweis: Die Abbildung zeigt keine Stroboskopaufnahme des Rades.

1.1 In welche Richtung zeigt jeweils der Winkelgeschwindigkeitsvektor $\vec{\omega}$ des Rades zu den drei Zeitpunkten? Wenn $\vec{\omega}$ zu einem der Zeitpunkte gleich Null ist, geben Sie dies ausdrücklich an. Begründen Sie.

1.2 In welche Richtung zeigt jeweils der Winkelbeschleunigungssvektor $\vec{\alpha}$ des Rades zu den drei Zeitpunkten? Wenn $\vec{\alpha}$ zu einem der Zeitpunkte gleich Null ist, geben Sie dies ausdrücklich an. Begründen Sie.

1.3 Ordnen Sie die Beträge der Zentripetalbeschleunigung des Punktes A zu den drei Zeitpunkten. Wenn einer der Beträge Null ist, geben Sie dies ausdrücklich an. Begründen Sie.

2. Nahe der Außenkante eines Schallplattentellers ist ein kleines Stück Knetmasse befestigt. Dabei ist $\vec{\alpha}$ die Winkelbeschleunigung und $\vec{a}_Z$ die Zentripetalbeschleunigung (d. h. die Radialkomponente der Beschleunigung) der Knetmasse.

   2.1 Beschreiben Sie für jede der unten aufgeführten Situationen eine mögliche Bewegung des Plattentellers. (Einige Situationen haben mehr als eine richtige Antwort.) Begründen Sie jeweils Ihre Antwort.

   a. $\vec{\alpha} = 0$ und $\vec{a}_Z = 0$

   b. $\vec{\alpha} = 0$ und $\vec{a}_Z \neq 0$

   c. $\vec{\alpha} \neq 0$ und $\vec{a}_Z \neq 0$

   2.2 Die Gleichung „$\vec{\alpha} = \frac{\vec{a}_Z}{r}$“ ist *keine* korrekte *Vektor*gleichung.

   a. Erläutern Sie, warum die obige Vektorgleichung nicht korrekt ist.

   b. Ist „$\alpha = \frac{a_Z}{r}$“ eine korrekte *skalare Gleichung*? Begründen Sie.

1. In Abschnitt 2 des Tutorials *Dynamik des starren Körpers* haben Sie das Experiment mit Klotz und Garnrolle unter dem Gesichtspunkt der auftretenden Kräfte analysiert. An dieser Stelle soll das gleiche Experiment unter dem Gesichtspunkt der Energie betrachtet werden.

   Ein Klotz und eine Garnrolle werden jeweils an einem Faden über eine ebene, reibungsfreie Oberfläche gezogen wie in der Abbildung rechts gezeigt.

   Der Faden, mit dem am Klotz gezogen wird, ist in der Mitte der Vorderseite des Klotzes befestigt. Der Faden, mit dem an der Garnrolle gezogen wird, ist mehrmals um die Rolle gewickelt und kann sich beim Ziehen abwickeln. Der Klotz und die Garnrolle haben gleiche Massen. Die Massen der Fäden sind zu vernachlässigen.

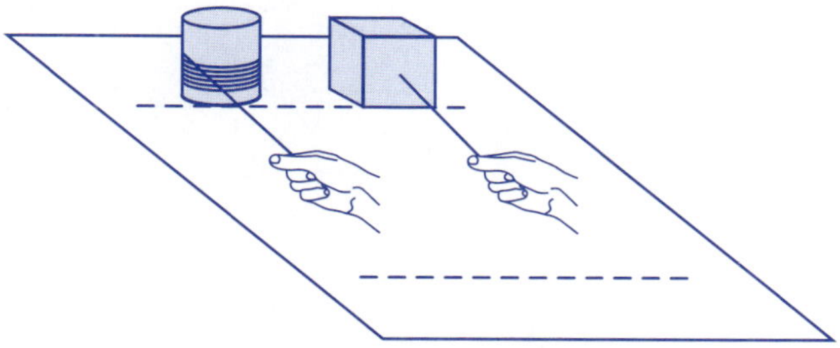

   Die beiden Hände beginnen zur gleichen Zeit und mit gleicher Kraft an den Fäden zu ziehen.

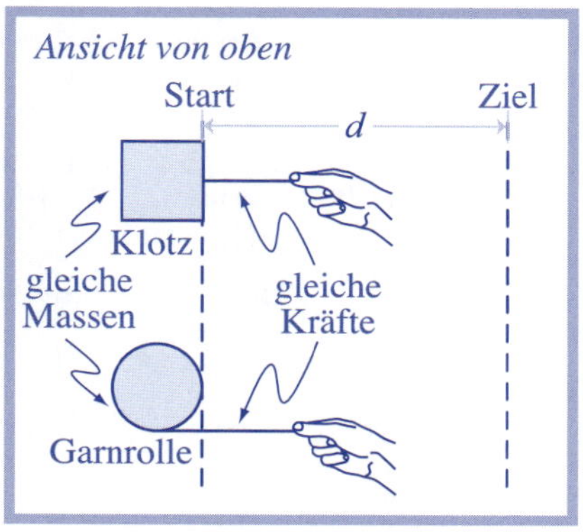

   1.1 Überquert die Garnrolle die Ziellinie *vor, nach* oder *gleichzeitig mit* dem Klotz? Verdeutlichen Sie sich noch einmal Ihre Argumentation im Tutorial.

   1.2 Betrachten Sie den folgenden Dialog zwischen zwei Studierenden:

   Pieter: *„Da beide Körper über die gleiche Strecke gezogen werden, glaube ich, dass an der Garnrolle und am Klotz von der Start- bis zur Ziellinie gleiche Arbeitsbeträge verrichtet werden."*

   Ralph: *„Da stimme ich nicht zu. Ich glaube, dass die Hand, die an der Garnrolle zieht, mehr Arbeit verrichtet als die Hand, die am Klotz zieht, da sich der Faden der Garnrolle beim Ziehen abwickelt."*

   Stimmen Sie einer der beiden Aussagen zu? Begründen Sie.

   1.3 Ist die *gesamte kinetische Energie* der Garnrolle beim Überqueren der Ziellinie *größer, kleiner* oder *gleich* der des Klotzes? Begründen Sie. (*Hinweis:* Verwenden Sie das Gesetz der Energieerhaltung.)

   1.4 Ist die *Translationsenergie* der Garnrolle beim Überqueren der Ziellinie *größer, kleiner* oder *gleich* der des Klotzes? Begründen Sie.

2. Drei identische Quader befinden sich auf einer reibungsfreien, ebenen Oberfläche in Ruhe. Auf jeden der drei Quader wird eine Kraft mit gleichem Betrag und gleicher Richtung ausgeübt; die Kräfte greifen jedoch an unterschiedlichen Punkten auf den Quadern (in der Abbildung jeweils mit dem Symbol „×“ gekennzeichnet) an. Die Schwerpunkte der Quader sind durch Punkte markiert.

Ansicht von oben

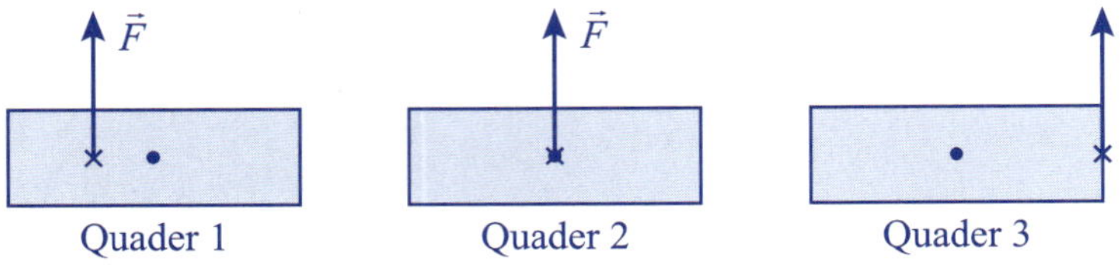

2.1 Zeichnen Sie für die drei Quader jeweils einen Pfeil, der die Richtung der Schwerpunktsbeschleunigung angibt. Falls die Schwerpunktsbeschleunigung in einem der Fälle gleich Null ist, geben Sie dies ausdrücklich an. Begründen Sie.

2.2 Ordnen Sie die drei Quader nach dem *Betrag ihrer Schwerpunktsbeschleunigungen.* Falls diese Beträge bei zwei Quadern gleich sind, geben Sie dies ausdrücklich an. Begründen Sie Ihre Antwort mithilfe von *reduzierten Freikörperbildern* für die drei Quader.

3. Ein homogener starrer Stab befindet sich auf einer reibungsfreien, ebenen Oberfläche in Ruhe. Die nachfolgende Abbildung zeigt vier verschiedene Kombinationen von resultierenden Kräften und resultierenden Drehmomenten, die auf den Stab wirken können. Zeichnen Sie in der Abbildung unten jeweils einen oder zwei Kraftvektoren ein, welche die gegebene resultierende Kraft und das resultierende Drehmoment ergeben. Falls eine der Kombinationen nicht möglich ist, geben Sie dies bitte ausdrücklich an.

Ansicht von oben

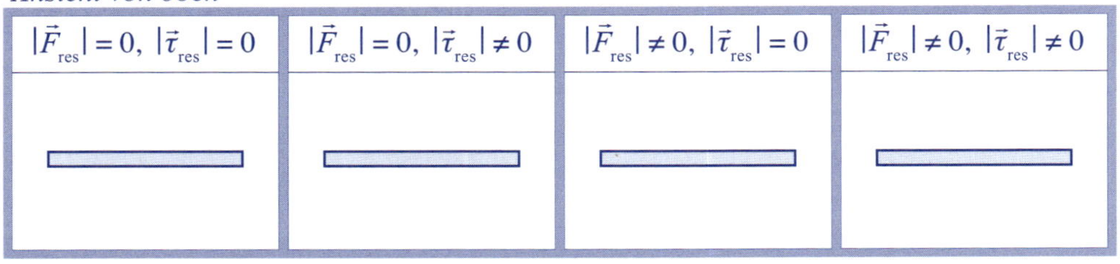

4. Drei Körper gleicher Masse (A, B und C) werden gleichzeitig auf drei gleichartigen Rampen aus der Ruhe losgelassen. Körper A und B sind Würfel und gleiten reibungsfrei (d. h. ohne zu rollen) die Rampen hinab. Körper C rollt ohne Schlupf. Sein Trägheitsmoment ist unbekannt.

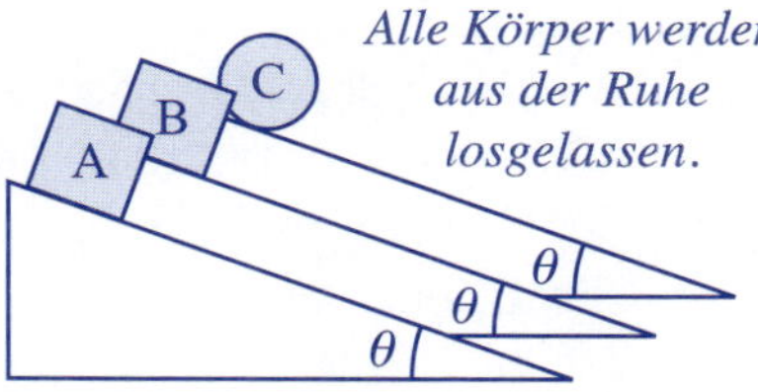

Körper A, B und C sind aus verschiedenen Materialien, so dass die jeweils zwischen ihnen und den Rampen auftretenden Reibungskoeffizienten unterschiedlich sein können.

Körper A erreicht das untere Ende der Rampe zuerst, gefolgt von den Körpern B und C, die das untere Ende gleichzeitig erreichen.

4.1 Ordnen Sie die drei Körper nach dem *Betrag ihrer Schwerpunktsbeschleunigung*. Falls diese Beträge bei zwei Körpern gleich sind, geben Sie dies ausdrücklich an. Begründen Sie.

4.2 Ordnen Sie die drei Körper nach dem Betrag der *resultierenden Kraft*. Falls die resultierenden Kräfte auf zwei der Körper gleich sind, geben Sie dies ausdrücklich an. Begründen Sie.

4.3 Zeichnen und beschriften Sie rechts für jeden Körper ein reduziertes Freikörperbild.

Freikörperbild für Körper A	Freikörperbild für Körper B	Freikörperbild für Körper C

4.4 Ordnen Sie die drei Körper nach dem Betrag der auf sie wirkenden Reibungskraft. Falls die Reibungskräfte bei zwei der Körper gleich sind, geben Sie dies ausdrücklich an. Begründen Sie Ihre Antwort.

5. In Abschnitt 3 des Tutorials *Dynamik des starren Körpers* haben Sie das Experiment mit den fallenden Garnrollen unter dem Gesichtspunkt der auftretenden Kräfte analysiert. An dieser Stelle soll das gleiche Experiment unter dem Gesichtspunkt der Energie betrachtet werden.

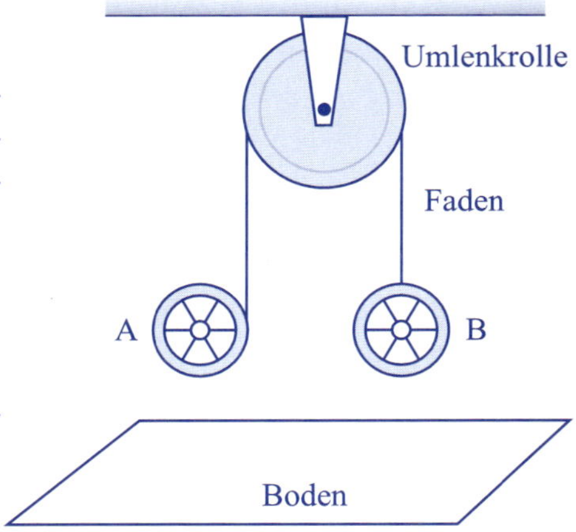

Die Atwood'sche Fallmaschine in der Abbildung rechts besteht aus zwei identischen Garnrollen (A und B), die durch einen masselosen, nicht dehnbaren Faden verbunden sind. Der Faden ist am einen Ende mehrmals um Garnrolle A gewickelt und verläuft über eine ideale Umlenkrolle. Am anderen Ende ist der Faden fest mit Garnrolle B verbunden, so dass sich diese beim Loslassen nicht zu drehen beginnt. Beide Garnrollen werden gleichzeitig aus der gleichen Höhe über dem Boden losgelassen.

5.1 Im Tutorial haben Sie die Bewegung der beiden Garnrollen nach dem Loslassen beobachtet. *Vernachlässigen Sie weiterhin kleine Unterschiede in der Bewegung der beiden Garnrollen.*

- In welche Richtung haben sich die beiden Garnrollen bewegt?

- Ist Garnrolle A *vor, nach* oder *gleichzeitig mit* Garnrolle B auf dem Boden aufgetroffen?

5.2 Ist der Betrag der *Schwerpunktsbeschleunigung* von Garnrolle A (beim Fallen) *größer, kleiner* oder *gleich* dem von Garnrolle B? Begründen Sie.

5.3 Ist die *Translationsenergie* von Garnrolle A kurz vor dem Auftreffen auf dem Boden *größer, kleiner* oder *gleich* der von Garnrolle B? Begründen Sie.

5.4 Ist die *gesamte kinetische Energie* von Garnrolle A kurz vor dem Auftreffen auf dem Boden *größer, kleiner* oder *gleich* der von Garnrolle B? Begründen Sie.

5.5 Betrachten Sie nun das System, das aus den folgenden Körpern besteht: Garnrolle A, Garnrolle B, dem Faden, der Umlenkrolle und der Erde.

a. Begründen Sie, warum die Gesamtenergie ($E_{\text{pot,grav,A}} + E_{\text{pot,grav,B}} + E_{\text{kin,trans,A}} + E_{\text{kin,trans,B}} + E_{\text{kin,rot,A}} + E_{\text{kin,rot,B}}$) konstant bleibt, während die Garnrollen fallen.

b. Angenommen, zum Zeitpunkt des Loslassens gilt $E_{\text{pot,A}} = 9\,\text{J}$, wobei die potentiellen Energien am Boden zu Null gesetzt wurden. Kurz bevor die Garnrollen den Boden erreichen, hat Garnrolle A die Translationsenergie $E_{\text{trans,A}} = 4\,\text{J}$. Bestimmen Sie die Rotationsenergie von Garnrolle A zu diesem Zeitpunkt. Machen Sie Ihren Lösungsweg deutlich.

6. Eine dritte gleichartige Garnrolle C wird zu dem in Aufgabe 5 beschriebenen Experiment hinzugefügt.

Wie zuvor werden alle Garnrollen zum gleichen Zeitpunkt und in gleicher Höhe aus der Ruhe losgelassen. Garnrolle C fällt frei.

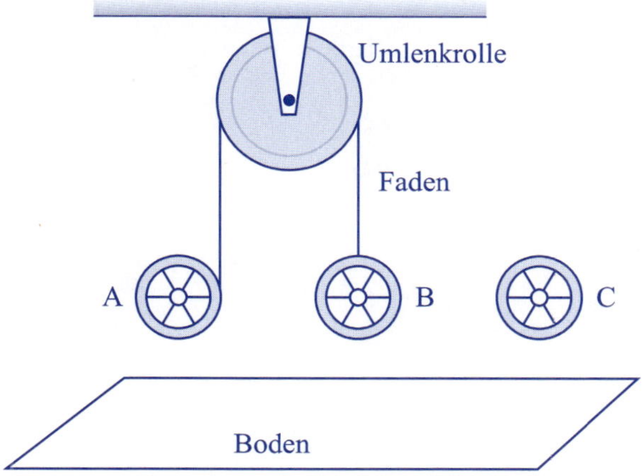

6.1 Ordnen Sie die Garnrollen nach dem Betrag ihrer *Schwerpunktsbeschleunigung* (beim Fallen). Falls diese Beträge bei zwei Garnrollen gleich sind, geben Sie dies ausdrücklich an. Begründen Sie.

6.2 Angenommen, zum Zeitpunkt des Loslassens gilt (wie in der vorigen Aufgabe) $E_{\text{pot,A}} = 9\,\text{J}$, wobei die potentiellen Energien am Boden zu Null gesetzt wurden. Kurz bevor die Garnrollen den Boden erreichen, hat Garnrolle A die Translationsenergie $E_{\text{trans,A}} = 4\,\text{J}$.

a. Ordnen Sie die Garnrollen nach der *Translationsenergie unmittelbar vor Auftreffen auf dem Boden.* Falls zwei der Spulen die gleiche Translationsenergie haben, geben Sie dies ausdrücklich an. Begründen Sie. (Verwenden Sie dabei die Definition $E_{\text{kin,trans}} = \frac{1}{2}mv_{\text{SP}}^2$.)

b. Ordnen Sie die Garnrollen nach der *gesamten kinetischen Energie unmittelbar vor dem Auftreffen auf dem Boden.* Falls zwei der Spulen die gleiche kinetische Energie haben, geben Sie dies ausdrücklich an. Begründen Sie.

1. Betrachten Sie noch einmal das T-förmige Brett in Teil 2.4 im Tutorial *Gleichgewicht des starren Körpers*, das in seinem Schwerpunkt drehbar gelagert war und in der abgebildeten Orientierung festgehalten wurde. Sie konnten beobachten, dass sich das Brett nach dem Loslassen nicht bewegte.

   1.1 Was folgt aus dieser Beobachtung über das resultierende Drehmoment bezüglich des Aufhängepunktes? Begründen Sie.

   1.2 Zeichnen Sie ein erweitertes Freikörperbild in den Kasten rechts ein.

   Ist der Punkt, an dem Sie die Gewichtskraft eingezeichnet haben, mit Ihrer Antwort über das resultierende Drehmoment bezüglich des Aufhängepunktes vereinbar?

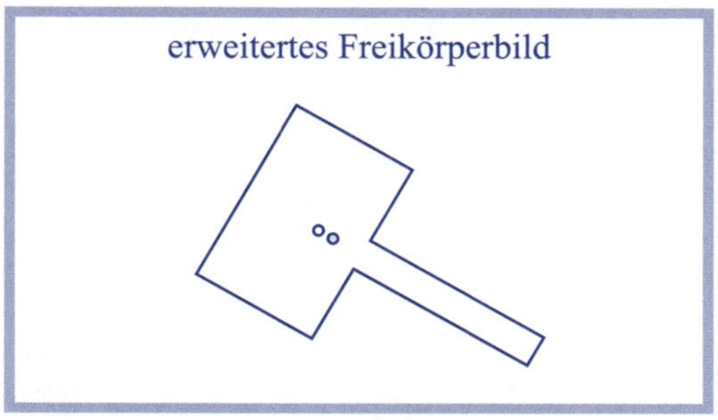

2. Nehmen Sie an, das Brett und eine zusätzliche Masse sind im Gleichgewicht, wie in Abschnitt 2 des Tutorials *Gleichgewicht des starren Körpers*. (*Hinweis:* Die Lagerung des Brettes ist anders als in Aufgabe 1.) Die Zusatzmasse wird nun näher am Aufhängepunkt befestigt, indem sie aufwärts zu Punkt B verschoben wird. Vernachlässigen Sie Reibungseffekte.

   2.1 Bleibt das Brett in diesem Fall in Ruhe? Begründen Sie.

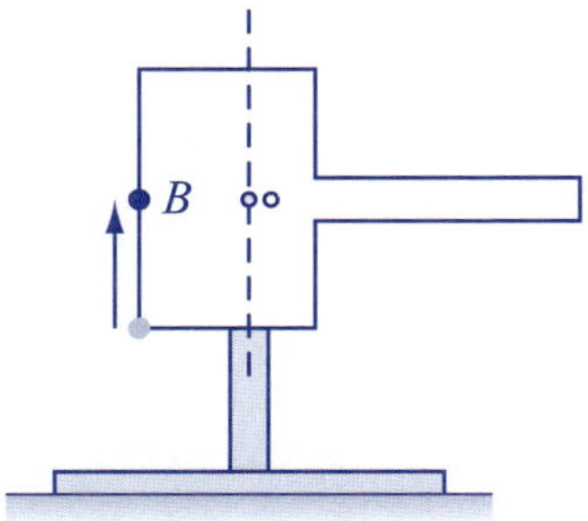

   2.2 Markieren Sie die ungefähre Lage des Schwerpunktes des Systems bestehend aus Zusatzmasse (im Punkt B) und Brett mit einem „×“. Begründen Sie.

   2.3 Ist die Masse des Systems (Brett und Zusatzmasse) links von der gestrichelten Linie *größer*, *kleiner* oder *gleich* der Masse rechts von dieser Linie? Begründen Sie.

3. Ein T-förmiges Blech gleichmäßiger Stärke hat eine konstante Dichte.

3.1 Liegt der Schwerpunkt des Bleches *über*, *unter* oder *genau am* Punkt R? Begründen Sie Ihre Antwort. (*Hinweis:* Dies ist nicht der gleiche Gegenstand wie das T-förmige Brett im Tutorial *Gleichgewicht des starren Körpers.*)

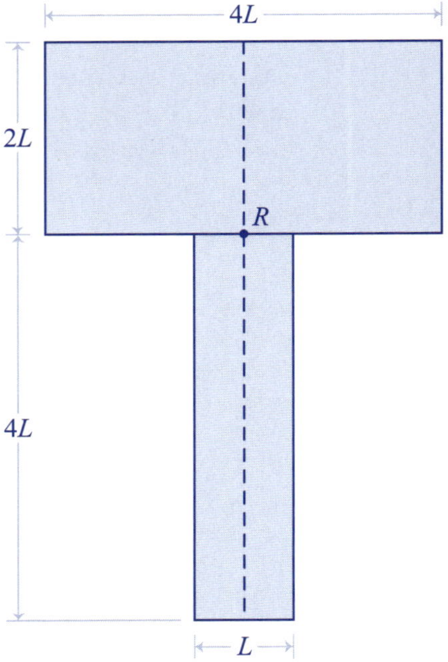

3.2 Ein weiteres T-förmiges Blech gleichmäßiger Stärke besteht aus zwei unterschiedlichen Materialien. Diese sind im Bild rechts durch unterschiedliche Grautöne gekennzeichnet. Beide Materialien sind homogen. Die Dichte des dunklen Teils ist zwei mal so groß wie die Dichte des hellen Teils.

Liegt der Schwerpunkt dieses Bleches *über*, *unter* oder *genau am* Punkt R? Begründen Sie Ihre Antwort.

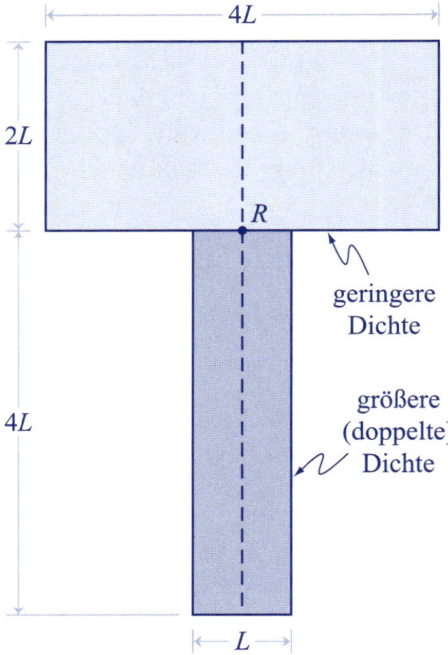

1. In einer Serie von drei Experimenten bewegt sich ein Puck auf einer horizontalen, reibungsfreien Oberfläche und stößt auf eine anfänglich ruhende Scheibe. In allen drei Experimenten bewegt sich der Puck mit der Anfangsgeschwindigkeit $\vec{v}_o$, ohne zu rotieren, und haftet nach dem Stoß an der Scheibe. Die drei Experimente unterscheiden sich durch den seitlichen Abstand der Bahn des Pucks vom Mittelpunkt der Scheibe.

1.1 Skizzieren Sie an den vorgesehenen Stellen die Richtung der Schwerpunktsgeschwindigkeit des Systems aus Puck und Scheibe *nach* dem Stoß mithilfe eines Pfeils. Begründen Sie.

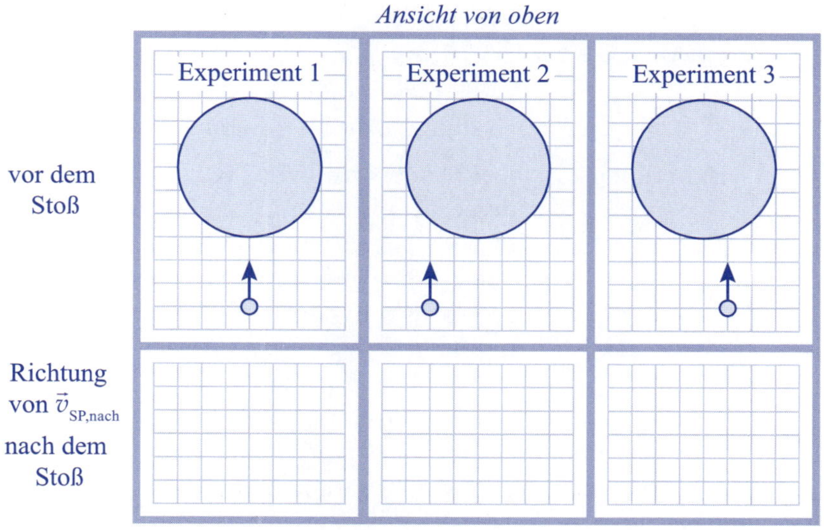

1.2 Ordnen Sie die drei Experimente nach dem Betrag der Schwerpunktsgeschwindigkeit des Systems aus Puck und Scheibe *nach* dem Stoß. Falls der Betrag in zwei Experimenten gleich ist, geben Sie dies ausdrücklich an. Begründen Sie.

1.3 Ordnen Sie die drei Experimente nach dem Betrag des Drehimpulses des Systems aus Puck und Scheibe *vor* dem Stoß. Falls der Betrag in zwei Experimenten gleich ist, geben Sie dies ausdrücklich an. (*Hinweis:* Welcher Zusammenhang besteht zwischen dem Drehimpuls des Systems und dem des Pucks?) Begründen Sie.

1.4 Ordnen Sie die drei Experimente nach dem Betrag des Drehimpulses des Systems aus Puck und Scheibe *nach* dem Stoß. Falls der Betrag in zwei Experimenten gleich ist, geben Sie dies ausdrücklich an. Begründen Sie.

2. Im Tutorial *Drehimpulserhaltung* haben Sie die folgenden drei Experimente mit einem Studenten beobachtet, der auf einem drehbaren Hocker saß und ein rotierendes Rad in den Händen hielt.

Experiment 1: Der Student drückt mit seinem Arm so lang gegen den Rand des Rads, bis es auf die halbe Winkelgeschwindigkeit abgebremst worden ist.

Experiment 2: Der Student drückt mit seinem Arm so lang gegen den Rand des Rads, bis es zum Stillstand kommt.

Experiment 3: Der Student dreht das Rad (und damit dessen Drehrichtung) plötzlich um, so dass es sich dann bei Betrachtung von oben mit vom Betrag gleicher Winkelgeschwindigkeit *im Uhrzeigersinn* dreht.

2.1 Sie konnten beobachten, dass die Winkelgeschwindigkeit *des Studenten* am Ende von Experiment 3 *größer* war als am Ende von Experiment 2. Erklären Sie dieses Ergebnis mithilfe der Zusammenhänge aus dem Tutorial.

2.2 Ordnen Sie die drei Experimente nach der kinetischen Energie des Rades am Ende des Experimentes. Falls die kinetische Energie des Rades am Ende zweier Experimente gleich ist, geben Sie dies ausdrücklich an. (*Hinweis:* Kann die kinetische Energie jemals ein negatives Vorzeichen haben?) Begründen Sie.

2.3 Ordnen Sie die drei Experimente nach der kinetischen Energie des *Studenten* am Ende des Experimentes. Falls die kinetische Energie des Studenten am Ende zweier Experimente gleich ist, geben Sie dies ausdrücklich an. Begründen Sie.

2.4 Ordnen Sie die folgenden *vier* Energiegrößen nach ihrem Betrag: die kinetische Energie des Rades zu Beginn aller Experimente ($E_{\text{kin,Rad}}$) und die kinetischen Energien des Systems aus Student und Rad am Ende der Experimente 1, 2 und 3 ($E_{\text{kin,System,1}}$ usw.). Begründen Sie. (*Hinweis:* Betrachten Sie auch *nicht-mechanische* Änderungen von Energie.)

3. Die Tabelle unten zeigt vier hypothetische Stöße auf einer ebenen, reibungsfreien Oberfläche (in Ansicht von oben). Alle Pucks sind identisch. Sofern eine Geschwindigkeit oder Winkelgeschwindigkeit nicht angegeben ist, ist sie gleich Null. Abstände, die gleich erscheinen, sollen als gleich angenommen werden.

   Geben Sie für jeden der hypothetischen Stöße an:

   3.1 die Richtung des *Drehimpulses* des Systems aus Puck und Stab bezüglich der Stabmitte sowohl vor als auch nach dem Stoß. Verwenden Sie gegebenenfalls die Konvention, dass ein Vektor, der in die Zeichenebene hinein zeigt, durch ⊗, ein Vektor, der aus ihr heraus zeigt, durch ⊙ dargestellt wird;

   3.2 die Richtung des *Impulses* des Systems aus Puck und Stab sowohl vor als auch nach dem Stoß;

   3.3 ob in Anbetracht ihrer vorangehenden Antworten der jeweilige Stoß *wie dargestellt stattfinden könnte*. Falls einer der dargestellten hypothetischen Stöße nicht stattfinden könnte, geben Sie an, ob er das Gesetz der Impulserhaltung, das Gesetz der Drehimpulserhaltung oder beide Gesetze verletzt.

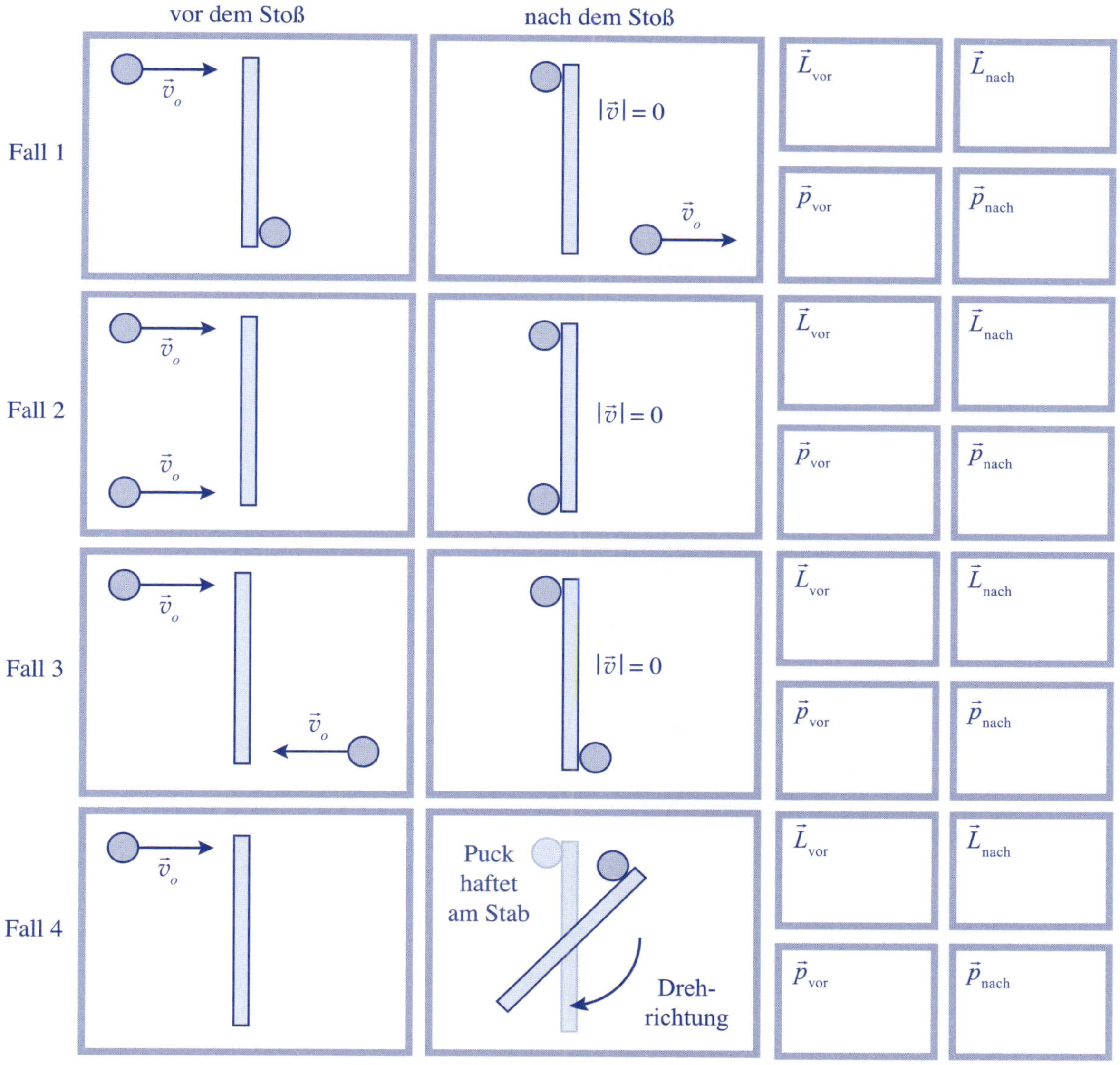

TEIL VIII

Übungen zu Hydrostatik und Thermodynamik

ÜBERBLICK

VIII

1. Ein U-förmiges Rohr von etwa 30 cm Höhe ist mit Wasser gefüllt und an einem Ende verschlossen. Wenn durch das offene Ende Wasser entfernt wird, ändert sich der Wasserstand auf der verschlossenen Seite nicht.

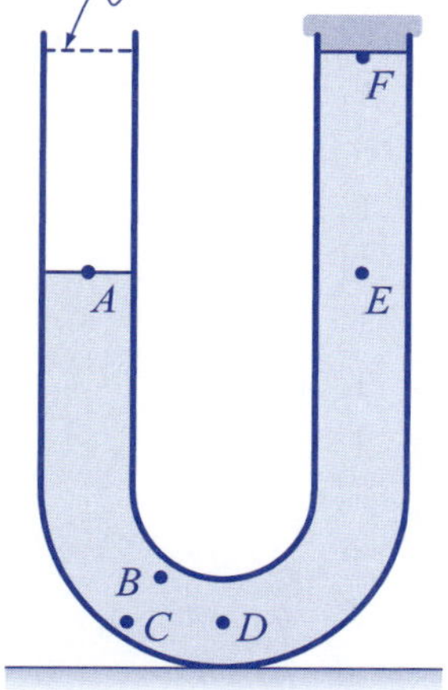

1.1 Bestimmen Sie den Druck an Punkt F für einen Zeitpunkt, *bevor* ein Teil des Wassers entfernt wurde (d. h. bei ursprünglichem Wasserstand, wie in der Abbildung eingezeichnet).

Übt der Stopfen eine Kraft auf die Oberfläche des Wassers auf der rechten Seite aus? Begründen Sie.

1.2 Es wird nun so lange Wasser entfernt, bis der Wasserstand auf der linken Seite Punkt A erreicht.

Nimmt der Druck an Punkt A dabei *zu, ab* oder bleibt er *gleich?* Begründen Sie.

Nimmt der Druck an Punkt D *zu, ab* oder bleibt er *gleich?* Begründen Sie. Sofern sich der Druck ändert, vergleichen Sie die Änderung des Druckes an Punkt D mit der an Punkt A. Begründen Sie.

Nimmt der Druck an den Punkten E und F *zu, ab* oder bleibt er *gleich?* Sofern sich der Druck ändert, vergleichen Sie die Änderung des Druckes an den Punkten E und F mit der an Punkt A. Begründen Sie.

Nimmt die Kraft, die der Stopfen auf die Oberfläche des Wassers ausübt, *zu,* nimmt sie *ab* oder bleibt sie *gleich?* Begründen Sie.

1.3 Bestimmen Sie den Druck an Punkt F, wenn dieser 10 cm über Punkt E liegt. (*Hinweis:* Welchen Wert hat der Druck an Punkt E?) Verwenden Sie für die Dichte von Wasser den Wert $\rho_W = 1000\,\text{kg/m}^3$, für die Erdbeschleunigung $g \approx 10\,\text{m/s}^2$ und für den Umgebungsdruck $P_o = 1{,}013 \times 10^5\,\text{Pa}$ (wobei gilt: $1\,\text{Pa} = 1\,\text{N/m}^2$).

1.4 Angenommen, das U-Rohr wäre deutlich höher als 1 m. Bestimmen Sie die Höhe über Punkt E, bei welcher der Druck im Wasser den Wert Null hätte.

Der Wert, den Sie berechnet haben, gibt gleichzeitig die maximale Höhe der Wassersäule auf der verschlossenen Seite des U-Rohrs über Punkt E an. Erläutern Sie diesen Zusammenhang.

1.5 Erläutern Sie mithilfe Ihrer Antworten und der Definition des Drucks, warum der Wasserstand bei einem U-Rohr von 30 cm Höhe auf der rechten Seite an Punkt F bleibt, wenn wie in der obigen Aufgabe auf der linken Seite Wasser entfernt wird.

2. Ein W-förmiges Glasgefäß ist teilweise mit Wasser gefüllt, wie in der Abbildung gezeigt. Punkt X befindet sich auf gleicher Höhe wie der Wasserstand in der Mitte des Gefäßes (und wie Punkt Y).

   Geben Sie für jeden der folgenden Punkte an, ob der Druck dort *größer, kleiner* oder *gleich* dem Umgebungsdruck P_o ist. Begründen Sie Ihre Antworten.

   - Punkt W
   - Punkt X
   - Punkt Y
   - Punkt Z

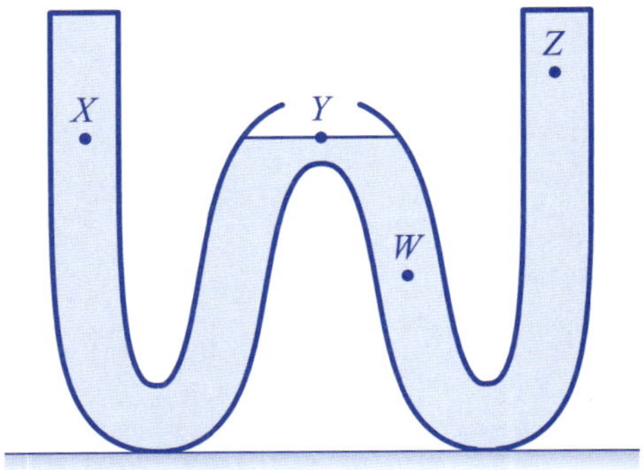

3. Ein U-Rohr ist teilweise mit Wasser gefüllt. In den linken Arm des Gefäßes wird nun zusätzlich Öl eingefüllt. Die Wasserstände auf beiden Seiten sind in der Abbildung rechts eingezeichnet. Der Flüssigkeitsstand des Öls ist nicht eingezeichnet. Die Dichte des Öls ist geringer als die Dichte des Wassers.

   Die Punkte A und B befinden sich auf gleicher Höhe.

   3.1 Ist der Druck an Punkt A *größer, kleiner* oder *gleich* dem Druck an Punkt B? Begründen Sie.

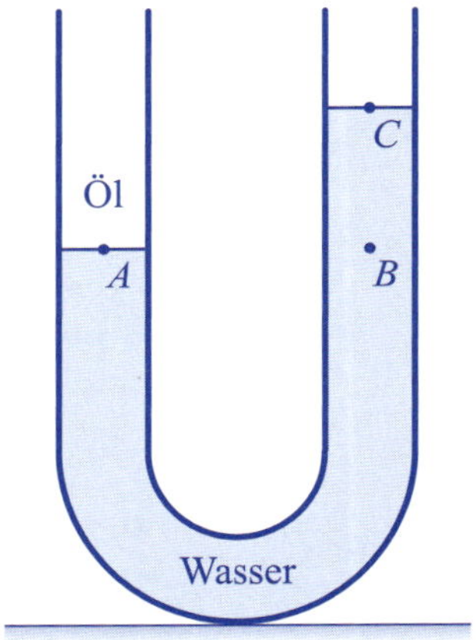

   3.2 Ist der Druck an der Oberfläche des Öls *größer, kleiner* oder *gleich* dem Druck an Punkt C? (*Hinweis:* Welchen Wert hat der Druck an Punkt C?)

   3.3 Geben Sie auf der Grundlage Ihrer Antworten in den Teilen 3.1 und 3.2 an, ob sich die Oberfläche des Öls in *größerer, geringerer* oder auf *gleicher* Höhe wie der Wasserstand rechts befindet. Erläutern Sie, wie Ihre Antwort mit der Formel $P = P_o + \rho g h$ vereinbar ist.

1. Drei verschiedene Würfel befinden sich in mit Wasser gefüllten Bechergläsern wie in den Abbildungen unten gezeigt.

   1.1 Vergleichen Sie jeweils die Masse, das Volumen und die Dichte des Würfels mit der Masse, dem Volumen und der Dichte des verdrängten Wassers (Index: vW). Begründen Sie Ihre Antworten. (*Hinweis:* Verwenden Sie zum Vergleich der Dichten jeweils Ihre Ergebnisse bezüglich Masse und Volumen.)

Würfel 1 schwimmt 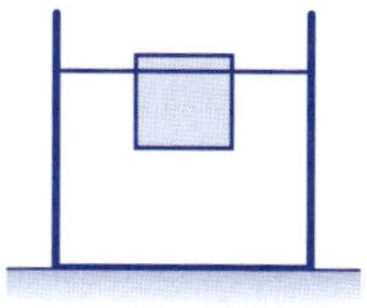	Würfel 2 schwebt 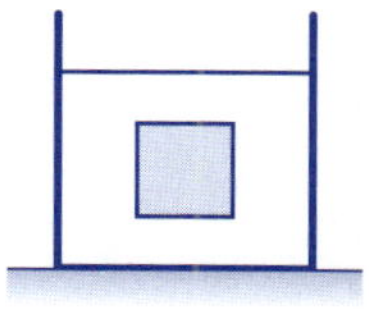	Würfel 3 sinkt 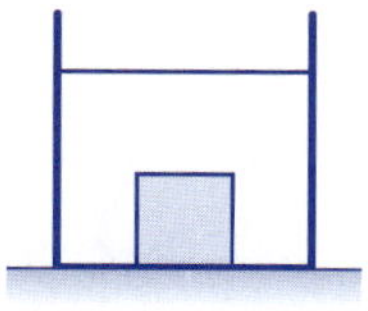
Ist $m_1 \left(\begin{smallmatrix} > \\ = \\ < \end{smallmatrix}\right) m_{\mathrm{vW}}$? Begründen Sie.	Ist $m_2 \left(\begin{smallmatrix} > \\ = \\ < \end{smallmatrix}\right) m_{\mathrm{vW}}$? Begründen Sie.	Ist $m_3 \left(\begin{smallmatrix} > \\ = \\ < \end{smallmatrix}\right) m_{\mathrm{vW}}$? Begründen Sie.
Ist $V_1 \left(\begin{smallmatrix} > \\ = \\ < \end{smallmatrix}\right) V_{\mathrm{vW}}$? Begründen Sie.	Ist $V_2 \left(\begin{smallmatrix} > \\ = \\ < \end{smallmatrix}\right) V_{\mathrm{vW}}$? Begründen Sie.	Ist $V_3 \left(\begin{smallmatrix} > \\ = \\ < \end{smallmatrix}\right) V_{\mathrm{vW}}$? Begründen Sie.
Ist $\rho_1 \left(\begin{smallmatrix} > \\ = \\ < \end{smallmatrix}\right) \rho_{\mathrm{vW}}$? Begründen Sie.	Ist $\rho_2 \left(\begin{smallmatrix} > \\ = \\ < \end{smallmatrix}\right) \rho_{\mathrm{vW}}$? Begründen Sie.	Ist $\rho_2 \left(\begin{smallmatrix} > \\ = \\ < \end{smallmatrix}\right) \rho_{\mathrm{vW}}$? Begründen Sie.

1.2 Würfel 2 wird nun in der Mitte eines mit Öl gefüllten Becherglases festgehalten und dann losgelassen. Das Öl hat eine geringfügig geringere Dichte als Wasser. Skizzieren Sie in der Abbildung rechts die Ruhelage ein, welche der Würfel einige Zeit nach dem Loslassen einnimmt. Begründen Sie Ihre Antwort.

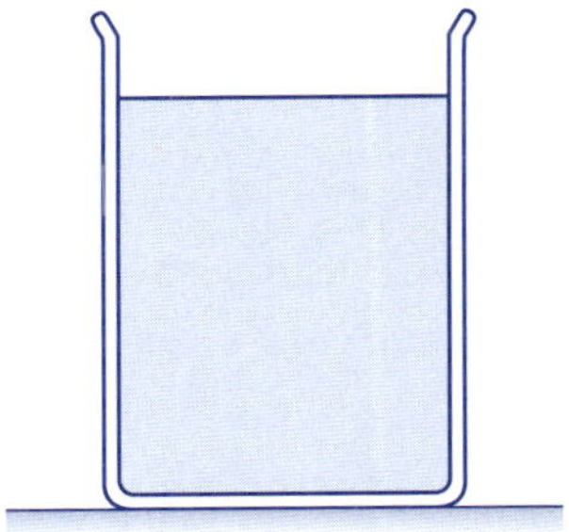

1.3 Verallgemeinern Sie Ihre obigen Ergebnisse bei der Beantwortung der folgenden Fragen:

Was lässt sich über die Dichte eines Körpers aussagen, der in einer inkompressiblen Flüssigkeit

- schwebt,
- sinkt,
- schwimmt?

Begründen Sie Ihre Antworten.

2. Eine massive Kugel der Masse m schwimmt in einem mit Wasser gefüllten Becherglas (siehe linke Abbildung). Eine größere Kugel aus gleichem Material, jedoch mit der Masse $2m$, wird in ein zweites mit Wasser gefülltes Becherglas gegeben. Skizzieren Sie in der Abbildung rechts die Ruhelage der zweiten Kugel.

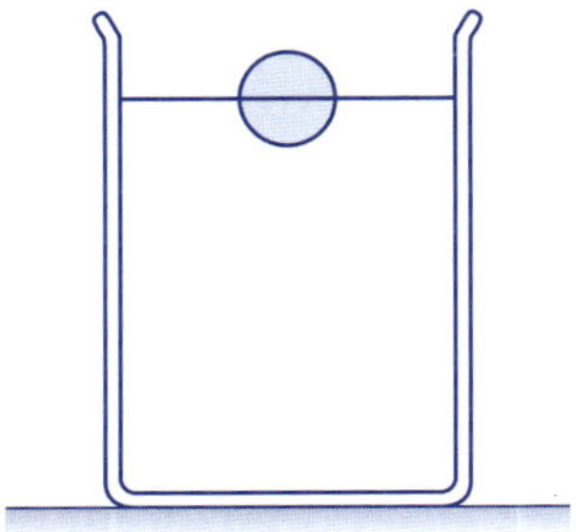

Kugel der Masse m

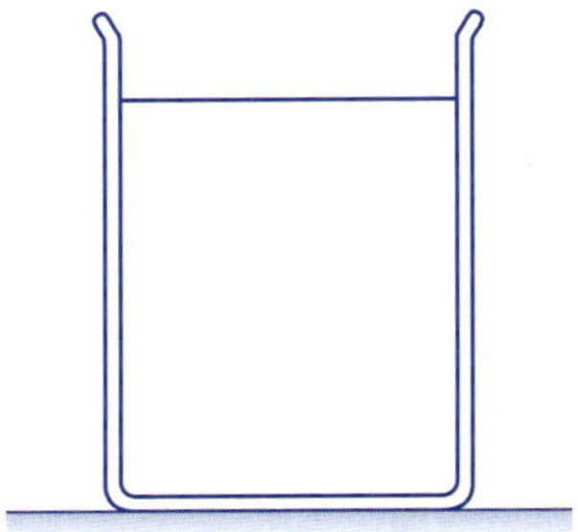

Kugel der Masse $2m$

2.1 Vergleichen Sie die Auftriebskraft der größeren Kugel (in der Ruhelage) mit ihrem Gewicht.

2.2 Vergleichen Sie das Volumen des von der größeren Kugel verdrängten Wassers mit dem des von der kleineren Kugel verdrängten Wassers.

2.3 Sind Ihre Antworten auf die Fragen 2.1 und 2.2 mit dem Archimedischen Prinzip vereinbar? Begründen Sie.

3. Zwei Körper mit gleicher Masse und gleichem Volumen, aber unterschiedlicher Form werden an dünnen Fäden aufgehängt und in ein mit Wasser gefülltes Becken eingetaucht (siehe Abbildung).

Betrachten Sie die folgende Diskussion zwischen drei Studierenden:

Carl: *„Beide Körper haben das gleiche Volumen und müssen deshalb auch die gleiche Auftriebskraft haben. Deshalb müssen auch die Seilkräfte in den beiden Fäden gleich sein."*

Gotthilf: *„Nein, das kann nicht stimmen. Die Unterseite von Körper A befindet sich tiefer im Wasser und dort ist der Druck höher. Deshalb muss die Auftriebskraft auf Körper A größer sein und die Seilkraft in diesem Faden ist deshalb geringer."*

Jean Louis: *„Ich stimme Dir weitgehend zu, Carl. Die Auftriebskraft ist für beide Körper gleich. Du hast aber die Kraft vergessen, die vom Wasser oberhalb der Körper auf diese nach unten ausgeübt wird. Diese Kraft ist größer für Körper B, weil seine Oberseite eine größere Fläche hat. Die Seilkraft in dem Faden, an dem Körper B hängt, muss also größer sein."*

3.1 Stimmen Sie der Aussage von Carl zu? Wenn nicht, korrigieren Sie seinen Gedankengang. Begründen Sie.

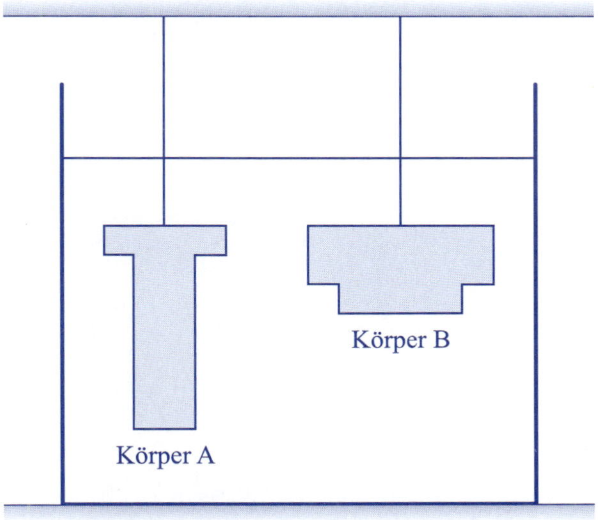

3.2 Stimmen Sie der Aussage von Gotthilf zu? Wenn nicht, korrigieren Sie seinen Gedankengang. Begründen Sie.

3.3 Stimmen Sie der Aussage von Jean Louis zu? Wenn nicht, korrigieren Sie seinen Gedankengang. Begründen Sie.

HYDROSTATIK UND THERMODYNAMIK
Übungen

1. Ein Zylinder mit einem Ventil am unteren Ende enthält ein ideales Gas. Das Ventil wird kurzzeitig geöffnet und ein Teil des Gases entweicht. Am Ende des Experiments ist das Ventil wieder verschlossen und der Kolben befindet sich in einer tieferen Lage. Nehmen Sie an, dass sich das Gas ständig im thermischen Gleichgewicht mit seiner Umgebung befindet.

1.1 Ist der Druck des Gases im Zylinder am Ende des Experiments *größer, kleiner* oder *gleich* dem Anfangsdruck? Begründen Sie.

1.2 Ist Ihre Antwort mit den Kräften vereinbar, die im Anfangs- und im Endzustand auf den Kolben wirken? Begründen Sie.

1.3 Welche der vier Größen P, V, n und T werden in diesem Prozess konstant gehalten und welche können sich ändern? Begründen Sie Ihre Antwort.

1.4 Betrachten Sie die folgende *falsche* Aussage über dieses Experiment.

„Nach dem idealen Gasgesetz ($P = nRT/V$) ist der Druck umgekehrt proportional zum Volumen. Da hier das Volumen verringert wird, muss der Druck zunehmen."

Wo liegt der logische Fehler in dieser Aussage?

Erläutern Sie, warum man mithilfe des idealen Gasgesetzes nicht entscheiden kann, ob sich der Druck in diesem Prozess verändert hat.

2. Die nebenstehende Abbildung zeigt einen Zylinder, dessen Kolben mithilfe einer Arretierung festgehalten wird. Zylinder und Gas haben zunächst Raumtemperatur und werden nun in siedendes Wasser eingetaucht.

2.1 Nimmt die Temperatur des Gases nach dem Eintauchen *zu*, nimmt sie *ab* oder bleibt sie *gleich?*

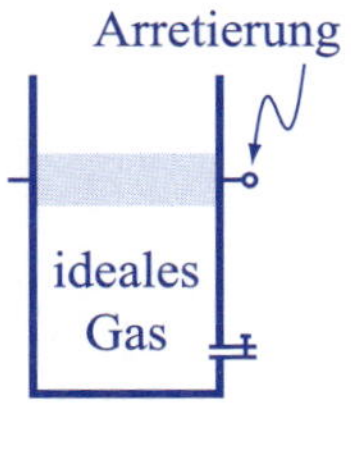

2.2 Skizzieren Sie den Prozess im nebenstehenden P,V-Diagramm.

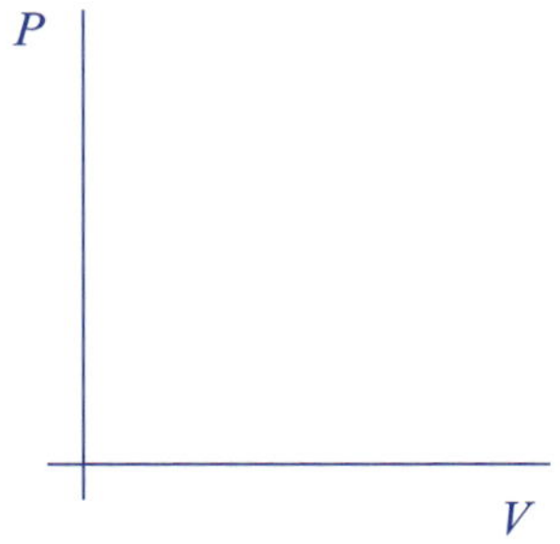

2.3 Erläutern Sie, warum Sie in diesem Fall den Druck des Gases nicht wie in Abschnitt 1 des Tutorials (also mithilfe eines Freikörperbildes für den Kolben) bestimmen können.

1. Zwei Behälter enthalten Stickstoff bzw. Wasserstoff (mit den molaren Massen 28 g bzw. 2 g). Die Gasteilchen in den beiden Behältern haben die gleiche mittlere Geschwindigkeit. Das Volumen der beiden Behälter ist gleich. Die Anzahl der Teilchen ist nicht bekannt.

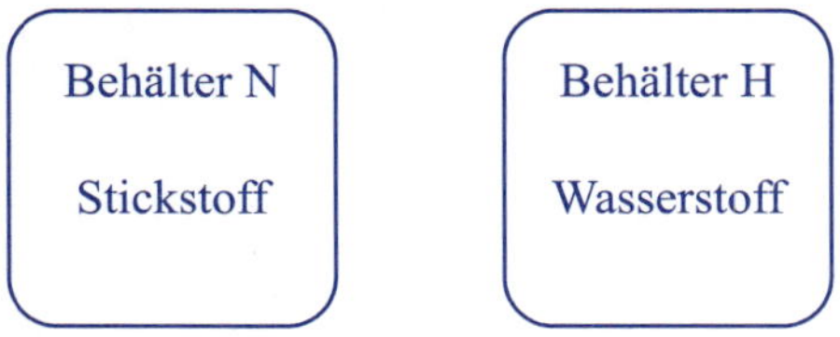

   1.1 Lässt sich mit den gegebenen Informationen entscheiden, welches Gas die höhere Temperatur besitzt? Begründen Sie.

   1.2 Lässt sich mit den gegebenen Informationen entscheiden, welches Gas den höheren Druck besitzt? Begründen Sie.

2. Zwei Behälter enthalten gleiche Stoffmengen eines idealen Gases bei gleichen Temperaturen. Das Volumen von Behälter F ist größer als das Volumen von Behälter E.

   2.1 Ist die mittlere Geschwindigkeit der Gasteilchen in Behälter F *größer, kleiner* oder *gleich* der mittleren Geschwindigkeit in Behälter E? Begründen Sie.

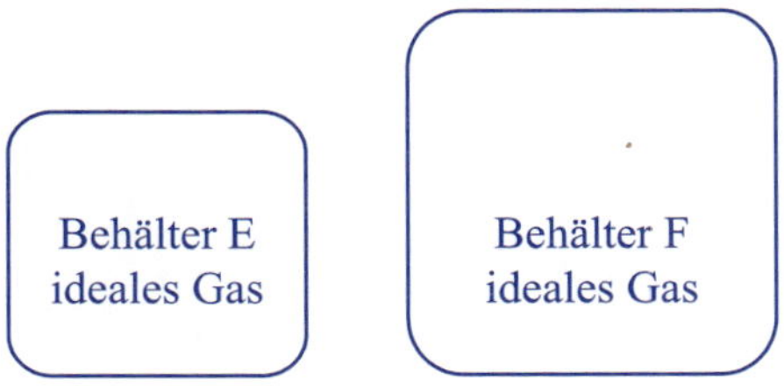

   2.2 Ist die mittlere Impulsänderung eines Gasteilchens in einem einzelnen Stoß an der Wand von Behälter F *größer, kleiner* oder *gleich* der entsprechenden Größe in Behälter E? Begründen Sie.

   2.3 Trifft ein einzelnes Teilchen in Behälter F im Durchschnitt *häufiger, weniger häufig* oder *gleich häufig* auf eine Behälterwand wie ein einzelnes Teilchen in Behälter E? Begründen Sie.

   2.4 Ist die Anzahl der Teilchen, die pro Zeiteinheit und Flächeneinheit auf eine Wand von Behälter F auftreffen, *größer, kleiner* oder *gleich* der Anzahl der Teilchen, die pro Zeiteinheit und Flächeneinheit auf eine Wand in Behälter E auftreffen. Begründen Sie.

2.5 Vergleichen Sie mithilfe Ihrer Antworten in Teil 2.2 und 2.4 den Druck in den beiden Behältern.

Erhalten Sie die gleiche Antwort mithilfe des idealen Gasgesetzes?

3. Ein würfelförmiger Behälter mit einer Seitenlänge von einem Meter enthält Sauerstoff bei Umgebungstemperatur ($T_U \approx 300\,\text{K}$) und Umgebungsdruck ($p_U \approx 10^5\,\text{Pa}$).

3.1 Berechnen Sie die mittlere Geschwindigkeit eines Gasteilchens unter diesen Bedingungen.

3.2 Bestimmen Sie die Differenz der potentiellen Energie eines Sauerstoffteilchens zwischen dem oberen und dem unteren Ende des Behälters.

3.3 Drücken Sie Ihr Ergebnis in Teil 3.2 als Vielfaches oder Bruchteil der mittleren kinetischen Energie des Teilchens aus.

3.4 Bestimmen Sie die Zeit, die ein Sauerstoffteilchen im Mittel benötigt, um die gesamte Seitenlänge des Behälters zurückzulegen, wenn keine Stöße mit anderen Teilchen stattfinden.

3.5 Bestimmen Sie die vertikale Distanz, die ein Sauerstoffteilchen in dem Zeitintervall, das Sie in Teil 3.4 bestimmt haben, aus der Ruhe fällt, wenn keine Stöße mit anderen Teilchen stattfinden.

3.6 Erläutern Sie mithilfe Ihrer Antworten, warum Gravitationskräfte bei Versuchen mit idealen Gasen in der Regel vernachlässigt werden können.

1. Geben Sie in den nachfolgenden Aufgabenteilen jeweils an, ob es eine Zustandsänderung eines idealen Gases gibt, welche die gegebenen Bedingungen erfüllt. Wenn ja, beschreiben Sie den Prozess und geben Sie nach Möglichkeit ein Beispiel aus dem Tutorial. Wenn nicht, begründen Sie, warum es einen solchen Prozess nicht geben kann.

   1.1 Es findet eine Energieübertragung in Form von Wärme statt, aber die Temperatur des Gases ändert sich nicht ($Q \neq 0$, $\Delta T = 0$).

   1.2 Es findet *keine* Energieübertragung in Form von Wärme statt, aber die Temperatur des Gases ändert sich ($Q = 0$, $\Delta T \neq 0$).

   1.3 Es wird Arbeit am Gas verrichtet, aber es findet *keine* Energieübertragung in Form von Wärme statt ($Q = 0$, $W \neq 0$).

   1.4 Es wird *keine* Arbeit am Gas verrichtet, aber es findet Energieübertragung in Form von Wärme statt ($Q \neq 0$, $W = 0$).

2. Ein Mol eines idealen Gases ist in einem Zylinder mit beweglichem Kolben eingeschlossen. Die nachfolgenden Fragen beziehen sich auf die beiden im P,V-Diagramm rechts dargestellten Zustandsänderungen. *Prozess I* ist eine Zustandsänderung von X nach Y bei konstantem Druck. *Prozess II* ist eine Zustandsänderung von W nach Z ebenfalls bei konstantem Druck.

   2.1 Ordnen Sie die Zustände W, X, Y und Z nach der Temperatur. Wenn zwei Temperaturen gleich sind, geben Sie dies ausdrücklich an. Begründen Sie.

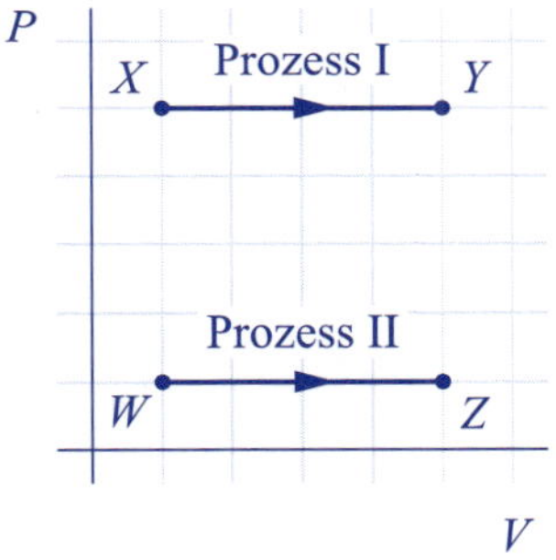

   2.2 Bewegt sich der Kolben in den beiden Zustandsänderungen in den Zylinder *hinein,* aus ihm *heraus* oder bleibt er *in Ruhe?* Begründen Sie.

   2.3 Geben Sie anhand Ihrer Antworten in Teil 2.2 und der auftretenden Kräfte an, ob die folgenden Arbeiten jeweils *positiv, negativ* oder *gleich Null* sind:

   - die in Prozess I am Gas verrichtete Arbeit (W_{I}),

   - die in Prozess II am Gas verrichtete Arbeit (W_{II}).

   2.4 Ist die in Form von Wärme zum Gas übertragene Energie in Prozess I *positiv, negativ* oder *gleich Null?* Begründen Sie.

3. Prozess I aus Aufgabe 2 bildet zusammen mit einer Zustandsänderung bei konstantem Volumen (*Prozess III*) und einer weiteren bei konstanter Temperatur (*Prozess IV*) einen Kreisprozess ähnlich denen, die in Wärmekraftmaschinen und Kältemaschinen verwendet werden.

   3.1 Vergleichen Sie die Verschiebung des Kolbens in Prozess I mit der in Prozess IV. Begründen Sie.

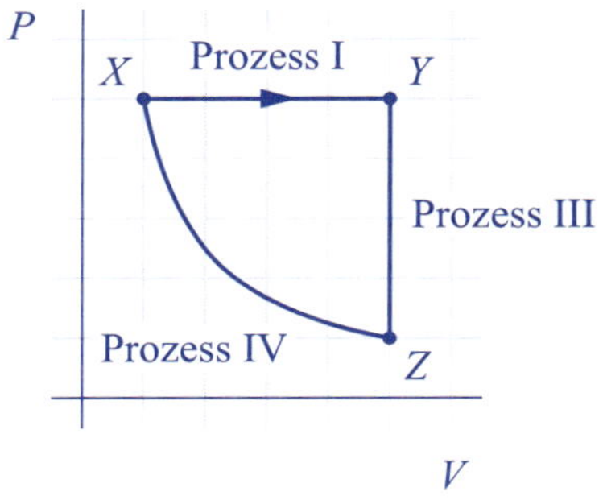

   3.2 Ist der Betrag der in Prozess I am Gas verrichteten Arbeit *größer, kleiner* oder *gleich* dem Betrag der in Prozess IV am Gas verrichteten Arbeit? Begründen Sie Ihre Antwort. (*Hinweis:* Vergleichen Sie die in den beiden Zustandsänderungen auf den Kolben wirkenden Kräfte.)

   3.3 Betrachten Sie nun die während des gesamten Kreisprozesses am Gas verrichtete Arbeit (W_{Kreis}):

   a. Welcher Zusammenhang besteht zwischen der während des gesamten Kreisprozesses am Gas verrichteten Arbeit (W_{Kreis}) und den Arbeiten in den Einzelprozessen W_{I}, W_{III} und W_{IV}? Geben Sie eine mathematische Gleichung an.

   b. Gibt es eine Fläche im obigen *P*,*V*-Diagramm, deren Inhalt dem Betrag der gesamten im Kreisprozess am Gas verrichteten Arbeit entspricht? Wenn ja, markieren Sie die Fläche im Diagramm.

   c. Ist die während des gesamten Kreisprozesses am Gas verrichtete Arbeit (W_{Kreis}) *positiv, negativ* oder *gleich Null?* Begründen Sie.

   3.4 Betrachten Sie die folgende Aussage bezüglich der Arbeit im Kreisprozess:

   „Die Arbeit ist durch $P \cdot \Delta V$ gegeben. Da das Volumen des Gases zu seinem Anfangswert zurückkehrt, ist die gesamte verrichtete Arbeit im Kreisprozess gleich Null."

   Stimmen Sie der Aussage zu? Begründen Sie Ihre Antwort.

Kältemaschinen und Wärmepumpen sind Vorrichtungen, die Kreisprozesse ablaufen lassen, bei denen Energie in Form von Wärme von einem Wärmereservoir bei niedrigeren Temperaturen zu einem Wärmereservoir bei höheren Temperaturen übertragen wird.

1. Die nebenstehende Abbildung stellt eine Wärmepumpe dar, die zwischen den Temperaturen von 300 K und 450 K arbeitet. Die Zahlenwerte und Pfeile geben die pro Umlauf in Form von Arbeit oder Wärme übertragenen Energien zwischen System und Umgebung an. Ist die dargestellte Wärmepumpe mit dem ersten Hauptsatz der Thermodynamik vereinbar? Begründen Sie.

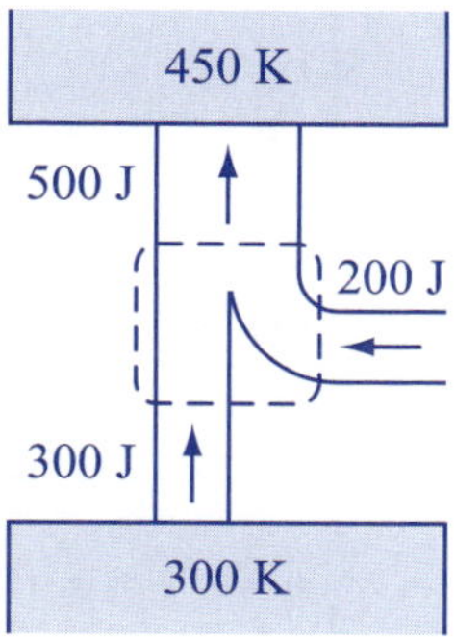

1.1 Bestimmen Sie Betrag und Vorzeichen der folgenden Größen:

- $\frac{Q_{\text{zu }(T_{\text{hoch}})}}{T_{\text{hoch}}} =$

- $\frac{Q_{\text{zu }(T_{\text{niedrig}})}}{T_{\text{niedrig}}} =$

1.2 Welcher Minimalwert für ΔS folgt aus der Clausius'schen Ungleichung?

$\Delta S \geq$

1.3 Ist Ihr Ergebnis damit vereinbar, dass die Entropie eine Zustandsgröße ist und dass in der Wärmepumpe ein Kreisprozess abläuft? Begründen Sie Ihre Antwort.

Die *Leistungszahl* ϵ einer Wärmepumpe ist das Verhältnis der pro Umlauf einem Wärmereservoir bei höherer Temperatur zugeführten Wärme zur von der Umgebung am System verrichteten Arbeit. Sie wird also wie folgt definiert: $\epsilon = \frac{|Q_{\text{zum System (T hoch)}}|}{|W_{\text{am System}}|}$.

1.4 Bestimmen Sie die Leistungszahl der oben dargestellten Wärmepumpe.

1.5 Zwei Studierende diskutieren über die Wärmepumpe auf der vorigen Seite:

Jacob: *„Ich glaube nicht, dass diese Wärmepumpe funktionieren kann. Ihre Leistungszahl ist* $500/200 = 2{,}5$, *also größer als 1."*

William: *„Da hast Du Recht. Die vom Wärmereservoir bei niedrigerer Temperatur aufgenommene Wärme ist größer als die Arbeit. Die bei dieser Temperatur übertragene Wärme kann höchstens so groß sein wie die Arbeit. Das bedeutet, dass diese Wärmepumpe den zweiten Hauptsatz der Thermodynamik verletzt."*

Stimmen Sie einer der Aussagen zu? Begründen Sie Ihre Antwort.

2. Die nachfolgend dargestellte Wärmepumpe arbeitet zwischen Wärmereservoiren bei 400 K und 800 K. Die Beträge der in Form von Wärme übertragenen Energien sind nicht angegeben.

2.1 Bestimmen Sie die Wärme, welche in jedem Umlauf maximal an das Wärmereservoir bei höheren Temperaturen übertragen werden kann ($|Q_{\text{zu}\ (T_\text{hoch})}|$). Begründen Sie Ihre Antwort.

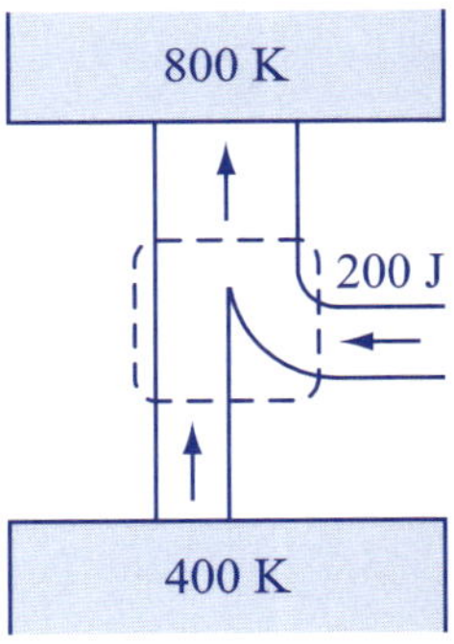

2.2 Welche Leistungszahl kann die dargestellte Wärmepumpe maximal haben?

TEIL IX

Übungen zu Elektrizität und Magnetismus

ÜBERBLICK

1. Zwei identische Metallkugeln werden an isolierenden Fäden aufgehängt. Beide Kugeln haben die gleiche Gesamtladung. In dieser Aufgabe sollen die Kugeln nicht als Punktladungen betrachtet werden.

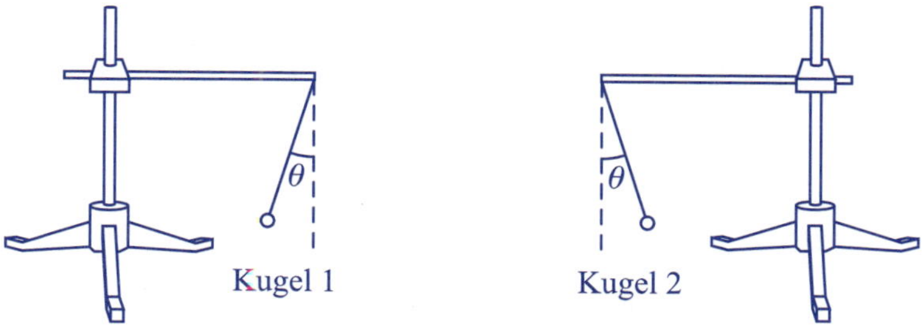

1.1 Zeichnen Sie für jede der Kugeln ein Freikörperbild. Beschriften Sie die Kräfte mit:

- dem Körper, auf den die Kraft wirkt,
- dem Körper, der die Kraft ausübt,
- der Art der Kraft (Normalkraft, Gewichtskraft usw.),
- ob es sich um eine Kontaktkraft handelt oder nicht.

Freikörperbild für Kugel 1	Freikörperbild für Kugel 2

1.2 Die Ladung der zweiten Kugel wird reduziert, sodass sie kleiner ist als die der ersten Kugel.

Ist der Winkel des Fadens zur Vertikalen bei Kugel 1 *größer*, *kleiner* oder *gleich* dem entsprechenden Winkel bei Kugel 2. Zeichnen Sie Ihre Antwort oben ein und begründen Sie.

Vergleichen Sie die Kräfte in diesem Fall mit denen in Teil 1.1 anhand der dort gezeichneten Freikörperbilder. Beachten Sie dabei Betrag und Richtung aller auftretenden Kräfte.

1.3 Was erwarten sie, wenn die Gesamtladung von Kugel 2 auf Null reduziert wird. Skizzieren Sie Ihre Vermutung.

2. Mithilfe des *Coulomb'schen Gesetzes* lässt sich die Kraft zwischen zwei *Punktladungen* angeben.

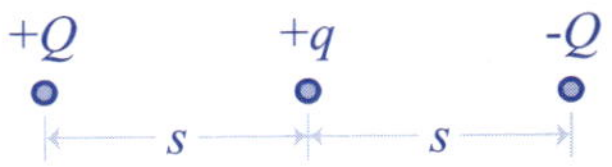

Drei Punktladungen sind an den abgebildeten Orten fixiert.

Betrachten Sie die folgende Aussage eines Studenten:

Die Gesamtkraft auf die Ladung in der Mitte ist Null. Nach dem Coulomb'schen Gesetz ist die Kraft, die die Ladung $+Q$ hervorruft, positiv und die Kraft, die die Ladung $-Q$ hervorruft, negativ, sodass sie sich aufheben.

2.1 Stimmen Sie dieser Aussage zu? Begründen Sie.

2.2 Wie wendet man das Coulomb'sche Gesetz in einer Situation mit mehr als zwei Punktladungen an?

3. In jedem der drei folgenden Teile soll die elektrische Gesamtkraft auf eine positive Ladung $+q$ in zwei Fällen verglichen werden.

3.1 In den Fällen A und B gibt es jeweils zwei positive Punktladungen $+Q$, im Abstand s von der dritten Ladung $+q$.

Ist die elektrische Gesamtkraft auf die Ladung $+q$ in Fall A *größer*, *kleiner* oder *gleich* der elektrischen Gesamtkraft auf $+q$ in Fall B? Begründen Sie.

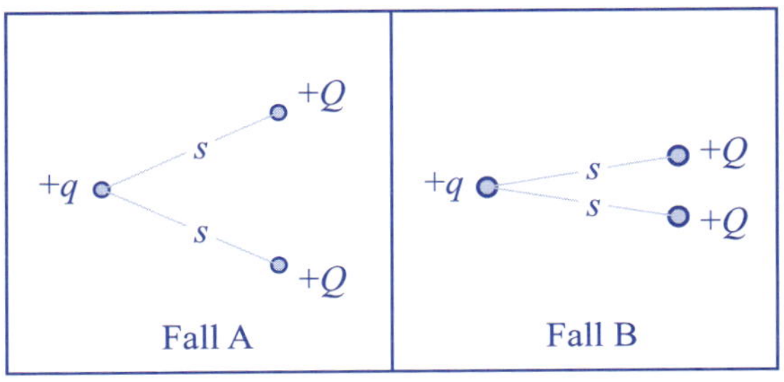

3.2 In Fall C befinden sich zwei positive Punktladungen $+2Q$ im Abstand s von der Punktladung $+q$. In Fall D sind es vier Punktladungen $+Q$, die ebenfalls den Abstand s haben. Der Winkel α ist in beiden Fällen gleich groß.

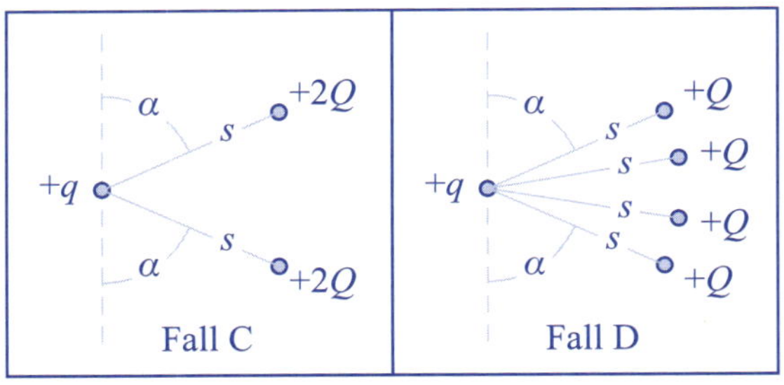

Ist die elektrische Gesamtkraft auf die Ladung $+q$ in Fall C *größer, kleiner* oder *gleich* der elektrischen Gesamtkraft auf die Ladung $+q$ in Fall D? Begründen Sie.

3.3 In Fall E befindet sich eine positive Punktladung $+Q$ in einer Entfernung s von der Punktladung $+q$. In Fall F liegen zehn positive Punktladungen, jede mit der Ladung $+Q/10$, auf einem Kreisbogen mit Radius s um die positive Punktladung $+q$ als Mittelpunkt.

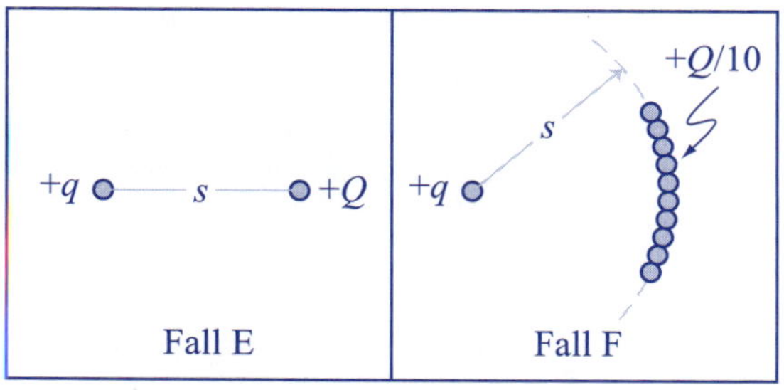

Ist die elektrische Gesamtkraft auf die Ladung $+q$ in Fall E *größer, kleiner* oder *gleich* der elektrischen Gesamtkraft auf die Ladung $+q$ in Fall F? Begründen Sie.

4. Ein dünner halbkreisförmiger Stab besitzt die über seine Länge gleichmäßig verteilte Gesamtladung $+Q$. Eine negative Punktladung $-Q$ befindet sich an der angegebenen Stelle. Eine Testladung $+q$ wird nun an den Punkt C gebracht. (Punkt C hat von $-Q$ und von allen Punkten auf dem Stab dieselbe Entfernung.)

   F_P und F_{St} bezeichnen die von der Punktladung bzw. vom geladenen Stab auf die Testladung ausgeübten Kräfte.

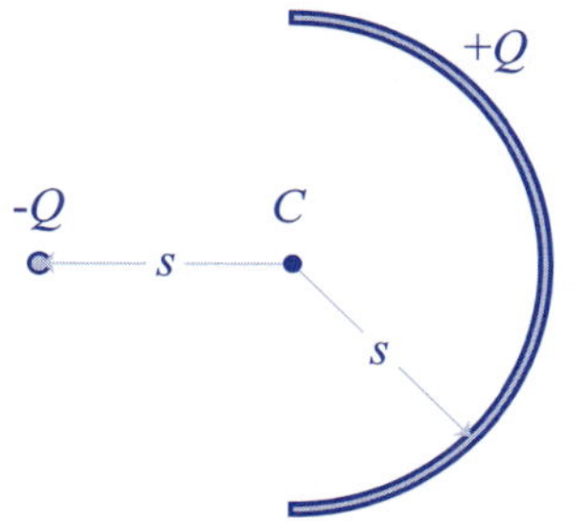

4.1 Ist der Betrag von F_{St} *größer, kleiner* oder *gleich* dem Betrag von F_P? Begründen Sie Ihre Antwort.

4.2 Ist der Betrag der Gesamtkraft auf die Testladung $+q$ *größer, kleiner* oder *gleich* dem Betrag von F_P? Begründen Sie.

4.3 Eine zweite negative Punktladung $-Q$ wird an die markierte Stelle rechts vom Stab gebracht.

Ist der Betrag der Gesamtkraft auf $+q$ nun *größer, kleiner* oder *gleich* dem Betrag der Gesamtkraft auf $+q$ in Teil 4.2? Begründen Sie.

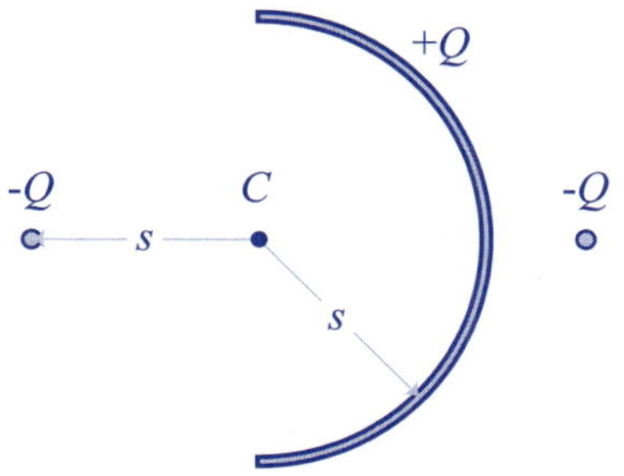

ELEKTRIZITÄT UND MAGNETISMUS
Übungen

5. Ein dünner halbkreisförmiger Stab wie der in Aufgabe 4 wird in zwei Hälften geteilt. Die obere Hälfte besitzt die Ladung $+Q$, die gleichmäßig verteilt ist. Die untere Hälfte trägt die ebenfalls gleichmäßig verteilte Ladung $-Q$.

   Zeichnen Sie in der Abbildung die Richtung der elektrischen Gesamtkraft auf eine positive Testladung an den Punkten A bis C ein. Begründen Sie Ihre Antwort.

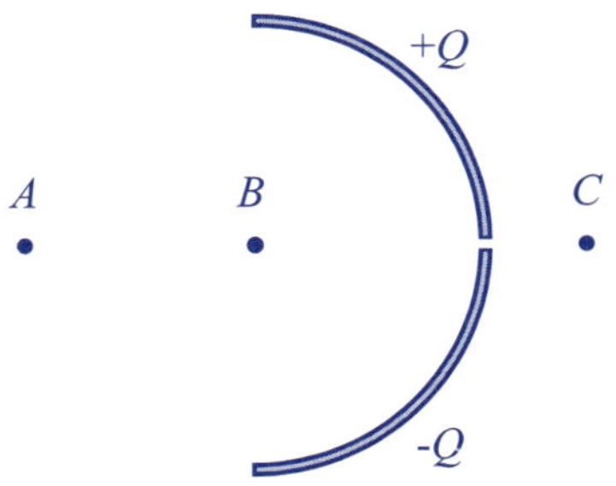

6. Eine positive Punktladung $+q$ befindet sich in der Nähe eines ungeladenen Metallstabes.

   6.1 Skizzieren Sie die Ladungsverteilung auf dem Stab.

   6.2 Ist die elektrische Gesamtkraft auf den Stab gleich oder ungleich Null? Begründen Sie.

   6.3 Ist die elektrische Gesamtkraft auf die Punktladung gleich oder ungleich Null? Begründen Sie.

7. Geben Sie an, ob der Betrag der elektrischen Gesamtkraft auf die mit $+Q_o$ bezeichnete Ladung in Fall A *größer, kleiner* oder *gleich* dem Betrag der elektrischen Gesamtkraft auf die entsprechende Ladung in Fall B ist. Begründen Sie Ihre Antwort.

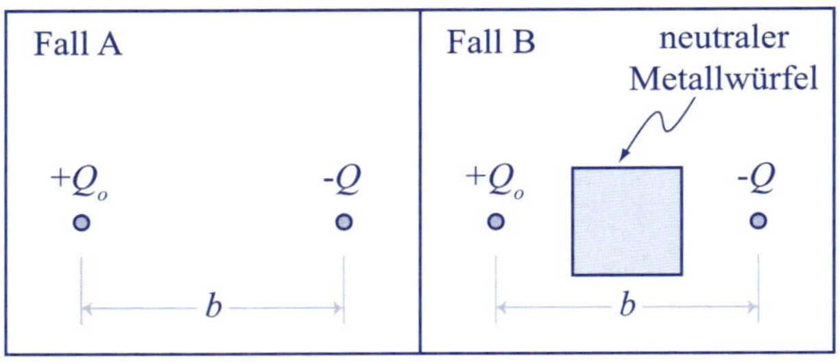

1. Ein Blatt Papier wird wie abgebildet in drei gleich große Streifen gefaltet.

   1.1 Wie viele Flächenvektoren benötigt man, um die Papierfläche zu beschreiben? Zeichnen Sie die Flächenvektoren in die Seitenansicht ein und beschriften Sie diese mit $\vec{A}_1$, $\vec{A}_2$ usw.

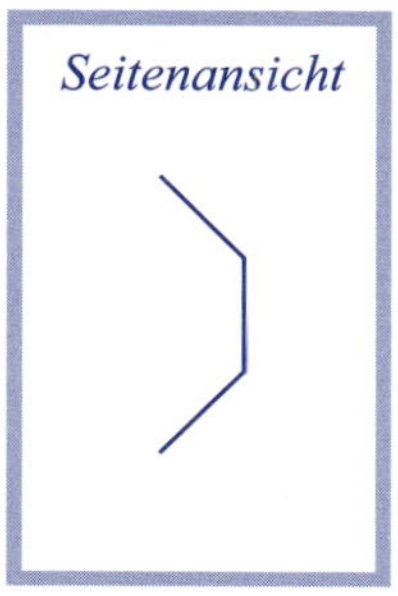

   1.2 Die Abbildung rechts zeigt eine gedachte Fläche in einem homogenen elektrischen Feld $\vec{E}$. Die Fläche hat dieselbe Größe und Form wie das Papier in Teil 1.1. Ist der elektrische Fluss durch das obere Drittel *größer, kleiner* oder *gleich* dem Fluss durch das mittlere Drittel? Begründen Sie.

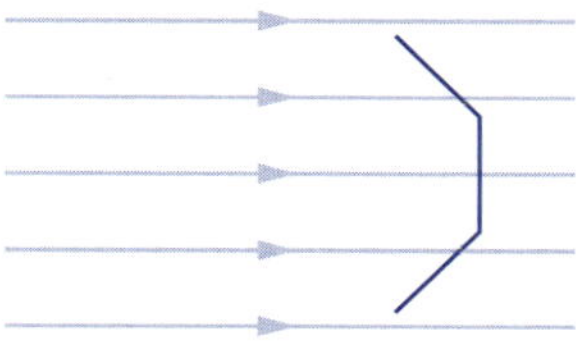

   1.3 Formulieren Sie einen mathematischen Ausdruck für den gesamten elektrischen Fluss Φ durch die Papierfläche, ausgedrückt durch die Flächenvektoren und das elektrische Feld $\vec{E}$. (*Hinweis:* Verwenden Sie die Vektordefinition des elektrischen Flusses aus Abschnitt 3 des Tutorials und formulieren Sie damit mathematische Ausdrücke für jeden der drei Teile der Fläche.)

2. Eine positive Ladung befindet sich im Mittelpunkt des abgebildeten Würfels.

2.1 Sind die Schnittpunkte der Feldlinien mit der Würfelseite gleichmäßig über diese Würfelseite verteilt? Begründen Sie.

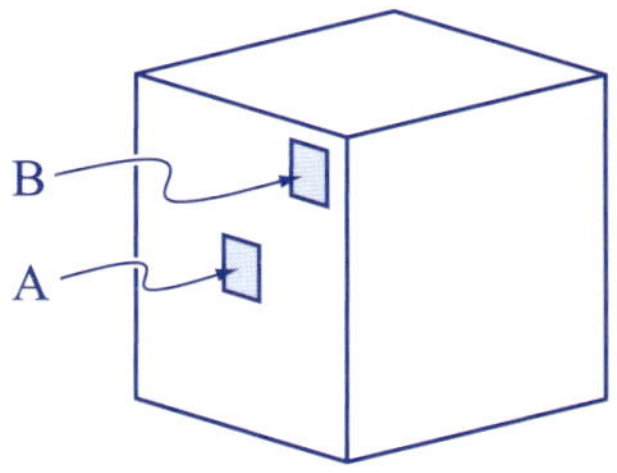

2.2 Wir stellen uns die linke Seite des Kastens aus vielen kleinen Teilflächen gleicher Größe zusammengesetzt vor.

a. Ist die Anzahl der durch Teilfläche A hindurchgehenden Feldlinien *größer, kleiner* oder *gleich* der Anzahl der Feldlinien durch Teilfläche B? Begründen Sie.

b. Ist der Fluss durch Teilfläche A *größer, kleiner* oder *gleich* dem Fluss durch Teilfläche B? Begründen Sie.

2.3 Betrachten Sie die Teilfläche A wiederum als aus vielen kleineren Teilflächen zusammengesetzt. Ändert sich die Anzahl der Feldlinien, die durch diese kleineren Teilflächen hindurchgehen, erheblich von einer Teilfläche zu einer benachbarten? Begründen Sie.

Beschreiben Sie die Verteilung der Feldlinien für die positive Punktladung, wenn man eine hinreichend kleine Teilfläche betrachtet.

2.4 Die linke Seite des Kastens wird in N kleine Teilflächen aufgeteilt. Dabei sollen $d\vec{A}_i$ den Flächenvektor der i-ten Teilfläche und $\vec{E}_i$ die elektrische Feldstärke auf dieser Teilfläche bezeichnen.

Formulieren Sie einen mathematischen Ausdruck für den gesamten elektrischen Fluss Φ_{ges} durch die linke Seite des Würfels, ausgedrückt durch die Vektoren $d\vec{A}_i$ und $\vec{E}_i$.

3. Der rechts abgebildete Ring schließt die Fläche A ein.

3.1 Der Ring befindet sich rechts von einer positiven Punktladung Q.

a. Zeichnen und kennzeichnen Sie einen Flächenvektor für die vom Ring eingeschlossene Fläche.

b. Skizzieren Sie die elektrischen Feldlinien für das elektrische Feld der Punktladung.

c. Ist der elektrische Fluss (ausgehend von der Ladung) durch den Ring *positiv, negativ* oder *gleich Null*? Begründen Sie.

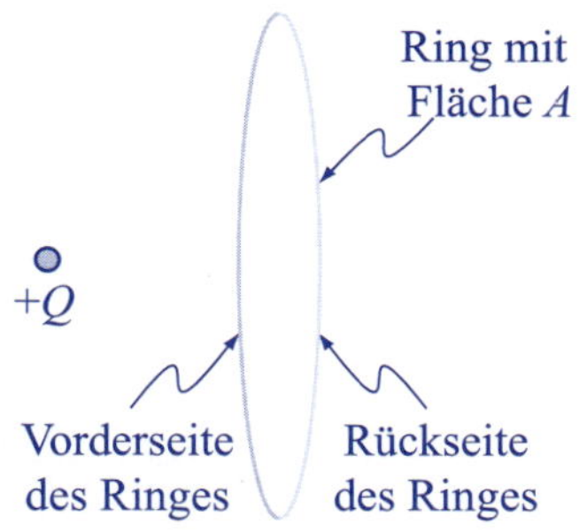

3.2 Nun wird eine gegenüber der ersten Ladung doppelt so große positive Ladung auf der rechten (gegenüberliegenden) Seite des Rings platziert. Beide Ladungen liegen auf der Achse des Rings und haben dieselbe Entfernung von diesem.

Ist der gesamte elektrische Fluss durch den Ring nun *positiv, negativ* oder *gleich Null*? Begründen Sie Ihre Antwort. (*Hinweis:* Verwenden Sie den Flächenvektor aus Teil 3.1.)

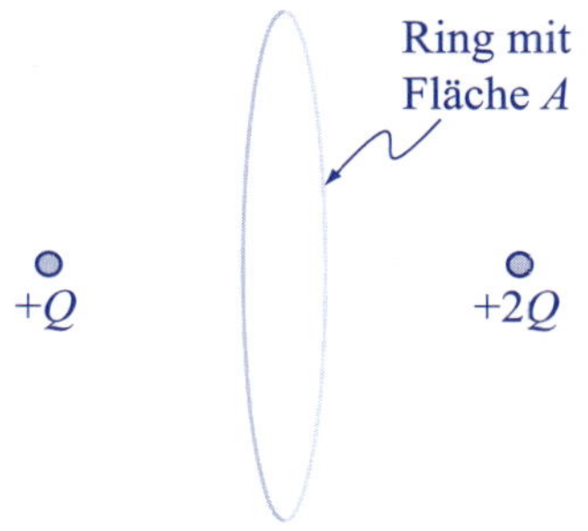

3.3 Die Ladung auf der rechten Seite des Rings ist nun negativ ($-2Q$) statt positiv. Ändert sich dadurch Ihre Antwort in Teil 3.2? Wenn ja, wie? Begründen Sie.

1. Die (geschlossene) Gauß'sche Fläche in der Abbildung rechts besteht aus einer halbkugelförmigen Fläche und einer ebenen Kreisfläche. Eine Punktladung $+q$ befindet sich außerhalb der Fläche. Es ist keine Ladung von der Fläche eingeschlossen.

   1.1 Geben Sie den Fluss durch die *gesamte* geschlossene Fläche an. Begründen Sie.

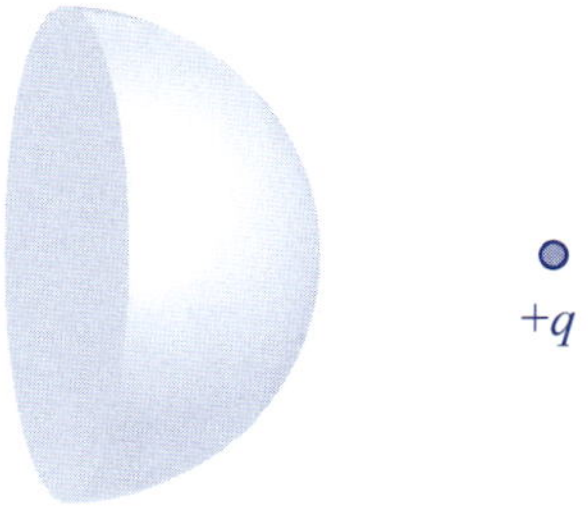

   Mit Φ_L und Φ_R wird der Fluss durch die linke Kreisfläche bzw. die rechte Halbkugelfläche bezeichnet. Welcher Zusammenhang besteht zwischen Φ_L und Φ_R?

   1.2 Die Halbkugelfläche wird durch eine größere gekrümmte Fläche ersetzt (siehe Abbildung). Die Kreisfläche bleibt unverändert.

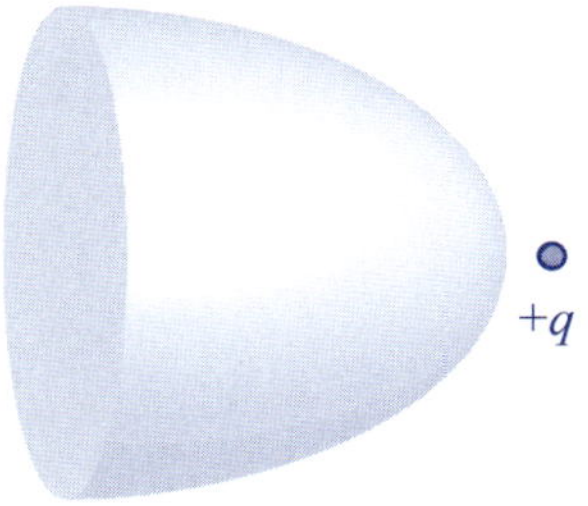

   a. Ändert sich der Wert von Φ_L? Begründen Sie.

   b. Vergleichen Sie den Fluss durch die neue gekrümmte Fläche auf der rechten Seite mit dem Fluss durch die Halbkugelfläche aus Teil 1.1. Begründen Sie.

   1.3 Die gekrümmte Fläche aus Teil 1.2 wird nun durch eine noch größere gekrümmte Fläche ersetzt, sodass sich die Ladung im Innern der geschlossenen Fläche befindet (siehe Abbildung). Die Kreisfläche bleibt wiederum unverändert.

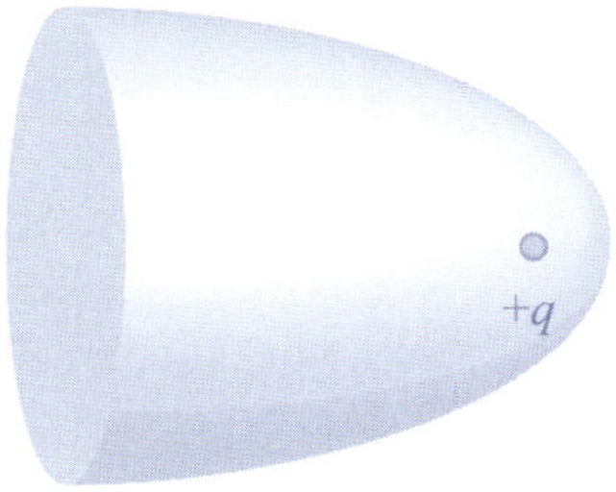

   a. Ändert sich der Wert von Φ_L? Begründen Sie.

   b. Vergleichen Sie den Fluss durch die neue gekrümmte Fläche auf der rechten Seite mit dem Fluss durch die Halbkugelfläche aus Teil 1.1. Begründen Sie.

   c. Drücken Sie mithilfe des Gauß'schen Satzes den Fluss durch die gekrümmte Fläche in Abhängigkeit von q und Φ_L aus.

1.4 Nun wird eine zweite Punktladung $+q$ rechts außerhalb der gekrümmten Fläche aus Teil 1.3 platziert.

a. Ist der Wert von Φ_L nun *größer, kleiner* oder *gleich* dem Wert von Φ_L in Teil 1.3? Begründen Sie.

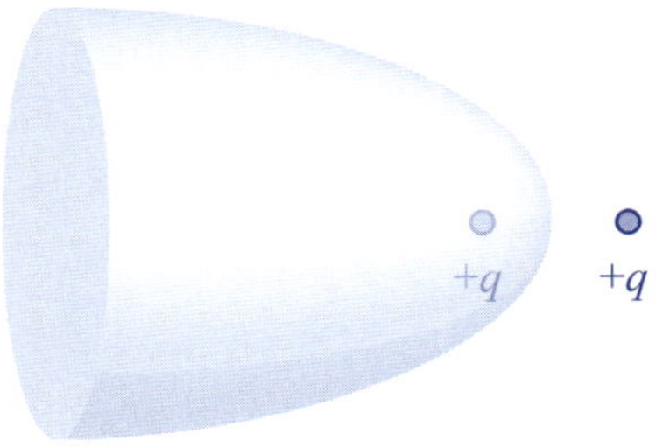

b. Ist der Wert des Gesamtflusses durch die geschlossene Fläche nun *größer, kleiner* oder *gleich* dem Wert des Gesamtflusses in Teil 1.3? Begründen Sie.

2. Betrachten Sie drei Flächenladungen mit den angegebenen Flächenladungsdichten. Die Flächenladungen sind sehr groß und erstrecken sich nach oben und unten über die Abbildungen hinaus.

2.1 Zeichnen Sie an jedem der Punkte A bis D einen Vektor ein, welcher das durch Flächenladung 1 erzeugte elektrische Feld darstellt. Zeichnen Sie die Vektoren im richtigen Verhältnis zueinander und vergleichen Sie ihre Beträge.

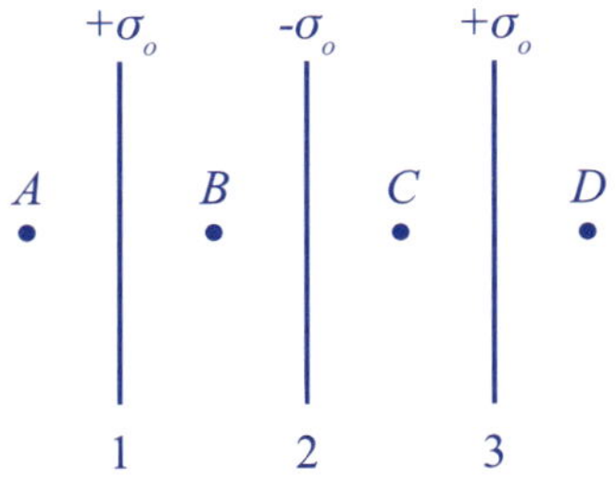

2.2 Zeichnen Sie an jedem der Punkte A bis D einen Vektor ein, welcher das durch Flächenladung 2 erzeugte elektrische Feld darstellt. Zeichnen Sie die Vektoren im richtigen Verhältnis zueinander und vergleichen Sie ihre Beträge.

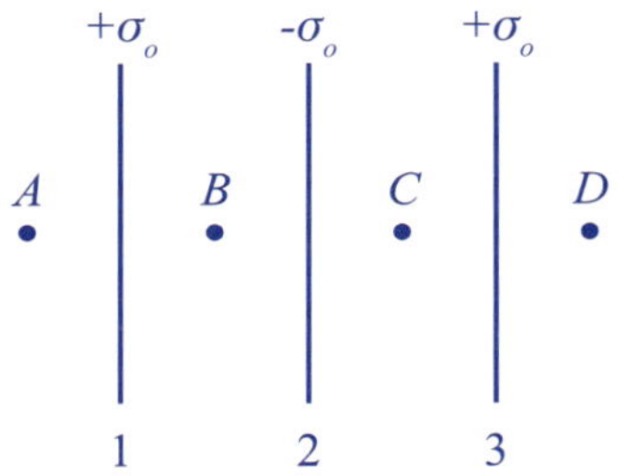

2.3 Zeichnen Sie an jedem der Punkte A bis D einen Vektor ein, welcher das durch Flächenladung 3 erzeugte elektrische Feld darstellt. Zeichnen Sie die Vektoren im richtigen Verhältnis zueinander und vergleichen Sie ihre Beträge.

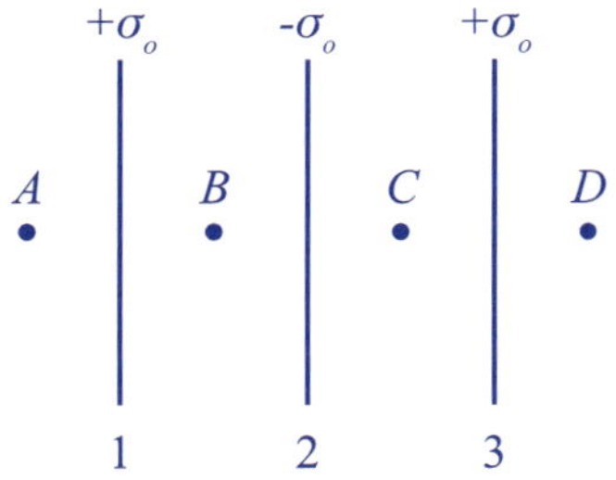

2.4 Zeichnen Sie an jedem der Punkte A bis D das resultierende elektrische Feld ein.

2.5 Berechnen Sie den Betrag des elektrischen Feldes für jeden der Punkte A bis D. Verwenden Sie dazu das Superpositionsprinzip.

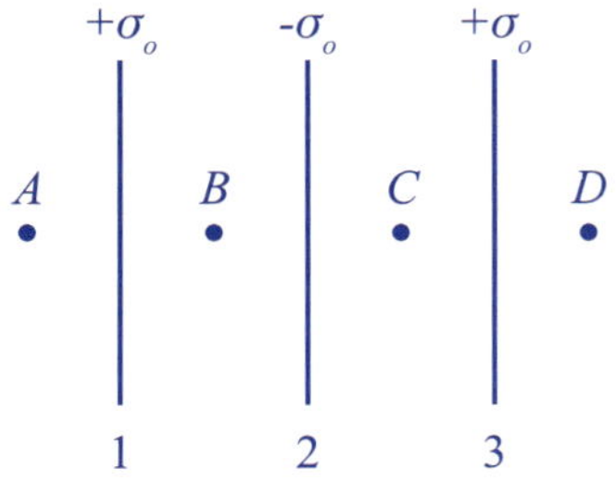

1. Die Abbildung (Ansicht von oben) zeigt eine Anordnung von zwei geladenen Stäben, die jeweils eine Gesamtladung von $-Q_o$ besitzen.

   1.1 Eine kleine Testladung $-q_o$ wird entlang des gezeigten Bogens von Punkt X zu Punkt Y bewegt.

   a. Zeichnen Sie für die beiden Punkte X und Y die Richtung der elektrischen Kraft auf die Testladung ein. Erläutern Sie, wie Sie die Richtung der Kraft bestimmt haben.

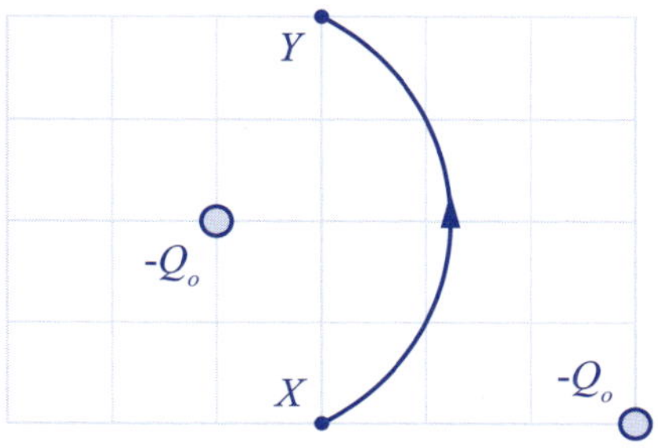

   b. Ist die bei dieser Bewegung vom *elektrischen Feld* verrichtete Arbeit *positiv, negativ* oder *gleich Null*? Begründen Sie.

   c. Ist die elektrische Potentialdifferenz $\Delta V_{X \to Y}$ (d. h. $V_Y - V_X$) *positiv, negativ* oder *gleich Null*? Begründen Sie.

   1.2 Die Testladung wird diesmal am Punkt X mit einer Anfangsgeschwindigkeit vom Betrag v_o gestartet. Sie bewegt sich nur unter Einfluss des betrachteten elektrischen Feldes und wird später am Punkt Y beobachtet. Ist der Betrag der Geschwindigkeit am Punkt Y *größer, kleiner* oder *gleich* dem der Geschwindigkeit am Punkt X? Begründen Sie Ihre Antwort.

ELEKTRIZITÄT UND MAGNETISMUS Übungen

2. Die Abbildung zeigt eine positive Ladung $+q_o$.

 2.1 Die Punkte B und C haben den Abstand r_o von der Ladung, Punkt A den Abstand $2r_o$.

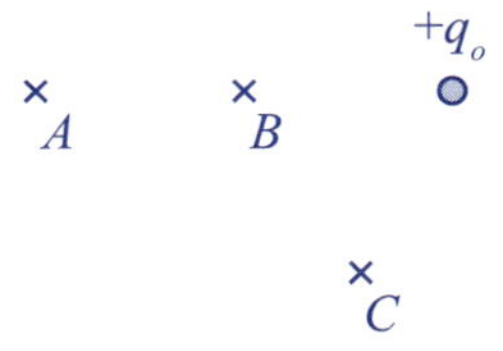

 a. Zeichnen Sie die Richtung des elektrischen Feldes an den markierten Punkten ein.

 b. Mit W_{AB} wird die Arbeit bezeichnet, die verrichtet werden muss, um eine positive Testladung aus der Ruhe in Punkt A zu Punkt B (wieder in Ruhe) zu bewegen.

 - Vergleichen Sie W_{AB} mit der Arbeit W_{BC}, die verrichtet werden muss, um die Testladung in entsprechender Weise von Punkt B zu Punkt C zu bewegen.

 - Vergleichen Sie W_{AB} mit der Arbeit W_{AC}, die verrichtet werden muss, um die Testladung in entsprechender Weise von Punkt A zu Punkt C zu bewegen.

 2.2 Eine große Metallkugel mit der Gesamtladung Null wird links von Punkt A platziert.

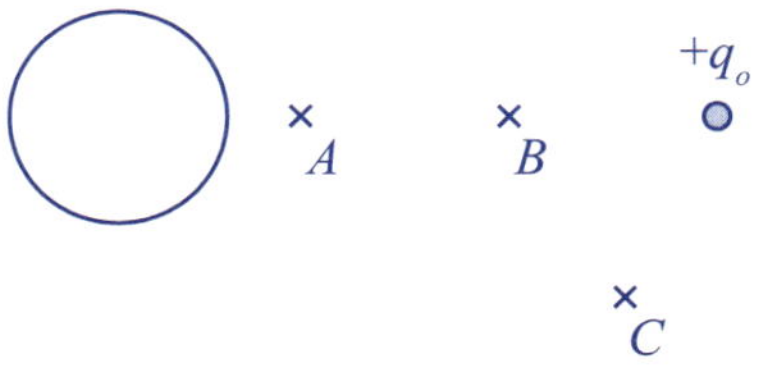

 a. Zeichnen Sie näherungsweise die Ladungsverteilung auf der Kugel ein.

 b. Hat sich durch die Kugel der *Betrag* der elektrischen Feldstärke an den folgenden Punkten *vergrößert, verkleinert* oder *nicht verändert*? Begründen Sie.

 - Punkt B

 - Punkt C

c. Hat sich durch die Kugel die *Richtung* der elektrischen Feldstärke an den folgenden Punkten verändert oder ist sie unverändert? Begründen Sie.

- Punkt B

- Punkt C

d. Hat sich durch die Kugel der Betrag der elektrischen Potentialdifferenz $\Delta V_{A \to B}$ (d. h. $|V_B - V_A|$) zwischen den Punkten A und B *vergrößert*, *verkleinert* oder *nicht verändert*? Begründen Sie Ihre Antwort.

3. Zwei ausgedehnte Flächenladungen mit dem Abstand d haben die Ladungsdichten $+\sigma_o$ bzw. $-\sigma_o$. In der Abbildung ist ein kleiner Ausschnitt in der Mitte der Flächenladungen gezeigt.

3.1 Zeichnen Sie die Richtungen des elektrischen Feldes an den Punkten A bis D ein.

a. Vergleichen Sie die Beträge des elektrischen Feldes an den Punkten A bis D. Begründen Sie.

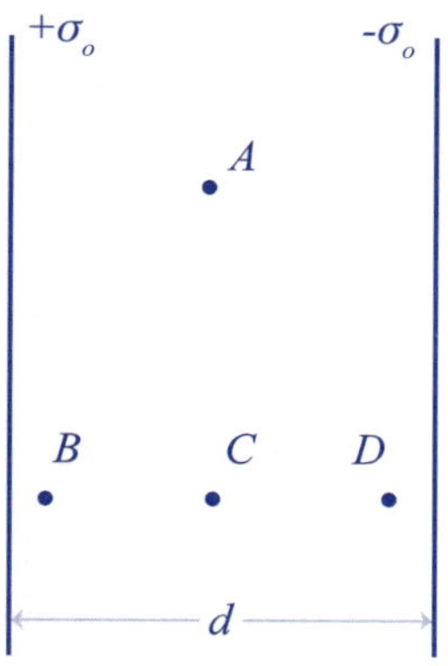

b. Vergleichen Sie die Kraft auf ein geladenes Teilchen am Punkt A mit der elektrischen Kraft auf dasselbe Teilchen an den Punkten B, C und D.

3.2 Ein positiv geladenes Teilchen bewegt sich von Punkt A zu Punkt C.

a. Ist die vom elektrischen Feld am Teilchen verrichtete Arbeit *positiv, negativ* oder *gleich Null*?

b. Bestimmen Sie $\Delta V_{A \to C}$ (d. h. $V_C - V_A$). Begründen Sie Ihre Antwort.

3.3 Ein positiv geladenes Teilchen bewegt sich von Punkt A zu Punkt D.

a. Ist die vom elektrischen Feld am Teilchen verrichtete Arbeit *positiv, negativ* oder *gleich Null*?

b. Ist $\Delta V_{A \to D}$ (d. h. $V_D - V_A$) *positiv, negativ* oder *gleich Null*? Begründen Sie.

3.4 Bestimmen Sie den Betrag und die Richtung des elektrischen Feldes an den Punkten A bis D. (*Hinweis:* Verwenden Sie das Superpositionsprinzip und Ihre Ergebnisse aus dem Tutorial zum *Gauß'schen Satz.*)

3.5 Ein Teilchen der Masse m_o und der Ladung $-q_o$ wird an einem Punkt unmittelbar links von der rechten Flächenladung aus der Ruhe losgelassen. Bestimmen Sie die Geschwindigkeit des Teilchens, wenn es die linke Flächenladung erreicht.

1. Zwei große leitende Platten im Abstand d sind mit einer Batterie verbunden.

1.1 Der Flächeninhalt jeder Seite der beiden Platten ist A_1.

Verwenden Sie die Variablen d und A_1, um einen Ausdruck für die Kapazität anzugeben.

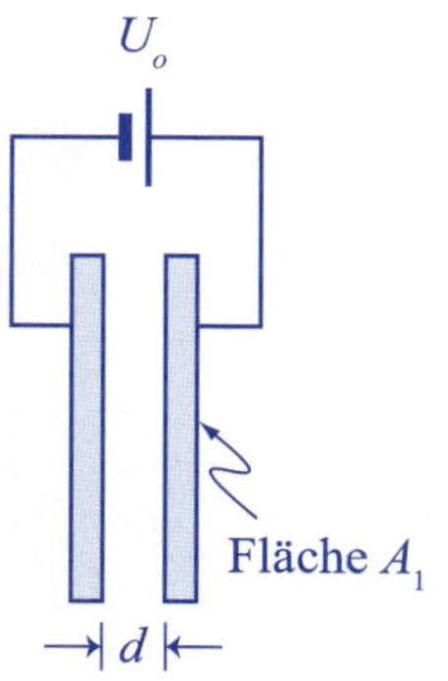

1.2 Der Kondensator wird nun verändert, indem an jede der Platten eine ungeladene Platte mit dem Flächeninhalt A_2 angefügt wird. Die Batterie bleibt dabei angeschlossen.

a. Nimmt die elektrische Potentialdifferenz zwischen den Platten *zu, ab* oder bleibt sie *gleich*, wenn die zusätzlichen Platten angefügt werden? Begründen Sie.

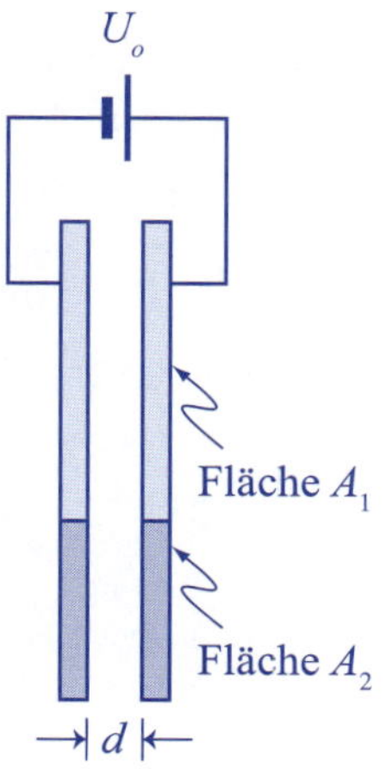

b. Geben Sie mithilfe der Variablen d, q_o, V_o, A_1 und A_2 einen Ausdruck für die Arbeit an, die das elektrische Feld an einer Ladung $+q_o$ verrichtet, wenn diese sich von der linken Platte des Kondensators zur rechten Platte bewegt. Begründen Sie.

c. Geben Sie mithilfe der obigen Variablen einen Ausdruck für den Betrag des elektrischen Feldes zwischen den Platten an. Ist der Betrag des elektrischen Feldes *größer, kleiner* oder *gleich* dem Betrag des Feldes, bevor die zusätzlichen Platten angefügt wurden?

d. Geben Sie mithilfe der obigen Variablen einen Ausdruck für die Flächenladungsdichte auf den Kondensatorplatten an. Ist die Flächenladungsdichte *größer, kleiner* oder *gleich* der Flächenladungsdichte, bevor die zusätzlichen Platten angefügt wurden? Begründen Sie.

e. Geben Sie einen Ausdruck für die Gesamtladung auf einer der Kondensatorplatten an. Ist die Gesamtladung *größer, kleiner* oder *gleich* der Gesamtladung, bevor die zusätzlichen Platten angefügt wurden? Begründen Sie.

f. Bestimmen Sie mithilfe der Definition in Abschnitt 2 des Tutorials die Kapazität der vergrößerten Kondensatorplatten. Hat die Kapazität *zugenommen, abgenommen* oder ist sie *gleich geblieben?*

2. Zwei Platten mit der Fläche A_1 und den Gesamtladungen $+Q_1$ bzw. $-Q_1$ sind in einem Abstand d voneinander befestigt. Die Ladung ist gleichmäßig über die inneren Oberflächen der Platten verteilt.

Zwei ungeladene Platten mit der Fläche A_2 werden nun an die ursprünglichen Platten angefügt wie abgebildet.

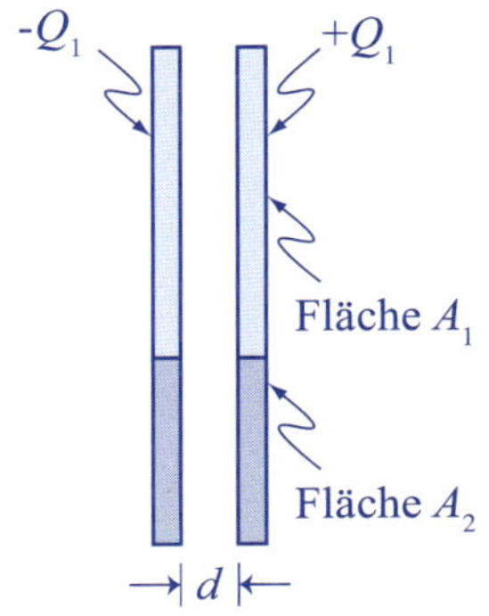

2.1 Bestimmen Sie die Flächenladungsdichte auf den Platten. Begründen Sie.

2.2 Bestimmen Sie die elektrische Potentialdifferenz zwischen den Platten. Begründen Sie.

2.3 Zeigen Sie, dass die Kapazität des vergrößerten Plattenkondensators mit der Kapazität, die Sie in Teil 1.2 bestimmt haben, übereinstimmt.

1. Im Tutorial *Modell für Stromkreis – Teil 1: Strom u. Widerstand* haben Sie die relative Helligkeit der Glühlampen in den drei abgebildeten Stromkreisen verglichen. In den Abbildungen wurden zur Verdeutlichung Rahmen um die Netzwerke gezeichnet.

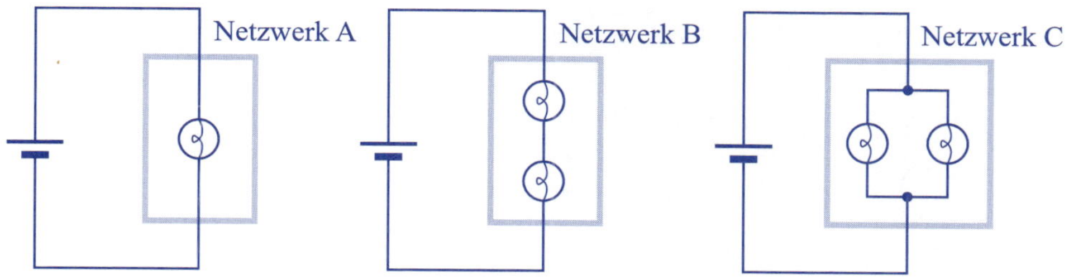

Ordnen Sie die Netzwerke A bis C nach ihrem Gesamtwiderstand. Verwenden Sie dazu Ihre Beobachtungen und die Regeln, die Sie im Tutorial für den Zusammenhang zwischen dem Strom durch die Batterie und dem Gesamtwiderstand eines Stromkreises entwickelt haben. Erläutern Sie Ihre Überlegung, ohne zu rechnen, anhand der Modellvorstellung zum elektrischen Strom.

2. Ordnen Sie die unten abgebildeten Netzwerke mithilfe der entwickelten Modellvorstellung nach dem Gesamtwiderstand. Begründen Sie Ihre Antwort.

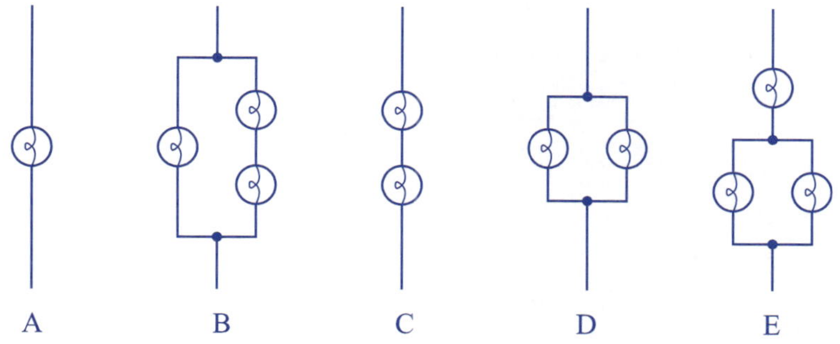

3. Der Stromkreis rechts enthält vier identische Glühlampen und eine ideale Batterie.

3.1 Ordnen Sie die Glühlampen nach ihrer Helligkeit. Begründen Sie Ihre Antwort.

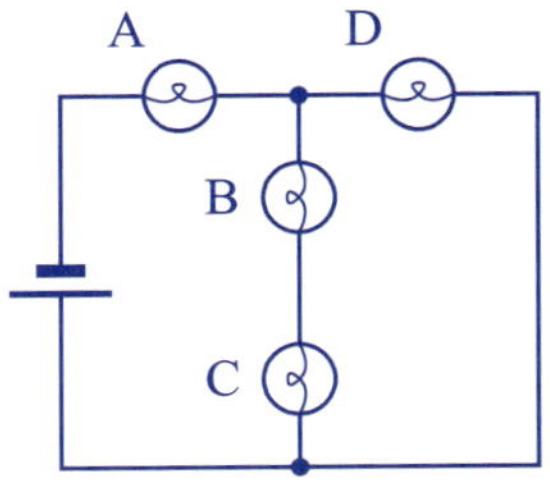

3.2 Nun wird ein Draht in der Schaltung hinzugefügt.

a. Nimmt die Helligkeit von Glühlampe C *zu, ab* oder bleibt sie *gleich?* Begründen Sie Ihre Antwort.

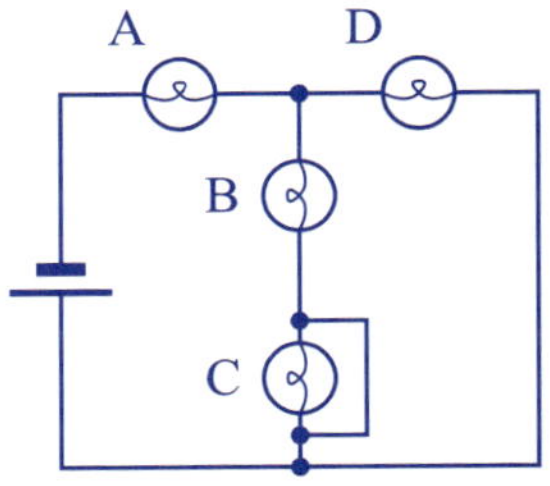

b. Nimmt die Helligkeit von Glühlampe A *zu, ab* oder bleibt sie *gleich?* Begründen Sie Ihre Antwort.

c. Nimmt der Strom durch die Batterie *zu, ab* oder bleibt er *gleich?* Begründen Sie.

4. Betrachten Sie die fünf abgebildeten Netzwerke.

   4.1 Ordnen Sie die Netzwerke nach ihrem Gesamtwiderstand. (*Hinweis:* Stellen Sie sich jedes der Netzwerke in einem Stromkreis mit einer Indikatorlampe und einer Batterie vor.)

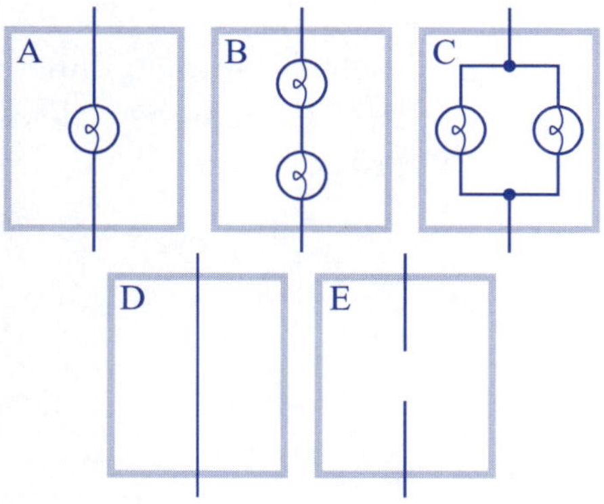

   4.2 Wie verändert das Hinzufügen einer einzelnen Glühlampe in Reihe mit einer Glühlampe oder einem Netzwerk den Gesamtwiderstand der Schaltung?

   4.3 Wie verändert das Hinzufügen einer einzelnen Glühlampe parallel zu einer Glühlampe oder einem Netzwerk den Gesamtwiderstand der Schaltung?

   4.4 Aus den Netzwerken A bis E und identischen Batterien werden nun verschiedene Schaltkreise zusammengesetzt. Verwenden Sie die entwickelte Modellvorstellung:

   - Ordnen Sie die Stromkreise nach ihrem Gesamtwiderstand. Begründen Sie.

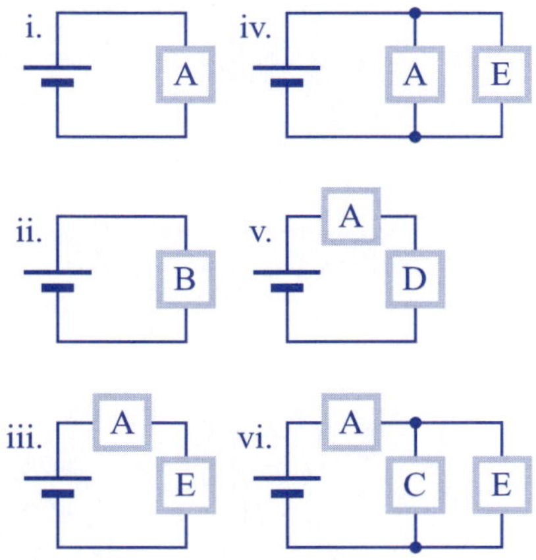

   - Ordnen Sie die Stromkreise nach dem Strom durch die Batterie. Begründen Sie.

5. Der Stromkreis rechts zeigt vier identische Glühlampen, die mit einer idealen Batterie verbunden sind.

   5.1 Ordnen Sie die Glühlampen nach der Helligkeit. Falls zwei Glühlampen gleich hell sind, geben Sie dies ausdrücklich an.

   Erläutern Sie, wie Sie die Reihenfolge bestimmt haben.

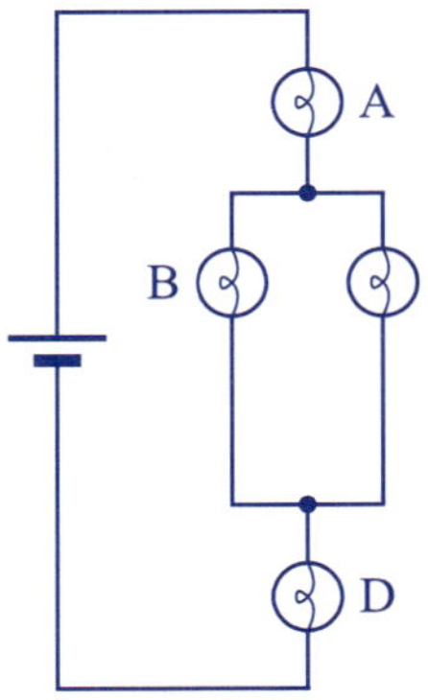

   5.2 Nun wird ein Schalter in den Stromkreis eingefügt. Der Schalter ist zu Beginn geschlossen.

   Wird der Strom durch die Glühlampe A *größer, kleiner* oder bleibt er *gleich,* wenn der Schalter geöffnet wird? Begründen Sie Ihre Antwort.

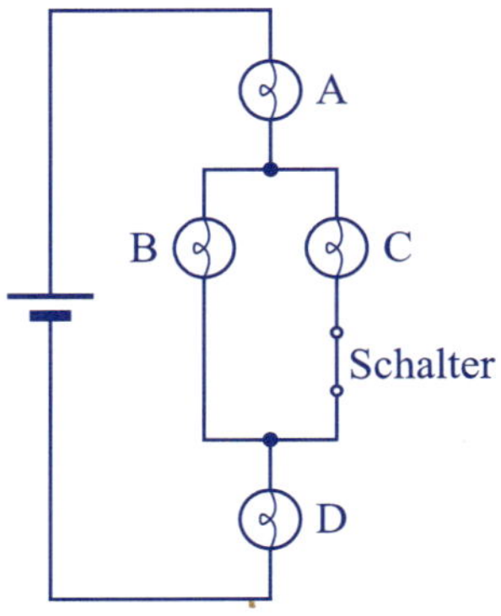

1. Der rechts abgebildete Schaltkreis besteht aus einer Glühlampe in Reihe mit einem unbekannten Netzwerk.

   Die folgenden Abbildungen A bis E zeigen mögliche Schaltungen für das unbekannte Netzwerk. Alle Glühlampen sind identisch. Netzwerk C besteht lediglich aus einem Draht.

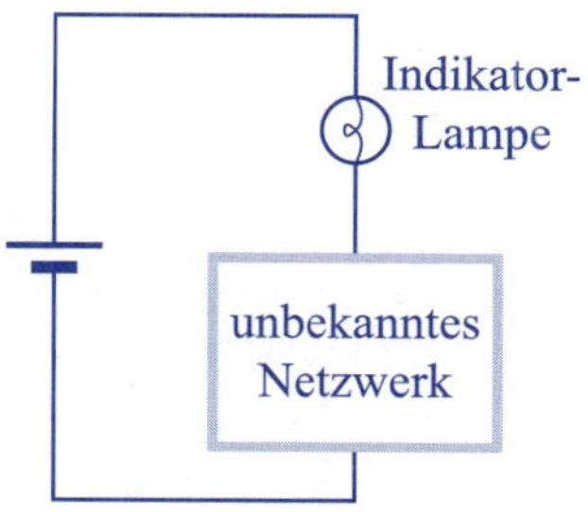

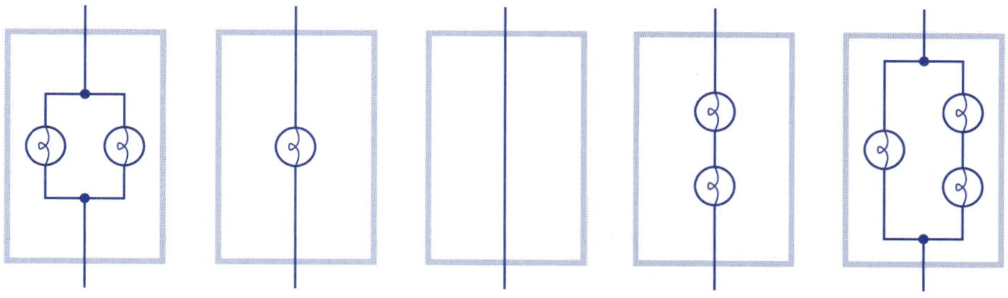

Nacheinander wird je eines der fünf Netzwerke in den Schaltkreis eingefügt.

1.1 Ordnen Sie die fünf Schaltkreise mithilfe der im Tutorial entwickelten Modellvorstellung nach der Helligkeit der Indikatorlampe.

1.2 Ordnen Sie die Netzwerke A bis E nach ihrem Gesamtwiderstand. Begründen Sie. (*Hinweis:* Berechnen Sie den Widerstand nicht mithilfe von Formeln, sondern verwenden Sie stattdessen die Modellvorstellung für den elektrischen Strom.)

2. In dieser Aufgabe enthalten die Netzwerke F und G unbekannte Kombinationen von Glühlampen. Die Glühlampen 1 und 2 sind identisch. Die Batterien sind ideal.

   2.1 Im rechts abgebildeten Schaltkreis sind die Spannungen an Glühlampe 1 und Netzwerk F gleich. Lassen sich daraus Schlussfolgerungen über den Widerstand von Netzwerk F im Vergleich zum Widerstand von Glühlampe 1 ziehen? Wenn ja, welche? Begründen Sie.

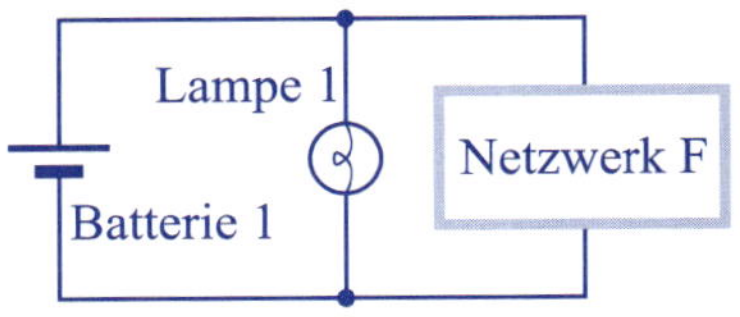

   Formulieren Sie einen Ausdruck für die Spannung an der Batterie $U_{\text{Batt 1}}$, abhängig von den an Netzwerk F und Glühlampe 1 gemessenen Spannungen U_{F} und $U_{\text{Lampe 1}}$.

   2.2 Im rechts abgebildeten Schaltkreis sind die Spannungen an Glühlampe 2 und Netzwerk G gleich. Lassen sich daraus, Schlussfolgerungen über den Widerstand von Netzwerk G im Vergleich zum Widerstand von Glühlampe 2 ziehen? Wenn ja, welche? Begründen Sie.

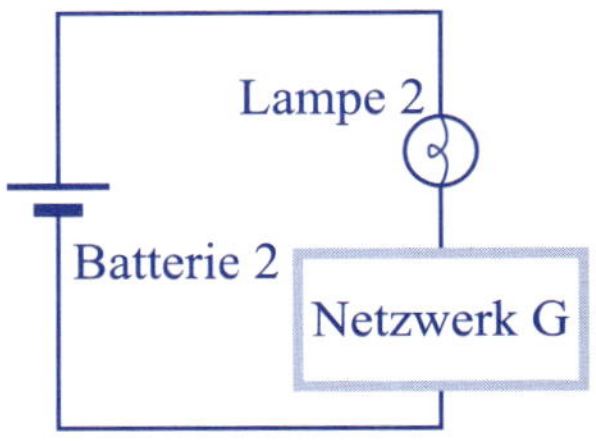

   Formulieren Sie einen Ausdruck für die Spannung an der Batterie $U_{\text{Batt 2}}$, abhängig von den an Netzwerk G und Glühlampe 2 gemessenen Spannungen U_{G} und $U_{\text{Lampe 2}}$.

2.3 Die beiden Netzwerke F und G werden nun vertauscht. Es wird beobachtet, dass Glühlampe 2 heller leuchtet als zuvor.

a. Ist der Widerstand von Netzwerk F *größer, kleiner* oder *gleich* dem von Netzwerk G? Begründen Sie.

b. Hat sich der Strom durch Batterie 1 geändert? Wenn ja, wie?

c. Hat sich der Strom durch Batterie 2 geändert? Wenn ja, wie?

3. Alle Glühlampen in dieser Aufgabe sind identisch und die Batterie ist ideal.

3.1 Betrachten Sie den rechts abgebildeten Schaltkreis.

a. Ordnen Sie die Glühlampen A bis C nach ihrer Helligkeit. Begründen Sie Ihre Antwort.

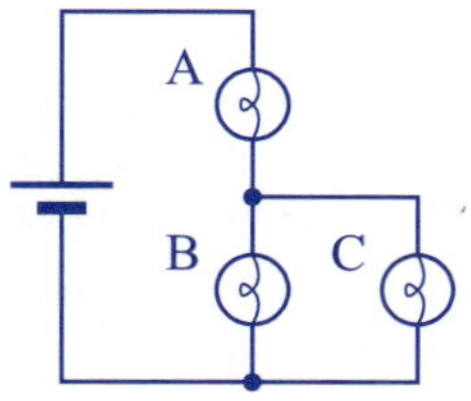

b. Ordnen Sie die Glühlampen nach der Spannung. Begründen Sie.

c. Formulieren Sie eine Gleichung, die einen Zusammenhang zwischen den Spannungen an den Glühlampen A und B mit der Batteriespannung herstellt.

d. Ist die Spannung an Glühlampe A *größer, kleiner* oder *gleich* der halben Batteriespannung? Begründen Sie.

3.2 Ein Student schneidet die Drahtverbindung zwischen den Glühlampen A und C durch, wie in der Abbildung gezeigt.

a. Ordnen Sie die Glühlampen A bis C nach ihrer veränderten Helligkeit. Begründen Sie Ihre Antwort.

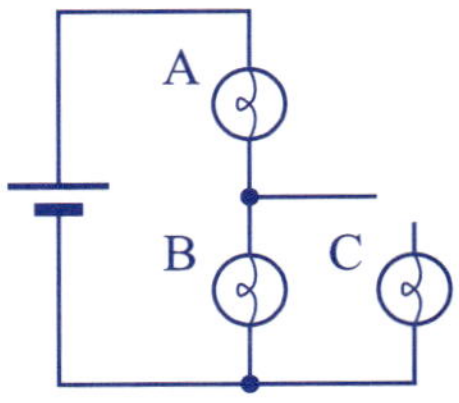

b. Ordnen Sie die Glühlampen nach den Spannungen. Begründen Sie.

c. Formulieren Sie eine Gleichung, die einen Zusammenhang zwischen den Spannungen an den Glühlampen A und B mit der Batteriespannung herstellt.

d. Ist die Spannung an Glühlampe A *größer, kleiner* oder *gleich* der halben Batteriespannung? Begründen Sie.

3.3 Betrachten Sie die folgende Diskussion zwischen zwei Studierenden über die Änderung im Schaltkreis, wenn der Draht durchgeschnitten wird (Teil 3.2):

Alessandro: *„Ich denke, dass Glühlampe B heller wird. Die Glühlampe B hat sich bisher den Strom mit Glühlampe C geteilt und nun erhält sie den gesamten Strom. Also wird sie heller leuchten."*

Nikola: *„Ich bin anderer Meinung. Jetzt gibt es nicht mehr so viele verschiedene Wege im Stromkreis, dadurch hat sich der Widerstand des Stromkreises erhöht. Wegen des höheren Widerstandes fließt jetzt ein kleinerer Strom und deshalb wird Glühlampe B dunkler."*

a. Stimmen Sie Alessandro zu? Begründen Sie Ihre Antwort.

b. Stimmen Sie Nikola zu? Begründen Sie Ihre Antwort.

c. Entscheiden Sie anhand der jeweils anliegenden Spannung, ob und wie sich die Helligkeit von Glühlampe B ändert. Begründen Sie Ihre Antwort.

4. Betrachten Sie den rechts abgebildeten Schaltkreis. Alle Glühlampen sind identisch und die Batterie ist ideal.

4.1 Ordnen Sie die Glühlampen 1 bis 6 nach ihrer Helligkeit. Begründen Sie Ihre Antwort.

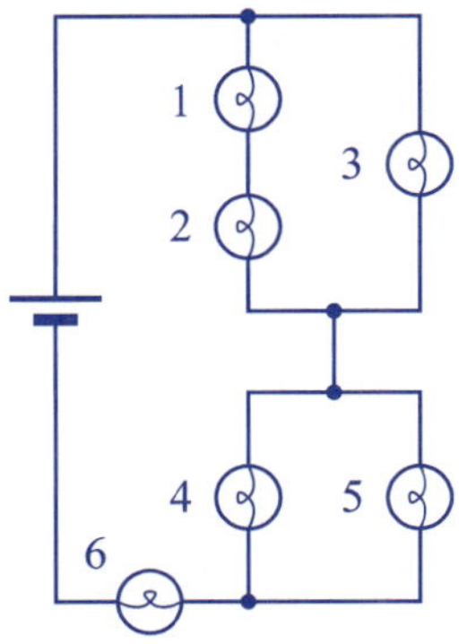

4.2 Ordnen Sie die Glühlampen nach der Spannung. Begründen Sie.

4.3 Formulieren Sie eine Gleichung, die einen Zusammenhang zwischen den Spannungen an den Glühlampen 3, 5 und 6 mit der Batteriespannung U_{Batt} herstellt.

4.4 Nun wird Glühlampe 1 aus ihrer Fassung entfernt.

a. Nimmt die Helligkeit von Glühlampe 2 *zu, ab* oder bleibt sie *gleich*? Begründen Sie.

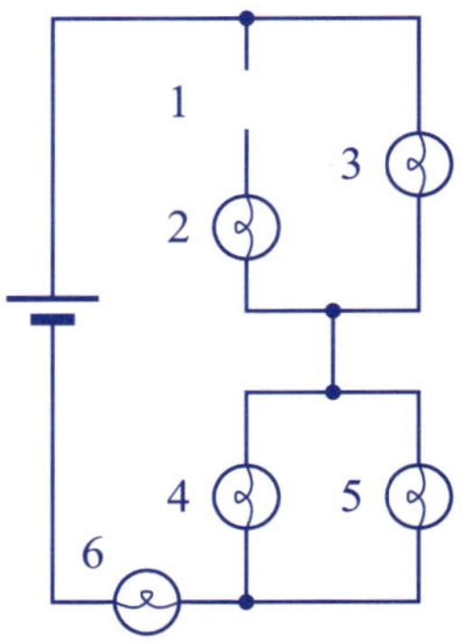

b. Nimmt die Helligkeit von Glühlampe 6 *zu, ab* oder bleibt sie *gleich*? Begründen Sie.

c. Nimmt die Helligkeit von Glühlampe 3 *zu, ab* oder bleibt sie *gleich*? Begründen Sie.

1. Betrachten Sie noch einmal den abgebildeten Schaltkreis VII aus dem Tutorial.

   1.1 Die Batterien I und J sind hier *nicht* identisch, stattdessen ist die Spannung von Batterie J *kleiner* als die von Batterie I. Batterie I ist die gleiche wie im Tutorial.

   Leuchtet Glühlampe 6, wenn der Schalter geschlossen wird? Begründen Sie Ihre Antwort.

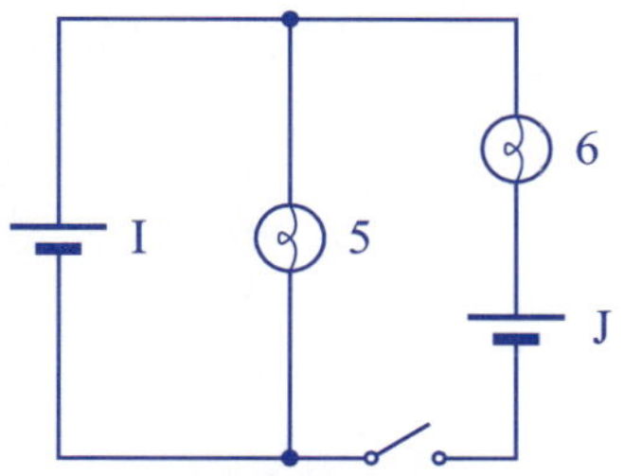

Schaltkreis VII

   Falls Glühlampe 6 leuchtet, zeichnen Sie die Richtung des Stroms durch die Glühlampe ein. Begründen Sie.

   Leuchtet Glühlampe 5 bei geschlossenem Schalter *heller, weniger hell* oder *genau so hell* wie im Tutorial? Begründen Sie.

   1.2 Nun ist die Spannung von Batterie I *kleiner* als die von Batterie J. Batterie J ist die gleiche wie im Tutorial.

   Leuchtet Glühlampe 6, wenn der Schalter geschlossen wird? Begründen Sie Ihre Antwort.

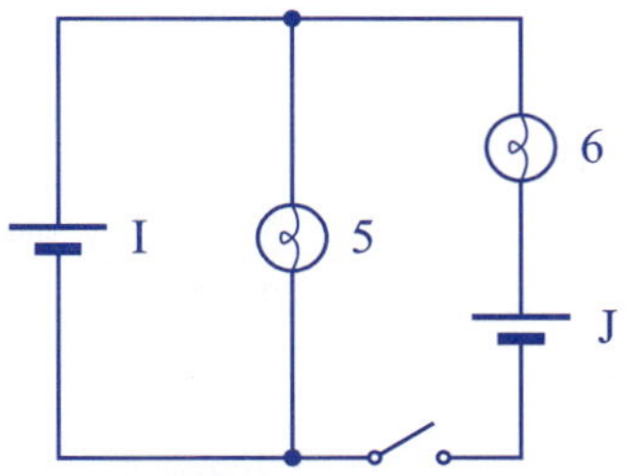

Schaltkreis VII

   Falls Glühlampe 6 leuchtet, zeichnen Sie die Richtung des Stroms durch die Glühlampe ein. Begründen Sie.

   Leuchtet Glühlampe 5 bei geschlossenem Schalter *heller, weniger hell* oder *genau so hell* wie im Tutorial? Begründen Sie.

2. Betrachten Sie den abgebildeten Schaltkreis, der eine weitere Variante von Schaltkreis VII aus dem Tutorial darstellt. Alle Glühlampen sind identisch und die Batterien sind identisch und ideal.

2.1 Glühlampe 1 wird entfernt. Ändert sich dadurch die Spannung zwischen den Punkten X und Z? Begründen Sie.

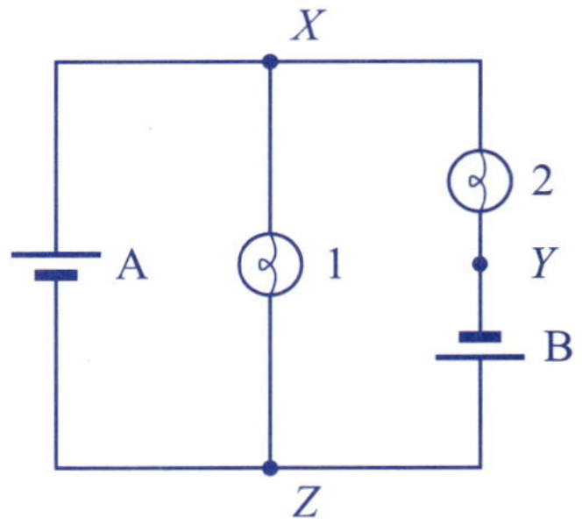

2.2 Nun wird stattdessen Batterie A aus dem Batteriehalter entfernt. Ändert sich dadurch die Spannung zwischen den Punkten X und Z? Begründen Sie.

2.3 Zwei Studierende ordnen die elektrischen Potentiale an den Punkten X, Y und Z im oben abgebildeten Stromkreis.

Hans Christian: *„Ich habe nur die rechte Masche betrachtet. Das elektrische Potential ist an Punkt Z am größten, da dieser am nächsten am Pluspol von Batterie B liegt. Das elektrische Potential an Punkt Y ist am niedrigsten, weil dieser sich am nächsten am Minuspol von Batterie B befindet. Punkt X liegt dazwischen, also gilt: $V_Z > V_X > V_Y$."*

Simon: *„Ich habe nur die äußere Masche betrachtet. Von Punkt Y zu Punkt Z steigt das elektrische Potential um U_o an, also gilt $U_{YZ} = U_o$. Von Punkt Z zu Punkt X steigt das Potential ebenfalls um U_o, also $U_{ZX} = U_o$. Also gilt: $V_X > V_Z > V_Y$."*

Stimmen Sie einer der Aussagen zu? Wenn ja welcher? Begründen Sie.

2.4 Ordnen Sie die Spannungen an den Batterien A und B ($U_{\text{Batt A}}$ und $U_{\text{Batt B}}$) und den Glühlampen 1 und 2 ($U_{\text{Lampe 1}}$ und $U_{\text{Lampe 2}}$) nach ihrem Betrag. Falls mehrere dieser Spannungen gleich groß sind, geben Sie dies ausdrücklich an. Begründen Sie.

2.5 Vergleichen Sie die Helligkeiten der Glühlampen 1 und 2. Begründen Sie.

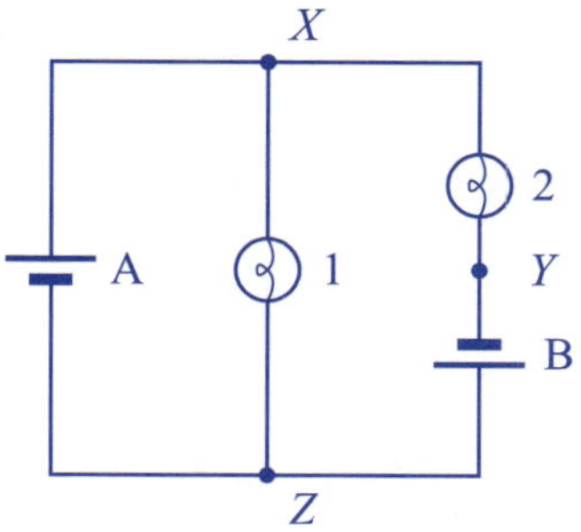

2.6 Zeichnen Sie in dem Schaltbild oben rechts die Richtungen der Ströme durch die Batterien und Glühlampen ein. Zeigen Sie, dass Ihre Antwort mit der Äußerung des Studenten, mit dem Sie in Teil 2.3 übereinstimmten, vereinbar ist.

2.7 Ist der Strom durch Batterie B *größer, kleiner* oder *gleich* dem Strom durch Batterie A? Begründen Sie.

2.8 Glühlampe 1 wird nun aus der Fassung entfernt. Nimmt der Strom durch Batterie A *zu, ab* oder bleibt er *gleich?* (*Hinweis:* Verwenden Sie die Kirchhoff'schen Regeln.) Begründen Sie.

3. Betrachten Sie die folgende *unzutreffende* Äußerung eines Studenten über den Schaltkreis VII aus dem Tutorial:

„Wenn ich die Kirchhoff'sche Maschenregel bei geschlossenem Schalter anwende, dann hat die rechte Masche eine Batterie und zwei Glühlampen in Reihe. Die Spannung der Batterie muss der Summe der Spannungen über den beiden Glühlampen entsprechen. Jede der Glühlampen erhält also die halbe Batteriespannung und die Glühlampen sind daher gleich hell."

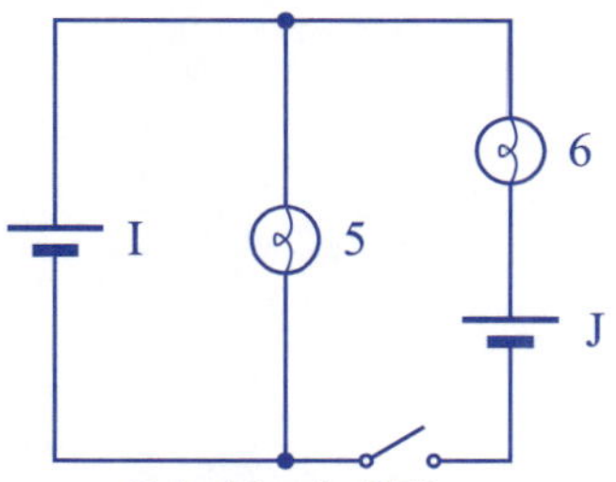

Schaltkreis VII

Finden Sie den bzw. die Fehler im Gedankengang des Studenten.

1. Der rechts abgebildete Schaltkreis enthält eine Batterie, einen Schalter, eine Glühlampe und einen Kondensator. Der Kondensator ist zu Beginn ungeladen.

   1.1 Beschreiben Sie das Verhalten der Glühlampe in den folgenden Situationen:

   a. Der Schalter wird zunächst in die Position 1 gebracht.

   Beschreiben Sie das Verhalten von Glühlampe A ab dem Moment des Einschaltens. Begründen Sie.

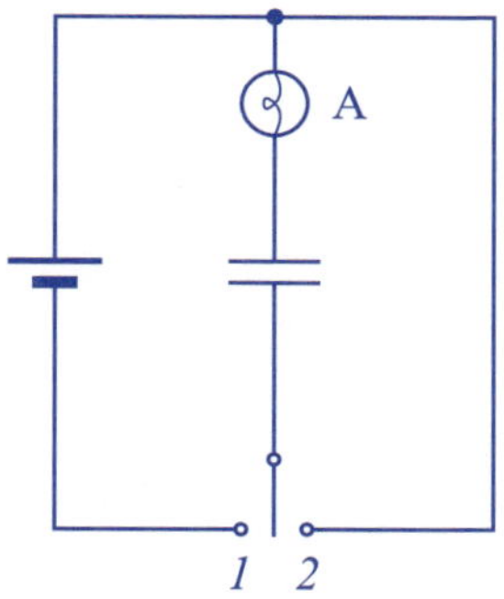

   b. Der Schalter wird nun in Position 2 gebracht.

   Beschreiben Sie das Verhalten der Glühlampe ab dem Moment des Umschaltens. Begründen Sie.

   1.2 Der Kondensator wird nun vollständig entladen und eine zweite, identische Glühlampe in den Schaltkreis eingefügt, wie abgebildet.

   a. Der Schalter wird zunächst in die Position 1 gebracht.

   Beschreiben Sie das Verhalten der Glühlampen B und C ab dem Moment des Einschaltens. Begründen Sie.

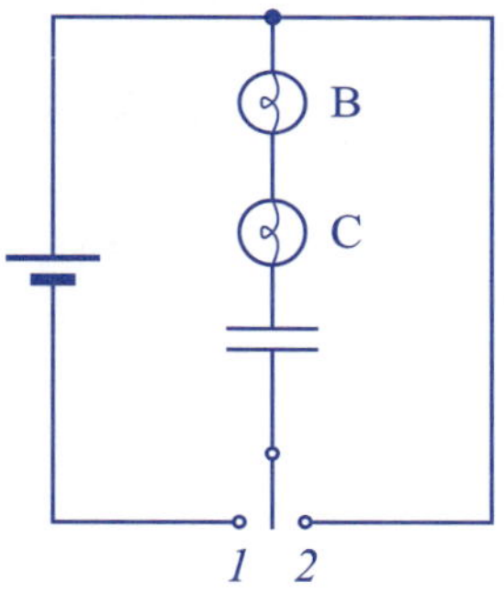

   Vergleichen Sie die Helligkeit von Glühlampe C unmittelbar nach Schließen des Schalters mit der entsprechenden Helligkeit von Glühlampe A in Teil 1.1.a. Begründen Sie.

   Ist die Spannung am Kondensator zu einem Zeitpunkt lange nach Schließen des Schalters *größer, kleiner* oder *gleich* der Spannung an der Batterie? Begründen Sie.

b. Der Schalter wird nun in die Position 2 gebracht.

Beschreiben Sie das Verhalten der Glühlampen B und C ab dem Moment des Umschaltens. Begründen Sie.

Vergleichen Sie die Helligkeit von Glühlampe C unmittelbar nach Schließen des Schalters mit der entsprechenden Helligkeit von Glühlampe A in Teil 1.1.b. Begründen Sie.

Ist die Spannung am Kondensator zu einem Zeitpunkt lange nach Schließen des Schalters *größer, kleiner* oder *gleich* der Spannung an der Batterie? Begründen Sie.

2. Der abgebildete Schaltkreis enthält zwei identische Glühlampen, einen Kondensator, einen Schalter und eine ideale Batterie. Der Kondensator ist zu Beginn ungeladen.

2.1 Unmittelbar nach Schließen des Schalters:

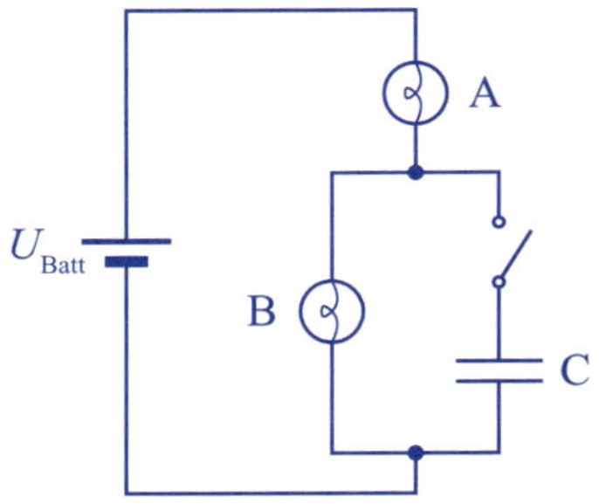

- Geben Sie die Spannungen an Glühlampe A, Glühlampe B, Kondensator C und der Batterie an. Begründen Sie.

- Ordnen Sie die Ströme I_A, I_B, I_C und I_{Batt} nach ihrem Betrag. Begründen Sie.

2.2 Eine lange Zeit nach dem Schließen des Schalters:

- Ordnen Sie die Ströme I_A, I_B, I_C und I_{Batt} nach ihrem Betrag. Begründen Sie.

- Geben Sie die Spannungen an Glühlampe A, Glühlampe B, Kondensator C und der Batterie an. Begründen Sie.

2.3 Fassen Sie Ihre Ergebnisse zusammen, indem Sie das Verhalten der Glühlampen A und B ab dem Moment des Einschaltens beschreiben.

1. Beantworten Sie die folgenden Fragen anhand Ihrer Experimente und Beobachtungen mit geladenen Körpern und magnetischen Materialien.

   1.1 Wenden Sie Ihr Wissen über *elektrische Feldlinien* an:

   - Wie wird die *Richtung* des magnetischen Feldes an einem Punkt durch die magnetischen Feldlinien dargestellt?

   - Wie wird die *Stärke* des magnetischen Feldes an einem Punkt durch die magnetischen Feldlinien dargestellt?

   1.2 Zeichnen Sie für den unten abgebildeten Stabmagneten ein *magnetisches Feldlinienbild.* Stellen Sie in Ihrer Zeichnung die *Richtung* und die *Stärke* des magnetischen Feldes möglichst präzise dar.

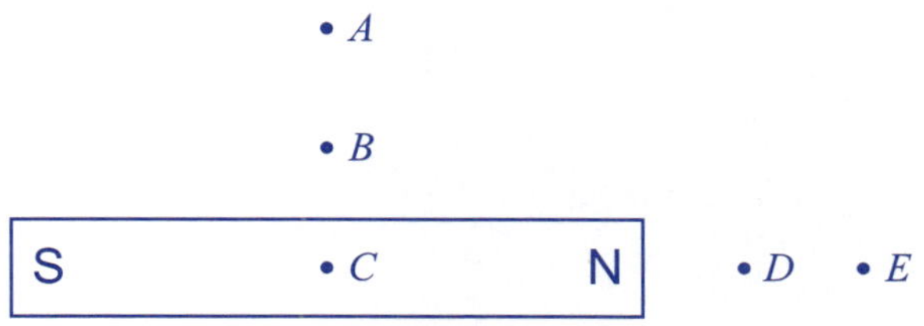

   1.3 Ordnen Sie die Punkte A bis E nach der Stärke des magnetischen Feldes anhand der von Ihnen gezeichneten Feldlinien.

2. Zwei identische Magnete werden entsprechend der Abbildung angeordnet. Zeichnen Sie an den vier Punkten mit verschiedenfarbigen Stiften Vektoren für die folgenden Felder ein:

   - das Feld des oberen Magneten,
   - das Feld des rechten Magneten,
   - das Feld beider Magnete.

   Erläutern Sie, wie Sie die Vektoren für das Feld bestimmt haben, das durch beide Magnete erzeugt wird.

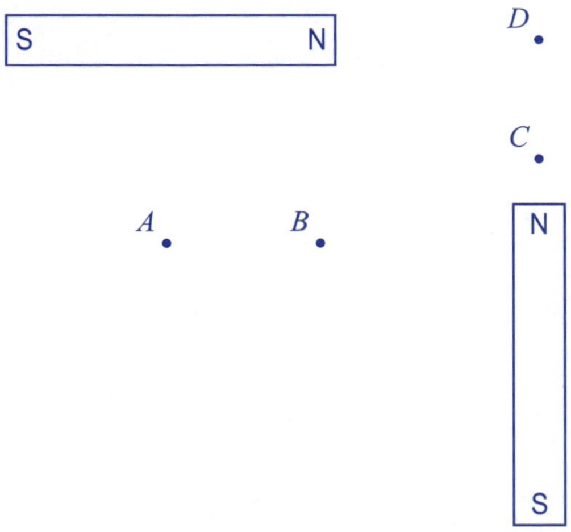

3. Drei Metallstäbe mit den Bezeichnungen 1, 2 und 3 werden an ihren Enden jeweils mit A und B markiert.

   Ein Student macht die folgenden Beobachtungen:

   - Das Ende 1B stößt das Ende 3A ab.
   - Das Ende 1A zieht das Ende 2B an.
   - Das Ende 2B zieht das Ende 3B an.

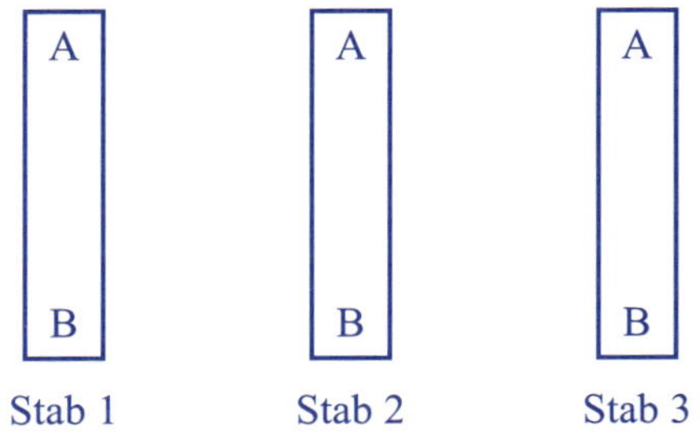

3.1 Zu welcher der drei Klassen aus Abschnitt 1 des Tutorials gehört der Stab 1? Begründen Sie Ihre Überlegung und geben Sie für jede der Klassen an, durch welche Eigenschaften sie charakterisiert werden.

3.2 Zu welcher der drei Klassen gehört Stab 2? Begründen Sie.

3.3 Wenn die Enden 2A und 3A zusammengebracht werden, wird Ende 2A dann Enden *anziehen, abstoßen* oder gibt es *keine Wechselwirkung?* Wenn es keine eindeutige Lösung gibt, welche Möglichkeiten gibt es? Begründen Sie.

1. Ein Magnet wird in der Nähe eines Drahtes an einem Faden drehbar aufgehängt, wie in den beiden Abbildungen dargestellt. Wenn der Schalter geschlossen wird, dreht sich der Magnet, wie mithilfe der Pfeile angegeben.

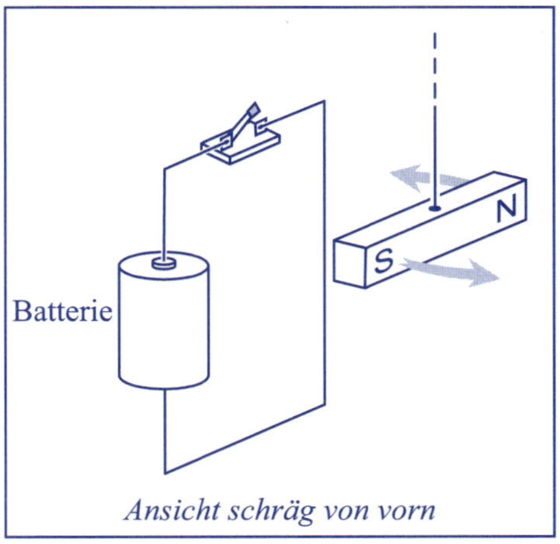

Ansicht schräg von vorn

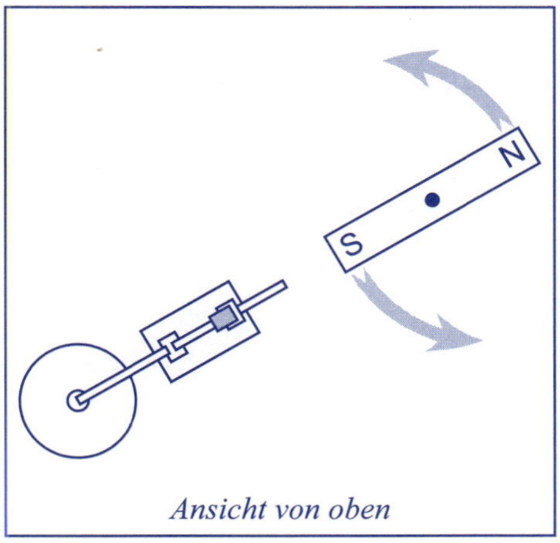

Ansicht von oben

Betrachten Sie einen Zeitpunkt, unmittelbar nachdem der Schalter geschlossen wird:

- Bestimmen Sie die Richtung des elektrischen Stroms durch das Drahtstück, welches dem Magneten am nächsten liegt.

- Bestimmen Sie die Richtung der Gesamtkraft, die der Magnet auf das Drahtstück ausübt, wenn sich der Magnet in der abgebildeten Position befindet. Begründen Sie.

2. Die nebenstehende Abbildung stellt zwei lange, gerade und parallele Drähte im Querschnitt dar. Ein Draht führt einen Strom i_o aus der Zeichenebene heraus, der andere einen gleich großen Strom i_o in die Zeichenebene hinein.

2.1 Zeichnen Sie einen Pfeil ein, der die Richtung des magnetischen Feldes $\vec{B}$ am Punkt P angibt. Falls das Feld an diesem Punkt den Betrag Null hat, geben Sie dies ausdrücklich an. Begründen Sie.

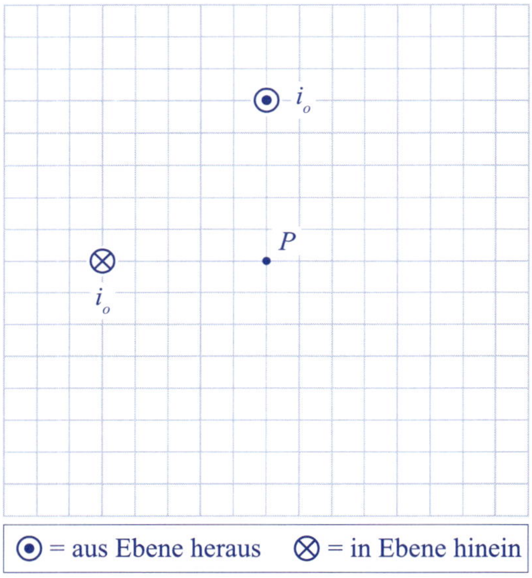

2.2 Ein dritter Draht mit dem Strom i_o geht durch den Punkt P aus der Zeichenebene heraus.

Zeichnen Sie einen Pfeil ein, der die Richtung der magnetischen Kraft auf den elektrischen Strom im Draht bei Punkt P angibt. Falls die Kraft den Betrag Null hat, geben Sie dies ausdrücklich an. Begründen Sie.

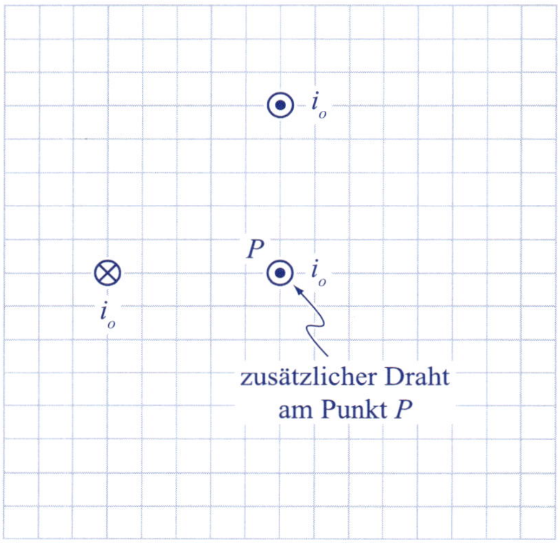

2.3 Der dritte Draht (wieder mit dem Strom i_o aus der Zeichenebene heraus) soll diesmal so angeordnet werden, dass das magnetische Feld am Punkt P den Betrag Null hat. Bestimmen Sie den Ort, an dem der Draht sich dazu befinden muss. (*Hinweis*: Verwenden Sie die Abhängigkeit des magnetischen Feldes eines stromdurchflossenen Drahtes von der Entfernung.)

Zeichnen Sie die richtige Position des Drahtes deutlich ein. Begründen Sie.

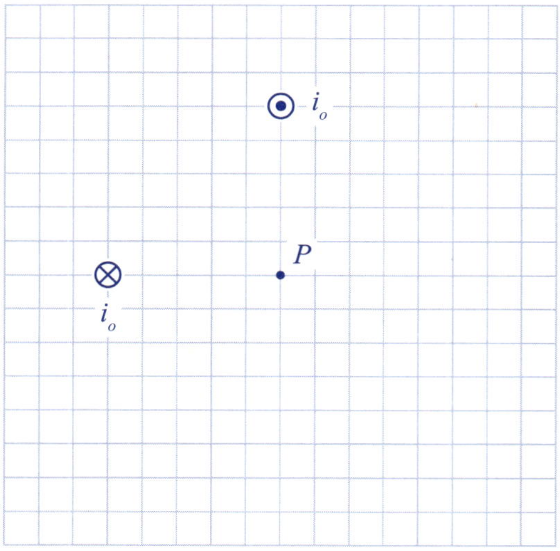

1. Die Abbildung rechts zeigt einen Kupferring, der sich in der Nähe einer Spule befindet. Der Schalter im Stromkreis mit der Spule ist zu Beginn offen.

   1.1 Bestimmen Sie mithilfe der Lenz'schen Regel, ob im Kupferring zu den folgenden Zeitpunkten ein Strom fließt. Begründen Sie Ihre Antworten.

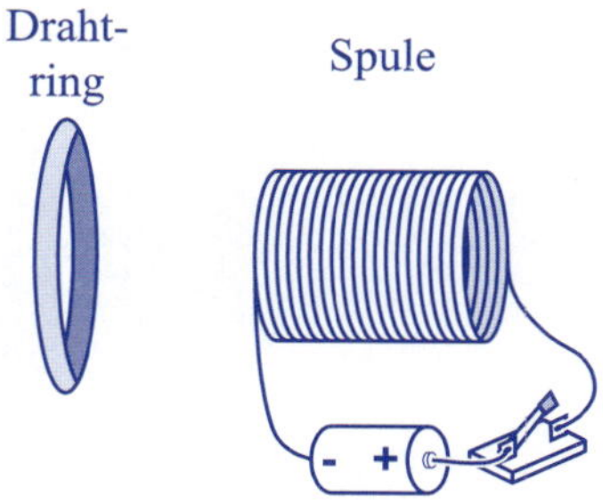

   - Unmittelbar nach Schließen des Schalters
   - Eine lange Zeit nach Schließen des Schalters
   - Unmittelbar nachdem der Schalter wieder geöffnet wird
   - Eine lange Zeit nachdem der Schalter wieder geöffnet wurde

   1.2 Zeichnen Sie für die Fälle, in denen ein Strom fließt, ein Bild, welches die folgenden Informationen enthält:

   - Die Richtung des Stroms durch den Ring
   - Die Richtung des magnetischen Moments des Rings
   - Die Richtung der magnetischen Kraft auf den Ring

   In welche Richtung bewegt sich der Ring in diesen Fällen, wenn er nicht festgehalten wird? Wie wird dadurch die Änderungsrate des magnetischen Gesamtflusses durch den Ring beeinflusst?

2. Betrachten Sie einen Kupferring, der so konstruiert ist, dass sich der Radius r ändern kann. Er befindet sich in der Nähe einer Spule, durch die ein konstanter Strom fließt.

   Der Radius des Rings nimmt zu.

   2.1 Erklären Sie mithilfe der Lenz'schen Regel, warum im Ring ein Strom induziert wird.

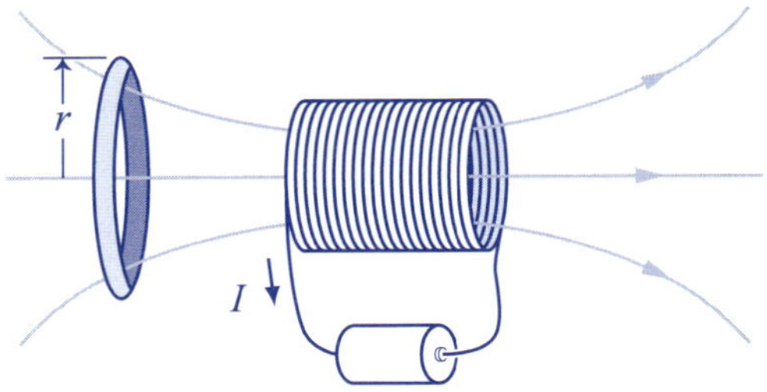

   2.2 Bestimmen Sie die Richtung des induzierten Stroms wie folgt und begründen Sie:
   - mithilfe der Lenz'schen Regel,
   - durch Betrachten der magnetischen Kraft auf die Ladungen im Kupferring.

   2.3 Bestimmen Sie die Richtung des magnetischen Moments des Rings.

   2.4 Bestimmen Sie die Richtung der Kraft, welche die Spule auf den Ring ausübt.

3. Ein Kupferring befindet sich zunächst in Ruhe in einem homogenen Magnetfeld. Zwischen den Zeitpunkten $t = t_1$ und $t = t_1 + \Delta t$ wird der Ring um die vertikale Achse gedreht, wie abgebildet.

   Fließt in diesem Zeitintervall im Ring ein Strom? Wenn ja, geben Sie die Richtung des induzierten Stroms an und begründen Sie. Wenn nicht, begründen Sie, warum nicht.

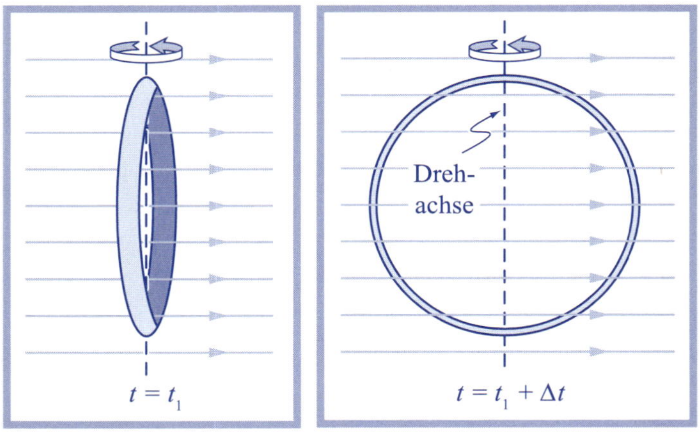

1. Ein Metallring ist an einer Achse mit einem Handgriff befestigt, wie abgebildet. Der Nordpol eines Magneten befindet sich unterhalb des Rings. Der Ring wird mit einer konstanten Winkelgeschwindigkeit ω gegen den Uhrzeigersinn gedreht.

   1.1 Zeichnen Sie in den beiden Abbildungen unten die Richtung des induzierten Stroms im Ring für den jeweiligen Zeitpunkt ein. Falls der Strom gleich Null ist, geben Sie dies ausdrücklich an. Begründen Sie Ihre Antwort.

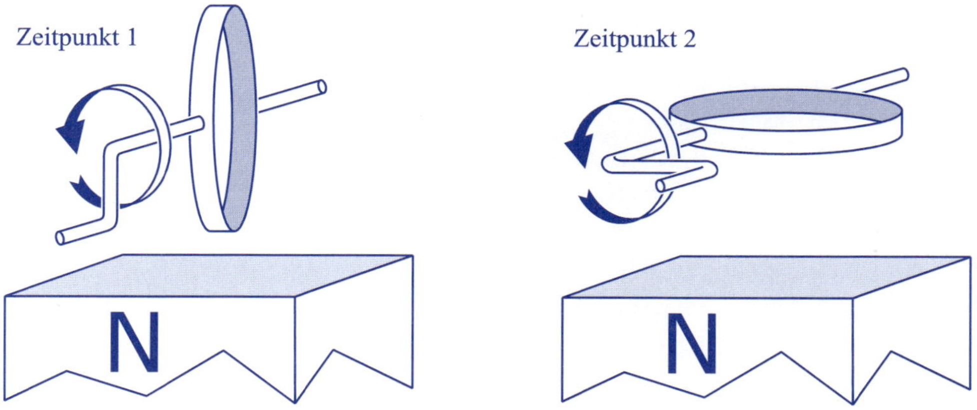

   1.2 Der Ring wird durch einen geschlitzten Ring ersetzt (siehe Abbbildung). Dieser Ring wird bewegt wie zuvor.

   a. Vergleichen Sie die maximale induzierte Spannung im geschlitzten Ring mit der im ursprünglichen Ring. Begründen Sie.

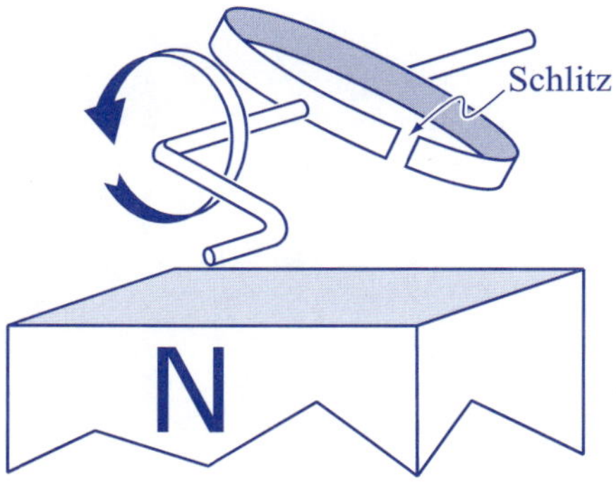

   b. Vergleichen Sie den maximalen induzierten Strom im geschlitzten Ring mit dem im ursprünglichen Ring. Begründen Sie.

2. In der Abbildung sind fünf Leiterschleifen zu sehen, die aus dem gleichen Kupferdraht bestehen. Die Schleifen 1 bis 4 sind identisch, Schleife 5 ist etwas länger als die anderen. Zum gezeigten Zeitpunkt bewegen sich alle Schleifen mit gleichem Geschwindigkeitsbetrag in die angegebenen Richtungen.

   In Bereich I herrscht ein homogenes magnetisches Feld, in Bereich II ist das Feld gleich Null. Wechselwirkungen zwischen den Schleifen sollen vernachlässigt werden.

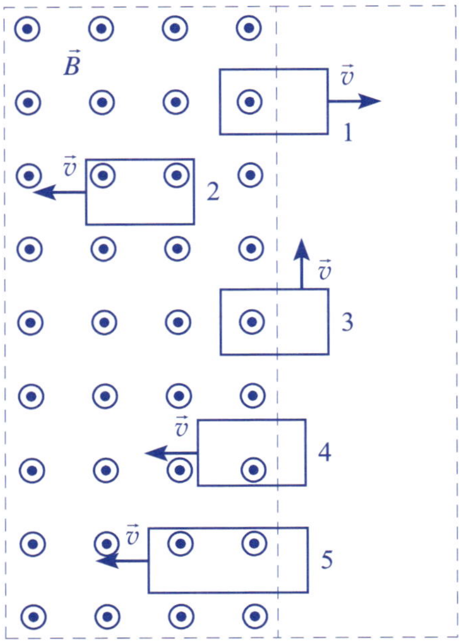

2.1 Zeichnen Sie für jede Leiterschleife, in der ein Strom induziert wird, die Richtung des Stroms ein.

2.2 Ordnen Sie die Schleifen nach dem Betrag der induzierten Spannung. Begründen Sie.

2.3 Ordnen Sie die Schleifen nach dem Betrag der induzierten Ströme. Begründen Sie.

TEIL X

Übungen zu Schwingungen und Wellen

ÜBERBLICK

1. Betrachten Sie die vier abgebildeten Federpendel A bis D. Die hierfür verwendeten Klötze haben alle dieselbe Masse m und können reibungsfrei auf einem horizontalen Tisch gleiten. Alle Federn sind gleichartig und ideal (masselos) mit der Federkonstante k. Die Klötze werden jeweils in einem Abstand A von ihrer Gleichgewichtslage aus der Ruhe losgelassen.

   Wenn sich der Klotz in Fall B in der Gleichgewichtslage befindet, sind beide Federn gerade entspannt.

   1.1 Ordnen Sie die vier Fälle nach dem Betrag der *resultierenden Kraft* auf den Klotz zum dargestellten Zeitpunkt. (*Hinweis:* Wie weit wurde in Fall C die Verbindungsstelle der beiden Federn durch die Auslenkung des Klotzes bewegt?) Begründen Sie.

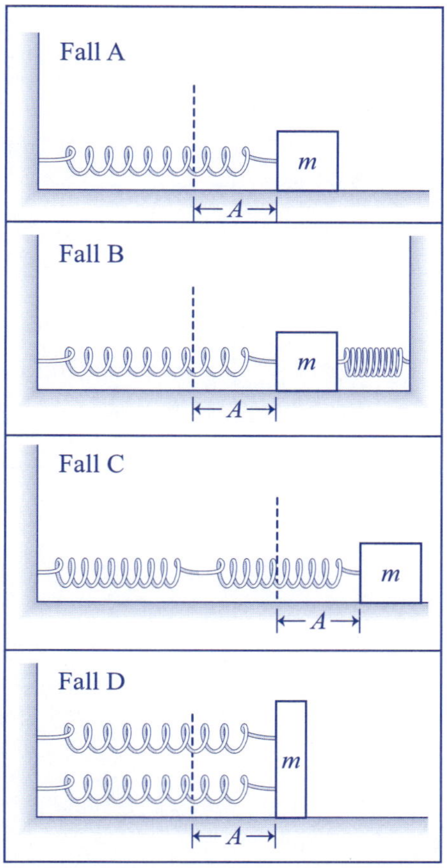

   1.2 Ordnen Sie die vier Fälle anhand Ihrer Antworten nach der Zeit, die der Klotz benötigt, um in die Gleichgewichtslage zurückzukehren. Begründen Sie.

1.3 Die gesamte potentielle Energie eines Systems aus mehreren Federn ist definiert als die Summe der potentiellen Energien der einzelnen Federn. Ordnen Sie die vier Fälle nach der *gesamten potentiellen Energie* zum dargestellten Zeitpunkt. (*Hinweis:* Beachten Sie jeweils, wie groß die Längenänderung jeder einzelnen Feder ist.) Begründen Sie.

2. In den Fällen B, C und D werden die Federkombinationen so durch eine einzelne Feder ersetzt, dass die Bewegung des Klotzes unverändert bleibt. Die Federkonstante dieser neuen Feder wird als die *effektive Federkonstante* der ursprünglichen Kombination bezeichnet.

Quantitativ kann die effektive Federkonstante k_{eff} definiert werden durch:

$$\sum \vec{F}_{\text{Klotz,Feder}} = -k_{\text{eff}}\,\vec{x},$$

wobei $\sum_{\text{Klotz,Feder}}$ die Summe aller Kräfte der vorhandenen Federn auf den Block bezeichnet. $\vec{x}$ ist der Ort des Klotzes relativ zu seiner Gleichgewichtslage.

2.1 Ordnen Sie die vier Fälle *nach der effektiven Federkonstante* k_{eff}. Begründen Sie.

2.2 Ordnen Sie die vier Fälle mithilfe Ihrer Antwort aus Teil 2.1 und der Beziehung $T = 2\pi\sqrt{m/k_{\text{eff}}}$ nach der Schwingungsperiode. Begründen Sie.

Ist Ihre Reihenfolge nach der Schwingungsperiode mit der Reihenfolge in Teil 1.2 identisch? Wenn nicht, lösen Sie den Widerspruch auf.

2.3 Ordnen Sie die vier Fälle mithilfe Ihrer Antwort aus Teil 2.1 und der Beziehung $E_{\text{ges}} = 1/2k_{\text{eff}}A^2$ nach der Gesamtenergie. Begründen Sie.

Ist die Reihenfolge nach der Gesamtenergie mit der Reihenfolge in Teil 1.3 identisch? Wenn nicht, lösen Sie den Widerspruch auf.

1. Am Ende des Tutorials haben Sie ein Experiment beobachtet, bei dem eine Störung an einem losen Ende einer Feder reflektiert wurde. Eine Reihe von Bechern war in der Nähe einer Feder angeordnet, wie in der Abbildung dargestellt. Es wurde eine Störung die Feder entlang geschickt, deren Amplitude etwas kleiner war als der Abstand zwischen Feder und Becherreihe.

   Markieren Sie in der Abbildung, welche Becher bei diesem Experiment von der Feder getroffen wurden.

   Hatte nach Ihrer Beobachtung das lose Ende der Feder eine maximale Auslenkung, die *größer, kleiner* oder *gleich* der Amplitude der einfallenden Störung war?

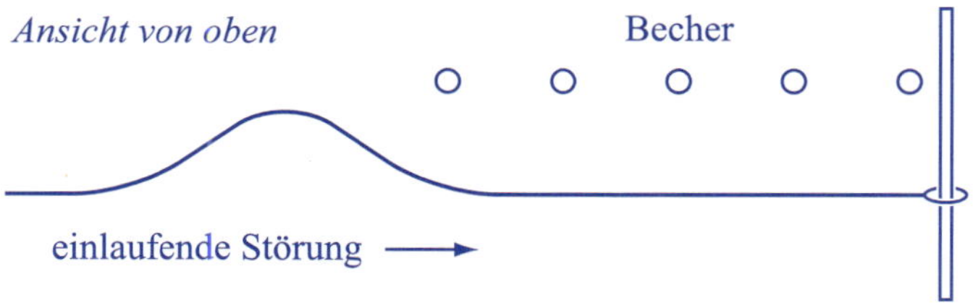

   Hatten die Auslenkungen der einfallenden und der reflektierten Störung *dieselbe Richtung* oder eine *entgegengesetzte?* Begründen Sie.

Im Tutorial *Überlagerung und Reflexion von Wellen* haben wir eine Modellvorstellung entwickelt, mit der wir die Form und Orientierung einer Störung bei der Reflexion an einem festen Ende bestimmen können. Ein entsprechendes Modell lässt sich für die Reflexion an einem losen Ende entwickeln. Auch in diesem Fall nehmen wir an, dass sich die Feder über das freie Ende hinaus erstreckt. Wir stellen uns vor, dass auf dem virtuellen Teil der Feder eine Störung mit der passenden Form und Lage auf die einfallende Störung zuläuft, sodass beim Zusammentreffen der beiden Störungen die entsprechende Randbedingung erfüllt ist.

2. Betrachten Sie eine Störung, die auf ein loses Ende einer Feder zuläuft.

   2.1 Liegen die Auslenkungen der reflektierten und der einfallenden Störung auf *derselben* oder auf *gegenüberliegenden* Seiten?

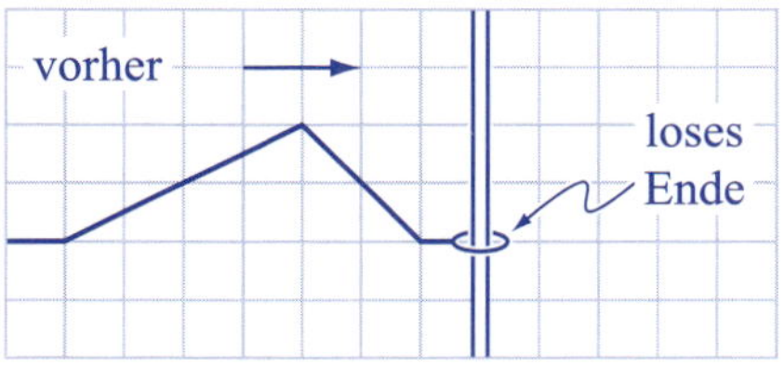

   Haben die ansteigenden Flanken (d. h. Vorderkanten) der einlaufenden und der reflektierten Störung vom Betrag *gleiche* oder *unterschiedliche* Steigungen?

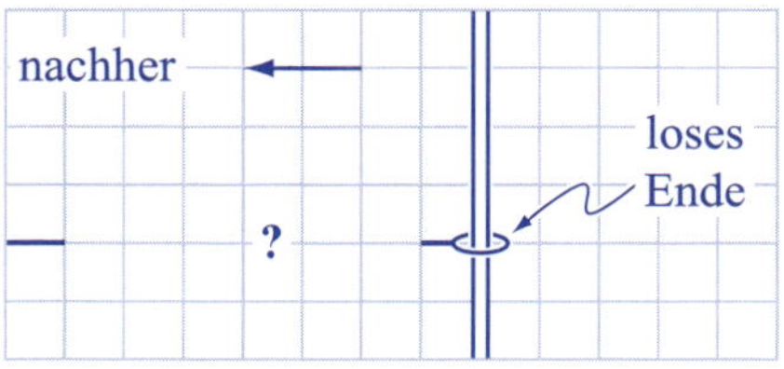

   2.2 Zeichnen Sie die von Ihnen erwartete Form der reflektierten Störung in die Abbildung ein.

3. Zum Zeitpunkt $t = 0$ läuft eine Störung mit der Geschwindigkeit 1,0 m/s auf das freie Ende einer Feder zu.

   Bestimmen Sie die Form der Feder zu den Zeitpunkten $t = 0{,}2\,\text{s}$, $t = 0{,}4\,\text{s}$ und $t = 0{,}6\,\text{s}$.

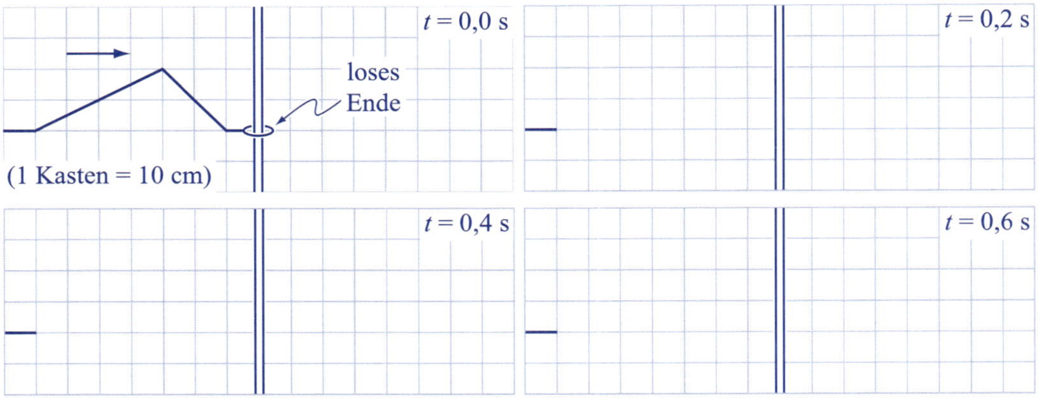

4. Eine Störung läuft mit der Geschwindigkeit 1,0 m/s auf das *feste* Ende einer Feder zu. Die Form der Feder zum Zeitpunkt $t = 0$ ist in der Abbildung rechts gezeigt.

   4.1 Betrachten Sie das Zeitintervall, in dem die Störung vom festen Ende reflektiert wird.

   Erwarten Sie, dass die maximale Auslenkung der Feder größer ist als die Amplitude der einlaufenden Störung? Begründen Sie.

   4.2 Bestimmen Sie die Form der Feder zu den Zeitpunkten $t = 0{,}3\,\text{s}$, $t = 0{,}6\,\text{s}$, $t = 0{,}9\,\text{s}$.

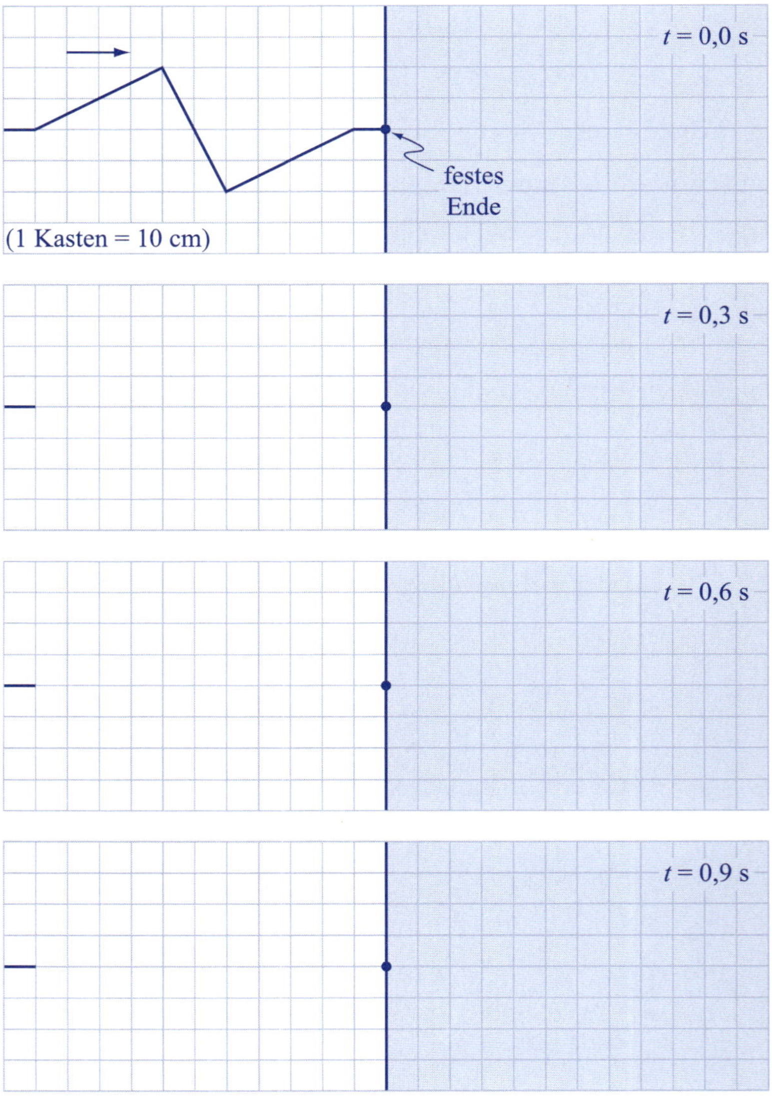

4.3 Betrachten Sie das Zeitintervall, in dem die Störung vom festen Ende reflektiert wird.

Wie groß ist die maximale Auslenkung der Feder während dieses Intervalls? Stimmt Ihre Antwort mit Ihrer Vermutung aus Teil 4.1 überein? Begründen Sie kurz.

4.4 Bestimmen Sie die Zeitpunkte, zu denen die maximale Auslenkung der Feder auftritt. Begründen Sie.

5. Die gleiche Störung wie in Aufgabe 4 bewegt sich nun auf ein loses Ende zu. Die Störung bewegt sich wieder mit einer Geschwindigkeit von 1,0 m/s. Die Form der Störung zum Zeitpunkt $t = 0$ ist in der ersten Abbildung gezeigt.

5.1 Betrachten Sie das Zeitintervall, in dem die Störung vom losen Ende reflektiert wird.

Erwarten Sie, dass die maximale Auslenkung der Feder größer ist als die Amplitude der einlaufenden Störung? Begründen Sie.

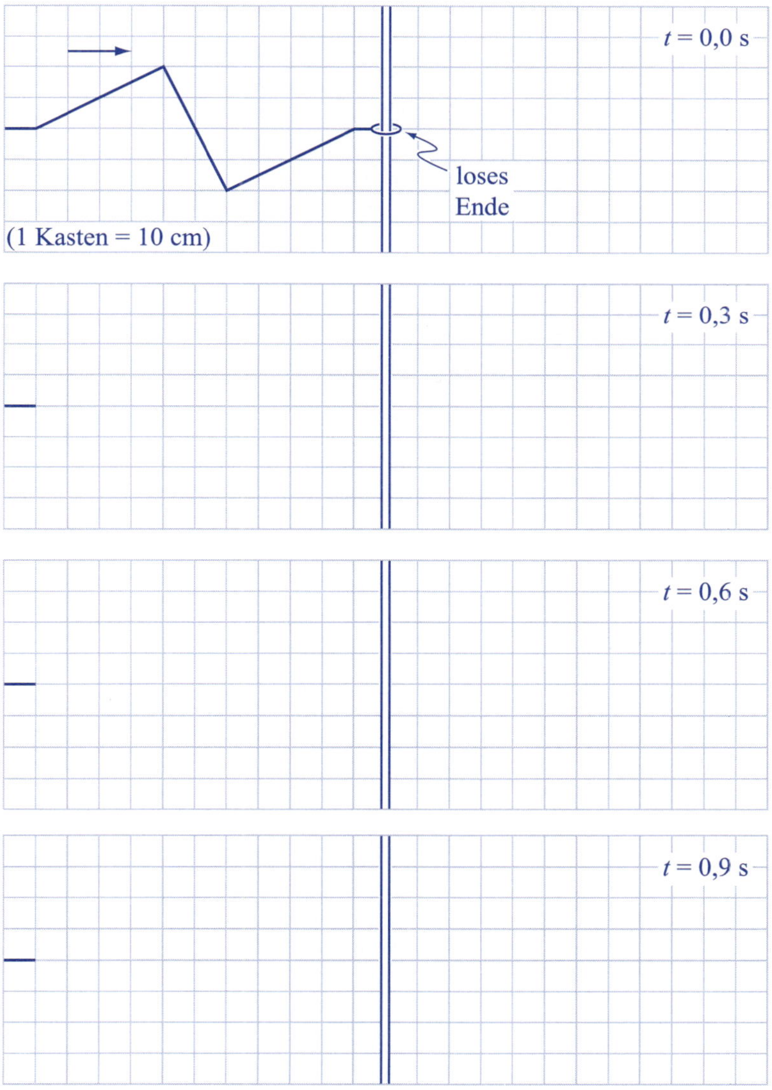

5.2 Bestimmen Sie die Form der Feder zu den Zeitpunkten $t = 0{,}3\,\text{s}$, $t = 0{,}6\,\text{s}$, $t = 0{,}9\,\text{s}$.

5.3 Tritt die maximale Auslenkung der Feder zu einem der drei betrachteten Zeitpunkte auf? Wenn nicht, bestimmen Sie die Zeitpunkte, zu denen dies geschieht. Begründen Sie. (*Hinweis:* Betrachten Sie alle Zeitintervalle, in denen die Störung am losen Ende reflektiert wird, also 0 bis 0,3 s, 0,3 bis 0,6 s usw.)

5.4 Betrachten Sie das gesamte Zeitintervall, in dem die Störung vom losen Ende reflektiert wird.

Wie groß ist die maximale Auslenkung der Feder während dieses Intervalls? Stimmt Ihre Antwort mit Ihrer Vermutung in Teil 5.1 überein? Begründen Sie kurz.

Bei der Anwendung des Modells für die Reflexion am festen Ende wählen wir die Form und Lage der virtuellen Störung so, dass das Verhalten der Feder mit der Randbedingung an einem festen Ende vereinbar ist: Das Ende der Feder bleibt in Ruhe, während die einlaufende Störung reflektiert wird. Für ein loses Ende lautet die Randbedingung: Die Feder ist in der (unmittelbaren) Nähe des Endes immer senkrecht zur Bewegungsrichtung des losen Endes der Feder, so wie in der Abbildung rechts.

5.5 Sind Ihre Zeichnungen in dieser und der vorigen Aufgabe mit den Randbedingungen für feste bzw. lose Enden einer Feder vereinbar? Wenn nicht, lösen Sie die Widersprüche auf.

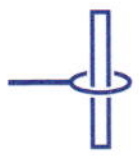

1. Die Abbildung unten zeigt zwei unterschiedliche, miteinander verbundene Federn. Auf Feder 1 bewegt sich eine Störung mit der Geschwindigkeit von 4 m/s nach rechts. Die Form der Feder zur Zeit $t = 0$ ist abgebildet. Die Auslenkung der Feder wurde zur Verdeutlichung überhöht dargestellt.

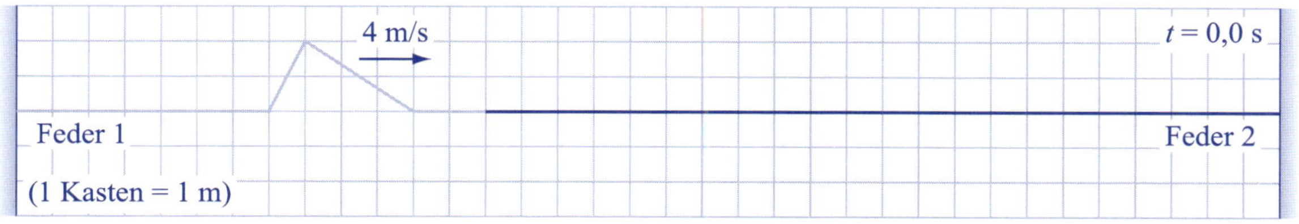

Zeichnen Sie in den folgenden beiden Fällen die Form der verbundenen Federn zum Zeitpunkt $t = 3{,}0$ s. Ihre Zeichnung sollte die relativen Breiten und Abstände sowie die Richtung der Auslenkungen der Störungen darstellen. Es wird nicht erwartet, dass Sie die korrekte relative Amplitude der Störungen zeichnen.

1.1 Die Wellengeschwindigkeit auf Feder 2 ist *doppelt* so groß wie in Feder 1.

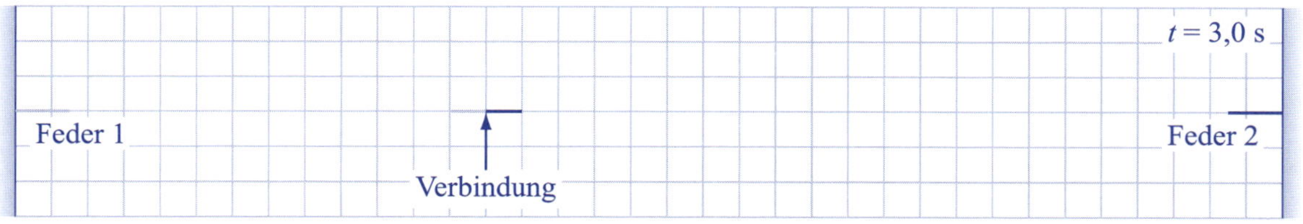

1.2 Die Wellengeschwindigkeit auf Feder 2 ist *halb* so groß wie in Feder 1.

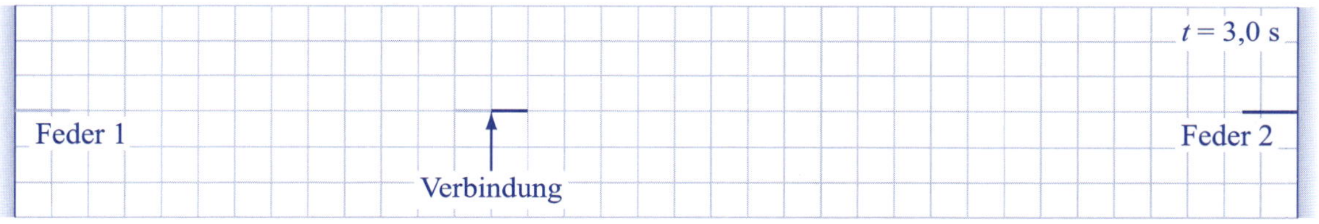

2. Die Abbildung unten stellt eine Momentaufnahme von zwei Federn dar, *nachdem* eine Störung den Verbindungspunkt der beiden Federn erreicht hat.

2.1 Kennzeichnen Sie in der Abbildung, welche Feder die *größere* Wellengeschwindigkeit besitzt. Begründen Sie, wie Sie dies aus der Abbildung abgeleitet haben.

2.2 Entspricht die Reflexion an der Grenze in diesem Fall eher einer Reflexion am *festen* oder am *losen* Ende? Begründen Sie, wie Sie das aus der Abbildung erkennen können.

2.3 Kennzeichnen Sie in der Abbildung, welche Störung die Reflexion und welche die Transmission ist. Begründen Sie.

3. Jede der beiden Abbildungen unten zeigt eine Momentaufnahme von zwei Federn zu einem Zeitpunkt, *nachdem* eine Störung deren Verbindungspunkt passiert hat. Die lineare Massendichte ist für die eng gewickelte Feder größer als für die andere Feder.

   Die Abbildungen *können* Fehler enthalten, die so bei einer tatsächlichen Feder nicht auftreten. Bestimmen Sie für jede Abbildung, ob es solche Fehler gibt.

   Wenn ja: Beschreiben Sie den Fehler. (Ein einzelner Fehler genügt.)

   Wenn nicht: (1) Skizzieren Sie die Form, Breite und Richtung der ursprünglichen Störung.
   (2) Bestimmen und kennzeichnen Sie, welche Störung die Reflexion und welche die Transmission ist.

a.

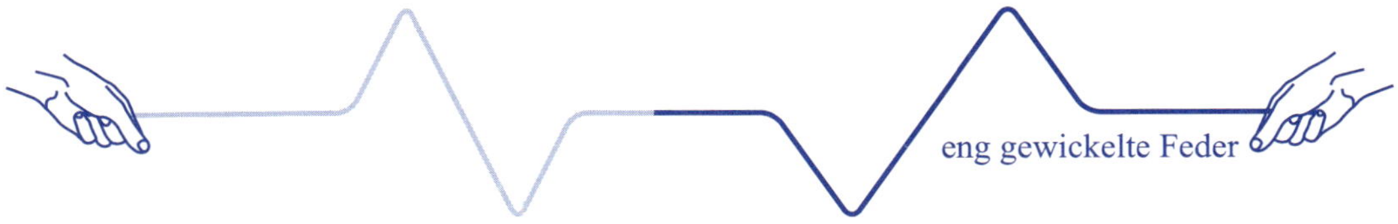

b.

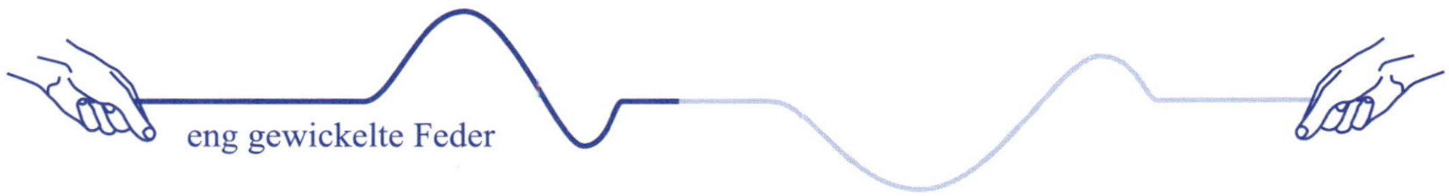

4. Die Abbildung rechts hat mehrere Fehler. Wie viele Fehler finden Sie? Begründen Sie.

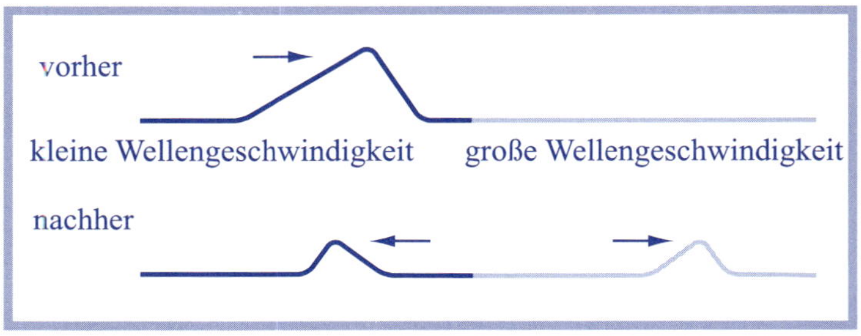

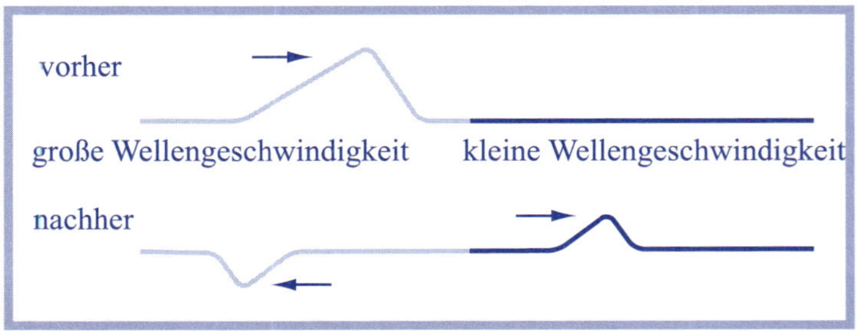

1. Die Abbildung stellt die Brechung einer Welle dar, die von einem Medium mit hoher Wellengeschwindigkeit in ein Medium mit geringerer Wellengeschwindigkeit übergeht.

1.1 Bestimmen Sie mithilfe trigonometrischer Gesetze den mathematischen Zusammenhang zwischen dem Einfallswinkel θ, dem Brechungswinkel θ', der Wellenlänge λ der einfallenden Welle und der Wellenlänge λ' der gebrochenen Welle. Geben Sie Ihren Lösungsweg an.

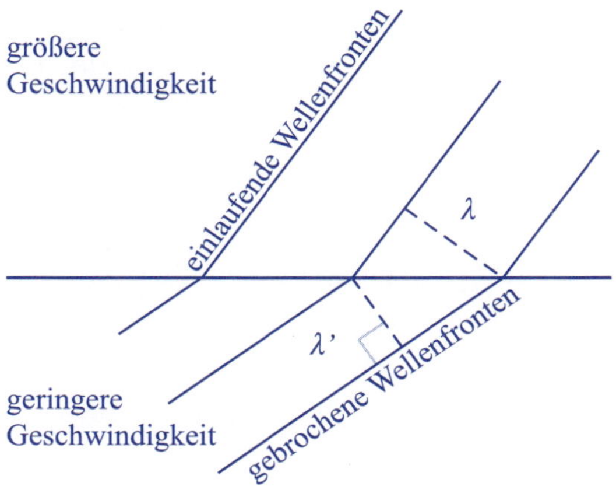

1.2 Finden Sie, ausgehend von der Gleichung, die Sie oben formuliert haben, eine Formel für den Zusammenhang von Einfalls- und Brechungswinkel θ, θ' sowie die Ausbreitungsgeschwindigkeiten v, v' der Wellen in den beiden Medien. Geben Sie Ihren Lösungsweg an.

1.3 Kann man die Formel, die Sie oben in Teil 1.1 und 1.2 entwickelt haben, auch anwenden, wenn eine Welle von einem Medium mit geringerer Wellengeschwindigkeit in ein Medium mit höherer Wellengeschwindigkeit übertritt? Begründen Sie.

2. Im Tutorial haben Sie in Experiment 3 eine Wasserwelle beim Übergang zwischen zwei Bereichen unterschiedlicher Tiefe betrachtet. Die Abbildung rechts zeigt noch einmal die Wellenfronten und Strahlen für die einfallende und die transmittierte Welle.

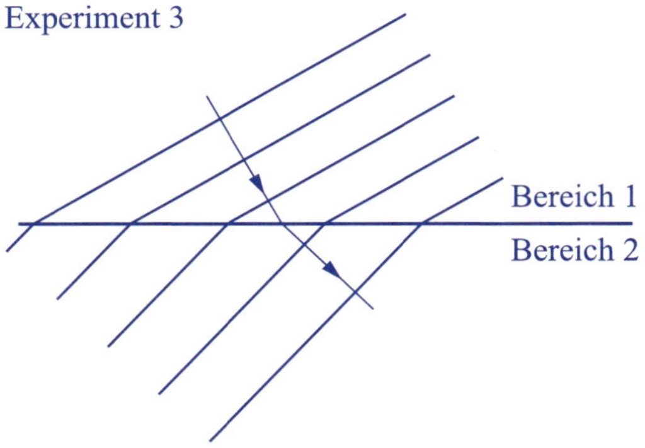

Im Tutorial haben Sie zudem drei Experimente untersucht, in denen Änderungen gegenüber Experiment 3 vorgenommen wurden. Sie haben mit Abbildungen der Wellenfronten und Strahlen bestimmt, wie verschiedene Größen dadurch beeinflusst wurden.

In dieser Aufgabe werden die gleichen Experimente nochmals betrachtet. Verwenden Sie zur Beantwortung der Fragen jedoch sowohl die in Aufgabe 1 entwickelte Beziehung zwischen θ, θ', v und v' als auch die Beziehung zwischen v, f und λ.

2.1 In Experiment 4 wurde *eine* Änderung gegenüber Experiment 3 vorgenommen: Die Frequenz, mit welcher der Stab bewegt wird, ist nun doppelt so groß wie vorher.

Markieren Sie unten alle die Größen, die in den Experimenten 3 und 4 unterschiedliche Werte haben.

$v \quad \lambda \quad f \quad \theta \quad v' \quad \lambda' \quad f' \quad \theta'$

Geben Sie für jede der markierten Größen an, ob der Wert der Größe in Experiment 4 *größer* oder *kleiner* ist als in Experiment 3. Begründen Sie.

2.2 In Experiment 5 wird *eine* Änderung gegenüber Experiment 3 vorgenommen: Die Wassertiefe in Bereich 1 wird vergrößert, sodass die Wellengeschwindigkeit der einfallenden Welle doppelt so groß ist wie zuvor.

Markieren Sie unten alle die Größen, die in den Experimenten 3 und 5 unterschiedliche Werte haben.

$v \quad \lambda \quad f \quad \theta \quad v' \quad \lambda' \quad f' \quad \theta'$

Geben Sie für jede der markierten Größen an, ob der Wert der Größe in Experiment 5 *größer* oder *kleiner* ist als in Experiment 3. Begründen Sie.

2.3 In Experiment 6 wurden gegenüber Experiment 3 *zwei Änderungen* vorgenommen: Die Frequenz, mit welcher der Stab bewegt wird, ist doppelt so groß wie in Experiment 3, und die Tiefe in Bereich 1 wurde vergrößert, sodass die Wellengeschwindigkeit dort doppelt so groß ist wie in Experiment 3.

- Wählen Sie von den Abbildungen auf der letzten Seite des Tutorials diejenige aus, welche die Wellenfronten für Experiment 6 am besten darstellt. Falls es keine solche Abbildung gibt, geben Sie dies ausdrücklich an und begründen Sie.

- Markieren Sie unten alle die Größen, die in den Experimenten 3 und 6 unterschiedliche Werte haben.

$$v \quad \lambda \quad f \quad \theta \quad v' \quad \lambda' \quad f' \quad \theta'$$

Geben Sie für jede der markierten Größen an, ob der Wert der Größe in Experiment 6 *größer* oder *kleiner* ist als in Experiment 3. Begründen Sie.

2.4 Sind Ihre Antworten oben mit den Antworten vereinbar, die Sie im Tutorial gegeben haben? Wenn nicht, lösen Sie die Widersprüche auf.

3. Die Abbildung rechts stellt eine periodische Wasserwelle beim Übergang zwischen zwei unterschiedlichen Medien (d. h. zwei Bereichen mit unterschiedlicher Tiefe in einem Wasserbecken) dar. Die Welle wird durch die Bewegung eines Stabes erzeugt.

3.1 Hängt die Ausbreitungsgeschwindigkeit der transmittierten Welle (in Bereich 2) von der Ausbreitungsgeschwindigkeit der einfallenden Welle (in Bereich 1) ab? Begründen Sie.

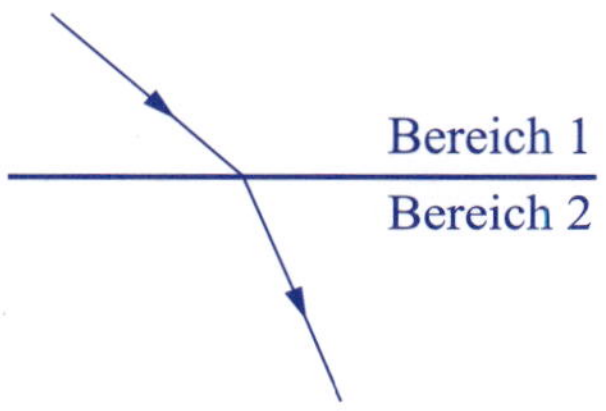

Ist es möglich, die Ausbreitungsgeschwindigkeit der transmittierten Welle zu erhöhen, indem die Ausbreitungsgeschwindigkeit der einfallenden Welle erhöht wird? Wenn ja, erklären Sie, wie (z. B. durch schnelleres Bewegen des Stabes oder durch Ändern der Wassertiefe). Wenn nicht, begründen Sie, warum nicht.

3.2 Hängt die Frequenz der transmittierten Welle von der Frequenz der einfallenden Welle ab? Begründen Sie.

Ist es möglich, die Frequenz der transmittierten Welle zu erhöhen, *ohne* die Frequenz der einfallenden Welle zu erhöhen? Wenn ja, erklären Sie wie. Wenn nicht, begründen Sie, warum nicht.

Ist es möglich, die Wellenlänge der transmittierten Welle durch Änderung einer der folgenden Größen zu beeinflussen? Begründen Sie jeweils:

- die Frequenz der einfallenden Welle

- die Ausbreitungsgeschwindigkeit der einfallenden Welle

- die Wellenlänge der einfallenden Welle

Ist es möglich, die Wellenlänge der transmittierten Welle zu ändern, ohne die Wellenlänge der einfallenden Welle zu ändern? Wenn ja, erklären Sie, wie. Wenn nicht, begründen Sie, warum nicht.

3.3 Ist es möglich, den Brechungswinkel zu ändern, indem man den Einfallswinkel ändert? Wenn ja, erklären Sie, wie. Wenn nicht, begründen Sie, warum nicht.

Ist es möglich, den Brechungswinkel zu ändern, *ohne* den Einfallswinkel zu ändern? Wenn ja, erklären Sie, wie. Wenn nicht, begründen Sie, warum nicht.

1. Ein langer, leitender Draht wird in zwei Hälften geschnitten und diese werden jeweils mit einem Anschluss einer Glühlampe verbunden. Eine elektromagnetische ebene Welle bewegt sich am Draht vorbei, wie abgebildet. Die Welle wird beschrieben durch: $\vec{E}(x,y,z,t) = E_o \sin(kx + \omega t)\vec{e}_y$, $\vec{B}(x,y,z,t) = B_o \sin(kx + \omega t)\vec{e}_z$.

   1.1 In welche Richtung bewegt sich die Welle? Begründen Sie Ihre Antwort.

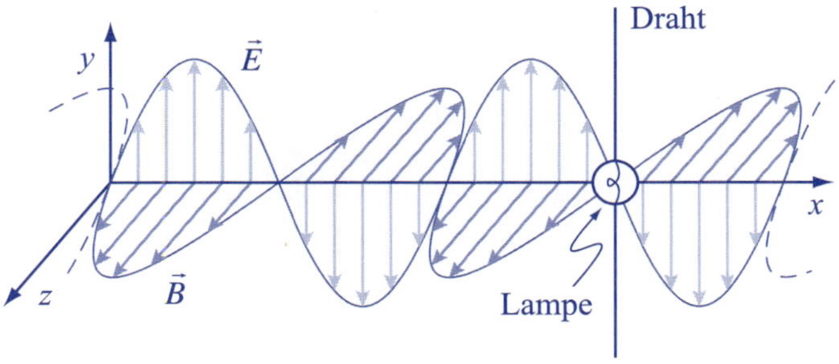

   1.2 Der Draht wird parallel zur y-Achse ausgerichtet, wie abgebildet. Leuchtet die Glühlampe in diesem Fall? Begründen Sie.

   1.3 Betrachten Sie die unten beschriebenen beiden Anordnungen des Drahtes. Ist die Helligkeit der Glühlampe dabei jeweils *größer, kleiner* oder *gleich* der in Teil 1.2? Begründen Sie jeweils Ihre Antwort.

   a. Der Draht ist parallel zur y-Achse, aber sein unteres Ende befindet sich auf der x-Achse (d. h. der Draht ist gegenüber Teil 1.2 um seine halbe Länge nach oben verschoben).

   b. Der Draht ist so geneigt, dass er einen Winkel von 40 ° mit der y-Achse bildet, aber immer noch parallel zur y,z-Ebene ist (siehe Abbildung).

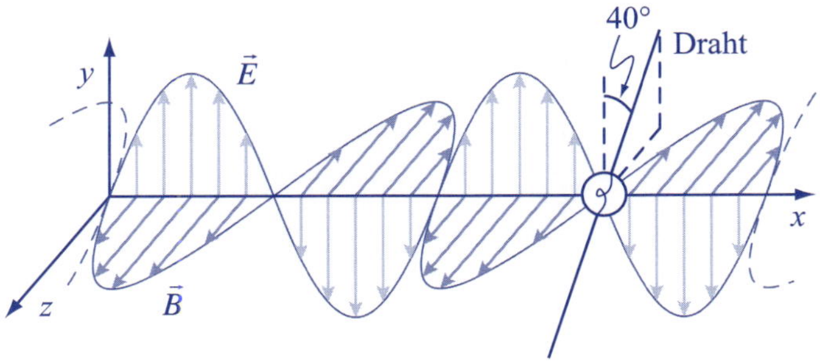

2. Eine ebene elektromagnetische Radiowelle (nicht dargestellt) bewegt sich in positiver z-Richtung (also aus der Papierebene heraus). Eine Studentin beobachtet, dass ihr Radio dann den besten Empfang hat, wenn die Antenne parallel zur x,y-Ebene ist und dabei einen Winkel von 60° zur y-Achse bildet (siehe Abbildung).

   2.1 Betrachten Sie einen Zeitpunkt, zu dem die Feldstärken an der Antenne nicht gleich Null sind.

   Zeichnen Sie in die Abbildung rechts Pfeile für die Richtung des (1) elektrischen und des (2) magnetischen Feldes ein. Begründen Sie. (*Hinweis:* Es gibt mehr als eine mögliche Antwort.)

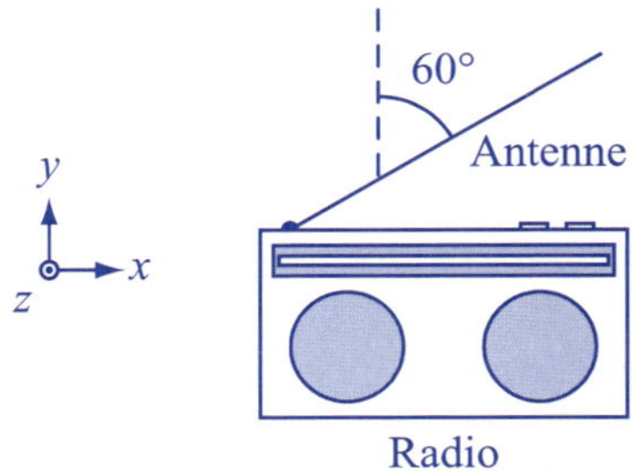

   2.2 Wie ändert sich Ihre Antwort in Teil 2.1, wenn die Welle sich stattdessen in die negative z-Richtung bewegt? (*Hinweis:* Es gibt mehr als eine mögliche Antwort.) Begründen Sie.

3. In einem Raumgebiet, in dem es keine stromdurchflossenen Drähte gibt, wird ein magnetisches Feld gemessen: $\vec{B}(x, y, z, t) = B_o \sin(kx + \omega t)\vec{e}_z$.

   Zeigen Sie, dass in solch einem Raumgebiet das elektrische Feld nicht für alle x und t gleich Null sein kann. (*Hinweis:* Setzen Sie den vom Integrationsweg umschlossenen Strom i_{enth} im Ampèreschen Gesetz unten gleich Null

$$\oint \vec{B} \cdot d\vec{l} = \mu_o i_{\text{ges}} + \mu_o \epsilon_o \frac{d\Phi_E}{dt}$$

   und betrachten Sie das Integral $\oint \vec{B} \cdot d\vec{l}$ entlang des geschlossenen Wegs 5 → 6 → 7 → 8 → 5 in der x,z-Ebene, siehe unten.)

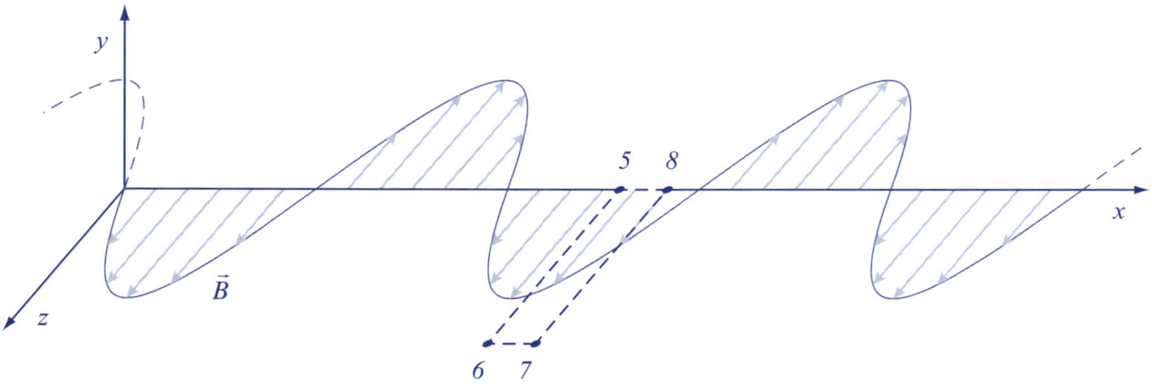

TEIL XI

Übungen zu Optik

ÜBERBLICK

XI

1. Eine Blende mit einem L-förmigen Loch befindet sich zwischen einem Schirm und einer sehr kleinen Glühlampe, wie in der Abbildung dargestellt.

1.1 Skizzieren Sie in der Abbildung, was Sie sehen, wenn die Glühlampe angeschaltet wird.

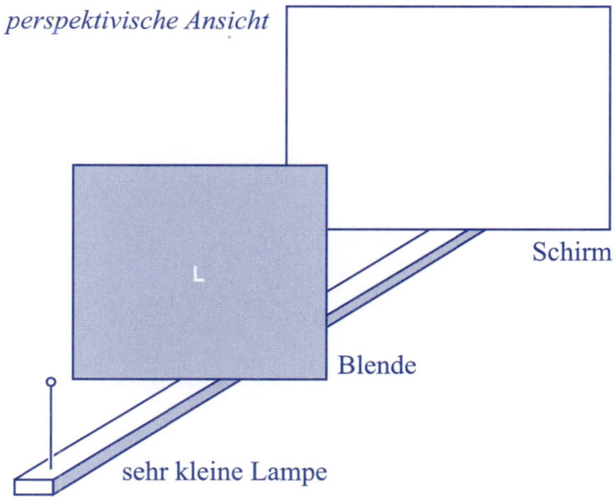

1.2 Die kleine Glühlampe wird nun durch drei Glühlampen mit langem Glühfaden ersetzt, die in der Form eines F angeordnet sind, wie rechts abgebildet.

Skizzieren Sie in der Abbildung, was Sie sehen, wenn die Glühlampen angeschaltet werden. Verwenden Sie in Ihrer Skizze den gleichen Maßstab wie in Teil 1.1. Stellen Sie Ihren Lösungsweg dar.

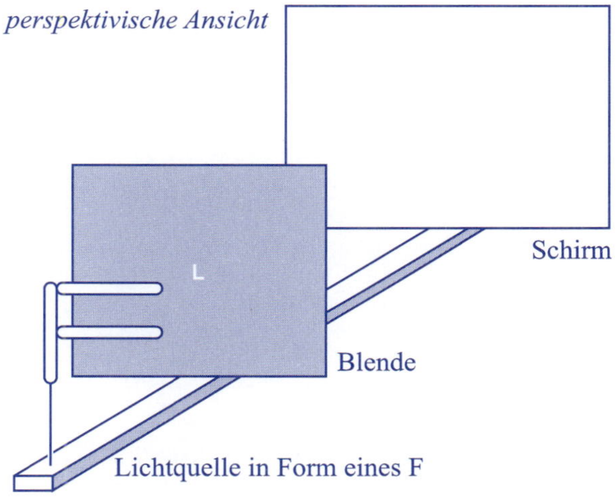

1.3 Die drei Glühlampen werden nun durch eine kleine Glühlampe sowie eine große Glühlampe in der Form eines Dreiecks ersetzt, wie rechts abgebildet. Skizzieren Sie in der Abbildung, was Sie sehen, wenn die Glühlampen angeschaltet werden. Verwenden Sie in Ihrer Skizze den gleichen Maßstab wie in Teil 1.1. Stellen Sie Ihren Lösungsweg dar.

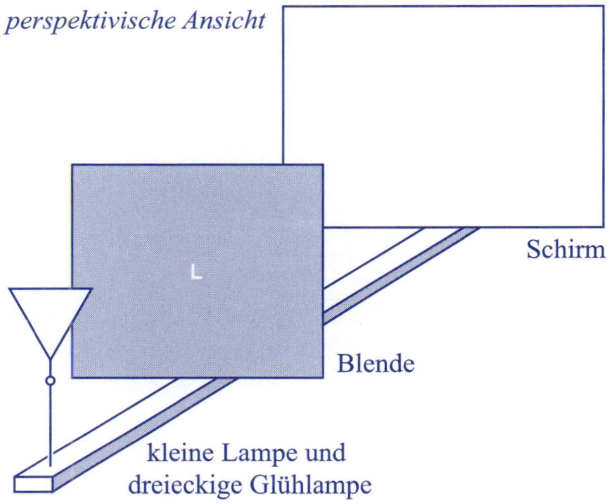

2. Ein Stück Karton hat eine dreieckige Form mit den rechts angegebenen Abmessungen.

   2.1 Eine leuchtende Glühlampe, das Kartondreieck und ein Schirm werden wie abgebildet entlang einer Linie angeordnet. Die Glühlampe ist klein genug, um als eine Punktlichtquelle betrachtet zu werden. Welche Form und Größe erwarten Sie für den Schatten, der auf dem Schirm entsteht? Begründen Sie Ihre Antwort.

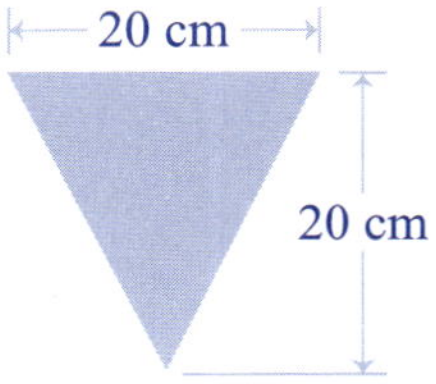

Seitenansicht

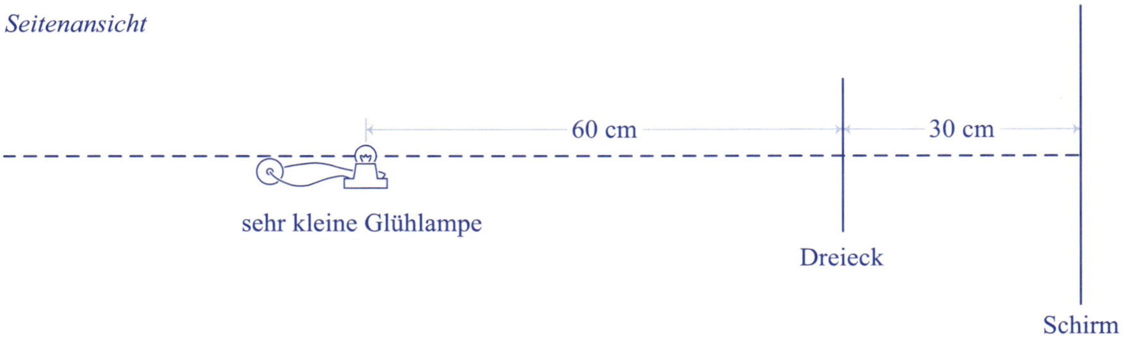

   Skizzieren Sie Ihre Antwort im Zeichenfeld rechts.

   2.2 Ist es möglich, die Glühlampe an einer anderen Stelle entlang der gestrichelten Linie anzuordnen, sodass der Schatten des Dreiecks doppelt so groß ist wie in Teil 2.1? Wenn ja, wo? Wenn nicht, warum nicht?

   2.3 Ist es möglich, die Glühlampe an einer anderen Stelle entlang der gestrichelten Linie anzuordnen, sodass der Schatten des Dreiecks halb so groß ist wie in Teil 2.1? Wenn ja, wo? Wenn nicht, warum nicht?

   2.4 Die Glühlampe wird auf der gestrichelten Linie in großer Entfernung links von Dreieck und Schirm angeordnet. Welche Form und Größe ergibt sich dann näherungsweise für den Schatten? Begründen Sie.

3. Man kann eine Lochkamera folgendermaßen herstellen: In der Mitte einer Seite einer Schachtel bohrt man ein kleines Loch (etwa 2 mm Durchmesser). Ein größeres Loch zum Hineinschauen wird auf derselben Seite an der Ecke gemacht (siehe die perspektivische Darstellung unten). Wenn jetzt eine Person in die Schachtel blickt, kann Licht nur durch das kleine Loch in die Schachtel eintreten, wie in der Ansicht von oben gezeigt.

perspektivische Ansicht der Kamera

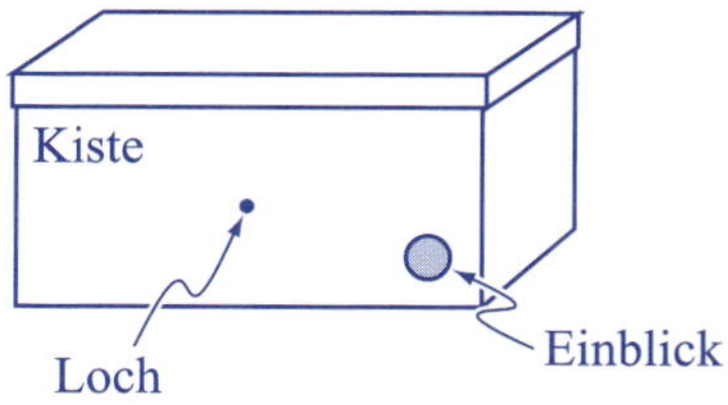

Ansicht von Kamera und Beobachter von oben

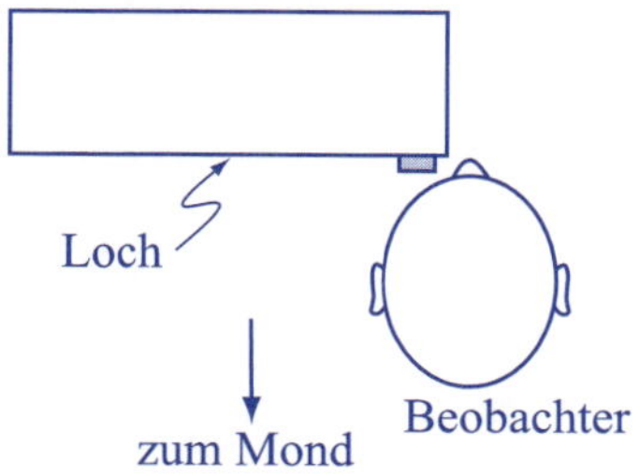

3.1 Sie betrachten den zunehmenden Mond mit der Lochkamera. Die Abbildung rechts zeigt den beleuchteten Teil des Mondes, wie er am Himmel erscheint.

a. Skizzieren Sie im Zeichenfeld rechts, was Sie im Innern der Kamera sehen. (*Hinweis:* Sie müssen dem Mond den Rücken zukehren, um ihn in der Lochkamera zu sehen. Eine Skizze mit dem Mond, dem kleinen Loch, Ihnen und dem Schirm könnte Ihnen helfen, die korrekte Orientierung des Bildes zu bestimmen.) Begründen Sie Ihre Antwort.

Bild in der Lochkamera mit 2-mm-Loch

b. Der Durchmesser des kleinen Loches wird nun verändert. Skizzieren Sie in den Zeichenfeldern rechts das Bild, das Sie in der Kamera sehen, wenn das kleine Loch einen Durchmesser von 1 mm bzw. 3 mm hat.

Bild in der Lochkamera mit 3-mm-Loch

Bild in der Lochkamera mit 1-mm-Loch

c. Welche Vorteile hat ein größeres bzw. ein kleineres Loch? Begründen Sie.

3.2 Eine Physikstudentin betrachtet das rechts abgebildete Gebäude. Die Studentin dreht sich dann um und betrachtet das Gebäude durch eine Lochkamera. Skizzieren Sie, was die Studentin in der Kamera sehen würde. Begründen Sie Ihre Antwort.

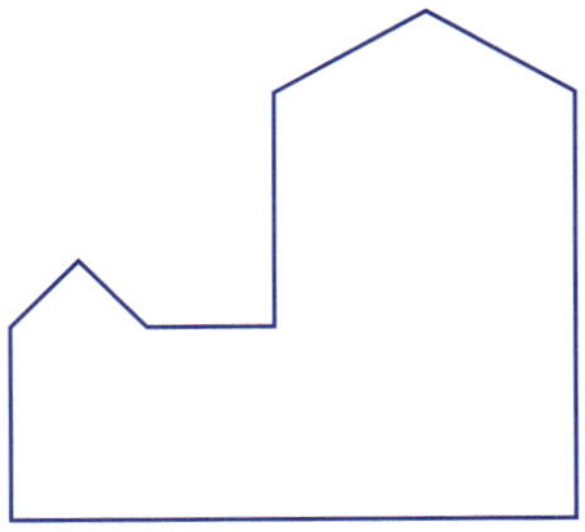

4. Ein Physikstudent spaziert in einem Park an einem sonnigen Tag unter einigen Bäumen und sieht dabei helle, kreisförmige Flecke auf dem Boden.

4.1 Der Student, der sich bereits mit der geometrischen Optik beschäftigt hat, erklärt die Form der hellen Flecken folgendermaßen:

„Das Sonnenlicht geht durch die Löcher im Blätterdach über meinem Kopf und erzeugt die hellen Flecken. Die hellen Flecken auf dem Boden sind kreisförmig, also müssen auch die Lücken zwischen den Blättern kreisförmig sein."

Stimmen Sie dieser Aussage zu oder nicht? Begründen Sie Ihre Antwort.

4.2 Nehmen Sie an, dass dieser Student durch denselben Park spaziert, während gerade eine Sonnenfinsternis stattfindet, sodass die Sonne nicht rund, sondern sichelförmig ist.

Was sieht der Student in diesem Fall auf dem Boden? Gibt es Unterschiede zu dem, was er an einem normalen sonnigen Tag beobachtet hat? Wenn ja, warum? Wenn nicht, warum nicht?

Hinweis: Sie benötigen ein Geometrie-Dreieck für diese Übungen.

1. Die rechts gezeigten Bilder wurden von einem Studenten gezeichnet, der die Bildentstehung an ebenen Spiegeln untersucht. Jedes Diagramm zeigt den Ort eines Gegenstandes und zwei Sichtlinien zum Bild des Gegenstandes im Spiegel.

   Bestimmen Sie für jedes Diagramm, ob die dargestellte Situation möglich oder unmöglich ist. Falls eine Situation möglich ist, zeichnen Sie die Lage des Spiegels ein.

   Stellen Sie dar, wie Sie zu Ihren Ergebnissen gelangt sind.

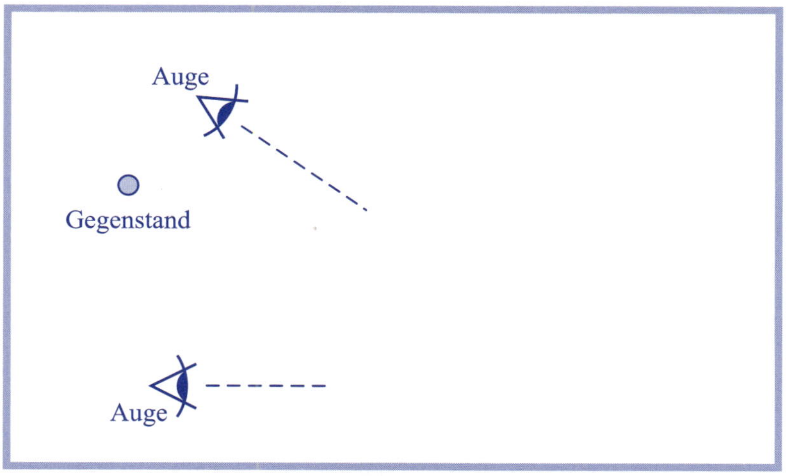

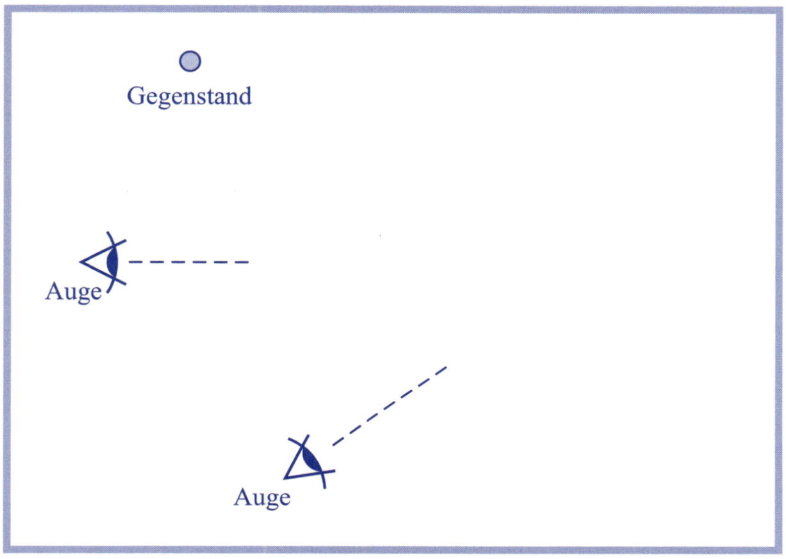

2. Zwei kleine Gegenstände und ein Spiegel sind angeordnet, wie unten gezeigt.

   2.1 Zeichnen Sie einen Strahlengang, um den Ort des Bildes für jeden der beiden Gegenstände zu bestimmen.

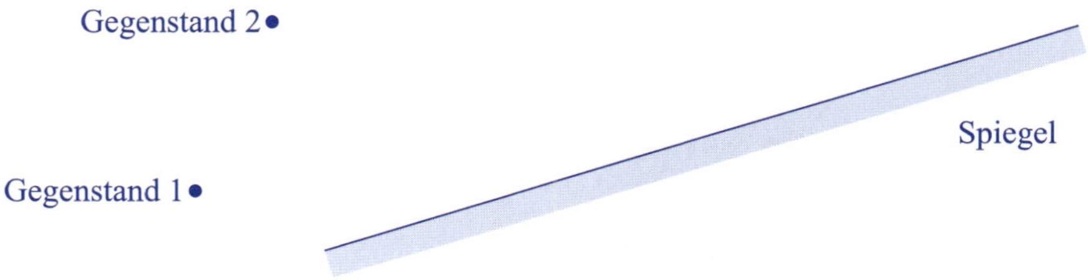

   2.2 Beschreiben Sie, wie man einen Strahlengang verwenden kann, um die Lage des Bildes eines ausgedehnten Gegenstandes, wie z. B. eines Bleistiftes, zu bestimmen.

3. Ein Bleistift befindet sich vor einem ebenen Spiegel, wie in der Abbildung (Ansicht von oben) dargestellt.

   3.1 Verwenden Sie einen Strahlengang, um die Lage des Bildes des Bleistiftes zu bestimmen. Verwenden Sie ein Geometrie-Dreieck für eine genaue Zeichnung.

   Stellen Sie das gesamte Bild des Bleistiftes in Ihrer Zeichnung deutlich dar.

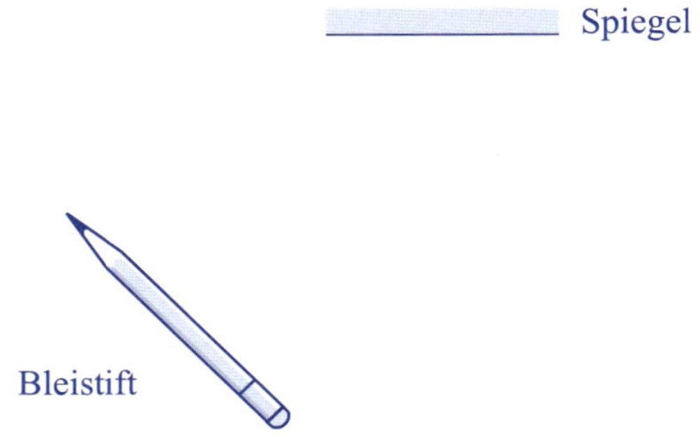

   3.2 Zeichnen Sie einen Strahlengang, um den Bereich zu bestimmen, in dem sich ein Beobachter befinden muss, damit er (a) das Bild der Bleistiftspitze, (b) das Bild des Radiergummis und (c) das Bild des gesamten Bleistiftes sehen kann.

   Kennzeichnen Sie jeden der Bereiche in Ihrer Zeichnung deutlich. Begründen Sie Ihre Antwort.

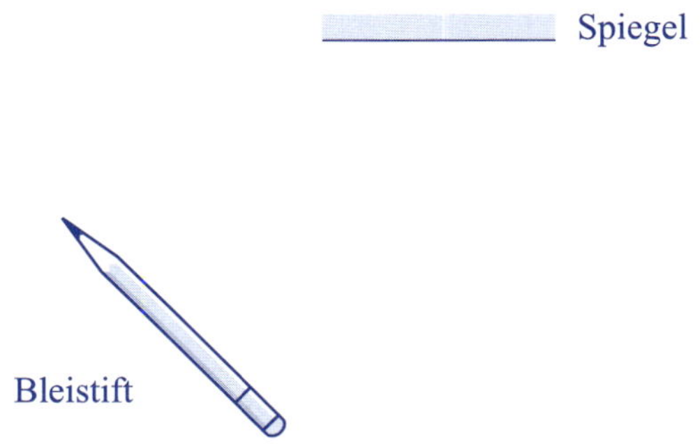

Hinweis: Sie benötigen ein *Geometrie-Dreieck* für die beiden Aufgaben dieser Übung.

1. Eine Nadel steckt vor einem halbzylindrischen Spiegel, wie in der Ansicht von oben dargestellt.

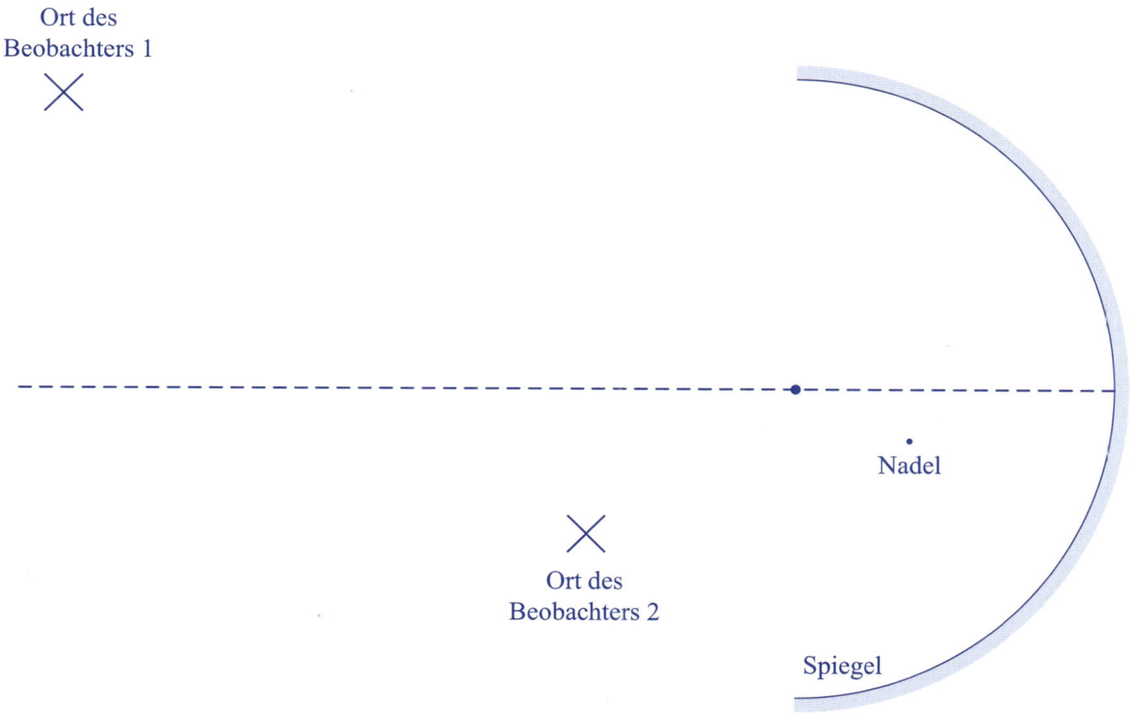

1.1 Zeichnen Sie unter Anwendung des Reflexionsgesetzes einen Strahlengang, der den Ort des Bildes der Nadel für Beobachter 1 angibt. Zeichnen Sie so genau wie möglich. (*Hinweis:* Der Mittelpunkt des Halbkreises und die optische Achse sind eingezeichnet.)

Kennzeichnen Sie in Ihrem Strahlengang deutlich den Ort des Bildes.

1.2 Handelt es sich um ein *reelles* oder um ein *virtuelles* Bild? Begründen Sie Ihre Antwort.

1.3 Werden die Beobachter 1 und 2 bezüglich des Ortes des Bildes der Nadel übereinstimmen? Ergänzen Sie Ihre Antwort mit einer Zeichnung des Strahlengangs und erklären Sie, wie Sie diesen verwendet haben, um Ihre Antwort zu bestimmen.

2. Eine sehr kleine helle Glühlampe befindet sich in großer Entfernung vor einem halbzylindrischen Spiegel auf dessen optischer Achse. Einige der Lichtstrahlen von der entfernten Lampe sind in der Abbildung (Schnittbild) unten dargestellt.

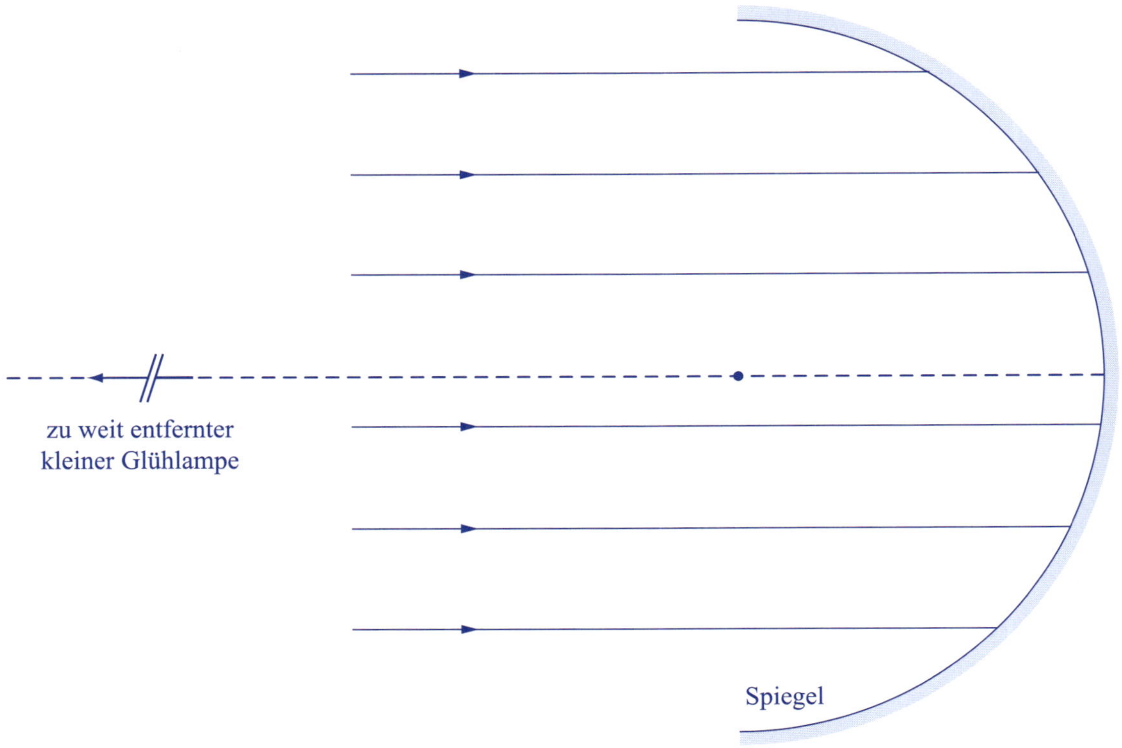

2.1 Zeichnen Sie unter Anwendung des Reflexionsgesetzes die Fortsetzung der abgebildeten Strahlen. Zeichnen Sie möglichst genau. (*Hinweis:* Der Mittelpunkt des Halbkreises und die optische Achse sind eingezeichnet.)

2.2 Gibt es einen eindeutig bestimmten Brennpunkt für den (gesamten) Spiegel?

Wenn ja: Bestimmen und kennzeichnen Sie den Brennpunkt. Erklären Sie, wie Sie Ihre Zeichnung verwendet haben, um zu Ihrer Antwort zu gelangen.

Wenn nicht: Bestimmen und kennzeichnen Sie den Bereich des Spiegels, für den es einen eindeutig bestimmten Brennpunkt gibt. Bestimmen und kennzeichnen Sie den Brennpunkt für diesen Bereich. Erklären Sie, wie Sie Ihre Zeichnung verwendet haben, um zu Ihrer Antwort zu gelangen.

1. Weiter unten sind Schnittbilder von massiven Zylindern und Würfeln aus transparentem Material abgebildet. Nehmen Sie an, dass sich Licht durch diese Objekte langsamer bewegt als durch das umgebende Medium.

   Jede Abbildung zeigt einen Lichtweg, der qualitativ *nicht* korrekt ist; in jeder Abbildung gibt es mindestens einen, eventuell mehrere Fehler. Finden Sie alle Fehler. Begründen Sie Ihre Antworten.

a.

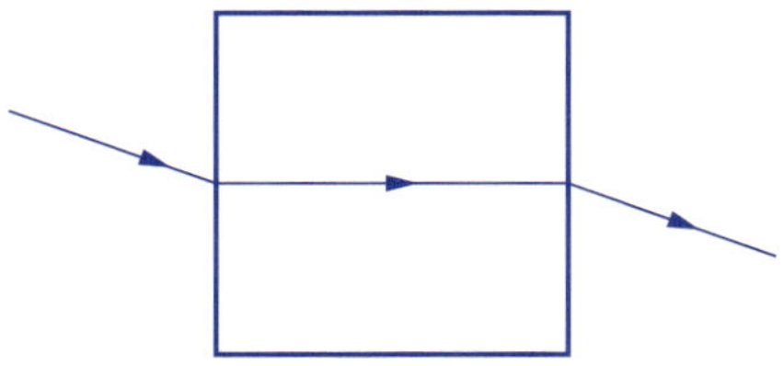

b.

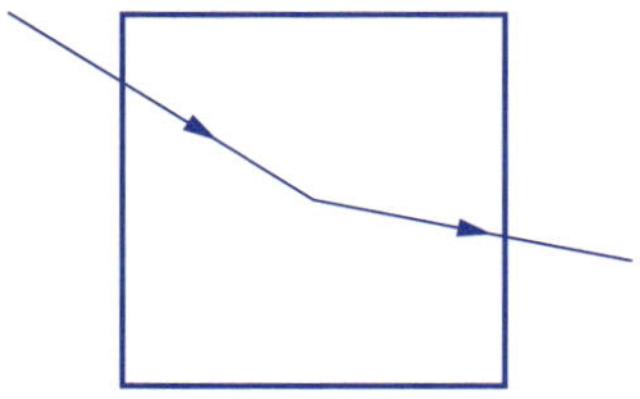

c.

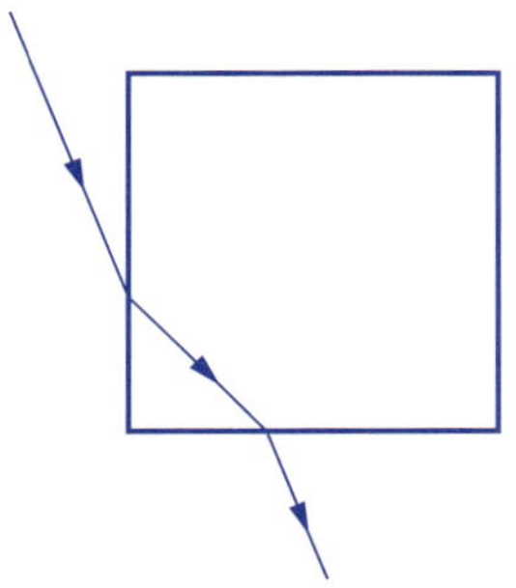

d.

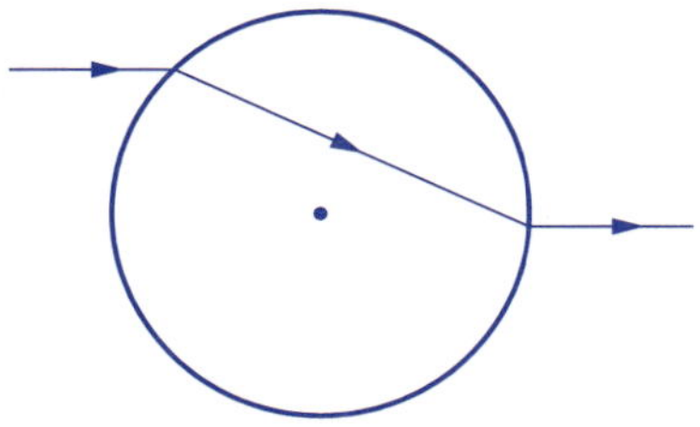

2. Eine sehr kleine Glühlampe, ein quaderförmiger transparenter Klotz, ein Stück Karton und ein Schirm sind angeordnet, wie in der Abbildung. Der Raum ist abgedunkelt und die Glühlampe leuchtet.

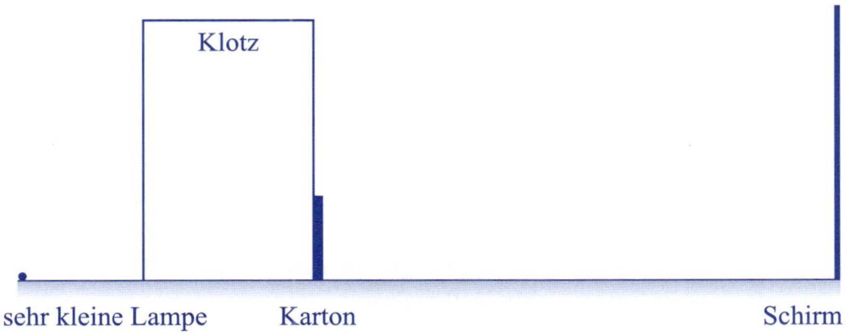

Wenn man den Klotz entfernt, wird sich die Höhe des Schattens auf dem Schirm *vergrößern, verkleinern* oder bleibt sie *gleich?* Begründen Sie Ihre Antwort mithilfe einer Skizze des Strahlengangs.

3. Ein Nagel befindet sich in einem Wasserbecken wie unten dargestellt. (Nur ein Teil des Beckens ist zu sehen.) Verwenden Sie die Näherung, dass das Licht direkt vom Wasser in die Luft übergeht.

   3.1 Verwenden Sie ein Geometrie-Dreieck, um die vier gebrochenen Strahlen möglichst genau zu zeichnen. (Der Brechungsindex für Wasser beträgt $n = 1{,}33$.) Notieren Sie die Einfallswinkel und Brechungswinkel in der Tabelle.

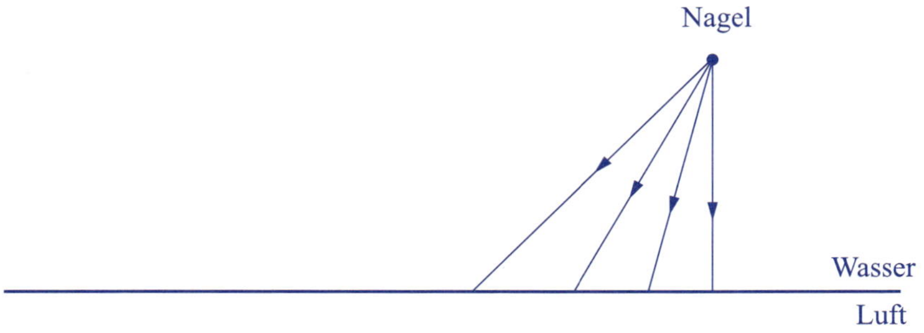

θ (Wasser)	θ' (Luft)

- Falls die Beobachter über den Ort des Bildes *übereinstimmen,* markieren Sie diesen Ort in der Zeichnung.

- Falls die Beobachter über den Ort des Bildes *nicht übereinstimmen,* markieren Sie die verschiedenen Orte der Bilder für die verschiedenen Beobachter. Kennzeichnen Sie, welche Lage des Bildes zu welchem Beobachter gehört.

   3.2 Falls mehrere Beobachter nebeneinander vor dem Becken stehen, werden diese für das Bild des Nagels (durch das Wasser betrachtet) den gleichen Ort angeben? Erklären Sie, wie Sie dies aus Ihrem Strahlengang ersehen können.

   3.3 Ist das Bild des Nagels *reell* oder *virtuell?* Begründen Sie Ihre Antwort.

1. Eine kleine Glühlampe befindet sich vor einer Sammellinse.

   1.1 Die Glühlampe befindet sich an der markierten Stelle. Zeichnen Sie einen Strahlengang mit allen drei Hauptstrahlen, um die Position des Bildes zu bestimmen und zu markieren.

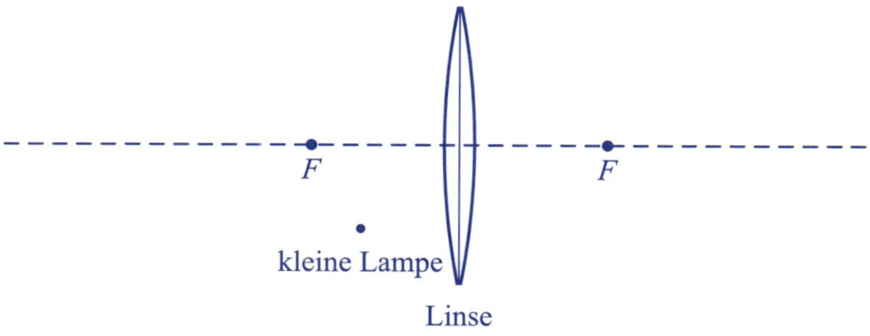

   1.2 Wiederholen Sie Teil 1.1 für den rechts gezeigten Fall, in dem die Glühlampe weiter von der Linse entfernt ist.

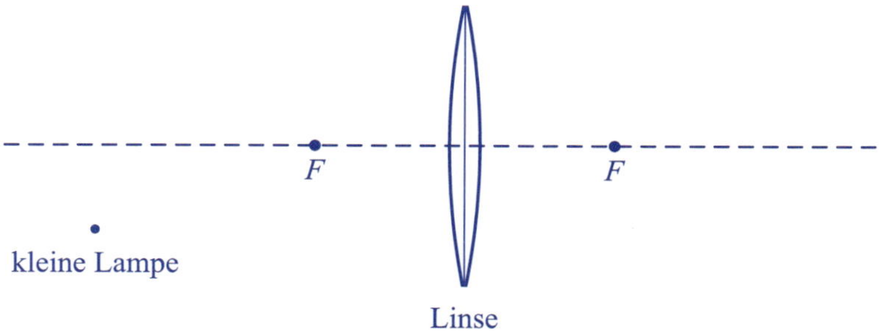

   1.3 Sie halten in jedem der oberen Fälle einen kleinen Papierschirm an den Ort des Bildes. Was sehen Sie in beiden Fällen dann auf dem Schirm? Der Raum ist dabei bis auf die Glühlampe dunkel.

   1.4 Die Glühlampe befindet sich nun am Ort eines der Brennpunkte der Linse.

   Zeichnen Sie mindestens fünf Strahlen, die von der Glühlampe durch die Linse gehen.

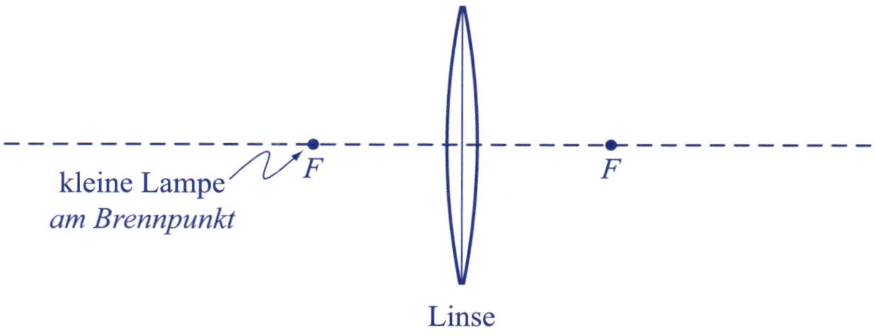

   Wo befindet sich in diesem Fall das Bild? Begründen Sie. (*Hinweis:* Welchen Verlauf haben die Strahlen, die durch die Linse gegangen sind? Wo *scheinen* diese Strahlen herzukommen?)

2. Zwei dünne Sammellinsen (1 und 2) und ein kleiner Gegenstand sind angeordnet, wie in der Abbildung dargestellt.

   2.1 Bestimmen Sie den Ort des von Linse 1 erzeugten Bildes des Gegenstandes mithilfe der drei Hauptstrahlen.

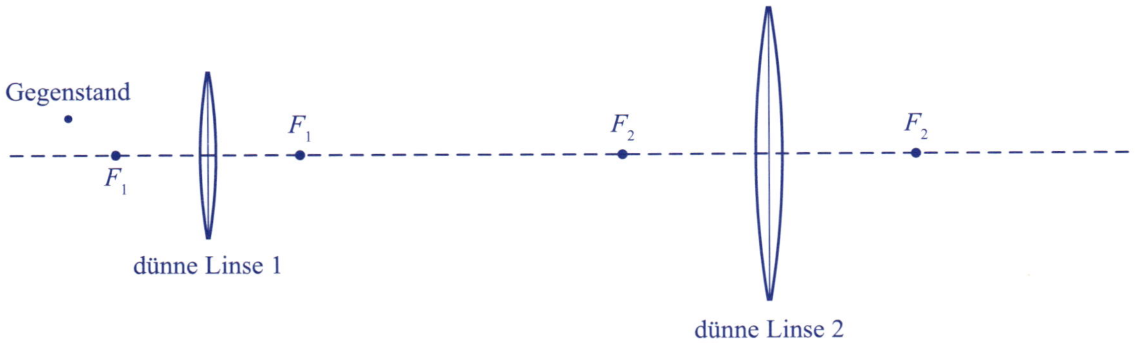

   2.2 Behandeln Sie das von Linse 1 erzeugte Bild wie einen Gegenstand für die Linse 2. Bestimmen Sie den Ort des von Linse 2 erzeugten Bildes zu diesem „Objekt" mithilfe der drei Hauptstrahlen.

   Ist dieses von beiden Linsen erzeugte Bild *reell* oder *virtuell?* Begründen Sie Ihre Antwort.

   2.3 Wiederholen Sie die Teile 2.1 und 2.2 mit einer anderen Linse in einer veränderten Anordnung, wie unten abgebildet.

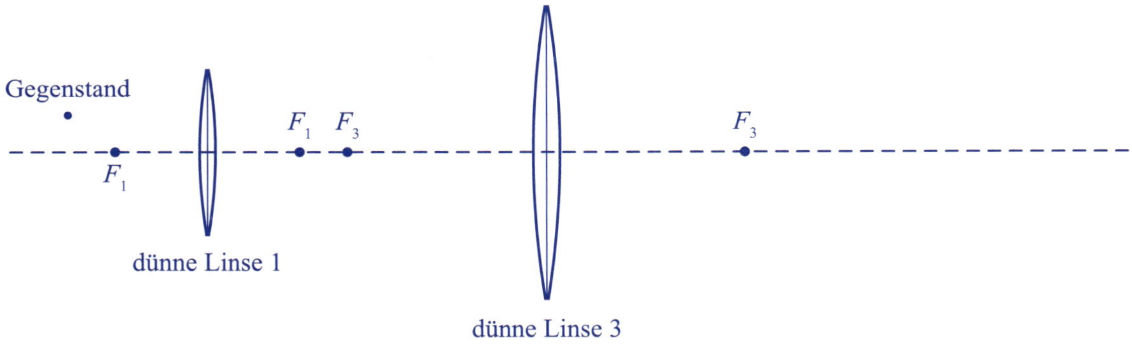

   Ist dieses von beiden Linsen erzeugte Bild *reell* oder *virtuell?* Begründen Sie Ihre Antwort.

1. Unten ist nochmals die Seitenansicht der Situation dargestellt, die bereits in Teil 2 des Tutorials verwendet wurde.

   Bestimmen Sie einen Term für den Abbildungsmaßstab $m = B/G$, ausgedrückt durch die Gegenstandsweite g und die Bildweite b. (*Hinweis:* Zeichnen Sie die Hauptstrahlen für die Spitze des Bleistiftes und untersuchen Sie ähnliche Dreiecke. Zeichnen Sie die für die Antwort betrachteten ähnlichen Dreiecke deutlich ein.)

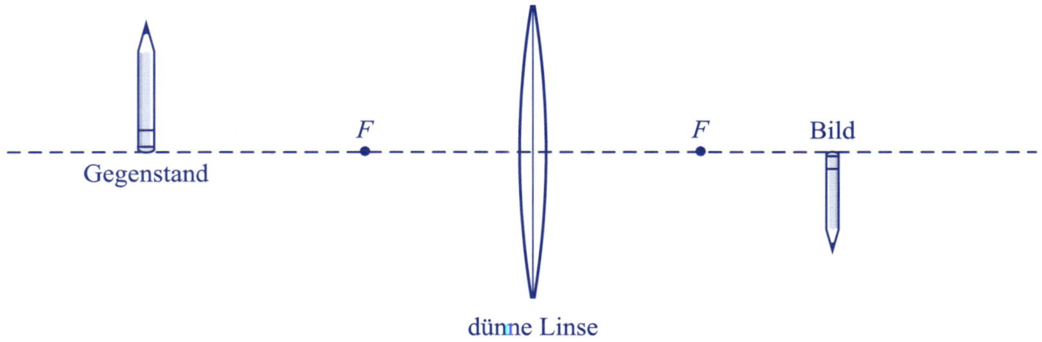

2. In Abschnitt 3 des Tutorials haben Sie eine Sammellinse als Vergrößerungsglas verwendet.

   Ist der Ausdruck, den Sie in Aufgabe 1 oben für den Abbildungsmaßstab hergeleitet haben, auch für diesen Fall anwendbar? Wenn nicht, welcher Ausdruck gilt in diesem Fall? Zeichnen Sie unten einen Strahlengang, um Ihre Antwort zu begründen.

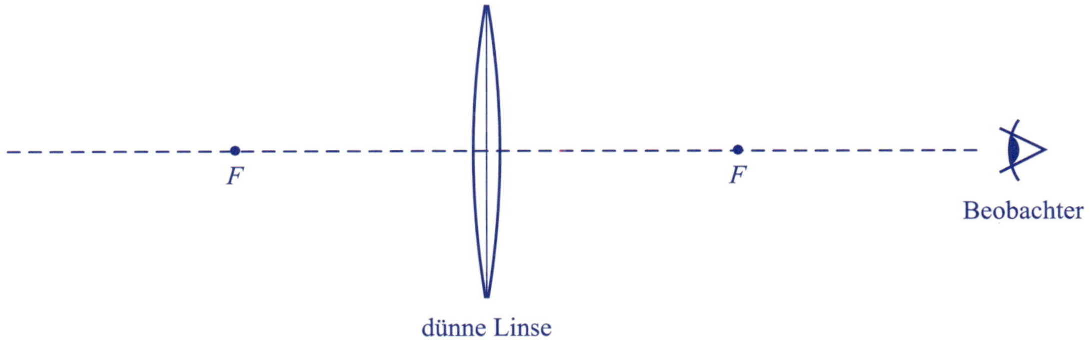

3. Zwei dünne Sammellinsen und ein Gegenstand sind angeordnet, wie in der Abbildung dargestellt. Zwei Strahlen von der Spitze des Gegenstandes sind eingezeichnet, um die Lage des von Linse 1 erzeugten Bildes zu bestimmen. Linse 2 ist so angeordnet, dass einer ihrer Brennpunkte mit der Position des von Linse 1 erzeugten Bildes übereinstimmt.

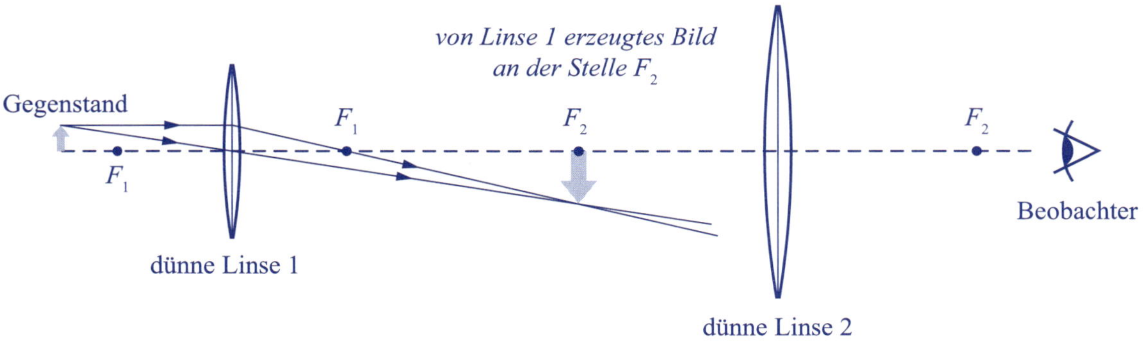

3.1 Behandeln Sie das von Linse 1 erzeugte Bild wie einen Gegenstand für die Linse 2 und zeichnen Sie zwei Hauptstrahlen von der Spitze dieses Bildes durch die Linse 2 ein. (Beachten Sie, dass einer der Hauptstrahlen in diesem Fall nicht gezeichnet werden kann.)

Zeigen Sie mithilfe geometrischer oder trigonometrischer Überlegungen, dass diese beiden Hauptstrahlen auf der rechten Seite von Linse 2 parallel verlaufen. (*Hinweis:* Suchen Sie in Ihrem rechten Strahlengang nach kongruenten rechtwinkligen Dreiecken.)

3.2 Wo befindet sich die Spitze des Bildes, welches der eingezeichnete Beobachter sieht? Begründen Sie. (*Hinweis:* Von wo *scheinen* die Strahlen auf der rechten Seite von Linse 2 herzukommen?)

3.3 Zeichnen Sie in der Abbildung oben deutlich ein:

- die Richtung, in welche der Beobachter blicken muss, um die *Spitze* des Bildes zu sehen,
- die Richtung, in welche der Beobachter blicken muss, um das *stumpfe Ende* des Bildes zu sehen,
- den Sehwinkel des *vollständigen* Bildes für den Beobachter.

3.4 Entscheiden Sie anhand Ihrer Antworten aus Teil 3.1 bis 3.3, was größer *erscheint:* das vom Beobachter gesehene Bild (mit den Linsen im Strahlengang) oder der Gegenstand selbst (ohne Linsen). Begründen Sie.

3.5 Die Abbildung in dieser Aufgabe stellt ein *Mikroskop* dar. Linse 1, das so genannte *Objektiv,* befindet sich dicht am zu untersuchenden Objekt. Linse 2, das so genannte *Okular,* ist so angeordnet, dass einer seiner Brennpunkte mit dem Ort des vom Objektiv erzeugten Bildes übereinstimmt.

Die Vergrößerung des gezeigten Mikroskops soll erhöht werden. Müssen Sie dazu das Okular (Linse 2) durch ein solches mit *kleinerer* oder mit *größerer* Brennweite ersetzen? Begründen Sie Ihre Antwort.

1. Die Abbildung rechts zeigt zwei Punktquellen S_1 und S_2 von oben.

   1.1 Kennzeichnen Sie in der Abbildung alle diejenigen Punkte in der Zeichenebene, für die der Wert von ΔD maximal bzw. minimal ist. (ΔD ist der Gangunterschied, d. h. die Differenz der Abstände zu den beiden Punktquellen.)

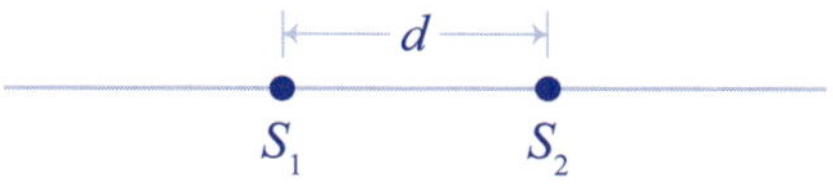

   1.2 Wie groß sind der größte bzw. der kleinste Wert für ΔD in dieser Situation? Begründen Sie.

2. Jede der Abbildungen rechts zeigt alle Knotenlinien (gestrichelt) und alle Linien maximaler konstruktiver Interferenz (durchgezogen), die von zwei Punktquellen erzeugt werden. Die Wellenlänge λ ist in allen drei Fällen gleich. Der Abstand der Punktquellen ist aber unterschiedlich. (Die nicht eingezeichneten Punktquellen liegen auf einer horizontalen Linie nebeneinander.)

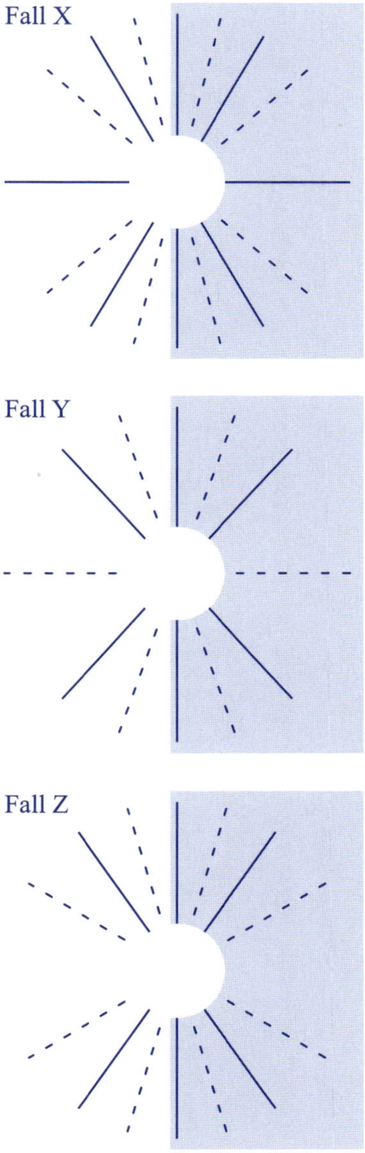

   2.1 Kennzeichnen Sie im grau unterlegten Bereich die Knotenlinien und die Linien maximaler konstruktiver Interferenz mit dem zugehörigen Wert von ΔD (ausgedrückt durch λ).

   2.2 Bestimmen Sie für jeden der drei Fälle, den Abstand der Quellen (wiederum ausgedrückt durch λ). Wenn Sie den Abstand nicht exakt bestimmen können, so bestimmen Sie ihn so gut Sie können, d. h. geben Sie das kleinste Intervall an, in dem er liegen muss. (*Hinweis:* Es ist vielleicht hilfreich, die Fälle nach der Größe des Abstandes zu ordnen.)

   Erläutern Sie, wie Sie den Abstand der Quellen bestimmt haben.

3. Die Abbildung rechts zeigt einen beliebig gewählten Punkt A in der Nähe von zwei Punktquellen. In dieser Aufgabe untersuchen wir, wie sich der Phasenunterschied (der beiden bei A eintreffenden Wellen) am Punkt A ändert, wenn dieser entlang der eingezeichneten Linie von den Punktquellen weiter entfernt wird.

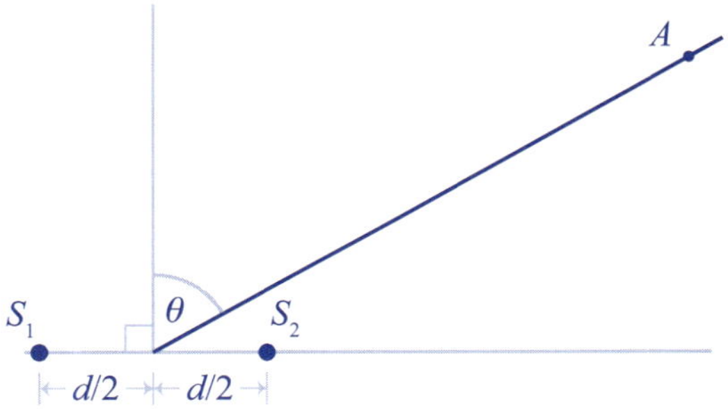

Der Punkt Z in der unteren Abbildung ist so gewählt, dass er von A denselben Abstand hat wie die Punktquelle S_2.

3.1 Vergleichen Sie die Winkel α und β. Begründen Sie.

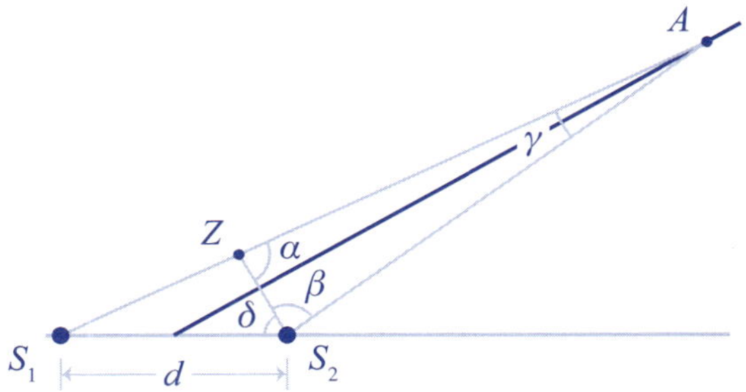

3.2 Punkt A entfernt sich von den Quellen entlang der eingezeichneten Linie. Welche Werte nehmen die Winkel α, β und γ in dem Grenzfall ein, dass Punkt A sehr weit von den Quellen entfernt ist.

3.3 Zeichnen Sie in der Abbildung oben die Strecke ein, welche den zusätzlichen Abstand darstellt, um den die Quelle S_1 weiter von A entfernt ist als Quelle S_2. Kennzeichnen Sie dieses Stück mit ΔD.

3.4 Die vergrößerte Abbildung unten veranschaulicht den Grenzfall, in dem der Punkt A in großer Entfernung von den Quellen liegt.

Finden Sie für diesen Grenzfall einen Ausdruck für ΔD in Abhängigkeit vom Winkel θ und Quellenabstand d. (*Hinweis:* Vergleichen Sie die Winkel δ und θ.)

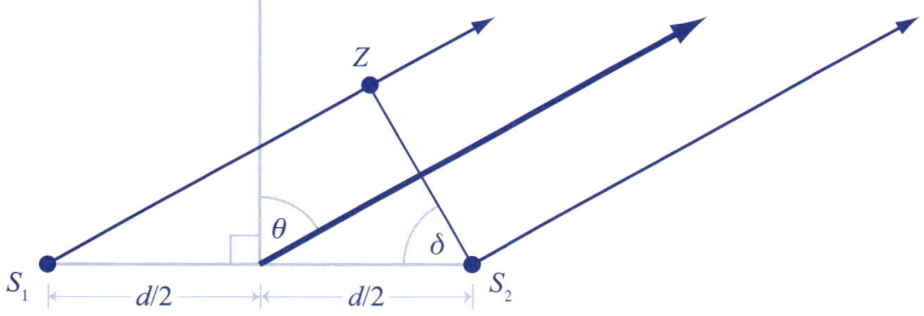

3.5 Für welche Werte von ΔD (ausgedrückt als Vielfaches von λ) erhält man:

- maximale Verstärkung (konstruktive Interferenz)?
- vollständige Auslöschung (destruktive Interferenz), also einen Knoten?

3.6 Formulieren Sie anhand Ihrer Antworten zu Teil 3.4 und 3.5 Gleichungen, mit deren Hilfe Sie die Winkel bestimmen können, unter denen die folgenden Linien auftreten:

- Linien maximaler konstruktiver Interferenz

- Knotenlinien

3.7 Bestimmen Sie die Winkel, für die sich Knotenlinien bzw. eine maximale konstruktive Interferenz ergeben, wenn die beiden Punktquellen einen Abstand von 1,5λ haben.

a. Zeichnen Sie mithilfe Ihrer Ergebnisse die Lage der Knotenlinien und der Linien maximaler konstruktiver Interferenz in das rechte Diagramm ein.

2 gleichphasige Quellen
Abstand $d = 1.5\lambda$ (nicht dargestellt)

b. Kennzeichnen Sie jede der gezeichneten Linien mit den zugehörigen Werten für ΔD und θ.

c. Wie ändert sich der Winkel θ, wenn man den Abstand zwischen den Quellen vergrößert? Nimmt er *zu*, *ab* oder bleibt er *gleich*? Begründen Sie Ihre Überlegung.

OPTIK
Übungen

4. Betrachten Sie die folgende *falsche* Aussage zu Aufgabe 3:

„Wenn sich Punkt A weiter und weiter von den Quellen entfernt, wird der Abstand zu den beiden Quellen nahezu gleich groß, sodass die Differenz vernachlässigt werden kann. Dadurch sind die Quellen immer mehr in Phase, je weiter der Punkt A entfernt ist."

Welche Fehler enthält die Aussage? Begründen Sie Ihre Antwort.

1. Eine Blende mit zwei identischen sehr schmalen Spalten und ein Schirm sind so angeordnet, wie in der Abbildung rechts unten dargestellt. Auf die Blende fällt das Licht einer weit entfernten roten Punktlichtquelle.

   Die Fotographie rechts zeigt einen Ausschnitt des Musters, das man auf dem Schirm sieht. Punkt P liegt in der Mitte des Musters. Die Punkte P und Q sind Maxima; Punkt R markiert ein Minimum rechts von Punkt Q.

   1.1 Kennzeichnen Sie oberhalb des Beugungsmusters jeden der Punkte mit dem dazugehörigen Wert für ΔD, dem Gangunterschied des von den beiden Spalten ausgehenden Lichts an diesem Punkt (als Vielfaches von λ).

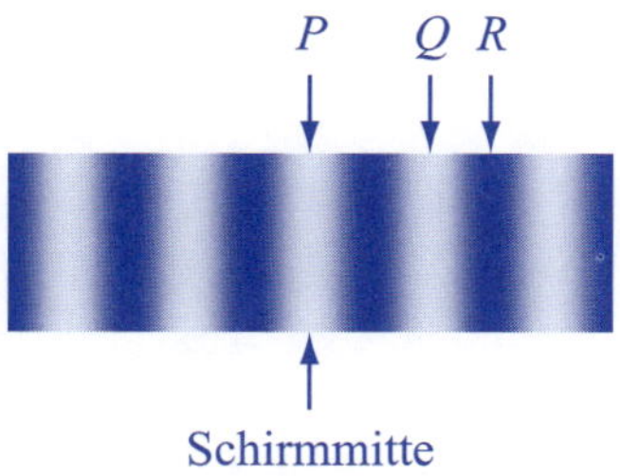

   1.2 Der Schirm befindet sich 2,2 m von den Spalten entfernt. Der Abstand von Punkt P zu Punkt R beträgt 1,6 mm.

   Bestimmen Sie den Abstand zwischen den Spalten in Abhängigkeit von λ. Erläutern Sie alle Näherungen, die Sie bei der Lösung des Problems gemacht haben.

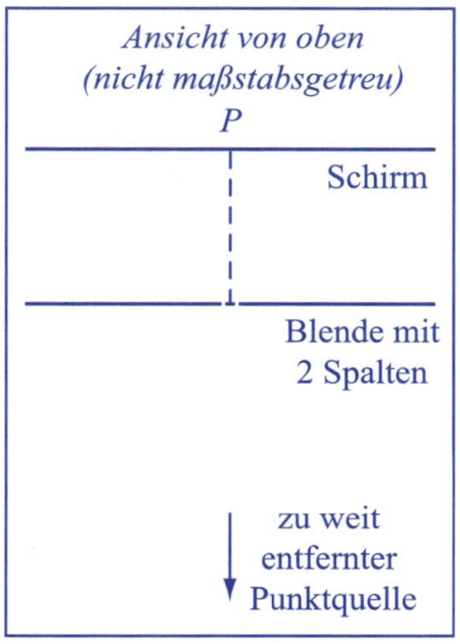

   1.3 Die Breite des rechten Spaltes wird nun verringert (ohne dass sich der Abstand der beiden Spaltmitten ändert).

   a. Nimmt die Helligkeit an den folgenden Punkten *zu*, *ab* oder bleibt sie *gleich?* Begründen Sie Ihre Antwort.

   - Punkt Q

   - Punkt R

   b. In der Abbildung rechts ist die Intensität (I) in Abhängigkeit vom Winkel (θ) für das obige Doppelspaltexperiment grafisch aufgetragen. (Der Winkel θ wird relativ zum Lot auf den Schirm gemessen.)

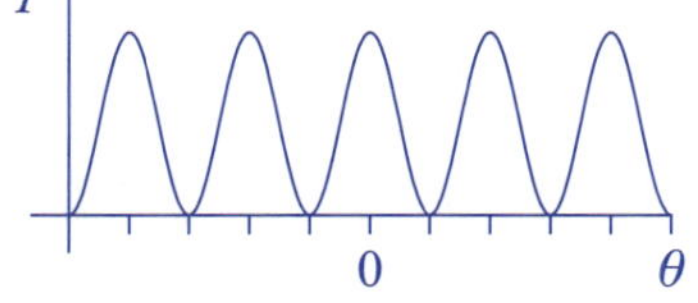

   Zeichnen Sie den veränderten Graphen für die Intensität, wenn der rechte Spalt schmaler gemacht wird.

2. Der Graph der *Intensität* in Abhängigkeit vom Winkel in der Abbildung rechts gehört zu einem Doppelspaltexperiment (ähnlich dem in Teil 1).

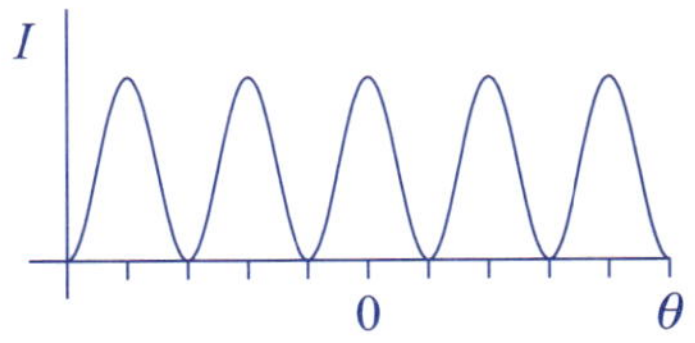

In jedem der Fälle unten wird *eine* Änderung am ursprünglichen Aufbau vorgenommen. Zeichnen Sie jeweils ein, wie sich der Graph gegenüber dem ursprünglichen Graph (gestrichelt) ändert. Erläutern Sie jeweils Ihre Überlegungen?

- Der Abstand zwischen den Spaltmitten wird vergrößert (ohne dass sich die Breite der Spalte ändert).

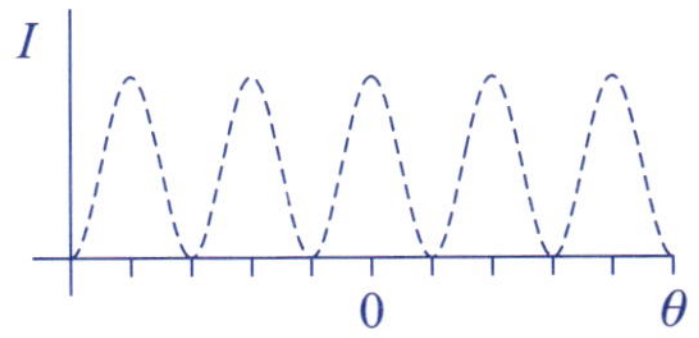

- Die Wellenlänge des einfallenden Lichtes wird vergrößert.

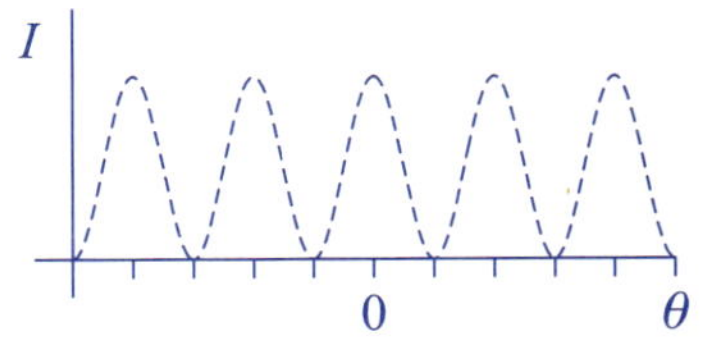

- Der Abstand zwischen der Spaltblende und dem Schirm wird verringert.

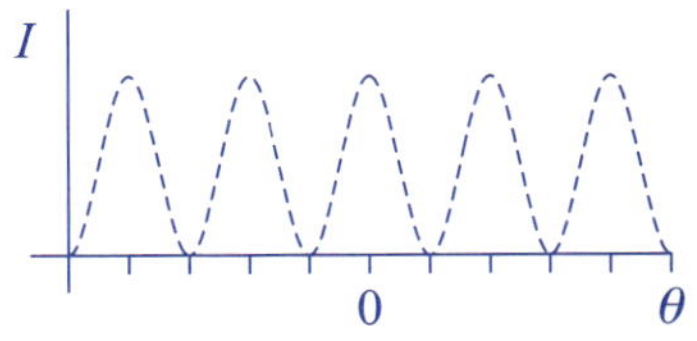

- Die Breite *beider* Spalte wird verringert (ohne dass der Abstand der Spaltmitten verändert wird).

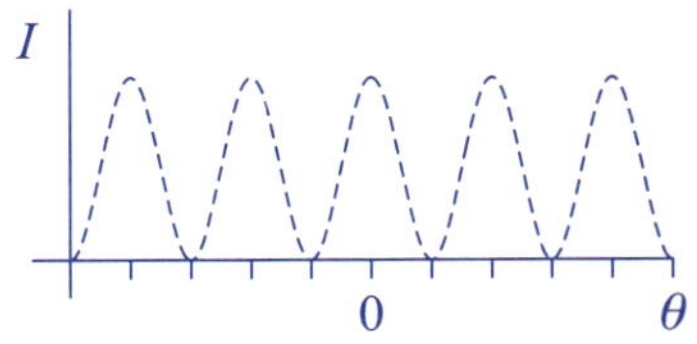

- Die Breite *eines* der Spalte wird verringert (ohne dass der Abstand der Spaltmitten verändert wird).

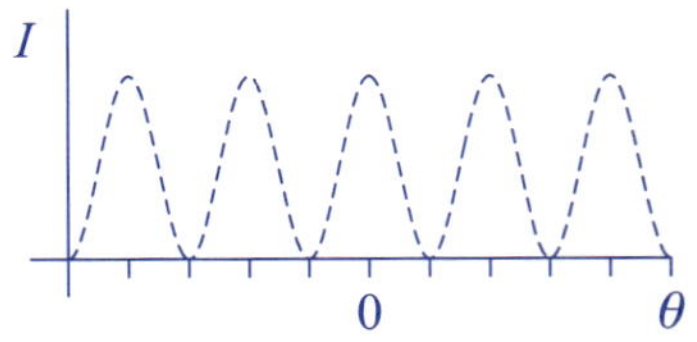

1. Die Fotografie rechts zeigt einen Ausschnitt des Musters auf einem weit entfernten Schirm, wenn kohärentes rotes Licht durch eine Blende mit zwei sehr schmalen Spalten fällt. Die beiden Spalte haben den Abstand d.

   Punkt C befindet sich in der Mitte des Schirms. Punkt X ist ein Helligkeitsminimum, die Punkte Y und Z sind Maxima.

Interferenzbild beim Doppelspalt

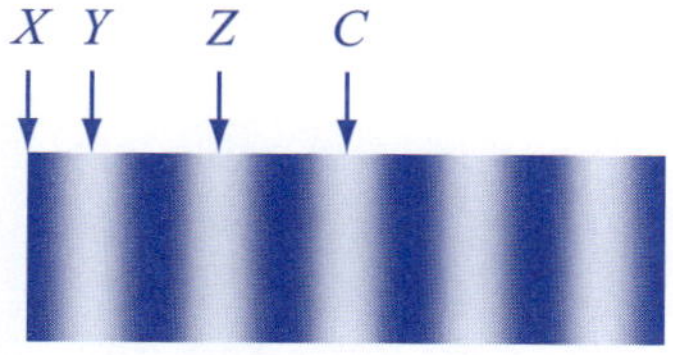

1.1 Kennzeichnen Sie jeden der Punkte mit dem zugehörigen Wert von ΔD, der Differenz der Weglängen von den beiden Spalten zum jeweiligen Punkt. Stellen Sie den Wert von ΔD als Vielfaches von λ dar.

1.2 Die Doppelspaltblende wird durch eine Blende mit fünf Spalten derselben Breite ersetzt. Benachbarte Spalte haben dabei denselben Abstand d wie die beiden ursprünglichen Spalte.

   a. Ist Punkt X dann immer noch ein Helligkeitsminimum? Begründen Sie.

   b. Ist Punkt C (in der Mitte des Schirms) dann immer noch ein Helligkeitsmaximum? Begründen Sie.

   Wie viele Minima würden bei der Fünf-Spalt-Blende zwischen zwei benachbarten Hauptmaxima liegen?

   c. Ist Punkt Z dann immer noch ein Helligkeitsmaximum? Begründen Sie.

   d. Der Abstand benachbarter Spaltmitten der Fünf-Spalt-Blende beträgt 125λ. Bestimmen Sie den Winkel (gemessen relativ zum Lot auf den Schirm) zu dem Helligkeitsminimum, das am nächsten an der Schirmmitte liegt. Geben Sie Ihren Lösungsweg an.

OPTIK Übungen

2. Betrachten Sie nochmals das ursprüngliche Muster des Doppelspaltversuchs aus Aufgabe 1 (siehe Abbildung). Ein dritter Spalt mit derselben Breite wird in der Mitte zwischen den beiden ursprünglichen Spalten hinzugefügt (siehe die untere Abbildung). Beachten Sie, dass der Abstand zwischen benachbarten Spalten jetzt halb so groß ist wie zuvor.

Interferenzbild beim Doppelspalt

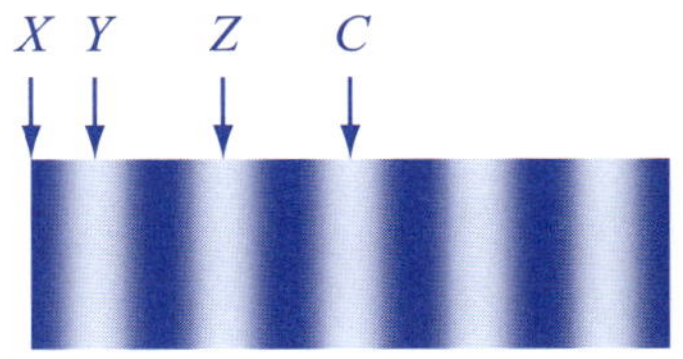

2.1 Ist der Punkt Z dann ein *Hauptmaximum,* ein *Minimum* oder *keines von beiden?* Begründen Sie.

2.2 Ist der Punkt Y dann ein *Hauptmaximum,* ein *Minimum* oder *keines von beiden?* Begründen Sie.

2.3 Ist der Punkt X dann ein *Hauptmaximum,* ein *Minimum* oder *keines von beiden?* (*Hinweis:* Verwenden Sie das Superpositionsprinzip.) Begründen Sie.

3. Monochromatisches Licht einer weit entfernten Punktlichtquelle fällt durch eine Blende mit einer unbekannten Anzahl von Spalten. Der Graph rechts zeigt die Intensität in Abhängigkeit vom Winkel.

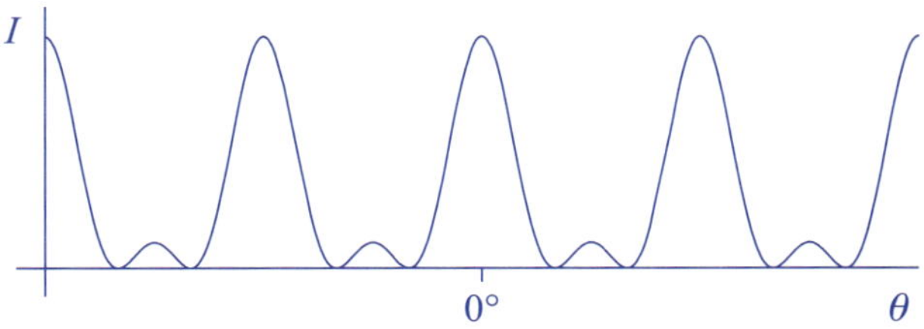

3.1 Wie viele Spalte befinden sich in der Blende? Begründen Sie Ihre Antwort. (*Hinweis:* Beantworten Sie die Frage mithilfe Ihrer Ergebnisse aus Abschnitt 3 des Tutorials.)

3.2 Kennzeichnen Sie die Minima und die Hauptmaxima mit dem zugehörigen Wert von $\Delta D_{i,i+1}$ ausgedrückt durch λ, wobei $\Delta D_{i,i+1}$ die Differenz des Abstandes zu benachbarten Spalten angibt.

1. Licht von einer weit entfernten Punktquelle trifft auf einen schmalen Spalt. Jeder der Graphen unten zeigt die Intensität auf einem weit entfernten Schirm als Funktion des Winkels θ. Die sechs Fälle unterscheiden sich nur durch die Breite des Spaltes.

   Der Maßstab der horizontalen Achse stimmt in allen sechs Diagrammen überein. Die senkrechte Achse wurde so angepasst, dass das Maximum der Intensität jeweils den Wert 1 hat.

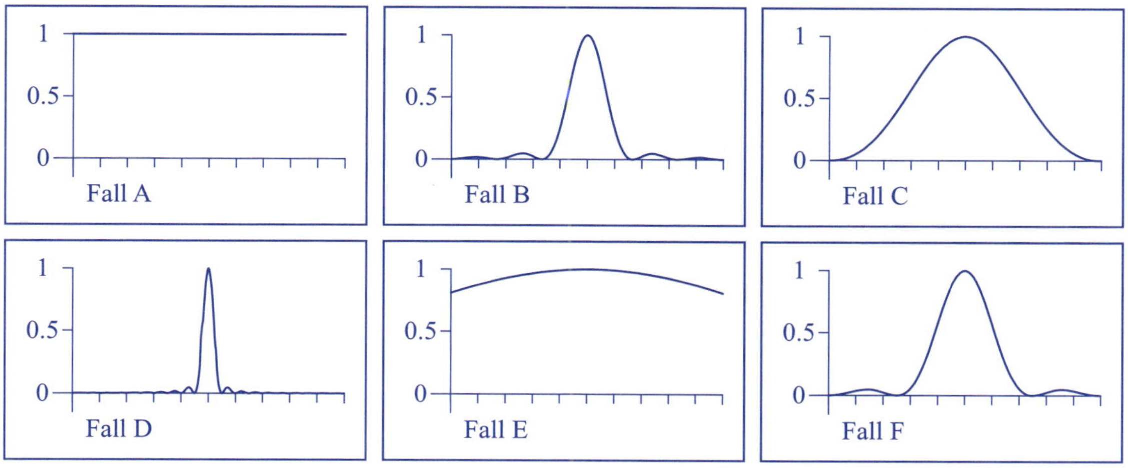

   Ordnen Sie die Fälle nach der Breite des Spaltes. Begründen Sie.

2. In den Abschnitten 1 und 2 des Tutorials haben Sie ein Verfahren entwickelt, um den Winkel, unter dem das erste Minimum eines Beugungsbildes hinter einem Einzelspalt erscheint, zu bestimmen. In diesen Übungen werden wir dieses Verfahren verallgemeinern, um die Orte der Minima höherer Ordnung zu bestimmen. Zunächst bestimmen wir die Lage der Minima zweiter Ordnung. Dazu unterteilen wir den Einzelspalt und untersuchen die Überlagerung der von den Teilspalten ausgehenden Wellen. Zur Vorbereitung untersuchen wir eine Anordnung von vier Spalten.

   2.1 Monochromatisches Licht von einer entfernten Punktquelle trifft auf eine Blende mit vier gleichartigen, *sehr schmalen* Spalten.

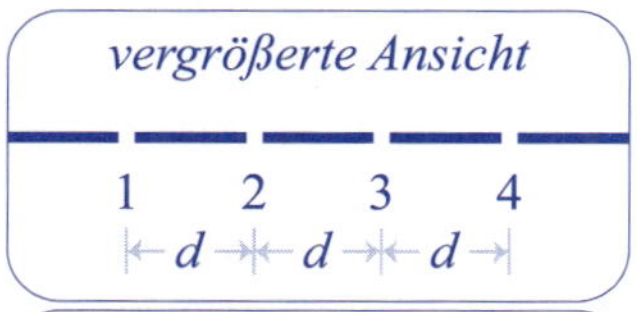

   Die beiden rechten Spalte (also Spalt 3 und 4) werden abgedeckt. Die Abbildung rechts zeigt die Richtung zu Punkt M, einem Punkt auf dem (weit entfernten) Schirm, an dem das erste Intensitätsminimum für die beiden linken Spalte (also Spalte 1 und 2) auftritt.

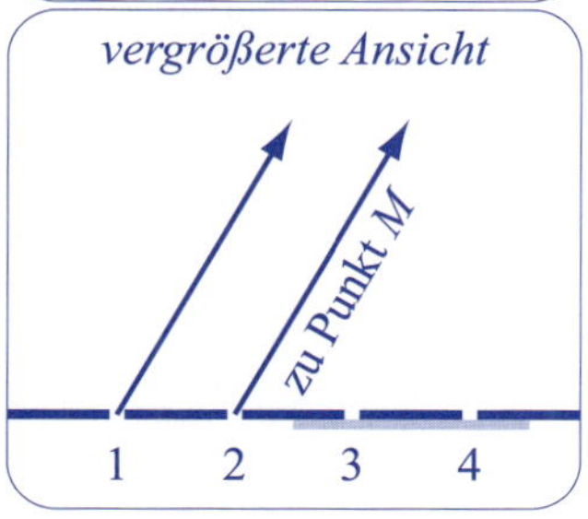

   a. Ergibt sich für das Licht durch die beiden rechten Spalte (also Spalte 3 und 4) ebenfalls ein Minimum an Punkt M? Begründen Sie.

b. Ergibt sich für das Licht, das durch alle vier Spalte tritt, ein Minimum an Punkt M? Wenn ja, bestimmen Sie die Ordnung des Minimums (also erstes Minimum, zweites Minimum usw.) Begründen Sie. (*Hinweis:* Geben Sie in der Abbildung auf der vorigen Seite die Gangunterschiede $\Delta D_{i,i+1}$ der benachbarten Spalte für Punkt M an.)

2.2 Monochromatisches Licht von einer weit entfernten Punktquelle trifft auf eine Blende mit einem einzelnen schmalen Spalt der Breite a (mit $a > \lambda$), wie unten abgebildet. Betrachten Sie Punkt K auf einem weit entfernten Schirm, der sich am Ort des ersten Minimums befindet.

a. Kennzeichnen Sie auf der Abbildung den Winkel zum ersten Minimum θ_1. Kennzeichnen Sie zudem einen charakteristischen Gangunterschied ΔD_1 für diese Situation. Welchen Wert (ausgedrückt als Vielfaches der Wellenlänge) muss ΔD_1 haben?

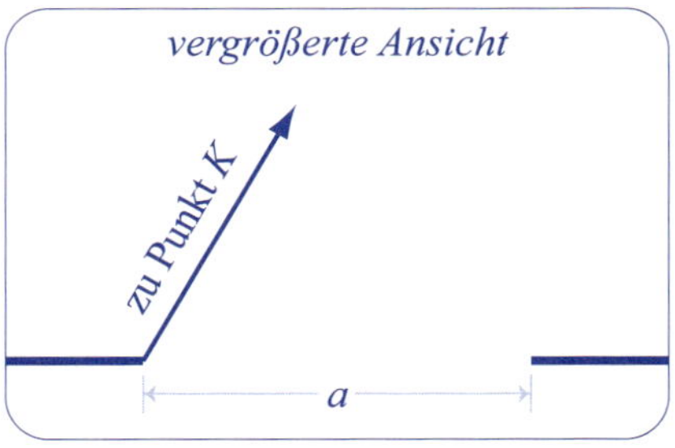

b. Die rechte Hälfte des Spaltes wird nun abgedeckt (siehe Abbildung). Der Pfeil kennzeichnet wie zuvor die Richtung zu Punkt K, dem ersten Minimum für den gesamten Spalt.

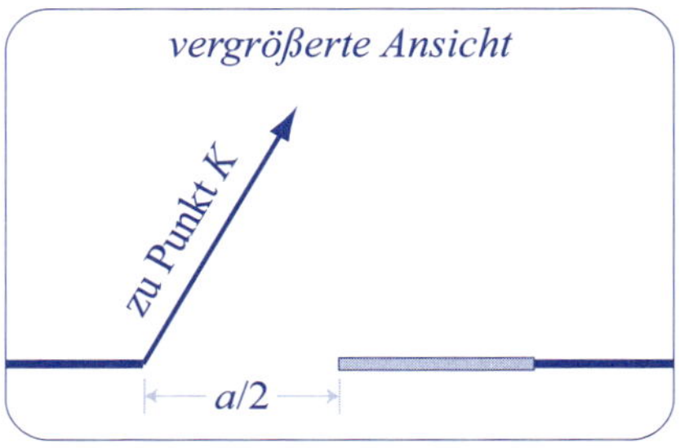

Betrachten Sie das Licht, das durch die linke Hälfte des Spaltes tritt. Zeichnen Sie in die untere Abbildung (näherungsweise) die Richtung und den Winkel θ_2 des ersten Minimums für diese Situation ein.

Kennzeichnen Sie erneut einen charakteristischen Gangunterschied ΔD_2 für diese Situation. Welchen Wert hat ΔD_2?

Ist θ_2, der Winkel für das erste Minimum des Lichtes durch die linke Spalthälfte, *größer*, *kleiner* oder *gleich* θ_1, dem Winkel für das erste Minimum für den gesamten Spalt? Begründen Sie.

c. Nun wird stattdessen die linke Hälfte des Spaltes abgedeckt und das Licht tritt durch die rechte Hälfte (siehe Abbildung rechts).

Ergibt sich für das Licht durch die rechte Spalthälfte das erste Minimum bei demselben Winkel θ_2 wie zuvor für die andere Spalthälfte? Begründen Sie.

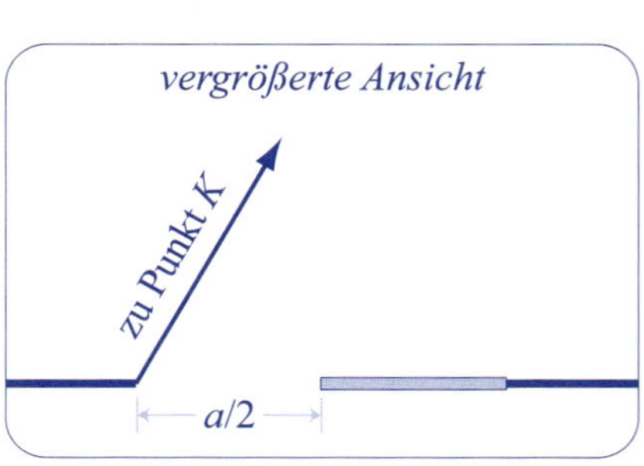

d. Nun wird der gesamte Einzelspalt geöffnet. Ergibt sich für das Licht, das durch den Spalt der Breite a tritt, ebenfalls ein Minimum bei dem Winkel θ_2? Begründen Sie.

Für einen Einzelspalt der Breite a sind θ_1 und θ_2 die Winkel des ersten bzw. zweiten Intensitätsminimums. Ein ähnliches Verfahren wie oben kann man anwenden, um die Minima höherer Ordnung zu bestimmen. Zur Bestimmung des dritten Minimums z. B. teilt man den Spalt in drei gleich große Teile und wendet dann die obige Überlegung entsprechend an.

2.3 Formulieren Sie eine Gleichung für die Winkel der angegebenen Minima, wenn Licht der Wellenlänge λ auf einen Spalt der Breite a fällt:

- das zweite Minimum
- das dritte Minimum
- das m-te Minimum

Welche Werte kann m annehmen? Ist insbesondere $m = 0$ möglich? Begründen Sie.

Betrachten Sie die folgende Aussage eines Studenten:

„Dieses Vorgehen für die Bestimmung der Orte der Minima ist unnötig kompliziert. Warum kann ich nicht einfach weiterhin den Spalt durch zwei Punktquellen mit der halben Spaltbreite als Abstand modellieren? Ich weiß ja schon, wie ich die Orte der Minima bei zwei Punktquellen mit einem Abstand $a/2$ bestimmen kann.“

Gibt das in der Aussage angegebene Verfahren die Lagen der Minima höherer Ordnung korrekt an? Begründen Sie.

OPTIK
Übungen

1. Monochromatisches Licht einer weit entfernten Punktquelle fällt auf zwei schmale parallele Spalte. Es ergibt sich der unten abgebildete Graph für den Zusammenhang von Intensität I auf dem weit entfernten Schirm und Winkel θ. Der Punkt Y ist der Mittelpunkt des Schirmes, die Punkte X und Z sind Minima.

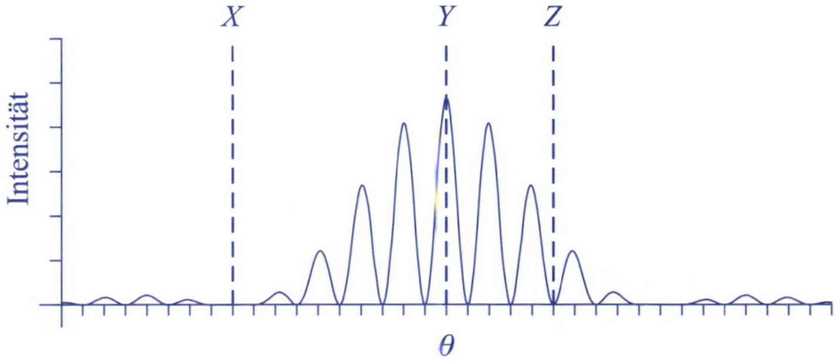

1.1 Einer der beiden Spalte wird nun abgedeckt. Nimmt dann die Intensität an den folgenden Punkten *zu, ab* oder bleibt sie *gleich?* Begründen Sie jeweils.

- Punkt X

- Punkt Y

- Punkt Z

1.2 Bestimmen Sie aus dem Diagramm das Verhältnis d/a zwischen dem Spaltabstand und der Spaltbreite. Notieren Sie Ihren Lösungsweg und begründen Sie Ihre Lösung. (*Hinweis:* Können Sie ein „fehlendes“ Interferenzmaximum finden?)

2. Laserlicht der Wellenlänge $\lambda = 633\,\text{nm}$ fällt auf zwei parallele Spalte. Die Abbildung rechts stellt den Zusammenhang zwischen *relativer Intensität* und Winkel θ dar. (Der Mittelpunkt des Interferenzmusters liegt bei $\theta = 0°$.)

   Berechnen Sie die Spaltbreite a und den Spaltabstand d. Geben Sie an, welche Eigenschaften des Graphen Sie für Ihre Antwort verwendet haben.

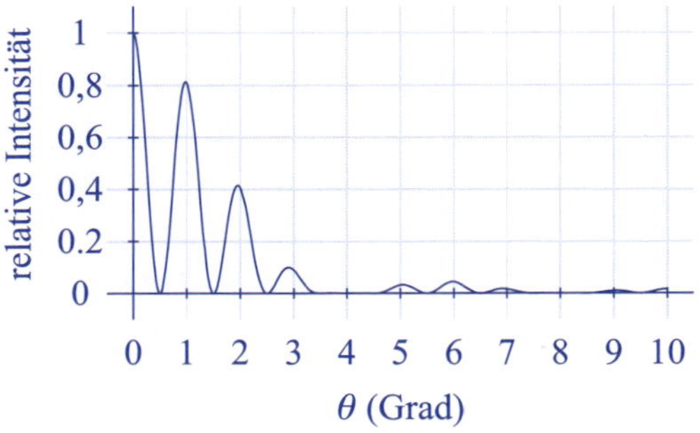

OPTIK
Übungen

3. Monochromatisches Licht von einer weit entfernten Punktquelle fällt auf zwei parallele Spalte. Beide Spalte haben die Breite a und befinden sich im Abstand d voneinander. Rechts ist die relative Intensität gegen den Winkel aufgetragen. (Die Mitte des Interferenzmusters liegt bei $\theta = 0°$.)

   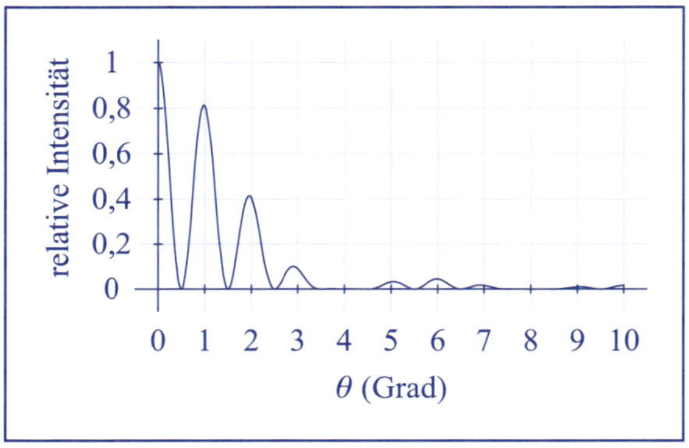

   Zeichnen Sie jeweils den Graphen für die *relative Intensität,* wenn die folgenden Änderungen an der Anordnung vorgenommen werden. Ihre Graphen sollten näherungsweise die Lage der Minima und Maxima zeigen und auch die relative Höhe der Maxima richtig darstellen. Begründen Sie Ihre Lösungen.

   3.1 Die Breite der beiden Spalte wird auf $a/2$ verringert. Dabei bleibt der Abstand (Mitte zu Mitte) gleich.

   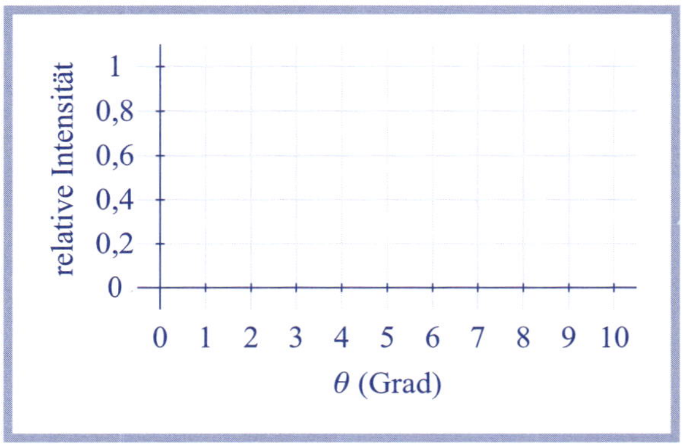

   3.2 Der Abstand (Mitte zu Mitte) der Spalte wird auf $d/2$ verringert. Dabei bleibt die Breite a der Spalte gleich.

   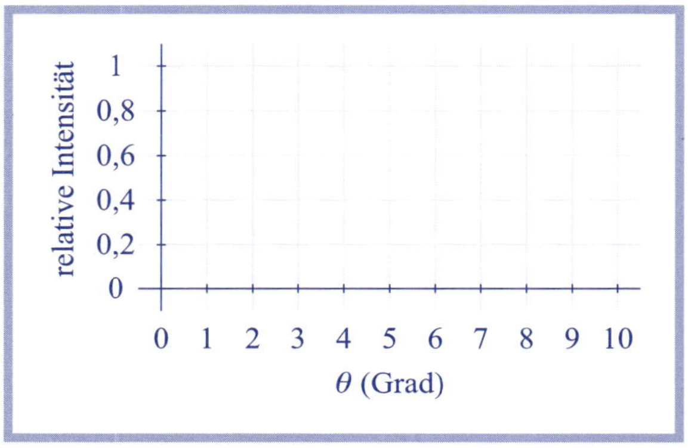

   3.3 Ein dritter Spalt mit der Breite a wird rechts von den beiden vorhandenen Spalten hinzugefügt. Benachbarte Spalte befinden sich weiterhin im Abstand d voneinander.

   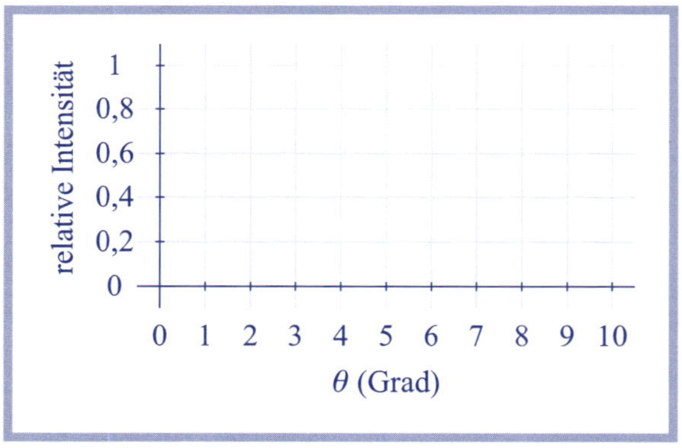

1. Licht der Wellenlänge $\lambda = 700\,\text{nm}$ fällt von einer weit entfernten Punktquelle auf eine Blende mit einem Einzelspalt *unbekannter* Breite w_o und *unbekannter* Höhe h_o.

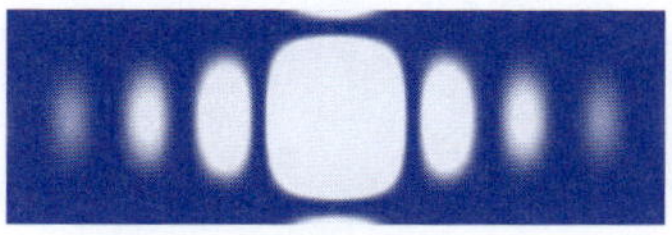
Muster auf weit entferntem Schirm

Auf einem Schirm im Abstand 2,5 m vom Spalt wird das oben abgebildete Beugungsmuster beobachtet. Das zentrale Beugungsmaximum ist 1,0 cm breit und 1,2 cm hoch.

1.1 Bestimmen Sie die Breite w_o des Spaltes. Geben Sie Ihren Lösungsweg an und begründen Sie Ihre Überlegungen.

1.2 Bestimmen Sie die Höhe h_o des Spaltes. Geben Sie Ihren Lösungsweg an und begründen Sie Ihre Überlegungen.

1.3 In jedem der unten angegebenen Fälle wird *eine* Änderung am Aufbau vorgenommen. Beschreiben Sie jeweils, wie sich das Schirmbild dadurch eventuell verändert. Begründen Sie Ihre Antworten.

- Der ursprüngliche Spalt wird durch einen Spalt mit der Breite $w_o/2$ und der Höhe h_o ersetzt.

- Der ursprüngliche Spalt wird durch einen Spalt mit der Breite w_o und der Höhe $h_o/2$ ersetzt.

- Der ursprüngliche Spalt wird durch einen Spalt mit der Breite w_o und der Höhe w_o ersetzt.

2. Optimale Lochgröße für eine Lochkamera

Eine Lochkamera wird verwendet, um ein Bild einer hellen, weit entfernten monochromatischen Punktquelle zu erzeugen. Rechts ist ein Schnittbild der Kamera dargestellt.

Das Kameraloch ist kreisförmig mit Durchmesser $D = 1{,}0\,\text{cm}$. Der Schirm befindet sich im Abstand L ($L \gg 1{,}0\,\text{cm}$) vom Loch.

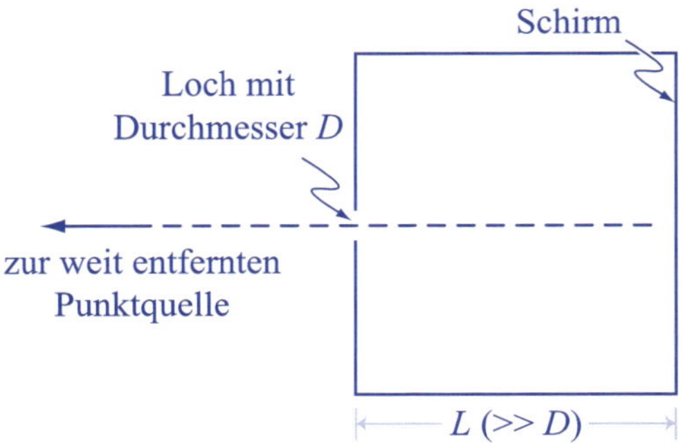

Seitenansicht der Lochkamera
(Einblicköffnung nicht dargestellt)

2.1 Bestimmen Sie die Größe und die Form des beleuchteten Bereiches auf dem Schirm. Begründen Sie.

Welche Änderung erwarten Sie für die Größe des beleuchteten Bereiches auf dem Schirm, wenn der Durchmesser des Loches halbiert wird? Begründen Sie.

2.2 Für einen genügend kleinen Wert des Kameraloches ergibt sich auf dem Schirm das rechts abgebildete Muster.

Beschreiben Sie die Ähnlichkeiten und die Unterschiede zwischen diesem Muster und dem Muster, das von einem schmalen rechteckigen Loch erzeugt wird.

Welche Änderung erwarten Sie für das Muster, wenn der Durchmesser des Loches verkleinert wird? Begründen Sie Ihre Antwort.

2.3 Es wird beobachtet, dass der Winkel θ zwischen der Mitte des Musters und dem ersten dunklen Ring durch die Gleichung $D \sin\theta \approx 1{,}22\lambda$ beschrieben wird.

Ist dieses Ergebnis mit Ihrer Vermutung in Teil 2.2 vereinbar? Dort haben Sie formuliert, welche Änderung Sie erwarten, wenn der Durchmesser des Loches verkleinert wird. Wenn nicht, lösen Sie den Widerspruch auf.

Bestimmen Sie mithilfe der oben gegebenen Informationen den Durchmesser des zentralen Beugungsmaximums (in Abhängigkeit von D, λ und L). (*Hinweis:* Verwenden Sie die Näherung kleiner Winkel $\sin\theta \approx \tan\theta \approx \theta$.)

2.4 Bestimmen Sie mithilfe Ihrer Ergebnisse aus den Teilen 2.1 und 2.3 den Durchmesser des Kameraloches (ausgedrückt durch λ und L), welches das kleinste Bild der Punktquelle auf dem Schirm erzeugt. (*Hinweis:* Vergleichen Sie die Durchmesser des Kameraloches mit dem Durchmesser des zentralen Beugungsmaximums in diesem Fall.)

Die in Abschnitt 1 des Tutorials untersuchten Fotografien stellen dar, wie sich das Bild einer Lochkamera ändert, wenn der Lochdurchmesser schrittweise verkleinert wird. Erinnern Sie sich daran, dass das schärfste Bild bei einem Lochdurchmesser von 0,35 mm entsteht?

Zeigen Sie mithilfe der obigen Antworten, dass die Aufnahme des schärfsten Bildes mit einer Lochkamera gemacht wurde, deren Schirm näherungsweise einen Abstand $L = 10\,\text{cm}$ vom Kameraloch hatte. (*Hinweis:* Rechnen Sie mit monochromatischem Licht der Wellenlänge $\lambda = 500\,\text{nm}$.)

1. Betrachten Sie nochmals die Situation aus dem Tutorial, in welcher Licht der Frequenz $f = 7{,}5 \cdot 10^{14}\,\text{Hz}$ von links auf einen Seifenfilm ($n = 4/3$) fällt.

   Die Abbildung rechts setzt den Strahlengang fort, den Sie gezeichnet haben. Sie zeigt den einfallenden Strahl und mehrere Strahlen, die sich aus den Reflexionen und Transmissionen an den Grenzflächen ergeben. Der Strahl, der sich aus der zweiten Reflexion an der rechten Grenzfläche ergibt (sowie alle weiteren Strahlen), ist nicht dargestellt.

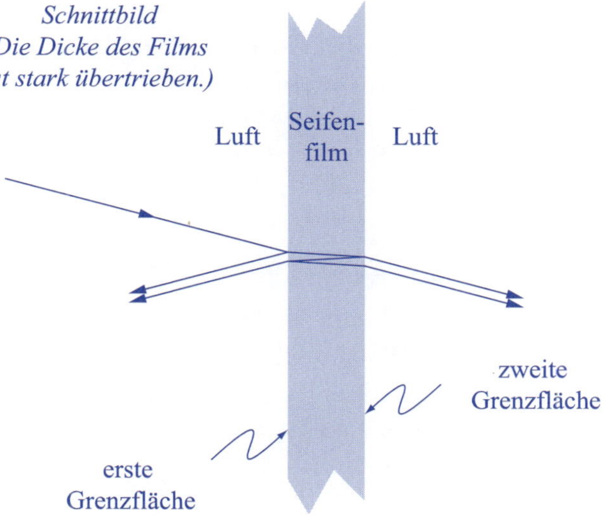

Für die Aufgabe wird angenommen, dass das Licht von links nahezu *senkrecht* auf den Film fällt.

1.1 Betrachten Sie die beiden Strahlen, die durch die rechte Grenzfläche in die Luft austreten. Was sind die drei kleinsten Schichtdicken, für welche diese Strahlen

a. *konstruktiv* interferieren? Begründen Sie;

b. *destruktiv* interferieren? Begründen Sie.

1.2 Betrachten Sie nochmals die Situation mit dem keilförmigen Seifenfilm aus Abschnitt 3 des Tutorials.

Unterscheidet sich das Interferenzmuster, das man von der *rechten* Seite des Filmes sieht, von dem Muster, das man von der *linken* Seite sieht? Wenn ja, so beschreiben Sie die Unterschiede. Begründen Sie Ihre Antwort mithilfe Ihrer Ergebnisse aus Teil 1.1.

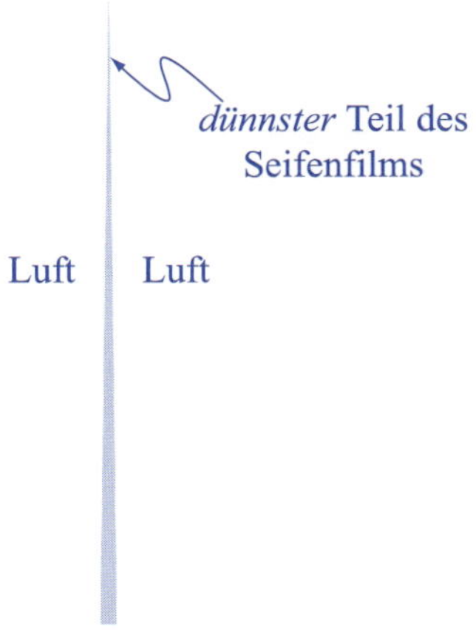

Schnittbild
(nicht maßstabsgetreu)

2. Eine Glasplatte ($n = 1{,}5$) befindet sich oberhalb einer Plastikplatte ($n = 1{,}2$). Ein dünner Wasserfilm ($n = 1{,}33$) ist zwischen den Platten eingeschlossen, wie in der Abbildung rechts dargestellt.

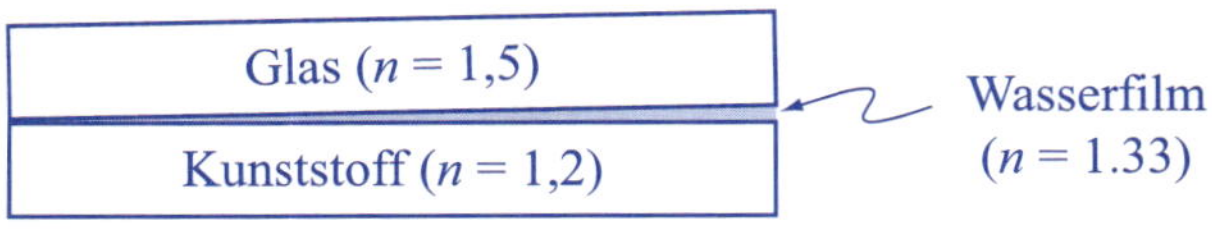

Licht der Frequenz $f = 4{,}8 \cdot 10^{14}$ Hz fällt (nahezu senkrecht) von oben ein. Die Abbildung zeigt die Lagen der hellen und dunklen Streifen in der Ansicht von oben.

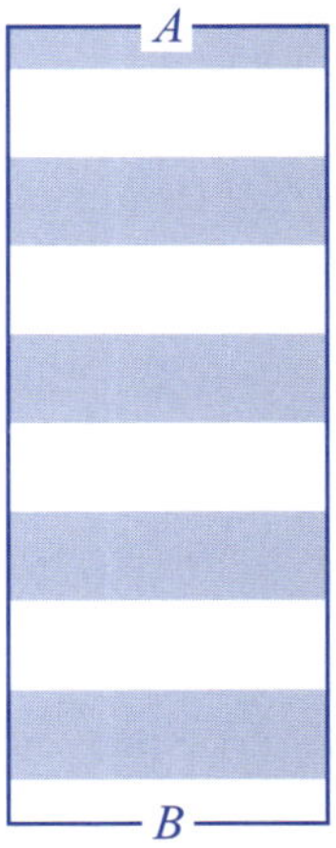

In dieser Aufgabe soll die Reflexion an der oberen Glasoberfläche und der unteren Plastikgrenzfläche vernachlässigt werden. (Überlegen Sie, warum dies sinnvoll ist.)

2.1 An welcher Seite liegen die Platten aufeinander auf? An Seite A (wo das Muster dunkel ist) oder an Seite B (wo das Muster hell ist)? Begründen Sie.

2.2 Bestimmen Sie die Dicke des Abstandes der beiden Platten (in mm) an dem Ende, an welchem die Platten *nicht* aufeinander aufliegen. Geben Sie Ihren Lösungsweg an.

2.3 Der Wasserfilm zwischen den Platten wird nun durch einen Luftfilm ersetzt.

a. Ist dann an der Stelle, wo die Platten aufeinander aufliegen, ein heller oder ein dunkler Streifen zu sehen? Begründen Sie.

b. Ist der Abstand der hellen Streifen dann *kleiner, größer* oder *unverändert* im Vergleich mit der Situation in Teil 2.1? Begründen Sie Ihre Antwort.

1. Licht der Intensität I_o trifft auf drei verschiedene Paare idealer Polarisatoren. Der Doppelpfeil auf den Polarisatoren zeigt die Polarisationsrichtung an.

   1.1 Das einfallende Licht in den dargestellten Experimenten ist *unpolarisiert.*

   Ordnen Sie die Fälle A, B und C nach der Intensität des Lichtes beim Austreten aus dem zweiten Polarisator. Falls eine der Intensitäten gleich Null ist, formulieren Sie dies ausdrücklich. Begründen Sie Ihre Antwort.

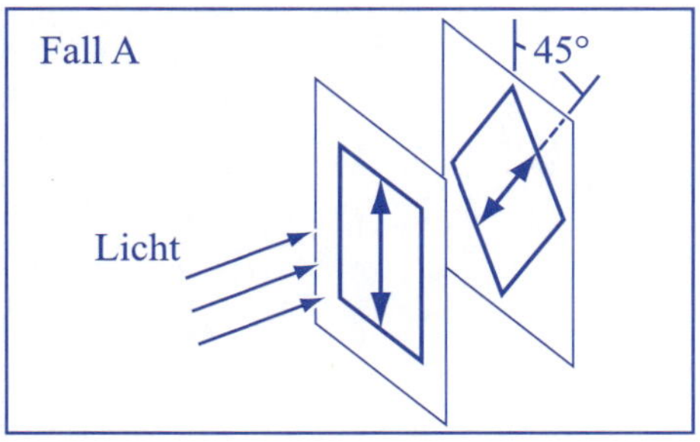

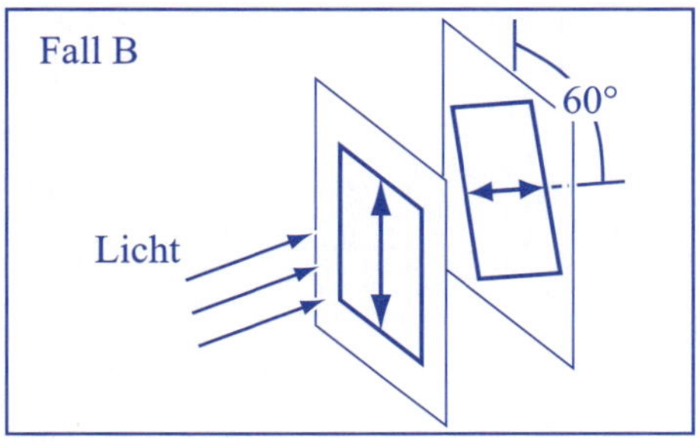

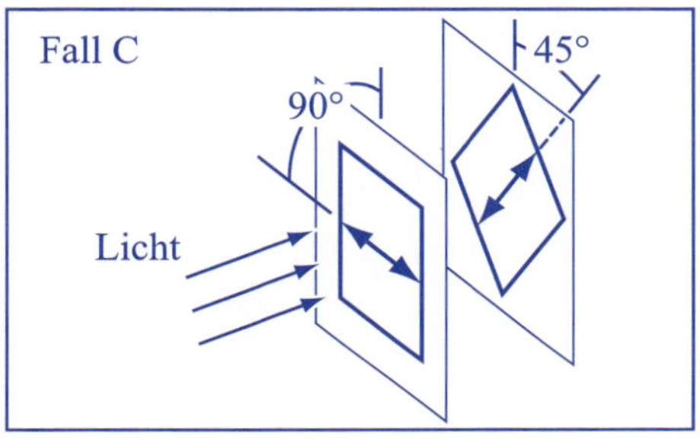

   1.2 Nun ist das einfallende Licht in den drei Fällen in *vertikaler Richtung polarisiert.*

   Ordnen Sie die Fälle A, B und C nach der Intensität des Lichtes beim Austreten aus dem zweiten Polarisator. Falls eine der Intensitäten gleich Null ist, formulieren Sie dies ausdrücklich. Begründen Sie Ihre Antwort.

2. Unpolarisiertes Licht der Intensität I_o fällt auf ein Paar idealer Polarisatoren wie unten abgebildet. Der erste Polarisator polarisiert in vertikaler Richtung. Die Ausrichtung des zweiten ist *unbekannt.*

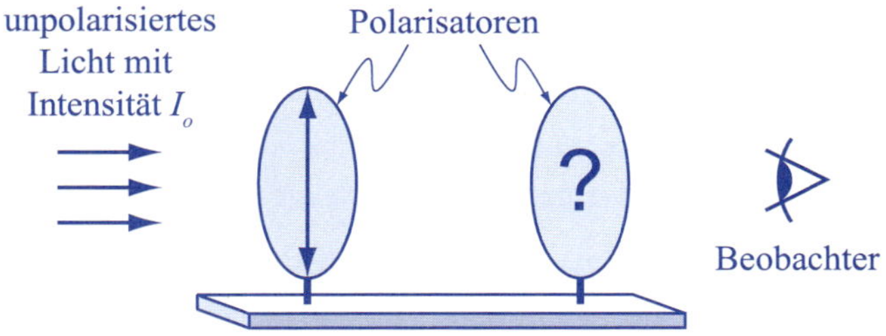

Für jeden der Fälle unten soll entschieden werden, ob es eine Ausrichtung des zweiten Polarisators gibt, bei welcher das den Beobachter erreichende Licht die angegebene Intensität hat.

Wenn ja: Bestimmen Sie die Polarisationsrichtung des zweiten Polarisators. Geben Sie Ihren Lösungsweg an.

Wenn nicht: Begründen Sie, warum nicht.

2.1 Den Beobachter erreicht *kein* Licht.

2.2 Das Licht, das den Beobachter erreicht, hat die Intensität $2I_o/3$.

2.3 Das Licht, das den Beobachter erreicht, hat die Intensität $I_o/2$.

2.4 Das Licht, das den Beobachter erreicht, hat die Intensität $I_o/4$.

3. Unpolarisiertes rotes Licht fällt auf zwei identische schmale vertikale Spalte. Die Abbildung rechts zeigt einen Ausschnitt des Interferenzmusters, das auf einem weit entfernten Schirm erscheint.

Doppelspaltmuster mit *unpolariziertem* roten Licht

3.1 Geben Sie an, welche physikalischen Größen sich an den Orten der Minima zu Null addieren. („Die Lichtwellen von den beiden Spalten ergeben zusammen Null“ ist keine ausreichende Antwort.)

3.2 Ein Polarisator wird direkt vor die beiden Spalte gestellt, sodass das Licht vertikal polarisiert wird, bevor es durch die Spalte fällt. Es wird beobachtet, dass sich die Intensität überall auf dem Schirm halbiert.

Erklären Sie die Verringerung der Intensität der Interferenzmaxima.

3.3 Der Polarisator wird langsam um 360° gedreht. Dabei wird beobachtet, dass sich das Interferenzmuster auf dem Schirm nicht verändert.

Betrachten Sie die folgende *falsche* Vermutung:

„Wenn die Richtung des Polarisators horizontal ist, so vermute ich, dass kein Licht den Schirm erreicht. In diesem Fall wäre das Licht, das die Spalte erreicht, horizontal polarisiert und die vertikalen Spalte würden das Licht daher blockieren.“

Wo ist der Fehler in der Überlegung? Begründen Sie.

3.4 Nehmen Sie nun an, dass vor jedem der Spalte ein Polarisator platziert wird: Der eine Polarisator steht vertikal, der andere horizontal.

Gibt es dann immer noch Punkte auf dem Schirm, an denen die Intensität *gleich Null* ist? Begründen Sie, warum oder warum nicht.

TEIL XII

Übungen zu ausgewählten Themen der modernen Physik

ÜBERBLICK

1. Inertialsysteme

Ein Raumschiff fliegt in der Tiefe des Weltraums geradlinig an einer Raumstation vorbei, die sich relativ zum Zentrum der Galaxie in Ruhe befindet. Im Bezugssystem der Raumstation wird das Raumschiff dabei schneller. Im Innern des Raumschiffs ist ein Klotz mit dem Ende einer Federwaage verbunden, die an einer Wand befestigt ist. Es wird beobachtet, dass sich die Anzeige der Federwaage nicht verändert.

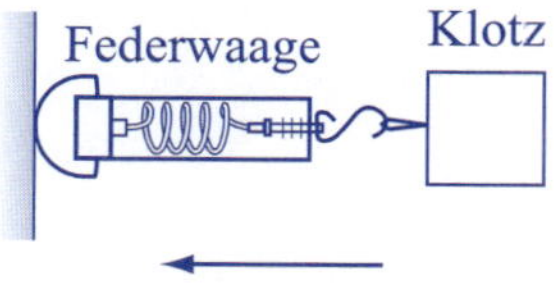

1.1 Arthur befindet sich in der *Raumstation* und ist relativ zu ihr in Ruhe.

a. Bestimmen Sie die Richtung der Beschleunigung des Klotzes in Arthurs Bezugssystem. Falls die Beschleunigung gleich Null ist, geben Sie dies ausdrücklich an. Begründen Sie.

b. Skizzieren Sie im Zeichenfeld rechts ein Freikörperbild für den Klotz in Arthurs Bezugssystem. Berücksichtigen Sie nur solche Kräfte, die Ausdruck einer tatsächlichen Wechselwirkung zwischen zwei Körpern sind, und geben Sie zu jeder Kraft die beiden Körper an, auf den bzw. von dem sie ausgeübt wird.

Freikörperbild für Klotz in Arthurs Bezugssystem

c. Vergleichen Sie die Richtung der resultierenden Kraft auf den Klotz mit der Richtung der Beschleunigung des Klotzes in Arthurs Bezugssystem.

1.2 Birgit befindet sich im *Raumschiff* und ist relativ zu ihm in Ruhe.

a. Bestimmen Sie die Richtung der Beschleunigung des Klotzes in Birgits Bezugssystem. Falls die Beschleunigung gleich Null ist, geben Sie dies ausdrücklich an. Begründen Sie.

b. Skizzieren Sie im Zeichenfeld rechts ein Freikörperbild für den Klotz in Birgits Bezugssystem. Berücksichtigen Sie nur solche Kräfte, die Ausdruck einer tatsächlichen Wechselwirkung zwischen zwei Körpern sind, und geben Sie zu jeder Kraft die beiden Körper an, auf den bzw. von dem sie ausgeübt wird.

Bestimmen Sie die Richtung der resultierenden Kraft auf den Klotz in Birgits Bezugssystem.

Freikörperbild für Klotz in Birgits Bezugssystem

1.3 Vergleichen Sie den Betrag der resultierenden Kraft auf den Klotz in Birgits Bezugssystem mit dem Betrag in Arthurs Bezugssystem? Begründen Sie Ihre Antwort.

Geben Sie die *Gesamtheit* aller möglichen Bezugssysteme an, in denen die resultierende Kraft auf den Klotz den gleichen Betrag hat wie in Arthurs Bezugssystem.

1.4 Arthur misst die Beschleunigung des Klotzes und stellt fest, dass diese gleich dem Verhältnis seiner resultierenden Kraft zu seiner Masse ist, dass also der Zusammenhang zwischen der resultierenden Kraft und der Bewegung des Klotzes dem zweiten Newton'schen Gesetz entspricht.

Geben Sie an, ob das zweite Newton'sche Gesetz auch in Birgits Bezugssystem die resultierende Kraft und die Beschleunigung des Klotzes richtig miteinander in Beziehung setzt. Begründen Sie.

1.5 In manchen Bezugssystemen haben die beobachtete resultierende Kraft auf einen Körper und seine Beschleunigung die gleiche Richtung. In anderen Bezugssystemen sind die resultierende Kraft und die Beschleunigung nicht in gleicher Weise miteinander verbunden.

In einem *Inertialsystem* ist die Beschleunigung eines Körpers *dann und nur dann* gleich Null, wenn die resultierende Kraft ebenfalls gleich Null ist. (Entsprechend muss in einem Inertialsystem die resultierende Kraft auf einen Körper ungleich Null sein, wenn seine Beschleunigung ungleich Null ist.)

Ist es möglich, dass Arthurs Bezugssystem ein Inertialsystem ist? Begründen Sie.

Ist es möglich, dass Birgits Bezugssystem ein Inertialsystem ist? Begründen Sie.

1.6 Zwei Studierende diskutieren über die oben beschriebene Situation.

Albert: ***„Man kann feststellen, dass Birgits Bezugssystem kein Inertialsystem ist, wenn man beobachtet, dass Birgit relativ zu Arthur beschleunigt wird."***

Milena: ***„Das erscheint mir richtig. Aber Arthur wird relativ zu Birgit beschleunigt. Heißt das nicht, dass sein Bezugssystem nicht inertial ist, aber ihres ein Inertialsystem ist? Das ist ja völlig widersprüchlich."***

Lösen Sie den von Milena wahrgenommenen Widerspruch auf.

2. Ereignisdiagramme

Ein Zug fährt mit konstanter Geschwindigkeit vom Betrag 6 m/s auf einer langen, geraden Strecke von Westen nach Osten. Der Zug ist zwölf Meter lang.

Arthur befindet sich relativ zur Bahnstrecke in Ruhe. Andreas, sein Assistent, ist ebenfalls relativ zur Strecke in Ruhe und steht zwölf Meter östlich von Arthur.

Die Ereignisse 1, 2 und 3 sind wie folgt definiert.

Ereignis 1: Die Spitze des Zuges befindet sich bei Arthur.

Ereignis 2: Die Spitze des Zuges befindet sich bei Andreas.

Ereignis 3: Das Ende des Zuges befindet sich bei Arthur.

2.1 Skizzieren Sie ein Ereignisdiagramm für Arthurs Bezugssystem für die beschriebene Situation. Kennzeichnen Sie darin die Orte und Zeitpunkte relevanter Ereignisse.

Ereignisdiagramm für Arthurs Bezugssystem

2.2 Zeichnen Sie in Ihrem Ereignisdiagramm eine Strecke ein, welche die Entfernung zwischen den Orten von Ereignis 1 und Ereignis 2 kennzeichnet. Geben Sie eine Interpretation der Länge dieser Strecke an.

2.3 Zeichnen Sie in Ihrem Ereignisdiagramm eine Strecke ein, welche die Entfernung zwischen den Orten von Ereignis 2 und Ereignis 3 kennzeichnet. Geben Sie eine Interpretation der Länge dieser Strecke an.

2.4 Angenommen, Sie sollten nun ein Ereignisdiagramm für Andreas' Bezugssystem zeichnen. Wie würde sich dieses von dem für Arthurs Bezugssystem unterscheiden? Begründen Sie.

1. Messung der Länge eines Raumschiffs

Ein Raumschiff bewegt sich mit (möglicherweise relativistischer) Geschwindigkeit v direkt auf Arthur zu, der sich auf einer Landebahn in Ruhe befindet. Die beiden Enden des Raumschiffs sind aus halb durchlässigen Spiegeln gefertigt. (Ein Teil des Lichts, das auf einen halb durchlässigen Spiegel trifft, wird reflektiert; ein Teil wird durchgelassen.)

Arthur schickt zum Zeitpunkt $t = 0$ ein kurzes Lichtsignal in Richtung auf das sich nähernde Raumschiff. Zu den Zeiten $t = t_{\text{vorn}}$ und $t = t_{\text{hinten}}$ empfängt er das reflektierte Licht vom vorderen bzw. hinteren Ende des Raumschiffs.

1.1 Skizzieren Sie im Zeichenfeld rechts ein Ereignisdiagramm, das alle relevanten Ereignisse in Arthurs Bezugssystem darstellt.

1.2 Bestimmen Sie die Länge des Raumschiffs in Arthurs Bezugssystem in Abhängigkeit von den gegebenen Größen. Verdeutlichen Sie Ihren Lösungsweg.

Ereignisdiagramm für Arthurs Bezugssystem

1.3 Begründen Sie, inwiefern Ihr Diagramm mit dem Ergebnis Ihrer Rechnung vereinbar ist.

1.4 Alexander, der sich an einer anderen Stelle auf der Landebahn in Ruhe befindet, misst ebenfalls die Zeiten, zu denen er die reflektierten Signale erhält.

- Erhält Alexander dabei denselben Zeitpunkt für den Empfang des Signals vom vorderen Ende des Raumschiffs wie Arthur? Begründen Sie.

- Erhält Alexander dasselbe Ergebnis für die Länge des Raumschiffs wie Arthur? Begründen Sie.

2. Messung der Entfernung zwischen zwei Explosionen

Eine gerade Straße ist 100 m lang. Ein Feuerwerkskörper explodiert am östlichen Ende der Straße; 15 Sekunden später explodiert ein weiterer Feuerwerkskörper am westlichen Ende der Straße. Ein Auto fährt auf der Straße von Westen nach Osten mit einer Geschwindigkeit von 20 m/s relativ zur Straße.

2.1 Skizzieren Sie in den nachfolgenden Zeichenfeldern Ereignisdiagramme für das Bezugssystem der Straße und für das Bezugssystem des Autos.

Ereignisdiagramm für Bezugssystem der Straße

2.2 Bestimmen Sie den Betrag der räumlichen Distanz der beiden Explosionen (d. h. die Entfernung zwischen dem Ort, an dem die eine Explosion stattfindet, und dem Ort, an dem die andere Explosion stattfindet):

- im Bezugssystem der Straße

Ereignisdiagramm für Bezugssystem des Autos

- im Bezugssystem des Autos

Begründen Sie Ihre Antworten.

3. Viererverktoren

Arthur steht neben einem langen, geraden Eisenbahngleis. Er hat mehrere synchronisierte Uhren entlang der Strecke angeordnet. Die Schwellen zwischen den Schienen sind im Abstand von jeweils einem Meter voneinander verlegt. Birgit befindet sich in einem Zug in Ruhe, der sich (relativ zum Gleis) mit konstanter Geschwindigkeit in positiver x-Richtung bewegt.

Ereignis 1 bezeichnet „Birgits Uhr zeigt $t = 0$ an“, Ereignis 2 „Birgits Uhr zeigt $t = 10\,\text{m}$“. (Eine Zeitdauer von einem Meter ist die Zeit, welche das Licht benötigt, um im Vakuum eine Strecke von einem Meter zurückzulegen.)

3.1 Der *Vierervektor des raum-zeitlichen Abstands* zwischen zwei Ereignissen 1 und 2 in Arthurs Bezugssystem wird mit $\delta\underline{x}_{12}^{(A)}$ bezeichnet. Die Komponenten von $\delta\underline{x}_{12}^{(A)}$ sind $(\delta t_{12}^{(A)}, \delta x_{12}^{(A)}, \delta y_{12}^{(A)}, \delta z_{12}^{(A)})$.

Beschreiben Sie, wie man die folgenden Komponenten von $\delta\underline{x}_{12}^{(A)}$ messen kann. Sofern Ihre Beschreibung Maßstäbe oder Uhren einbezieht, geben Sie genau an, welche Maßstäbe und Uhren Sie meinen:

a. die x-Komponente, $\delta x_{12}^{(A)}$

b. die t-Komponente, $\delta t_{12}^{(A)}$

3.2 Bestimmen Sie die Werte aller vier Komponenten von $\delta\underline{x}_{12}^{(B)}$.

3.3 Der Betrag des Vierervektors des raum-zeitlichen Abstands zwischen den beiden Ereignissen wird auch als *Raum-Zeit-Intervall* zwischen diesen Ereignissen bezeichnet.

a. Stellen Sie den Betrag von $\delta\underline{x}_{12}^{(A)}$ als Funktion seiner Komponenten $(\delta t_{12}^{(A)}, \delta x_{12}^{(A)}, \delta y_{12}^{(A)}, \delta z_{12}^{(A)})$ dar.

b. Ordnen Sie die folgenden Größen nach ihrem Betrag: $\delta\underline{x}_{12}^{(B)}$, $\delta\underline{x}_{12}^{(A)}$, $\delta t_{12}^{(A)}$, $\delta x_{12}^{(A)}$, 10 m. Begründen Sie genau Ihre Überlegungen.

1. Längenkontraktion

Im Tutorial befindet sich Arthur in Ruhe neben einer geraden Bahnstrecke. Birgit befindet sich in der Mitte eines Zuges, der sich mit relativistischer Geschwindigkeit relativ zu Arthur bewegt. (Sie ist relativ zum Zug in Ruhe.) Zwischen dem vorderen Ende (V) und dem Gleis und zwischen dem hinteren Ende (H) und dem Gleis springen jeweils Funken über, die am Zug und auf dem Gleis Markierungen hinterlassen.

Ein langer gerader Stab liegt parallel zum Gleis auf dem Erdboden. Das eine Ende des Stabes befindet sich neben der vorderen Markierung am Gleis, das andere Ende neben der hinteren Markierung am Gleis.

Im Tutorial haben Sie festgestellt, dass in Arthurs Bezugssystem beide Funken (V und H) zum gleichen Zeitpunkt überspringen. Die Abbildung rechts zeigt den Zug in Arthurs Bezugssystem zu diesem Zeitpunkt.

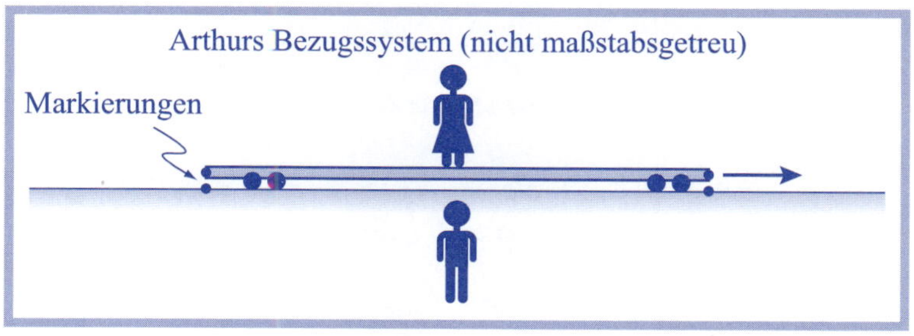

1.1 Ist die Länge des Stabes in Arthurs Bezugssystem, $d^{(A)}$, *größer, kleiner* oder *gleich* der Länge des Zuges in Arthurs Bezugssystem, $L^{(A)}$? Begründen Sie.

1.2 Erinnern Sie sich, dass in Birgits Bezugssystem Funke V vor Funke H überspringt. Die Abbildung rechts zeigt Birgit und das Gleis in Birgits Bezugssystem zweimal: oben zum Zeitpunkt von Funke V; unten zum Zeitpunkt von Funke H.

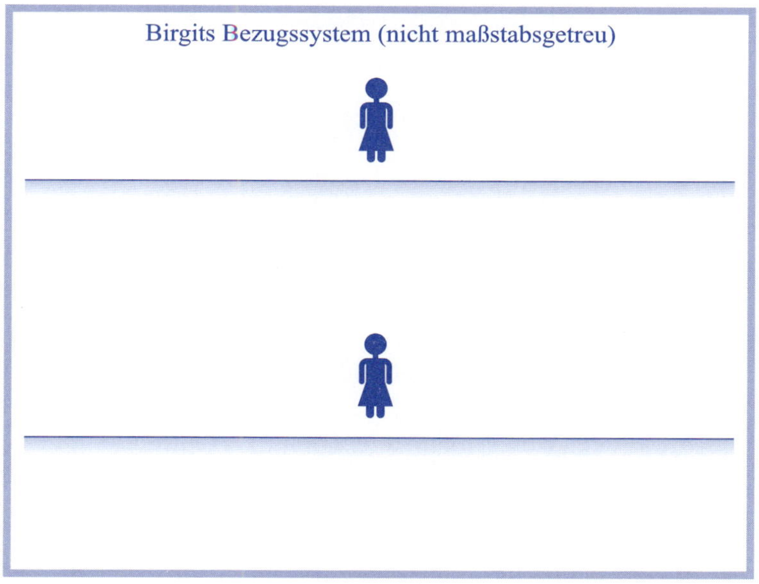

Vervollständigen Sie die Abbildungen, indem Sie den Zug, Arthur, den Stab und die zum jeweiligen Zeitpunkt vorhandenen Markierungen einzeichnen.

Überprüfen Sie ob Ihr Bild mit der Tatsache vereinbar ist, dass Arthur von den beiden Markierungen auf dem Gleis gleich weit entfernt ist.

1.3 Fährt Arthur in Birgits Bezugssystem an Birgit vorbei, *bevor, nachdem* oder *zur gleichen Zeit als* Funke V überspringt? Begründen Sie.

1.4 Ist die Länge des Stabs in Birgits Bezugssystem, $d^{(B)}$, *größer*, *kleiner* oder *gleich* der Länge des Zugs in Birgits Bezugssystem, $L^{(B)}$? Begründen Sie.

1.5 Betrachten Sie die folgende Diskussion zwischen zwei Studierenden.

Marietta: *„In Birgits Bezugssystem ist der Stab kürzer als der Zug, weil die Länge des Stabes gleich der kontrahierten Länge des Zuges ist. Wenn der Zug also in Birgits Bezugssystem 10 m lang ist, dann ist der Stab zum Beispiel 8 m lang. Dann wäre die Länge des Zugs in Arthurs Bezugssystem auch 8 m."*

Yvonne: *„Wenn die Länge des Zugs kontrahiert wird, wenn er sich bewegt, dann sollte die Länge des Stabs auch kontrahiert werden, wenn er sich bewegt. Wenn die Länge des Stabes in Arthurs Bezugssystem 8 m beträgt, ist seine Länge in Birgits Bezugssystem geringer als 8 m."*

Stimmen Sie einer der Aussagen zu? Begründen Sie.

1.6 Die Länge des Zugs in Birgits Bezugssystem beträgt 10 m ($L^{(B)} = 10\,\text{m}$).

a. Welcher der folgenden Werte könnte der Länge des Stabs in Birgits Bezugssystem entsprechen? Wählen Sie eine der Antwortmöglichkeiten aus und begründen Sie.

- $d^{(B)} = 6{,}4\,\text{m}$
- $d^{(B)} = 8\,\text{m}$
- $d^{(B)} = 10\,\text{m}$
- $d^{(B)} = 12{,}5\,\text{m}$

b. Welcher der folgenden Werte kann der Länge des Stabs in Arthurs Bezugssystem entsprechen? Wählen Sie eine der Antworten aus und begründen Sie.

- $d^{(A)} = 6{,}4\,\text{m}$
- $d^{(A)} = 8\,\text{m}$
- $d^{(A)} = 10\,\text{m}$
- $d^{(A)} = 12{,}5\,\text{m}$

c. Welcher der folgenden Werte kann der Länge des Zugs in Arthurs Bezugssystem entsprechen? Wählen Sie eine der Antworten aus und begründen Sie.

- $L^{(A)} = 6{,}4\,\text{m}$
- $L^{(A)} = 8\,\text{m}$
- $L^{(A)} = 10\,\text{m}$
- $L^{(A)} = 12{,}5\,\text{m}$

1.7 Überprüfen Sie ob Ihre Ergebnisse in Teil 1.6 mit Ihrer Antwort bezüglich der Diskussion der Studierenden in Teil 1.5 vereinbar sind.

Das Phänomen, dass die gemessene Länge eines Gegenstandes in dem Bezugssystem, in dem dieser sich in Ruhe befindet, größer ist als in einem Bezugssystem, in dem er sich bewegt, wird als *Längenkontraktion* (oder auch *Lorentz-Kontraktion*) bezeichnet.

2. Gleichzeitigkeit, Ereignisdiagramme und Lorentz-Transformation

Im Tutorial steht Arthur neben einem langen geraden Eisenbahngleis. Birgit befindet sich in der Mitte eines Zuges in Ruhe, der sich mit relativistischer Geschwindigkeit relativ zu Arthur bewegt. Zwischen dem vorderen Ende (V) und dem Gleis, und zwischen dem hinteren Ende (H) und dem Gleis springen jeweils Funken über, die am Zug und auf dem Gleis Markierungen hinterlassen.

2.1 Stellen Sie in je einem Ereignisdiagramm für Arthurs und für Birgits Bezugssystem die folgenden Ereignisse dar:

Ereignis 1: Funke V springt über.

Ereignis 2: Arthur und Birgit bewegen sich aneinander vorbei.

Ereignis 3: Funke H springt über.

Zeichnen Sie in Ihre Diagramme Arthur, Birgit, den Zug, die Wellenfronten und die beiden Markierungspaare ein.

Ereignisdiagramm für Arthurs Bezugssystem	Ereignisdiagramm für Birgits Bezugssystem

2.2 Die Geschwindigkeit und die Länge des Zuges in Arthurs Bezugssystem sollen mit v_o bzw. $L^{(A)}$ bezeichnet werden. Ereignis 2 findet am Ort $x_2^{(A)} = 0$ und zum Zeitpunkt $t_2^{(A)} = 0$ statt.

a. Bestimmen Sie die Orte und Zeitpunkte der Ereignisse 1 und 3 in Arthurs Bezugssystem mithilfe des entsprechenden Ereignisdiagramms. Begründen Sie.

Ereignis 1	$t_1^{(A)} =$	$x_1^{(A)} =$
Ereignis 2	$t_2^{(A)} = 0$	$x_2^{(A)} = 0$
Ereignis 3	$t_3^{(A)} =$	$x_3^{(A)} =$

b. Bestimmen Sie die Orte und Zeitpunkte der Ereignisse 1 bis 3 in Birgits Bezugssystem mithilfe der Lorentz-Transformation. Geben Sie Ihren Lösungsweg an.

Ereignis 1	$t_1^{(B)} =$	$x_1^{(B)} =$
Ereignis 2	$t_2^{(B)} = 0$	$x_2^{(B)} = 0$
Ereignis 3	$t_3^{(B)} =$	$x_3^{(B)} =$

c. Erklären Sie, wie die zeitliche Abfolge der Ereignisse 1 bis 3 in Birgits Bezugssystem, die Sie in Teil 2.2.b bestimmt haben, mit dem Ereignisdiagramm in Birgits Bezugssystem vereinbar ist.

d. Alex befindet sich einige Zuglängen rechts von Arthur auf dem Gleis und ist relativ zu diesem in Ruhe. Mit „Ereignis 4" wird der Vorgang „Alex klatscht" bezeichnet. In Arthurs Bezugssystem findet Ereignis 4 gleichzeitig mit Ereignis 1 statt.

Findet Ereignis 4 in Birgits Bezugssystem *vor, nach* oder *gleichzeitig mit* Ereignis 1 statt? Begründen Sie Ihre Antwort.

2.3 In einem Bezugssystem F finden die Ereignisse P und Q gleichzeitig statt. Darüber hinaus gilt $x_P^{(F)} < x_Q^{(F)}$. Verallgemeinern Sie Ihre obigen Antworten bei der Beantwortung der folgenden Fragen. (Betrachten Sie dabei nur die Bewegung in einer Dimension.)

a. Angenommen, ein Bezugssystem bewegt sich mit positiver Geschwindigkeit relativ zu Bezugssystem F. Welche zeitliche Abfolge haben die Ereignisse P und Q in diesem Bezugssystem? Begründen Sie.

b. Angenommen, ein Bezugssystem bewegt sich mit negativer Geschwindigkeit relativ zu Bezugssystem F. Welche zeitliche Abfolge haben die Ereignisse P und Q in diesem Bezugssystem? Begründen Sie.

c. Betrachten Sie nun den Fall, dass P und Q im Bezugssystem F wiederum gleichzeitig stattfinden, aber nun $x_P^{(F)} = x_Q^{(F)}$ gilt. Welche zeitliche Abfolge haben die Ereignisse P und Q in jedem anderen Bezugssystem? Begründen Sie.

1. Betrachten Sie das im Tutorial beschriebene Doppelspaltexperiment mit Elektronen. Rechts ist ein Ausschnitt des Musters abgebildet, das auf einem weit entfernten Schirm zu sehen ist.

Nehmen Sie an, dass dieses Experiment mit Myonen wiederholt wird, welche die gleiche kinetische Energie haben wie die Elektronen zuvor. (Beachten Sie: $m_\mu \approx 200 m_e$)

Muster auf dem Leuchtschirm

1.1 Ist der Impuls eines Myons *größer, kleiner* oder *gleich* dem Impuls eines Elektrons? Begründen Sie Ihre Antwort.

1.2 Ist die de-Broglie-Wellenlänge der Myonen *größer, kleiner* oder *gleich* der de-Broglie-Wellenlänge der Elektronen? Begründen Sie Ihre Antwort.

1.3 Liegen die hellen Bereiche auf dem Schirm beim Experiment mit Myonen *näher zusammen, weiter auseinander* oder *an den gleichen Stellen* wie beim Experiment mit Elektronen? Begründen Sie Ihre Antwort.

1.4 Betrachten Sie die Aussage eines Studenten:

„Myonen haben eine größere Masse als Elektronen, aber da die Energie E mit der Wellenlänge über $E = hc/\lambda$ verknüpft ist und die Myonen die gleiche kinetische Energie haben wie die Elektronen, werden sie auch die gleiche Wellenlänge haben."

Stimmen Sie der Aussage zu oder nicht? Begründen Sie Ihre Antwort.

1. Die beiden Diagramme in den Teilen 1.1 und 1.2 zeigen jeweils den I,U-Graphen für ein Experiment zum photoelektrischen Effekt mit Aluminium-Elektroden (Austrittsarbeit $W_{\text{Al}} = 4{,}2\,\text{eV}$) und einer Lichtquelle der Wellenlänge 175 nm.

1.1 Änderung der Wellenlänge des einfallenden Lichts

a. Die Wellenlänge des eingestrahlten Lichts wird nun auf 150 nm verringert.

Skizzieren und kennzeichnen Sie rechts den I,U-Graphen für das so veränderte Experiment. Ihr Graph sollte deutlich machen, ob (und ggf. wie) die maximale Gegenspannung und der Maximalstrom verändert sind.

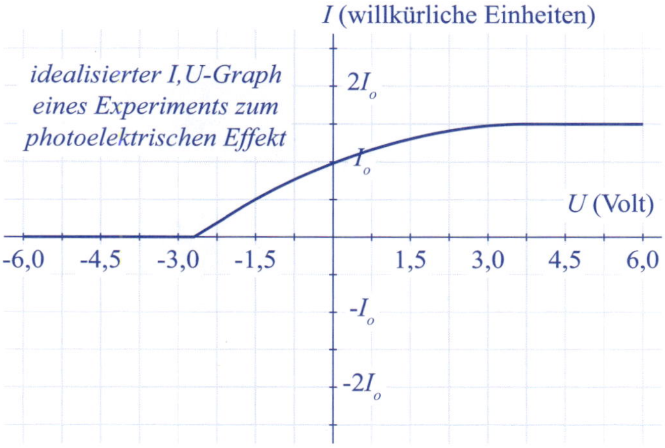

b. Die Wellenlänge wird auf 400 nm erhöht.

Skizzieren und kennzeichnen Sie den Graphen für das veränderte Experiment.

1.2 Änderung der Intensität des einfallenden Lichts

a. Verändert eine Erhöhung der Intensität des einfallenden Lichts die Energie der einzelnen ankommenden Photonen? (Das Licht hat die gleiche Wellenlänge wie im ursprünglichen Experiment.) Begründen Sie.

b. Verändert eine Erhöhung der Intensität den Strom? Begründen Sie. (*Hinweis:* Betrachten Sie hierzu die Anzahl der Elektronen, die pro Sekunde emittiert werden.)

c. Skizzieren Sie im Diagramm rechts den Graphen für ein Experiment, in welchem die Intensität größer als im ursprünglichen Experiment ist.

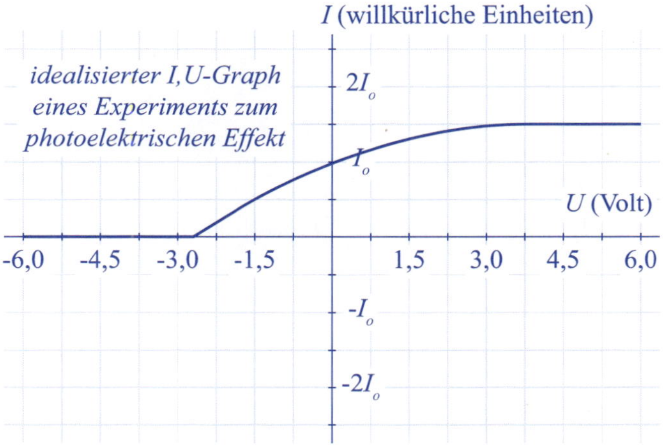

1.3 Änderung der Elektroden

a. Es werden nun Elektroden aus Kupfer verwendet (mit $W_{Cu} = 4{,}65\,\text{eV}$). Ist die maximale kinetische Energie, mit der ein Elektron von der Kupfer-Elektrode emittiert werden kann, *größer, kleiner* oder *gleich* der bei Verwendung einer Aluminium-Elektrode? (Das Licht hat die gleiche Wellenlänge und Intensität wie im ursprünglichen Experiment.) Begründen Sie.

b. Die Wellenlänge des einfallenden Lichts soll nun auf 400 nm erhöht werden (bei gleicher Intensität wie im ursprünglichen Experiment). Aus welchen Materialien können die Elektroden bestehen, damit bei diesem Experiment ein Strom fließt? Wählen Sie alle Möglichkeiten aus der nebenstehenden Tabelle der Austrittsarbeiten verschiedener Metalle aus.

Metall	W (in eV)
K (Kalium)	2,30
Na (Natrium)	2,75
Al (Aluminium)	4,28
Cu (Kupfer)	4,65
Fe (Eisen)	4,70
Ag (Silber)	4,73
Au (Gold)	5,10

2. Die beiden Aussagen unten beziehen sich auf ein Experiment zum photoelektrischen Effekt mit dem im Tutorial beschriebenen Aufbau. Beide sind zumindest teilweise falsch. Beschreiben Sie die Fehler in den beiden Aussagen. Begründen Sie Ihre Antworten. (Nehmen Sie an, dass sowohl Frequenz, Wellenlänge und Intensität des Lichts als auch das Material der Elektroden beliebig verändert werden können.)

2.1 *„Die Intensität ist nicht in der Gleichung ‚$E_{Photon} = W + E_{kin,max}$' enthalten. Eine Änderung der Intensität hat also keinen Einfluss auf den Strom."*

2.2 *„Wenn kein Strom fließt, lässt sich durch Erhöhen der Frequenz mindestens ein gewisser Strom erzielen. Wenn bereits Strom fließt, führt eine Erhöhung der Frequenz zu einem maximalen Strom."*

1. Doppelspaltexperiment mit makroskopischen Körpern

1.1 Betrachten Sie ein Experiment, in dem kleine Kügelchen von einer Vorrichtung in zufällig ausgewählte Richtungen geschossen werden (siehe Abbildung). An der Wand rechts im Bild werden die Kügelchen in aneinander gereihten kleinen Fächern aufgefangen.

Welche Verteilung der Kügelchen auf die Fächer erwarten Sie, wenn das Experiment eine genügend lange Zeit durchgeführt wird? Begründen Sie.

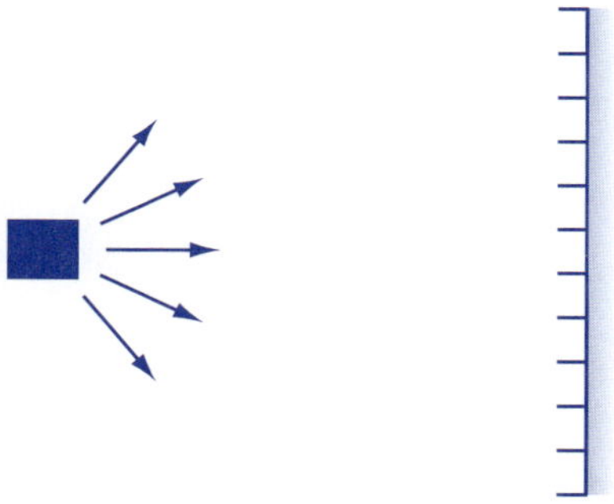

Abbildung nicht maßstabsgetreu

1.2 Nun wird eine Doppelspaltblende zwischen die Vorrichtung und die Wand gestellt. Drei Experimente werden jeweils für gleiche Zeitintervalle durchgeführt. Am Ende jedes Experiments wird die Anzahl der Kügelchen in jedem Fach gezählt. (Die Fächer werden zwischen den einzelnen Experimenten entleert.)

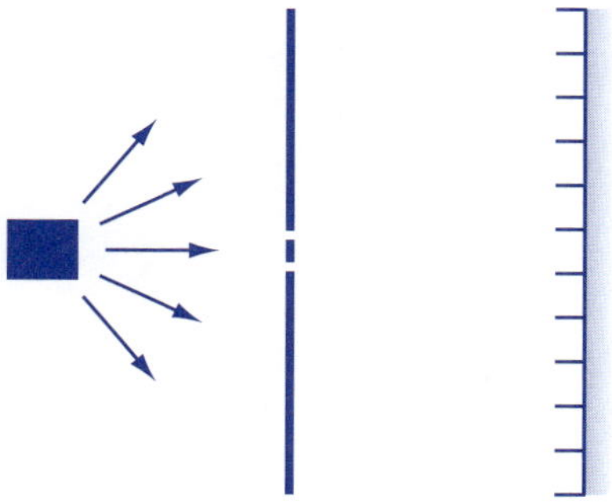

Abbildung nicht maßstabsgetreu

Experiment 1: Beide Spalte sind geöffnet.

Experiment 2: Der rechte Spalt ist abgedeckt, der linke geöffnet.

Experiment 3: Der linke Spalt ist abgedeckt, der rechte geöffnet.

Skizzieren Sie im Diagramm rechts jeweils einen Graph für die Anzahl der Kügelchen, die Sie in den drei Experimenten in den einzelnen Fächern erwarten, als Funktion der Ortskoordinate des jeweiligen Fachs. Begründen Sie Ihre Antworten.

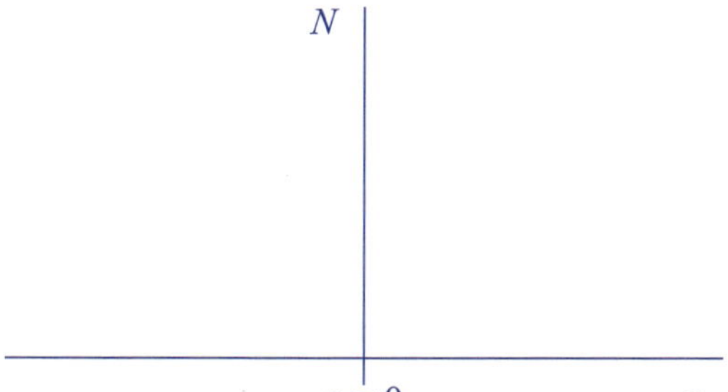

1.3 Entspricht die Verteilung der Kügelchen, die sich ergibt, wenn beide Spalte geöffnet sind (Experiment 1), derjenigen, die Sie erhalten, wenn Sie die entsprechenden Graphen in den Experimenten 2 und 3 addieren?

Diskutieren Sie die Unterschiede, die man beobachtet, wenn man ein Doppelspaltexperiment mit Kügelchen und mit Elektronen durchführt. Erwähnen Sie dabei insbesondere, was passiert, wenn (a) beide Spalte geöffnet sind bzw. (b) wenn nur einer der Spalte geöffnet ist.

Bildnachweis

Seite 153: Quelle: *Physics by Inquiry* by Lillian C. McDermott and the Physics Education Group. © 1996 by John Wiley & Sons, Inc. Nachdruck genehmigt.

Seite 154: Quelle: *Physics by Inquiry* by Lillian C. McDermott and the Physics Education Group. © 1996 by John Wiley & Sons, Inc. Nachdruck genehmigt.

Seite 195: Quelle: *Physics by Inquiry* by Lillian C. McDermott and the Physics Education Group. © 1996 by John Wiley & Sons, Inc. Nachdruck genehmigt.

Seite 208: Quelle: *PSSC Physics* by Uri Haber-Schaim, Judson B. Cross, John H. Dodge, and James A.Walter. © 1971 and 1976 by Education Development Center, Inc. Nachdruck genehmigt.

Seite 209: Quelle: *PSSC Physics* by Uri Haber-Schaim, Judson B. Cross, John H. Dodge, and James A.Walter. © 1971 and 1976 by Education Development Center, Inc. Nachdruck genehmigt.

Seite 210: Quelle: *PSSC Physics* by Uri Haber-Schaim, Judson B. Cross, John H. Dodge, and James A.Walter. © 1971 and 1976 by Education Development Center, Inc. Nachdruck genehmigt.

Seite 212: Quelle: *PSSC Physics* by Uri Haber-Schaim, Judson B. Cross, John H. Dodge, and James A.Walter. © 1971 and 1976 by Education Development Center, Inc. Nachdruck genehmigt.

Seite 214: Quelle: *PSSC Physics* by Uri Haber-Schaim, Judson B. Cross, John H. Dodge, and James A.Walter. © 1971 and 1976 by Education Development Center, Inc. Nachdruck genehmigt.

Seite 231: Quelle: *Physics by Inquiry* by Lillian C. McDermott and the Physics Education Group. © 1996 by John Wiley & Sons, Inc. Nachdruck genehmigt.

Seite 243: Quelle: *Physics by Inquiry* by Lillian C. McDermott and the Physics Education Group. © 1996 by John Wiley & Sons, Inc. Nachdruck genehmigt.

Seite 244: Quelle: *Physics by Inquiry* by Lillian C. McDermott and the Physics Education Group. © 1996 by John Wiley & Sons, Inc. Nachdruck genehmigt.

Seite 250: Quelle: *Physics by Inquiry* by Lillian C. McDermott and the Physics Education Group. © 1996 by John Wiley & Sons, Inc. Nachdruck genehmigt.

Seite 480: Quelle: *Physics by Inquiry* by Lillian C. McDermott and the Physics Education Group. © 1996 by John Wiley & Sons, Inc. Nachdruck genehmigt.

Seite 483: Quelle:*Physics by Inquiry* by Lillian C. McDermott and the Physics Education Group. © 1996 by John Wiley & Sons, Inc. Nachdruck genehmigt.